CB017241

O LIVRO DAS RELIGIÕES

O LIVRO DAS RELIGIÕES

GLOBO LIVROS

LONDRES, NOVA YORK, MELBOURNE, MUNIQUE E NOVA DÉLI

GLOBOLIVROS

DK LONDRES

EDITORES SENIORES
Gareth Jones, Georgina Palffy

EDITOR DE ARTE
Katie Cavanagh

EDITOR DE PRODUÇÃO
Lucy Sims

CONTROLADOR DE PRODUÇÃO
Mandy Inness

EDITOR DA CAPA
Manisha Majithia

DESIGNER DA CAPA
Laura Brim

GERENTE DE DESENVOLVIMENTO DE DESIGN DE CAPA
Sophia MTT

GERENTE EDITORIAL
Stephanie Farrow

GERENTE EDITORIAL DE ARTE
Lee Griffiths

ILUSTRAÇÕES
James Graham

original styling by

STUDIO8 DESIGN

EDITORA GLOBO

EDITORA RESPONSÁVEL
Camila Werner

EDITORES ASSISTENTES
Sarah Czapski Simoni
Lucas de Sena Lima

TRADUÇÃO
Bruno Alexander

REVISÃO TÉCNICA
José Freitas Neto

CONSULTORIA
Marcello Muscari
José Alves

REVISÃO DE TEXTO
Laila Guilherme
Jane Pessoa

EDITORAÇÃO ELETRÔNICA
Duligraf Produção Gráfica Ltda.

Editora Globo S/A
Rua Marquês de Pombal, 25 – 20.230-240
Rio de Janeiro – RJ – Brasil
www.globolivros.com.br

Texto fixado conforme as regras do Novo Acordo Ortográfico da Língua Portuguesa (Decreto Legislativo nº 54, de 1995)

Título original: *The Religions Book*

2ª edição, 2016 – 8ª reimpressão, 2024
Impressão e acabamento: COAN

CIP-BRASIL. CATALOGAÇÃO NA PUBLICAÇÃO
SINDICATO NACIONAL DOS EDITORES DE LIVROS, RJ

L762

O livro das religiões / [editora Camila Werner] ; [tradução Bruno Alexander]. - [2. ed.]
- São Paulo : Globo Livros, 2016.
il.

Tradução de: The religions book
ISBN 978-85-250-6247-5

1. Religião - Filosofia. 2. Religiões. 3. Seitas. I. Werner, Camila. II. Alexandre, Bruno.
III. Título.

16-31684

CDD: 210
CDU: 21

COLABORADORES

SHULAMIT AMBALU

A rabina Shulamit Ambalu estudou na Leo Baeck College, Londres, onde foi ordenada em 2004, e hoje leciona literatura rabínica.

MICHAEL COOGAN

Um dos principais estudiosos bíblicos dos Estados Unidos, Michael Coogan é diretor de publicações do Harvard Semitic Museum e professor assistente de Antigo Testamento/Bíblia hebraica na Harvard Divinity School. Entre seus diversos trabalhos, destacam-se The Old Testament: A historical and literary introduction e The illustrated guide to world religions.

EVE LEVAVI FEINSTEIN

Dra. Eve Levavi Feinstein é escritora, editora e tutora em Palo Alto, Califórnia. Ph.D em Bíblia hebraica pela Harvard University, Eve é autora de Sexual pollution in the Hebrew Bible, além de diversos artigos para a Jewish Ideas Daily e outras publicações.

PAUL FREEDMAN

O rabino Paul Freedman estudou física na Bristol University e pedagogia em Cambridge. Seguindo a carreira de professor, recebeu ordenação rabínica e obteve o mestrado em estudos hebraicos e judaicos na Leo Baeck College, Londres.

NEIL PHILIP

Neil Philip é autor de diversos livros sobre mitologia e folclore, incluindo o Companion guide to mythology (com Philip Wilkinson), editado pela Dorling Kindersley, The great mystery: Myths of native America e o Penguin book of english folktales. Dr. Philip estudou nas universidades de Oxford e Londres, e atualmente trabalha como escritor e professor autônomo.

ANDREW STOBART

O reverendo dr. Andrew Stobart, ministro metodista, fez doutorado em teologia cristã na London School of Theology e nas universidades de Aberdeen e Durham. Lecionou e escreveu sobre teologia, história da Igreja e a Bíblia, contribuindo para o livro The illustrated Bible, editado pela Dorling Kindersley.

MEL THOMPSON

Dr. Mel Thompson, Ph.D, foi professor e especialista em estudos religiosos e hoje escreve sobre filosofia, religião e ética. Autor de mais de trinta livros, entre eles Understand eastern philosophy, Thompson tem um blog sobre questões de crenças religiosas e administra o site "Philosophy and Ethics". www.philosophyandethics.com

CHARLES TIESZEN

Dr. Charles Tieszen concluiu o doutorado pela University of Birmingham, concentrando-se nos encontros medievais entre muçulmanos e cristãos. Atualmente, trabalha como pesquisador e professor assistente na área de estudos islâmicos, com especialização em islamismo, relações cristãos/muçulmanos e liberdade religiosa.

MARCUS WEEKS

Escritor e músico, Marcus Weeks estudou filosofia e trabalhou como professor antes de embarcar na carreira de escritor. Já colaborou em muitos livros de arte, ciências populares e ideias, entre eles O livro da filosofia, editado pela Editora Globo.

SUMÁRIO

HINDUÍSMO
A PARTIR DE 1700 A.C.

BUDISMO
A PARTIR DO SÉCULO VI A.C.

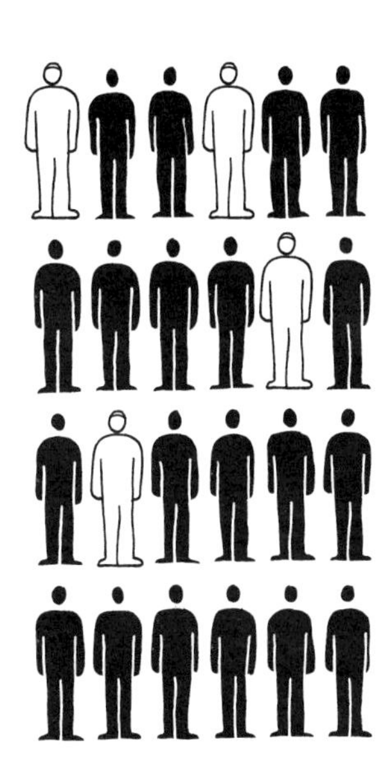

JUDAÍSMO
A PARTIR DE 2000 A.C.

CRISTIANISMO
A PARTIR DO SÉCULO I D.C.

ISLAMISMO
A PARTIR DE 610 D.C.

RELIGIÕES MODERNAS
A PARTIR DO SÉCULO XV

INTRODU

ÇÃO

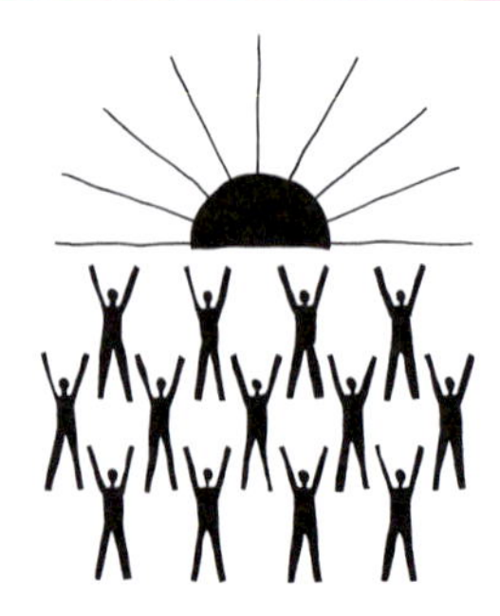

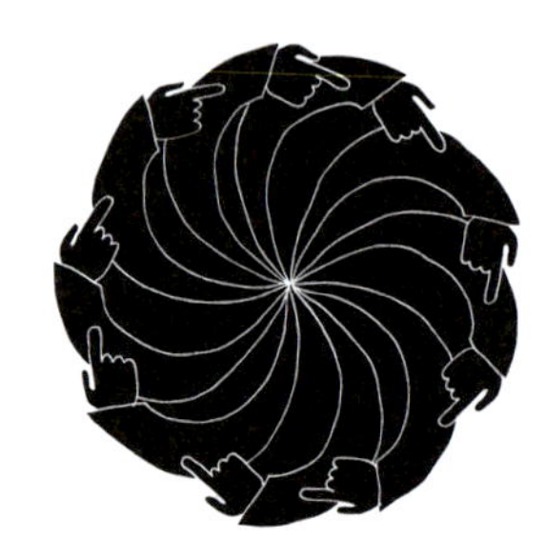

Não existe uma definição simples de religião que expresse todas as suas dimensões. Abrangendo elementos espirituais, pessoais e sociais, é um fenômeno que aparece em todas as culturas, desde a Pré-História até os dias atuais, conforme evidenciado nas pinturas das cavernas, nos costumes funerários de nossos ancestrais distantes e na contínua busca por um objetivo espiritual na vida.

No período Paleolítico e em grande parte da história humana, a religião serviu como forma de compreender os fenômenos naturais e exercer influência sobre eles. Assuntos como tempo, estações, vida, morte, criação, vida após a morte e a estrutura do cosmos estavam sujeitos a explicações religiosas que evocavam deuses controladores ou um plano da realidade fora do âmbito visível, habitado por divindades e criaturas místicas. A religião era um modo de se comunicar com esses deuses por meio de rituais e rezas, e essas práticas, quando compartilhadas por membros de uma comunidade, ajudaram a consolidar grupos sociais, reforçar hierarquias e criar um sentido de identidade coletiva.

Quando as sociedades se tornaram mais complexas, os sistemas de crença acompanharam essa evolução, e a religião passou a ser usada, cada vez mais, como ferramenta política. Conquistas militares costumavam preceder a assimilação do panteão dos derrotados por parte dos vencedores; reinados e impérios eram apoiados por suas deidades e classes sacerdotais.

Um deus pessoal

A religião atendia a grande parte das necessidades dos primeiros povos, oferecendo modelos para organizar a vida – por meio de ritos, rituais e tabus –, além de servir como base para a compreensão de seu lugar no mundo. Poderia a religião, portanto, ser explicada como um mero artefato social? Muitos afirmariam que é muito mais que isso. Ao longo dos séculos, as pessoas desafiaram posições contrárias à sua fé, sofrendo perseguição e morte para defender o direito de cultuar seu(s) deus(es). E até hoje, numa era mais materialista do que nunca, mais de três quartos da população mundial admite possuir algum tipo de credo religioso. Pelo que se vê, a religião é uma parte necessária da existência humana, tão importante para a vida quanto a própria linguagem. Seja como experiência pessoal – a consciência interna do divino – ou como forma de encontrar significado e sentido na vida e servir como ponto de partida para qualquer empreendimento, a religião parece ser fundamental tanto no nível pessoal quanto no social.

Primórdios

Sabemos sobre as religiões das primeiras sociedades pelas relíquias deixadas e pela história de civilizações recentes. Além disso, algumas tribos isoladas em lugares remotos, como a floresta amazônica na América do Sul, as ilhas indonésias e parte da África, ainda praticam religiões aparentemente inalteradas há milênios. Os praticantes dessas religiões ancestrais, de um modo geral, creem na união entre a natureza e o espírito, vinculando inextricavelmente o indivíduo a seu meio. Com a evolução das primeiras religiões, suas cerimônias e sua cosmologia se

Todo homem tem necessidade de deuses.
Homero

tornaram cada vez mais sofisticadas. As religiões primitivas dos povos nômades e seminômades da Pré-História deram lugar às religiões das civilizações antigas e, posteriormente, das civilizações clássicas. Seus credos são vistos com certo desprezo hoje em dia, considerados "mitologia", mas muitos elementos dessas tradições narrativas milenares permanecem presentes nos credos atuais. Religiões foram adaptadas, antigos credos foram absorvidos pela religião da sociedade que as sucedeu e novos credos surgiram, com diferentes observâncias e rituais.

Do antigo para o moderno

É difícil precisar o momento em que muitas religiões começaram, sobretudo porque suas raízes estão na Pré-História e as fontes que descrevem suas origens datam de períodos muito menos remotos. No entanto, a religião considerada como a mais antiga ainda existente é o hinduísmo, com raízes nas religiões tradicionais do subcontinente indiano e compilada nos escritos dos Vedas, do século XIII a.C. Dessa tradição védica vieram não somente a religião pluralista que conhecemos hoje como hinduísmo, mas o jainismo, o budismo e, mais tarde, o sikhismo, no século XV.

Enquanto isso, outros sistemas de crença se desenvolviam no Oriente. A partir do século XVII a.C., as dinastias chinesas estabeleceram seus estados e impérios, onde surgiram religiões populares e uma devoção ancestral, que mais tarde foi incorporada nos sistemas de crença mais filosóficos do taoismo e do confucionismo.

No Mediterrâneo Oriental, religiões egípcias e babilônicas ainda eram praticadas quando as novas cidades-estado da Grécia e de Roma desenvolveram suas próprias mitologias e seus panteões. Mais para o Leste, o zoroastrismo – a primeira grande religião monoteísta conhecida – já havia se estabelecido na Pérsia, e o judaísmo surgiu como a primeira religião abraâmica, seguido pelo cristianismo e pelo islamismo.

Muitas religiões reconhecem a importância específica de um ou mais indivíduos como fundadores de seu credo, como personificação de Deus (Jesus e Krishna) ou receptor de uma revelação divina especial (Moisés e Maomé).

As religiões do mundo moderno continuaram a evoluir junto com os avanços da sociedade, mesmo com certa relutância, e geralmente se ramificaram. Algumas religiões aparentemente novas despontaram, sobretudo nos séculos XIX e XX, mas com características evidentes de credos anteriores.

Elementos da religião

A história humana testemunhou a ascensão e a queda de inúmeras religiões, cada uma com seus próprios credos, rituais e mitologia. Embora algumas sejam similares e consideradas ramificações de uma tradição maior, existem muitos sistemas de crença conflitantes e contraditórios.

Algumas religiões, por exemplo, têm uma série de deuses, enquanto outras, especialmente as mais modernas, são monoteístas; e existem grandes diferenças de opinião entre as religiões no tocante

Não há sentido em disfarçar o fato de que nossas necessidades religiosas são as mais profundas. Não teremos paz enquanto elas não forem atendidas.

Isaac Hecker, padre católico

a questões como vida após a morte. Podemos, contudo, identificar certos elementos comuns a quase todas as religiões, de modo a examinar semelhanças e diferenças entre elas. Esses elementos – a maneira como os credos e as práticas de uma religião se manifestam – são o que o escritor e filósofo britânico Ninian Smart, especializado em religiões, chamou de "dimensões da religião".

Talvez os elementos mais óbvios para identificar e comparar religiões sejam as observâncias do credo, incluindo rezas, peregrinações, meditação, jejum, vestimenta e, claro, cerimônias e rituais. Outro ponto a considerar são os aspectos físicos, artefatos, relíquias, lugares de adoração e locais sagrados. Há também um aspecto mais subjetivo: os elementos místicos e emocionais e como um observante vivencia a religião para alcançar o nirvana, a iluminação ou a paz interior, por exemplo, ou ainda para estabelecer um relacionamento pessoal com o divino.

Outras características da maioria das religiões são os mitos fundadores, ou narrativas, que as acompanham. Isso pode ser uma simples tradição oral de histórias ou um conjunto mais sofisticado de escrituras, mas, em geral, inclui a história da criação e os relatos de deuses, santos ou profetas, com parábolas que ilustram e reforçam seu credo. Toda religião existente possui um conjunto de textos sagrados que expressam suas ideias centrais e narram a história da tradição. Esses textos, que em muitos casos se acredita que tenham sido passados diretamente por uma divindade, são utilizados nos rituais e na educação religiosa.

Em muitas religiões, além dessa narrativa, há um elemento mais sofisticado e sistemático que explica sua filosofia e doutrina, expondo uma teologia singular. Alguns desses textos secundários acabaram adquirindo status de cânones. É comum haver também um elemento ético, com regras de conduta e tabus, e um elemento social que define as instituições da religião e da sociedade em que ela está inserida. Essas regras costumam ser concisas – os Dez Mandamentos do judaísmo e cristianismo ou o Nobre Caminho Óctuplo do budismo, por exemplo.

A religião que um homem terá é um acidente histórico, tanto quanto o idioma que falará.
George Santayana, filósofo espanhol

Religião e moralidade

A ideia de bem e mal também é fundamental em muitas crenças, e a religião normalmente tem a função de fornecer orientação moral à sociedade. A definição do que constitui uma "vida boa" difere na maior parte das grandes religiões – e a linha divisória entre filosofia moral e religião é bastante tênue em sistemas de crenças como o confucionismo e o budismo –, mas existem certos códigos morais básicos que são quase universais. Tabus, mandamentos e outros preceitos religiosos, além de garantir que a vontade de Deus ou dos deuses seja obedecida, formam um modelo social e legal que possibilita a convivência pacífica. A liderança espiritual, que em muitas religiões era atribuída a profetas com inspiração divina, passou para a classe sacerdotal. Esse regime se tornou parte essencial para muitos credos, em alguns casos com grande influência política.

Morte e vida após a morte

A maioria das religiões aborda a

questão da morte, a principal preocupação da humanidade, com a promessa de algum tipo de existência após a morte. Nas tradições orientais, como o hinduísmo, acredita-se que a alma reencarne após a morte, assumindo uma nova forma física, enquanto outras religiões afirmam que a alma é julgada e vai para um céu ou inferno não físico. O objetivo de se libertar do ciclo de morte e renascimento ou atingir a imortalidade motiva os seguidores religiosos a seguir as regras de sua fé.

Conflito e história

Assim como as religiões criaram coesão nas sociedades, elas também foram fonte – ou propagadoras – de muitos conflitos. Apesar de todas as grandes tradições sustentarem que a paz é uma virtude essencial, elas fazem uso da força em certas circunstâncias, por exemplo, para defender seu credo ou aumentar seu poderio. A religião serviu como pretexto para a hostilidade entre poderes ao longo da história. Embora a tolerância também seja considerada uma virtude, muitos foram perseguidos por suas crenças, e a religião serviu como subterfúgio para genocídios consumados, como o Holocausto.

Todas as religiões, artes e ciências são ramificações da mesma árvore.
Albert Einstein

Desafios à fé

Em face dos aspectos negativos da crença religiosa e respaldados pelas ideias da filosofia humanista, inúmeros pensadores questionaram a própria validade das religiões. As religiões, argumentaram eles, são cosmologias lógicas e coerentes baseadas na razão, não na fé. De fato, as religiões tornaram-se irrelevantes no mundo moderno. Novas filosofias, como o marxismo-leninismo, consideraram as religiões como uma força negativa no desenvolvimento humano, dando origem a estados comunistas, explicitamente ateístas e antirreligiosos.

Novas orientações

Em resposta a mudanças sociais e avanços científicos, algumas religiões antigas fizeram adaptações em seu modelo ou se ramificaram. Outras rechaçaram convictamente o que consideram um progresso herético em um mundo cada vez mais racional, materialista e ímpio; movimentos fundamentalistas cristãos, islâmicos e judaicos ganharam muitos adeptos, que rejeitam os valores liberais do mundo moderno.

Ao mesmo tempo, muitas pessoas, reconhecendo uma falta de espiritualidade na sociedade moderna, voltaram-se para as denominações carismáticas das grandes religiões ou para os diversos novos movimentos religiosos que surgiram nos últimos duzentos anos.

Outras, influenciadas pelo movimento da Nova Era do final do século XX, redescobriram antigos credos ou procuraram o exotismo das religiões tradicionais sem conexão com o mundo atual. Não obstante, as grandes religiões continuam crescendo, e, até hoje, pouquíssimos países podem ser considerados sociedades realmente seculares. ■

CRENÇA PRIMITI

A PARTIR DA PRÉ-H

S

VAS

STÓRIA

Religiões primitivas – chamadas assim porque vieram primeiro. Foram praticadas por povos do mundo inteiro e são fundamentais para o desenvolvimento de todas as religiões modernas. Algumas continuam vivas até hoje.

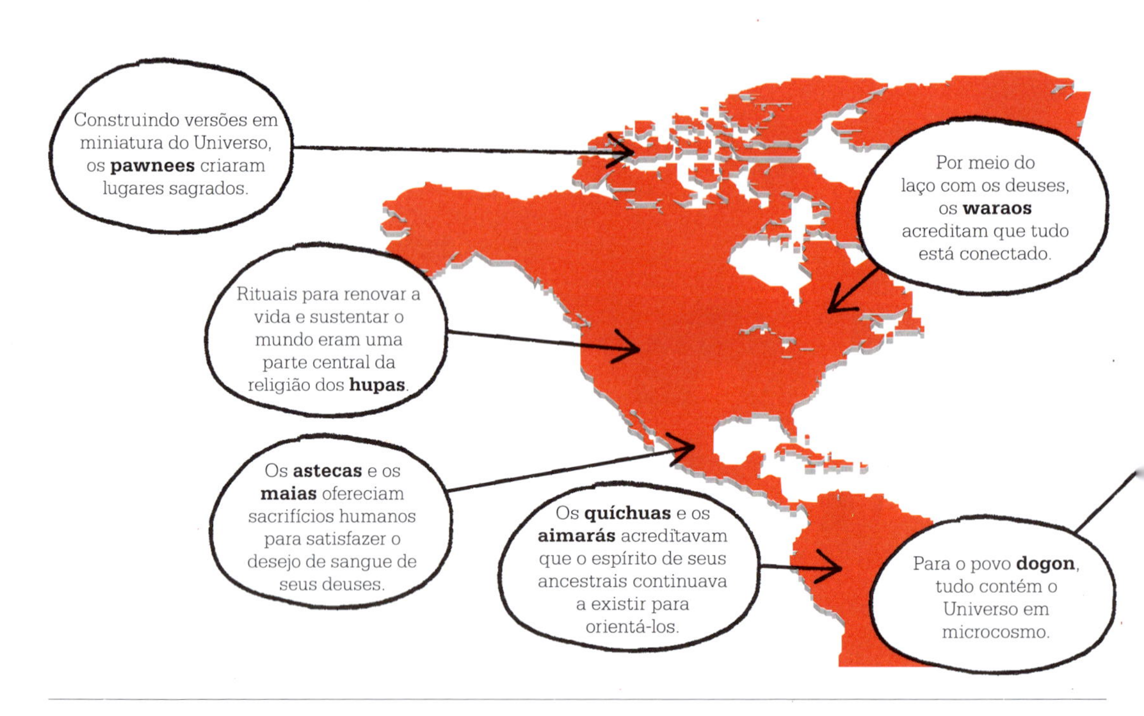

Construindo versões em miniatura do Universo, os **pawnees** criaram lugares sagrados.
Por meio do laço com os deuses, os **waraos** acreditam que tudo está conectado.
Rituais para renovar a vida e sustentar o mundo eram uma parte central da religião dos **hupas**.
Os **astecas** e os **maias** ofereciam sacrifícios humanos para satisfazer o desejo de sangue de seus deuses.
Os **quíchuas** e os **aimarás** acreditavam que o espírito de seus ancestrais continuava a existir para orientá-los.
Para o povo **dogon**, tudo contém o Universo em microcosmo.

Nossos primeiros ancestrais caçadores-coletores acreditavam que a natureza tinha um poder sobrenatural. Para alguns, isso se manifestava na crença de que animais, plantas, objetos e forças naturais possuíam um espírito, da mesma forma que as pessoas. Nessa visão animista do mundo, os seres humanos são vistos como parte da natureza, e para viver em harmonia com ela precisam demonstrar respeito com os espíritos.

Os indivíduos dessa época tentavam explicar o mundo por meio de associações entre divindades e fenômenos naturais específicos. O nascer do sol, por exemplo, representava a libertação da escuridão da noite e era controlado pelo deus Sol; de modo similar, os ciclos naturais, como as fases da lua e as estações – vitais para o estilo de vida daqueles povos – eram atribuídos às suas próprias deidades. Além de criar uma cosmologia para explicar o funcionamento do Universo, a maioria das culturas incorporou alguma história da criação em seu sistema de crenças. Essa história, de modo geral, constituía uma analogia com a reprodução humana: uma deusa-mãe deu à luz o mundo, em alguns casos com a ajuda de um deus-pai. Às vezes essas divindades parentais eram personificadas como animais ou elementos da natureza – rios, mar, Mãe Terra, Pai Céu.

Ritos e rituais

Os sistemas de crença da maioria das religiões primitivas incluíam alguma forma de vida após a morte, geralmente relacionada à existência de um plano da realidade separado do mundo físico, um lugar de deuses e criaturas míticas para onde os espíritos dos mortos iriam.

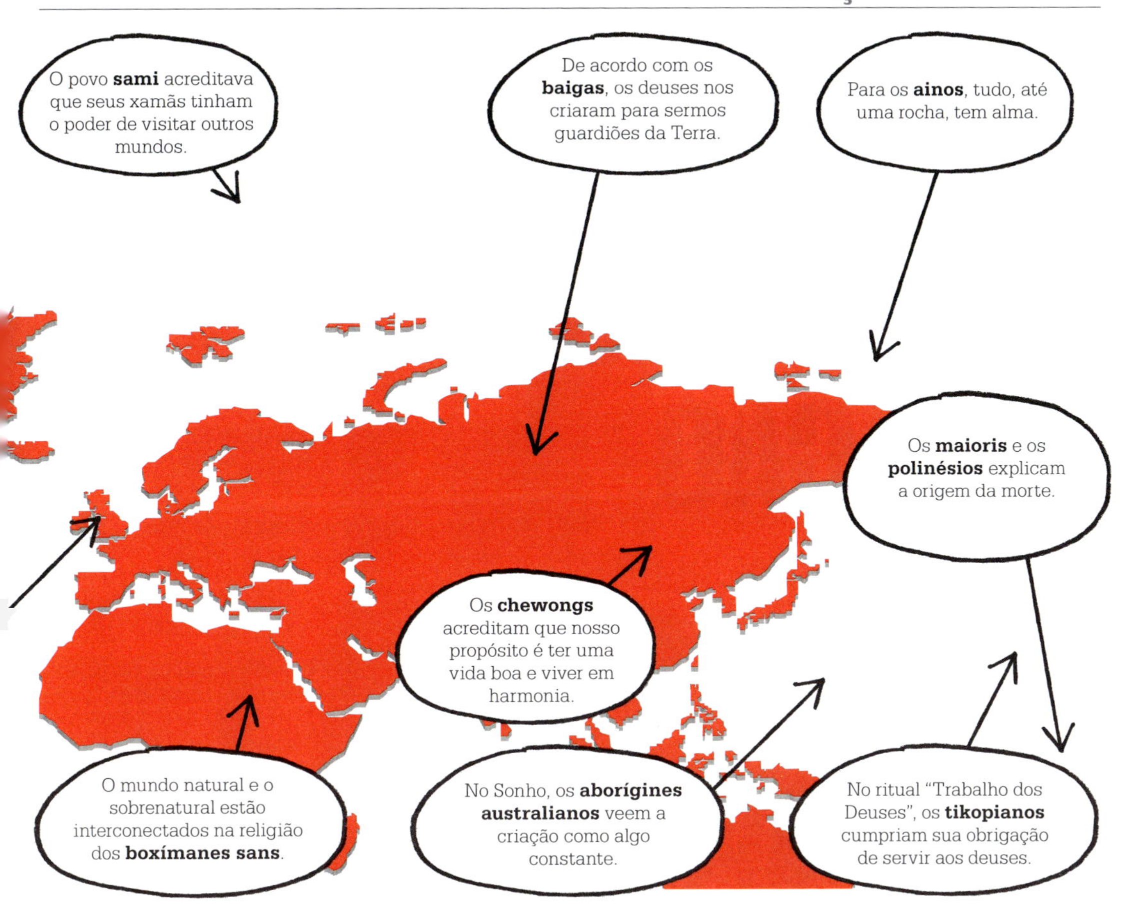

O povo **sami** acreditava que seus xamãs tinham o poder de visitar outros mundos.
De acordo com os **baigas**, os deuses nos criaram para sermos guardiões da Terra.
Para os **ainos**, tudo, até uma rocha, tem alma.
Os **maioris** e os **polinésios** explicam a origem da morte.
Os **chewongs** acreditam que nosso propósito é ter uma vida boa e viver em harmonia.
O mundo natural e o sobrenatural estão interconectados na religião dos **boxímanes sans**.
No Sonho, os **aborígines australianos** veem a criação como algo constante.
No ritual "Trabalho dos Deuses", os **tikopianos** cumpriam sua obrigação de servir aos deuses.

Em algumas religiões, acreditava-se que era possível comunicar-se com esse outro plano e contatar espíritos ancestrais para buscar orientação. Um tipo específico de pessoa sagrada – o xamã ou curandeiro – era capaz de ir até lá e canalizar poderes místicos de cura, pelo contato com os espíritos e, às vezes, sendo possuído por eles.

Os povos primitivos também contavam com ritos de passagem. Esses ritos, associados à mudança das estações, transformaram-se em rituais vinculados a espíritos e divindades. A ideia de agradar os deuses para ter sorte na caça ou na lavoura inspirou rituais de adoração, e, em algumas culturas, vidas eram sacrificadas aos deuses em troca da existência que eles deram aos humanos.

O simbolismo também desempenhou um papel crucial nas práticas religiosas das primeiras culturas. Máscaras, talismãs, ídolos e amuletos utilizados em cerimônias seriam ocupados por espíritos. Acreditava-se que algumas áreas tinham importância religiosa, e certas comunidades estabeleceram locais e cemitérios sagrados, enquanto outras construíram edifícios ou povoados à imagem do cosmos. Poucas religiões primitivas sobrevivem até hoje, sustentadas por um número cada vez menor de comunidades tribais no mundo inteiro alheias à civilização ocidental. Foram feitas algumas tentativas de restabelecê-las por parte de comunidades que tentavam recuperar culturas perdidas. Embora seus sistemas de crença possam parecer rudimentares à primeira vista aos olhos modernos, vestígios daquelas religiões ainda podem ser encontrados nas principais religiões do mundo atual ou na busca por espiritualidade da "Nova Era". ■

HÁ FORÇAS INVISÍVEIS EM AÇÃO

DANDO SENTIDO AO MUNDO

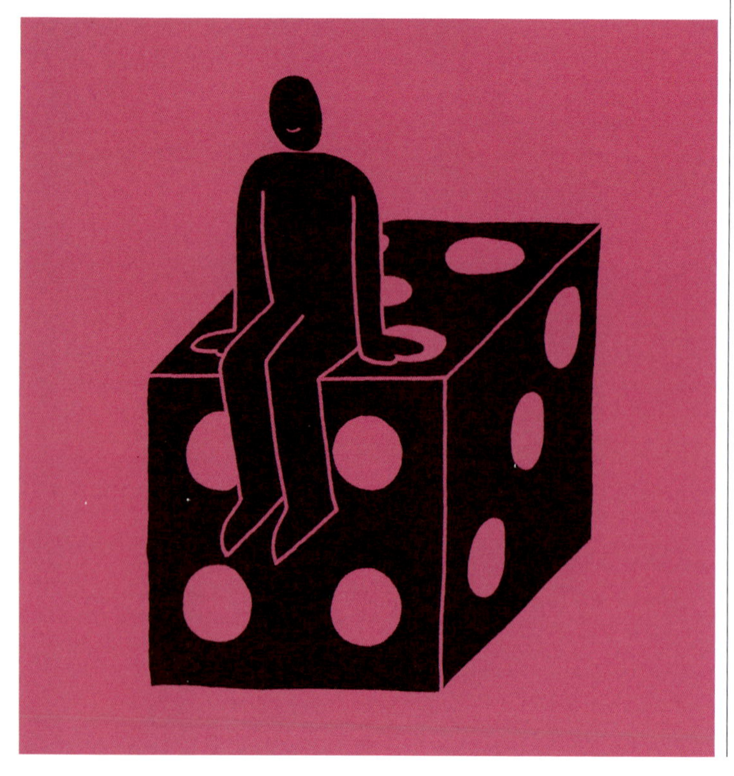

EM CONTEXTO

PRINCIPAIS SEGUIDORES
/Xam san

QUANDO E ONDE
Pré-História, África subsaariana

DEPOIS
44000 a.C. Ferramentas quase idênticas às usadas pelos sans modernos são abandonadas numa caverna em KwaZulu-Natal.

Século xix O linguista alemão Wilhelm Bleek registra por escrito muitas das histórias do povo san.

Século xx Programas subvencionados pelo governo são criados para incentivar os povos sans a migrarem da caça para a agricultura.

1994 O líder e curandeiro san Dawid Kruiper assume a crescente campanha pelos direitos sans e apresenta reivindicações à ONU.

A questão de por que os seres humanos desenvolveram a ideia de um mundo além do mundo visível em que vivemos é complexa. Motivados pelo desejo de dar um sentido ao mundo à sua volta – especialmente aos perigos, infortúnios e satisfação das necessidades básicas –, os indivíduos das primeiras sociedades procuraram explicações num plano invisível para eles, mas que exercia influência em suas vidas.

A ideia de um mundo espiritual também está associada a noções de sono e morte e à interface entre esses dois elementos e a consciência, comparável ao fenômeno natural do dia e da noite. Nessa zona nebulosa

Veja também: O animismo nas sociedades primitivas 24-25 ▪ O poder do xamã 26-31 ▪ O propósito da criação 32 ▪ Vivendo no caminho dos deuses 82-85 ▪ Um mundo racional 92-99

entre sono e vigília, vida e morte, luz e escuridão residem os sonhos, as alucinações e os estados de consciência alterada, sugerindo que o mundo visível, palpável, não é o único, e que existe outro mundo, sobrenatural, ligado ao nosso. É fácil entender, portanto, por que se acreditava que os habitantes desse outro mundo, além de influenciar nossos pensamentos e nossas ações, entravam no corpo de animais e até em objetos inanimados para provocar os fenômenos naturais que afetam nossa vida.

Um encontro de mundos

As imagens de seres humanos, animais e híbridos de animais e humanos nas pinturas das cavernas do período Paleolítico continham padrões que hoje se acredita que sejam uma representação das imagens formadas involuntariamente no fundo da retina, que caracterizam o fenômeno entóptico – efeitos visuais como pontos, grades, zigue-zagues e linhas onduladas que aparecem entre a vigília e o sono ou entre a visão e a alucinação. As próprias pinturas representam um véu permeável entre o mundo físico e o espiritual.

É impossível perguntar aos caçadores-coletores paleolíticos da Europa sobre as crenças e os rituais por trás das pinturas das cavernas, mas no século XIX ainda era possível registrar as crenças culturais e religiosas do povo /xam da África do Sul, um clã atualmente extinto de caçadores-coletores sans que fazia pinturas de caverna muito parecidas com as da Idade da Pedra, por motivos similares. A vida espiritual dos /xam sans apresentava um paralelo nítido com as ideias religiosas que os arqueólogos atribuíram aos primeiros seres humanos modernos. Acredita-se que até os "estalos" do idioma /xam san »

Desde a Pré-História os sans renovam suas pinturas rupestres, transmitindo as histórias e as ideias retratadas às gerações subsequentes.

> O Pássaro Tempestade sopra no peito dos homens e das bestas, e sem esse sopro não conseguiríamos respirar.
> **Fábula africana**

Há um perigo à nossa volta que causa doenças e morte.
Fenômenos naturais como o tempo e as estações estão fora do nosso controle.
Há forças invisíveis em ação.
Os espíritos aparecem no céu, na terra, nos animais ou no fogo.
Nossa fonte de alimentos, as plantas e os animais, às vezes é farta, outras vezes, escassa.

(representados por símbolos como "/", indicando um estalo dental, em vez de um sinal de desaprovação da língua no palato) provenham do primeiro modo de falar da humanidade.

Níveis do Universo

A mitologia de todo o povo san baseia-se em seu meio ambiente e na ideia de que existem três níveis de realidade entrelaçados, um plano natural e dois sobrenaturais. Os planos espirituais estão acima e abaixo do mundo intermediário, o plano em que vivemos. Cada um desses planos tem ligação com o outro, e o que acontece em um influencia diretamente o outro. Indivíduos com poderes especiais podem visitar o plano superior celestial e mover-se debaixo d'água e sob a terra no plano espiritual inferior.

Para os /xam sans, o mundo de cima é habitado pelo deus criador e impostor /Kaggen (também conhecido como louva-a-deus) e sua família, junto com uma grande quantidade de animais selvagens e o espírito dos mortos, entre eles os da Raça Primordial – uma comunidade de híbridos entre animais e humanos, com poderes de criação e transformação. Segundo os /xam, esses foram os primeiros seres a habitar a Terra.

Forças elementais

No mito /xam, os elementos da natureza possuem um poder sobrenatural, personificando espíritos. Os seres sobrenaturais podem assumir a forma de animais, como o elande (uma espécie de antílope), o suricata e o louva-a-deus, com os quais os /xam conviviam. O criador /Kaggen, que transformou o sonho do mundo em realidade, costumava se apresentar como humano, mas podia se transformar em quase qualquer coisa, geralmente um louva-a-deus ou um elande. Apesar de proteger os animais de caça, às vezes se transformava em um deles para poder ser morto e alimentar o povo.

Os indivíduos da Raça Primordial eram reverenciados e respeitados, mas não cultuados. Nem mesmo /Kaggen, o "louva-a-deus", embora um xamã san como //Kabbo (veja quadro na próxima página) procurasse interceder junto a ele para garantir uma boa caça. Como /Kaggen é um impostor, grande parte dos mitos relacionados a ele e sua família tem um tom irreverente. Até o mito da criação do primeiro elande inclui uma situação em que um /Kaggen ineficaz apanha de uma família de suricatas.

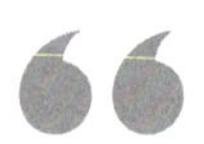

Minha mãe me contou que a menina [da Raça Primordial] enfiou a mão na cinza de madeira e jogou-a no céu, dando origem à Via Láctea.

Fábula africana

Importantes forças elementais e corpos celestiais também se tornaram personagens de histórias que explicam como eles vieram a existir e por que se comportam de um determinado jeito. Os filhos da Raça Primordial, por exemplo, jogaram o sol adormecido no céu, para que a luz que brilhava em sua axila pudesse iluminar o mundo. Foi uma menina da Raça Primordial que criou as primeiras estrelas, misturando as cinzas de uma fogueira ao céu da Via Láctea. A chuva não era vista como um fenômeno natural, mas como animais. Uma tempestade era um touro de chuva, e uma chuva fina era uma vaca de chuva. Indivíduos especiais com poderes de fazer

Fenômenos naturais como eclipses, possivelmente jamais presenciados por membros do povo san, podem ser explicados por meio dos contos transmitidos em sua rica tradição oral.

Muito tempo atrás, os babuínos eram pequenos homenzinhos como nós, só que mais malvados e briguentos.
Fábula africana

chover, como //Kabbo, faziam viagens sobrenaturais a poços de água para evocar uma vaca de chuva e trazê-la, pelo céu, ao lugar em que houvesse necessidade de chuva. Nesse ponto, eles "abatiam" a vaca de chuva, de modo que seu sangue e leite se derramassem em forma de chuva sobre a terra.

A chuva era um elemento vital na paisagem árida do deserto onde os /xam viviam, por isso era fundamental reabastecer os poços de água espalhados, por entre os quais eles se moviam, ligando-os uns aos outros por uma complexa rede de história e mito, conhecida como *kukummi*, similar ao Sonho dos Aborígines Australianos (pp. 34-35).

Entrando em outros mundos

Muitos aspectos do mundo natural descrito nas histórias dos /xam demonstram a interação dos seres sobrenaturais com os humanos – qual o interesse deles neste mundo e o que os seres humanos, por sua vez, podem fazer para agradá-los. Todos os povos sans acreditam que os planos espirituais são acessíveis, em estados alterados de consciência, a quem possui um poder sobrenatural, conhecido como *!gi*, transmitido aos humanos e animais por seu criador. A dança de transe é o principal ritual religioso. Nela, os sans utilizam seu poder para acessar o mundo dos espíritos, via transe, e expelir seu eu essencial, pela cabeça, ao mundo espiritual. Lá, eles pedem pela vida dos enfermos e voltam com poderes de cura, sendo capazes de retirar as flechas de doença lançadas pelos mortos do outro mundo.

Os /xam rezavam para a Lua e as estrelas, pedindo poderes espirituais e sorte na caça. Quando entravam em estado de consciência alterada, dizia-se que eles estavam temporariamente mortos e que seu coração havia se tornado uma estrela. Humanos e estrelas eram tão intimamente ligados que, quando uma pessoa morria de verdade, "a estrela sente que nosso coração desfalece e cai. Porque as estrelas sabem quando morremos".

Após a morte, a ligação entre o mundo da experiência humana, o mundo dos espíritos e o mundo dos fenômenos naturais, na crença /xam, torna-se ainda mais aparente. Acredita-se que o cabelo de uma pessoa falecida vira nuvem, protegendo então os seres humanos do calor do sol. A morte é descrita em termos elementais: o "vento" que existe dentro de cada ser humano varre suas impressões digitais quando ele morre, fazendo com que a transição entre o mundo dos vivos e o dos mortos seja definitiva. Se as impressões digitais permaneceram, "aparentemente ainda estamos vivos". ■

Relacionar atributos "humanos" a animais – por exemplo, a curiosidade do suricata – é a base dos primeiros mitos, em torno dos quais se desenvolvem histórias sobre como o mundo acabou se tornando o que é.

A vida de sonho de Kabbo

Grande parte das informações que temos sobre as crenças do povo /xam san vem de um homem chamado //Kabbo, que na década de 1870 foi um dos vários /xam sans libertados da prisão, ficando sob custódia do dr. Wilhelm Bleek, interessado em aprender seu idioma e estudar sua cultura. Os /xam sans foram presos por crimes como roubar uma ovelha para alimentar a família com fome. //Kabbo falou de "seus" poços de água, por entre os quais sua família se deslocava, no deserto árido da Colônia do Cabo, acampando longe dos poços para não assustar os animais que vinham beber a água salobra. "Essa antiga alma, tão amável, parecia perdida num sonho próprio", comenta Wilhelm Bleek a respeito de //Kabbo. Aliás, o nome "//Kabbo" significa "sonho". Reza a lenda que o deus /Kaggen criou o mundo a partir de um sonho, e que //Kabbo tinha um relacionamento especial com ele. Sendo um /Kaggen-ka !kwi, um "homem louva-a-deus", ele conseguia entrar em um estado de sonho para exercer poderes como fazer chover, curar e trabalhar a magia de caça.

ATÉ UMA ROCHA TEM ALMA

O ANIMISMO NAS SOCIEDADES PRIMITIVAS

EM CONTEXTO

PRINCIPAIS SEGUIDORES
Aino

ONDE
Hokkaido, Japão

ANTES
10000-300 a.C. Povos jomon, do período Neolítico – ancestrais remotos dos ainos –, vivem em Hokkaido, provavelmente cultuando divindades do clã.

600-1000 d.C. Caçadores-coletores okhotsk ocupam o litoral de Hokkaido. Parte de seus rituais, como adoração a ursos, é encontrada mais tarde nos ainos.

700-1200 d.C. A cultura okhotsk mescla-se com a satsumon, dando origem aos ainos.

DEPOIS
1899-1997 Os ainos são obrigados a se integrar à cultura japonesa. Parte de suas práticas religiosas é banida.

2008 Os ainos são oficialmente reconhecidos como um povo indígena com uma cultura própria.

Tudo no mundo **tem uma alma**.

↓

Mesmos os seres humanos são **apenas recipientes** para a alma.

↓

As almas são **imortais**.

↓

As almas mais importantes são **os deuses**.

↓

Cerimônias, músicas e oferendas dão aos deuses status no outro mundo.

↓

Se tratarmos bem os deuses, **eles nos darão comida**.

A palavra "aino" significa "ser humano" e refere-se à população nativa do Japão que hoje vive, em grande parte, na ilha de Hokkaido. Os ainos possuem fortes laços culturais com outros habitantes do norte da bacia do Pacífico – os povos siberianos (como os chukchis, os koryaks e os yupiks) e os inuítes do Canadá e do Alasca. O principal ponto em comum entre esses povos é a visão animista do mundo, segundo a qual todo ser e todo objeto que existem têm uma alma e podem agir, falar e caminhar por conta própria. Eles também acreditam que o mundo físico e o espiritual são separados apenas por uma fina membrana permeável.

Os ainos consideram o corpo um mero recipiente para a alma. Após a morte, a alma sai pela boca e pelas narinas e renasce no próximo mundo como um kamui, palavra que significa ao mesmo tempo "deus" e "espírito". Quando o kamui morre no próximo mundo, ele renasce em nosso mundo. As almas sempre reencarnam no mesmo gênero e espécie.

Os kamuis podem ser animais, plantas, minerais, fenômenos geográficos ou naturais ou até ferramentas e utensílios produzidos pelos humanos. Por serem todas as almas, mesmo as de objetos inanimados, consideradas imortais, após

Veja também: Vivendo no caminho dos deuses 82-85 ▪ Devoção por meio do *puja* 114-115

Um xanã aino realiza cerimônia para honrar o espírito de um urso abatido a fim de que ele retorne ao mundo divino (fotografia de 1946).

a morte a casa de uma pessoa deve ser queimada, para assegurar que seu kamui tenha uma moradia no outro mundo. Seus utensílios e ferramentas também devem ser quebrados (para libertar os espíritos que têm dentro) e queimados junto com o corpo, para serem reutilizados no próximo mundo.

O poder das palavras

Alguns kamuis desempenham funções tanto no mundo humano quanto no mundo sobrenatural. Kotan-kor-kamui, por exemplo, é o deus criador, mas também é o deus da aldeia e pode se manifestar na Terra como uma coruja de orelhas longas.

Os humanos e os kamuis têm um relacionamento próximo – tão próximo que os kamuis ficaram conhecidos como "deuses com os quais podemos discutir". Podemos rezar para um kamui utilizando bastões entalhados específicos para reza, mas o relacionamento ritualístico baseia-se mais em respeito mútuo e comportamento certo do que em adoração. Se alguém irritou um deus, o indivíduo deve realizar uma cerimônia para expressar seu remorso. Se o sujeito, no entanto, tratou um deus com o devido respeito, realizando todos os rituais necessários, e ainda assim teve azar, ele pode pedir à deusa do fogo, Fuchi, para convencer esse deus a perdoá-lo e recompensá-lo.

Na crença dos ainos, até as palavras são espíritos, e o uso delas é um dos dons que os humanos possuem que os deuses e as coisas não têm. Palavras podem ser utilizadas para fazer tratos com deuses e coisas e também para dar prazer aos deuses. Por exemplo, as canções épicas dos ainos, conhecidas como *kamui iukar*, ou "canções dos deuses", são entoadas na primeira pessoa, da perspectiva dos kamuis, não dos humanos, e diz-se que os kamuis ficam muito felizes de ver os humanos dançando e cantando as canções dos deuses. ■

Eu também continuo pairando eternamente atrás dos humanos, zelando por sua terra.
Canção do deus Coruja

Rituais de envio do espírito

Os rituais de caça eram essenciais na tradição dos ainos, sendo utilizados para agradar os deuses que visitavam a Terra disfarçados de animais. Em troca dos rituais e das oferendas, os deuses deixavam para trás, como presente, seu corpo de animal.

Após matar e comer um urso, os ainos realizavam o ritual de envio do espírito, conhecido como *iyomante*. O espírito do urso, reverenciado como o deus urso Kimun-kamui, entretinha-se com comida, vinho, dança e música. Flechas eram disparadas ao ar para ajudar no seu retorno ao mundo divino, onde ele convidava outros deuses para compartilhar o saquê, o salmão e os bastões sagrados de vime com os quais fora homenageado na Terra.

A cerimônia *iwakte* de envio do espírito também era realizada para objetos e ferramentas quebrados, que não teriam mais uso.

INDIVÍDUOS ESPECIAIS PODEM VISITAR OUTROS MUNDOS

O PODER DO XAMÃ

EM CONTEXTO

PRINCIPAIS SEGUIDORES
Sami

QUANDO E ONDE
A partir da Pré-História, Sápmi (antiga Lapônia)

DEPOIS
10000 a.C. Ancestrais do povo sami fazem escavações em rocha no Ártico europeu.

c. 98 d.C. O historiador romano Tácito faz o primeiro registro do povo sami (como fenni).

Século XIII d.C. Missionários católicos introduzem o cristianismo, mas o xamanismo tradicional permanece.

c. 1720 d.C. Thomas von Westen, "apóstolo do povo sami", é obrigado a converter os samis ao cristianismo, destruindo tambores e locais sagrados xamânicos.

Século XXI A maioria dos samis segue a fé cristã, mas o xamanismo tem uma retomada em épocas recentes.

O xamanismo descreve uma das práticas religiosas mais antigas e difundidas da humanidade, baseada na crença em espíritos que podem ser influenciados por xamãs. Acredita-se que esses xamãs, homens ou mulheres, são "indivíduos especiais", com grande poder e conhecimento. Após entrarem em estado alterado de consciência, eles são capazes de visitar outros mundos e interagir com os espíritos que vivem lá.

Fazer acordos com os poderosos espíritos que controlam esses outros mundos é um aspecto central das atividades de um xamã. Por exemplo: o xamã costuma pedir a libertação de animais de caça (essenciais em certas sociedades tradicionais) do mundo espiritual para o mundo físico, visão do futuro ou remédios para curar os doentes. Em troca, os espíritos pedem aos seres humanos (por meio do xamã, que atua como intermediário) que façam oferendas ou observem determinadas normas de conduta.

Os xamãs desempenham um importante papel na cura dos doentes, enfatizando que sua jornada não é pessoal e particular, mas empreendida, sobretudo, para aliviar a dor e o sofrimento da comunidade. Essa função reflete-se em alguns termos (hoje obsoletos) que já foram utilizados para descrever os xamãs, como "médico-feiticeiro" na África subsaariana e "curandeiro" na América do Norte.

Na Europa, o xamanismo foi um elemento dominante em muitas sociedades, de 45 mil anos atrás até a era moderna. Os vikings praticavam

Acreditamos em sonhos e acreditamos que as pessoas podem viver uma vida paralela à vida real, uma vida vivida durante o sono.
Nâlungiaq, uma netsilik

Em mundos invisíveis, **seres sobrenaturais controlam** o suprimento de animais de caça e o clima.

Esses outros mundos são **cheios de espíritos** também, uma vez que a alma dos seres humanos e dos **animais é imortal**.

Alguns **indivíduos especiais são capazes de visitar os mundos** onde esses espíritos vivem.

Esses indivíduos **solicitam a ajuda dos espíritos**, pedindo animais de caça, bom tempo ou cura para quem está doente.

Veja também: Dando sentido ao mundo 20-23 ▪ O animismo nas sociedades primitivas 24-25 ▪ Adivinhando o futuro 79

uma forma de adivinhação xamânica conhecida como *seiðr* entre os séculos VIII e XI; e componentes xamânicos aparecem nos mitos medievais do deus nórdico Odin, que se enforcou num sacrifício de iniciação na Árvore do Mundo (o eixo do Universo).

Nos séculos XVI e XVII, notam-se traços xamânicos evidentes nos espíritos guerreiros Benandanti (uma seita de fertilidade agrária) de Friuli, Itália, e nos chamados *seely wights* noturnos (espíritos da natureza semelhantes a fadas) da Escócia. Mais recentemente, os caçadores de sonhos *mazzeri* da Córsega apresentam nítida influência xamânica.

Xamãs samis

O registro histórico mais antigo do xamanismo na Europa provém do norte da Escandinávia, de uma região hoje conhecida como Sápmi (antiga Lapônia). Nesse local, o povo sami, pastores de rena e pescadores seminômades, preservou a religião xamânica até o início do século XVIII, retomando-a parcialmente em décadas recentes. Sua religião pode ser reconstruída com base em fontes históricas e na comparação com culturas relacionadas do norte da Ásia e do Ártico americano.

Os xamãs samis, ou *noaidis*, herdavam uma missão ou eram escolhidos pelos espíritos. Em algumas culturas, os "escolhidos" para serem xamãs costumavam enfrentar um período de doença e estresse, além de ter visões episódicas de sua morte e renascimento.

Os xamãs samis contavam com a ajuda de espíritos em forma de animais (lobo, urso, rena ou peixe), os quais imitavam quando entravam em transe. Diz-se que os xamãs "viravam" o animal que imitavam, num processo de transformação interna, invisível externamente.

Três coisas ajudavam os xamãs samis a entrar em transe. A primeira era a privação física, alcançada geralmente pelo trabalho sem roupa nas temperaturas congelantes do Ártico. A segunda era a batida rítmica do tambor sagrado sami (em povos similares, como o yakut e o buryat, esse tambor é chamado de "cavalo do xamã"); o tambor era decorado com imagens do mundo dos deuses acima, do mundo dos mortos abaixo e do mundo habitado pelos humanos (a Terra) – os três planos conectavam-se pela Árvore do Mundo. A terceira forma de ajuda para entrar em transe era a ingestão de cogumelo psicotrópico *Amanita muscaria*. Após ingerir o cogumelo, o xamã entrava em transe e ficava rígido, imóvel, como se estivesse morto. Durante o processo, os samis homens protegiam o xamã, enquanto as mulheres entoavam músicas sobre as tarefas a serem realizadas no plano superior e no plano inferior e canções para ajudar o xamã a encontrar o caminho de casa.

Existem relatos de xamãs que nunca voltaram do outro mundo, geralmente porque os responsáveis »

O tambor xamânico sami servia para contatar o mundo dos espíritos. Alguns desses tambores existem até hoje, embora muitos tenham sido queimados por missionários cristãos.

> Nossa existência não termina com a morte de nosso espírito animal aqui na Terra, por doença ou algum outro acidente. Nós continuamos vivendo.
>
> **Nâlungiaq, uma netsilik**

Em algumas culturas árticas, acredita-se que os animais têm espíritos guardiões que os protegem e garantem seu bem-estar. Os xamãs têm o poder de negociar com esses espíritos, em nome dos seres humanos, e solicitam a liberação de animais do mundo espiritual para o mundo físico, com propósitos de caça e pesca.

por acordá-los com um encanto haviam esquecido as palavras mágicas. Conta-se que um xamã ficou perdido por três anos, até que seu guardião lembrou que sua alma precisava ser chamada de volta do "anel do intestino do peixe, terceira dobra". Quando as palavras relevantes foram pronunciadas, as pernas do xamã tremeram e ele acordou, amaldiçoando o guardião.

Comunicação com os espíritos

Dizem que os xamãs samis voavam para uma montanha no centro do mundo (o eixo cósmico) antes de entrar no mundo espiritual, acima ou abaixo da montanha. O voo era realizado por um espírito de peixe, guiado por um espírito de pássaro e protegido por um espírito de rena. Se o xamã quisesse pedir animais de caça ou alguma outra ajuda, ele visitava o mundo superior de Saivo. Se quisesse pedir pela recuperação da alma de algum enfermo, ia ao mundo inferior de Jabmeaymo. Isso depois de agradar a mestra do mundo inferior com oferendas. Os xamãs eram capazes de se comunicar com os espíritos do mundo superior e do mundo inferior porque seu treinamento xamânico incluía o aprendizado da linguagem secreta dos espíritos.

Os xamãs netsilingmiuts (netsilik inuits) – uma cultura ártica, de uma região onde hoje é o Canadá (oeste da baía de Hudson) – tinham crenças religiosas parecidas com as dos samis. Além de controlar tempestades e curar pessoas, eles atuavam como mediadores entre o mundo humano e os espíritos da terra, do ar e do mar, numa sessão espírita xamânica realizada num iglu, com uma luz apropriada. O xamã evocava os espíritos que os ajudavam cantando músicas específicas. Depois de entrar em transe, falava com uma voz diferente – de modo geral, mais grave e retumbante, embora às vezes falasse em falsete.

Durante esse estado de transe, o xamã podia enviar sua alma ao céu para visitar Tatqiq, o homem lua, responsável pela fertilidade das mulheres e pela sorte na caça. Se Tatqiq ficasse feliz com as oferendas do xamã, ele o recompensava com animais. Quando a Lua não estava visível no céu, os netsiliks acreditavam que era porque o homem lua havia ido caçar animais para alimentar os mortos.

No céu, no fundo do mar

Reza a lenda netsilik que um dia o grande xamã Kukiaq, enquanto tentava caçar focas num buraco no gelo, olhou para o céu e percebeu que a Lua movia-se lentamente em sua direção, vindo parar acima de

Tudo vem de Nuliayuk – comida e roupas, fome e azar na caça, abundância ou falta de caribu, focas, carne e gordura de baleia.
Nâlungiaq, uma netsilik

Alguns inuítes em Gjoa Haven, norte do Canadá, mantiveram a crença nos xamãs, atribuindo-lhes uma relação especial com a natureza e com os espíritos que a controlam.

sua cabeça. A Lua se transformou num trenó em forma de barbatana, e seu condutor, Tatqiq, fez um gesto para Kukiaq se juntar a ele, levando-o para sua casa no céu. A entrada da casa se movia como uma boca em processo de mastigação, e em um dos quartos o Sol estava cuidando de um bebê. A Lua pediu que Kukiaq ficasse, mas, temendo não encontrar o caminho de casa, ele voltou para a Terra num raio de lua, chegando em segurança no mesmo ponto do qual havia saído.

Às vezes, porém, os xamãs netsiliks enviavam sua alma para o mundo inferior, para visitar Nuliayuk (também conhecida como Sedna), a mestra do mar e do reino animal, no fundo do oceano. Nuliayuk tinha o poder de segurar ou soltar as focas das quais os netsiliks dependiam para comer e se vestir. Por conta disso, exercia uma grande influência sobre eles. Quando os netsiliks quebravam algum de seus estritos tabus, ela prendia as focas. No entanto, se os xamãs se aventurassem a ir ao fundo do mar para fazer tranças em seu cabelo, ela se alegrava e soltava as focas na água.

A tradição xamânica dos netsiliks durou até as décadas de 1930 e 1940. Dentro da comunidade netsilik, só os xamãs (ou *angatkut*) – que eram protegidos por seus próprios espíritos guardiões – não tinham medo dos perigosos e malévolos espíritos que habitavam o mundo. Um xamã netsilik contava com a ajuda de muitos espíritos. Por exemplo, os espíritos que ajudavam o xamã Unarâluk eram sua mãe e seu pai, já falecidos, o Sol, um cachorro e um escorpião-marinho. Esses espíritos informavam Unarâluk a respeito do que existia na Terra e debaixo dela, assim como no céu e no mar. ■

A misteriosa iluminação xamânica de Au

O seguinte relato de iluminação xamânica foi feito por Au, um xamã iglulik inuit, ao explorador dinamarquês Knud Rasmussen. Au lembra-se de um período de sua vida em que ele buscava a solidão e sentia-se profundamente melancólico, e muitas vezes chorava copiosamente. Um dia, um sentimento inexplicável de alegria o invadiu. Ele explica: "Eu havia me tornado um xamã. Não sabia como, mas agora eu era um xamã". A partir daquele momento, Au começou a enxergar e ouvir as coisas de maneira totalmente diferente: "Eu havia recebido minha *quamaneq*, minha iluminação, que, além de me ajudar a enxergar através da escuridão da vida, me fazia emitir um brilho, imperceptível aos seres humanos, mas visível por todos os espíritos da terra, do céu e do mar, e foi assim que esses espíritos começaram a me ajudar".

Knud Rasmussen (1879-1933) passou muitos anos documentando a cultura dos povos árticos durante suas jornadas de exploração.

POR QUE ESTAMOS AQUI?

O PROPÓSITO DA CRIAÇÃO

EM CONTEXTO

PRINCIPAIS SEGUIDORES
Baiga

QUANDO E ONDE
A partir de 3000 a.C., Mandla, sudeste de Mandhya Pradesh, Índia central

ANTES
A partir da Pré-História
Acredita-se que os baigas tenham a mesma origem dos aborígines australianos.

DEPOIS
Meados do século XIX
Guardas-florestais britânicos restringem a prática sagrada da agricultura *bewar*, gerando escassez de comida. Os baigas dizem que esse é o início da Kali Yuga, a era da escuridão.

1890 A prática da *bewar* é liberada numa reserva que circunda oito aldeias baigas.

1978 Uma agência de desenvolvimento baiga é estabelecida.

Década de 1990 Mais de 300 mil baigas vivem na região central da Índia.

O povo baiga é uma das tribos indígenas da Índia central, conhecidas coletivamente como adivasis. Os baigas, que se consideram filhos de Dharti Mata, a Mãe Terra, acreditam que foram criados para serem os guardiões da floresta – uma missão que executam desde o início dos tempos.

Segundo os baigas, Bhagavan, o criador, criou o mundo plano, como um *chapati* (um tipo de pão indiano), mas o mundo começou a ondular, e não parava. O primeiro homem, Nanga Baiga, e a primeira mulher, Nanga Baigin, que nasceram na floresta da Mãe Terra, pregaram os quatro cantos da Terra, para fixá-la. Bhagavan lhes pediu para cuidar que os pregos não saíssem, prometendo-lhes uma vida simples, mas digna, em troca.

Você é feito de terra e é senhor da terra. Jamais a abandone. Você precisa protegê-la.
Bhagavan, o criador

Os baigas seguiam o exemplo de Nanga Baiga, caçando livremente pela floresta e considerando-se os senhores dos animais. Por acreditarem que era errado rasgar o corpo da Mãe Terra com um arado, eles praticavam uma forma de agricultura de derrubada e queimada conhecida como *bewar* (embora sempre deixassem um pedaço do tronco das árvores para os deuses habitarem), mudando-se a cada três anos para um novo trecho da floresta. No século XIX, oficiais britânicos, contrários aos métodos dos baigas, os obrigaram a abandonar aquele tipo de cultivo e adotar o odiado arado. A *bewar* só poderia ser praticada na reserva de Baiga Chak, nas montanhas Mandla. ■

Veja também: O Sonho 34-35 ▪ Um vínculo permanente com os deuses 39 ▪ A renovação da vida por meio de rituais 51

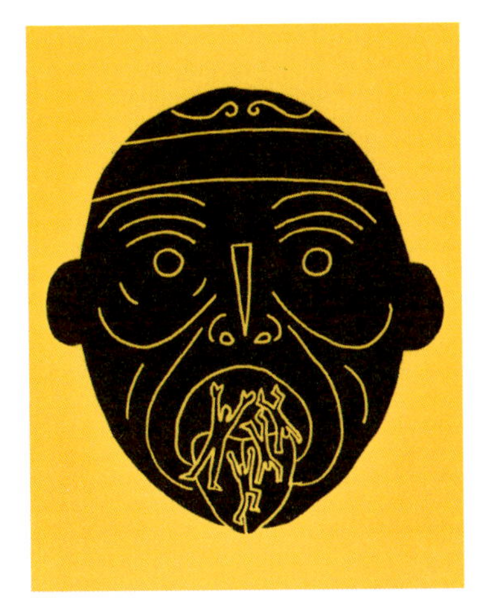

POR QUE MORREMOS?

A ORIGEM DA MORTE

EM CONTEXTO

PRINCIPAIS SEGUIDORES
Maori

QUANDO E ONDE
A partir da Pré-História, Nova Zelândia

ANTES
2º e 3º milênios a.C. Ancestrais do povo polinésio espalham-se pelo oceano Pacífico, possivelmente vindo da Ásia. Seus rituais e sua mitologia desenvolvem-se independentemente, mas possuem paralelos em vários pontos dessa vasta região.

Antes de 1300 d.C. O povo maori se estabelece na Nova Zelândia.

DEPOIS
Início do século XIX Começa a colonização europeia. Alguns maoris se convertem ao cristianismo.

1840 O Tratado de Waitangi formaliza a relação entre os brancos e os maoris.

Hoje Cerca de 620 mil maoris vivem na Nova Zelândia.

De acordo com a crença maori, não havia morte no início do mundo. Ela passou a existir após um incesto. Numa versão do mito maori, o deus da floresta Tane viveu entre os pais, separando-os – Rangi, o deus do céu, e Papa, a deusa da terra –, porque eles o forçaram a viver na escuridão. Tane, então, pediu a mãe em casamento, mas quando Papa explicou-lhe que não seria possível, ele criou uma mulher de barro e casou-se com ela.

Como fruto dessa união, nasceu uma bela criança – Hine-titama. A filha de Tane tornou-se sua esposa, sem saber que ele também era seu pai. Um dia, porém, a menina descobriu a terrível verdade e desceu envergonhada à escuridão de Po, o mundo subterrâneo. A partir desse momento, a morte passou a existir na humanidade.

Em visita à esposa, ela pediu a Tane: "Fique no mundo da luz e cuide de aumentar nossa descendência. Eu ficarei aqui, no mundo da escuridão, e me encarregarei de trazer nossos descendentes para cá". Hine-titama, então, ficou conhecida como Hine-nui-te-po, a deusa da escuridão e da morte. Numa tentativa de mudar o rumo dos acontecimentos e recuperar a imortalidade para os seres humanos, o herói Maui estuprou Hine-nui-te-po enquanto ela dormia, acreditando que após esse ato a morte deixaria de existir. Mas Hine-nui-te-po acordou no meio do ataque e sufocou Maui com as coxas, fazendo com que a morte permanecesse no mundo para sempre. ■

Os maoris acreditavam que árvores, plantas e criaturas da floresta eram descendentes de Tane, o deus da floresta. Antes de derrubar uma árvore, portanto, eles faziam uma oferenda aos espíritos.

Veja também: Preparação para a vida após a morte 58-59 ▪ Vivendo no caminho dos deuses 82-85

A ETERNIDADE É AGORA

O SONHO

EM CONTEXTO

PRINCIPAIS SEGUIDORES
Aborígines australianos

QUANDO E ONDE
A partir da Pré-História, Austrália

DEPOIS
8000 a.C. A data é atribuída a certas mudanças no cenário australiano da tradição oral aborígine, o que foi respaldado por evidências geológicas.

4000-2000 a.C. A arte rupestre aborígine retrata seres ancestrais do Sonho. Especialistas estimam que os primeiros retratos da Serpente Arco-Íris são ainda mais antigos, datando de 8 mil anos atrás.

1872 Uluru é visto pela primeira vez por um não aborígine, Ernest Giles, que o batizou de "seixo notável". Colonizadores europeus lhe dão o nome de Rocha de Ayers, em 1873.

1985 O direito de posse do Uluru volta aos povos pitjantjatjara e yankunytjatjara.

No Sonho, os seres **ancestrais deram forma à terra**.

↓

Eles **inseriram seu poder espiritual** na terra.

↓

A **terra está viva** com esse poder.

↓

O **poder do Sonho** é eterno e permanente.

↓

Podemos acessar esse **poder** e entrar no **eterno presente**.

Na tradição aborígine australiana, o tempo da criação era chamado de "O Tempo do Sonho", mas agora é conhecido apenas como Sonho. Esse termo exprime perfeitamente o elemento crucial do credo aborígine – de que a criação é algo contínuo e permanente, existindo num presente eterno, não num passado remoto. O termo também condiz com a crença aborígine de que o Sonho pode ser acessado por meio de rituais, dança, música, histórias e componentes físicos, como objetos sagrados e pinturas na areia, na rocha, em cascas de árvore, no corpo humano ou em lona.

Mitos do Sonho, chamados de Sonhos, falam de seres ancestrais, conhecidos como as Primeiras Pessoas

Veja também: Dando sentido ao mundo 20-23 ▪ O propósito da criação 32 ▪ Os espíritos dos mortos continuam vivendo 36-37 ▪ Vivendo no caminho dos deuses 82-85

O Uluru possui um grande poder espiritual, de acordo com a tradição aborígine. Diz-se que é o centro das "Linhas Melódicas", cujos sinais ainda podem ser vistos na rocha.

ou "os eternos do sonho", e de seu papel na criação. A tradição aborígine conta que esses seres acordam num mundo primitivo, ainda maleável e em estado de transformação, e vagam pela terra, deixando caminhos sagrados conhecidos como "Linhas melódicas" ou "Faixas de Sonho". Em seu trajeto, eles dão forma a seres humanos, animais, plantas e natureza, estabelecendo rituais, definindo a relação entre as coisas e mudando de forma, de animal para humano, e vice-versa. Por fim, eles se transformam em elementos da natureza, como estrelas, rochas, poços de água e árvores.

Dizemos *djang*... Um lugar sagrado... Do Sonho...
Big Bill Neidjie, presbítero gagudju

A terra viva

Os Sonhos estão intimamente ligados aos elementos naturais (montanhas, rochas e riachos, por exemplo), assim como as próprias "Linhas Melódicas". Os povos aborígines reverenciam a topografia da Austrália como algo sagrado, uma vez que ela oferece evidências da perambulação de seus ancestrais espirituais e de seus corpos. Segundo a tribo gunwinggu, a terra possui o *djang* (poder espiritual) dos seres ancestrais, responsável por sua vida e poder sagrado.

Essa topografia sagrada culmina no Uluru, uma formação rochosa de arenito no Território do Norte, de onde se acredita que todas as "Linhas Melódicas" se originam. O Uluru é venerado como o grande armazém de *djang*, o centro umbilical do corpo vivo da Austrália.

Os aborígines consideram a terra como uma herança e uma responsabilidade, e por isso eles cuidam dela e do Sonho da maneira apropriada. Embora sejam mortais, o *djang* de seus ancestrais vive para sempre, e está sempre no presente. ■

A origem do Uluru

Reza a lenda que, antes de o monólito Uluru existir, o povo kunia, também conhecido como "jiboia australiana", vivia nessa região. A oeste vivia o povo windulka, conhecido como "homens das acácias", que convidou os kunias para uma cerimônia. Os kunias partiram em direção ao oeste, mas, após uma parada no poço de Uluru, encontraram mulheres da tribo metalungana, conhecidas como "lagartixas adormecidas", e se esqueceram do convite. Os windulkas enviaram o pássaro-sino, Panpanpalana, para encontrar os kunias, que lhe disseram que não poderiam honrar o convite, pois haviam acabado de se casar. Afrontados, os windulkas pediram a seus amigos do povo liru, o povo da "cobra venenosa", que atacassem os kunias. Numa batalha violenta, os lirus venceram os kunias, que cercaram seu líder moribundo, Ungata, e cantaram até morrer. No decorrer da batalha, o Uluru foi formado. Três poços de água no topo do Uluru marcam o lugar em que Ungata sangrou até a morte, e a água que jorra dos poços é o sangue de Ungata. É essa água que desce e enche a piscina da Serpente Arco-Íris, Wanambi.

NOSSOS ANCESTRAIS NOS GUIARÃO

OS ESPÍRITOS DOS MORTOS CONTINUAM VIVENDO

EM CONTEXTO

PRINCIPAIS SEGUIDORES
Índios quíchuas

QUANDO E ONDE
A partir da Pré-História, parte central dos Andes, América do Sul

DEPOIS
A partir de 6000 a.C. Os *ayllus*, comunidades ampliadas, desenvolvem-se nos Andes.

3800 a.C. Cadáveres são mumificados e reverenciados como objetos sagrados.

c. 1200 d.C. O império inca é estabelecido.

1438 O império inca se expande pelos Andes, alcançando o auge em 1532.

1534 O império entra em colapso após a colonização espanhola das Américas.

Século XXI O catolicismo é institucionalizado em toda a região, desde a era colonial. No entanto, a maior parte dos quíchuas mistura elementos do cristianismo com suas crenças atuais.

Nós **herdamos a terra** de nossos ancestrais.

Os **espíritos de nossos ancestrais** estão santificados na terra.

Tanto os ancestrais quanto a terra precisam ser **alimentados com sangue e gordura**.

Se fizermos isso, a **terra nos alimentará**, e nossos **ancestrais nos guiarão**.

A religião da área montanhosa dos Andes pode ser resumida, em essência, ao culto dos mortos. Essa tradição de reverência aos ancestrais remonta a uma época muito anterior ao efêmero império dos incas – a cultura que mais caracteriza a região – e dura até os dias atuais.

Apenas um dos muitos povos andinos que falam quíchua, os incas dominaram grande parte dos atuais territórios do Peru, Equador, Chile, Bolívia e Argentina no século XIII. Com a expansão de seu império, eles impuseram uma cultura semelhante à dos astecas da Mesoamérica (pp. 40-45), que eram contemporâneos deles. Essa cultura girava em torno da adoração de sua deidade suprema, o deus Sol.

No entanto, além da capital inca Cuzco, com seus sacerdotes, rituais e artefatos de ouro, as pessoas comuns, que os incas chamavam de *hatun runa*, continuavam praticando um culto aos ancestrais e à Terra que remontava à Pré-História e resistiu à queda do poderoso império inca, destruído no século XVI por conquistadores espanhóis liderados por Francisco Pizarro.

Os povos das montanhas

Desde tempos imemoriais, os povos andinos se organizavam em *ayllus*,

Veja também: Dando sentido ao mundo 20-23 ▪ O propósito da criação 32 ▪ Sacrifício e sangue como oferendas 40-45 ▪ Devoção por meio do *puja* 114-115

grupos de famílias ou clãs, cada um em um território específico. Dentro desses grupos, eles trabalhavam a terra, dividiam recursos e cultuavam divindades nas *huacas*, uma espécie de santuário animista. O foco da adoração era rezar para a terra alimentá-los – uma ajuda vital numa região montanhosa onde a prática da agricultura era um processo bastante laborioso. Paralelamente às súplicas à terra existia a crença de que, assim como a terra havia alimentado seus ancestrais, ela, com a intercessão desses espíritos, os alimentaria também.

Cada *ayllu* mumificava e cultuava os corpos de seus mortos, acreditando que os ancestrais ajudariam a manter a ordem cósmica e garantiriam a fertilidade da terra e dos animais. Os corpos eram enrolados em tecidos e colocados em túmulos sagrados de pedra (*chullpa machulas*), direcionados para o topo da montanha. Uma vez dessecadas pelo ar seco e frio, as múmias eram levadas para o campo durante os rituais, com o intuito de ajudar na plantação. Enquanto isso, sacerdotes

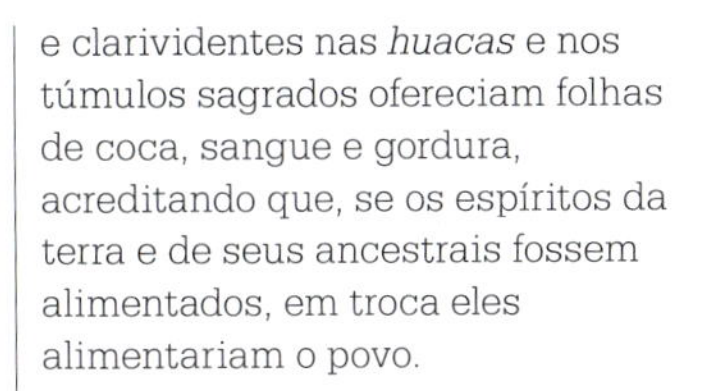

e clarividentes nas *huacas* e nos túmulos sagrados ofereciam folhas de coca, sangue e gordura, acreditando que, se os espíritos da terra e de seus ancestrais fossem alimentados, em troca eles alimentariam o povo.

Um poder duradouro

No século XVII, missionários cristãos queimaram um grande número de múmias andinas, para acabar com o que viam como crenças pagãs. Mesmo assim, algumas múmias resistiram – as mais antigas ou os primeiros seres, segundo os quíchuas da atualidade. As *chullpa machulas*, hoje apenas nichos nas pedras, continuam sendo locais santos, onde clarividentes derramam sangue e gordura, acreditando que isso manterá o local vivo. Alguns grupos, como os índios qollahuayos (veja quadro abaixo), queimam folhas de coca enroladas em lã de lhama. Segundo a tradição, os túmulos continuam tendo poder, mesmo sem as múmias que os ocupavam. O dia dos mortos, 2 de novembro – marcando o fim da

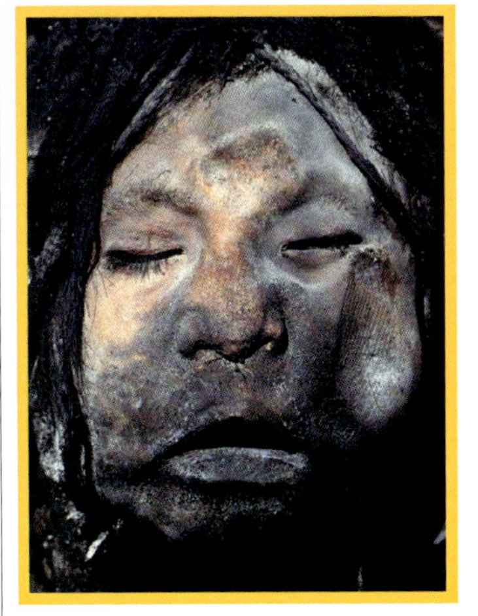

Múmia inca de uma menina que morreu há quinhentos anos ainda preservada. Os ancestrais são reverenciados e têm um papel central na cultura andina.

estação seca e o início das chuvas, quando o cultivo pode ser retomado –, continua sendo comemorado na cultura andina, com um festejo no qual os mortos são convidados a visitar os vivos e a levar uma parte da colheita. ■

Os mortos nos visitam e nos ajudam em nosso trabalho, com muitas bênçãos.
Marcelino, presbítero kaata

Uma montanha e um deus

Os kaatas da Bolívia atual, que vivem perto do lago Titicaca, formam um dos nove *ayllus* dos índios qollahuyos. Os kaatas possuem a reputação histórica de serem grandes videntes. No século XV, os adivinhadores kaatas tinham a honra de carregar a cadeira do imperador inca. Acreditava-se que o poder desses ritualistas qollahuyos provinha do túmulo de seus ancestrais, no monte Kaata.

Além desses túmulos, o próprio monte Kaata é venerado como se fosse um ser humano – uma espécie de superancestral –, descrito com atributos físicos humanos. A parte de cima das montanhas é a cabeça, com cabelo de grama, boca de caverna e olhos de lago. A parte central é o torso, com coração e intestino identificados. Duas reentrâncias na parte inferior formam as pernas. A montanha é um ser vivo que dá aos kaatas tanto orientação quanto sustento.

DEVEMOS SER BONS

VIVENDO EM HARMONIA

EM CONTEXTO

PRINCIPAIS SEGUIDORES
Chewong

QUANDO E ONDE
A partir de 3000 a.C., Malásia Peninsular

ANTES
A partir da Pré-História Os chewongs são uma das dezoito tribos indígenas da Malásia Peninsular, conhecidas coletivamente como *orang asli* – "o povo original". Cada tribo tem sua própria língua e cultura.

DEPOIS
Década de 1930 Os europeus encontram os chewongs pela primeira vez. O contato com os chineses e outros grupos étnicos malaios também é muito restrito até essa época, por conta da localização das tribos nas florestas.

A partir da década de 1950 Os chewongs são pressionados a se incorporarem na sociedade malaia e a se converterem ao islamismo. Muitos decidem manter as práticas tradicionais.

A maioria das sociedades desenvolveu um sistema de moralidade baseado no apelo a ideias de bondade humana, reforçado por sanções de autoridades religiosas e sociais. Quase nenhuma cultura desconhece a ideia de crime e guerra, mas as poucas que foram encontradas eram tribos de caçadores-coletores que lutavam por sua sobrevivência nas florestas tropicais. Uma dessas tribos é o povo chewong, da Malásia Peninsular, cujo primeiro contato com os europeus foi na década de 1930. Hoje eles somam 350 pessoas.

Os chewongs são um povo pacífico e não competitivo. Em seu vocabulário não existem palavras para guerra, briga, crime ou castigo. Eles acreditam que os primeiros seres humanos aprenderam a maneira certa de viver graças ao herói de sua cultura, Yinlugen Bud – um espírito da floresta que já existia antes dos primeiros humanos. Yinlugen Bud deu aos chewongs sua regra mais importante, *maro*, que prevê que a comida deve ser sempre compartilhada. Comer sozinho é perigoso e errado. Só cuidando de todas as pessoas com um espírito de justiça e solidariedade é que o grupo pode ter esperança de sobreviver. Os chewongs acreditam que a violação de seu código moral – não compartilhar comida, ficar com raiva em momentos de infortúnio, expressar expectativa de prazer ou alimentar desejos não gratificados – terá repercussões sobrenaturais, como doenças ou ataques psíquicos ou físicos, seja por um tigre, uma cobra, uma centopeia venenosa ou a *ruwai* (alma) do animal. ■

Os seres humanos não devem nunca comer sozinhos. Você deve sempre compartilhar com os outros.
Yinlugen Bud

Veja também: O propósito da criação 32 ▪ O peso da observância 50 ▪ O ascetismo conduz à libertação espiritual 68-71

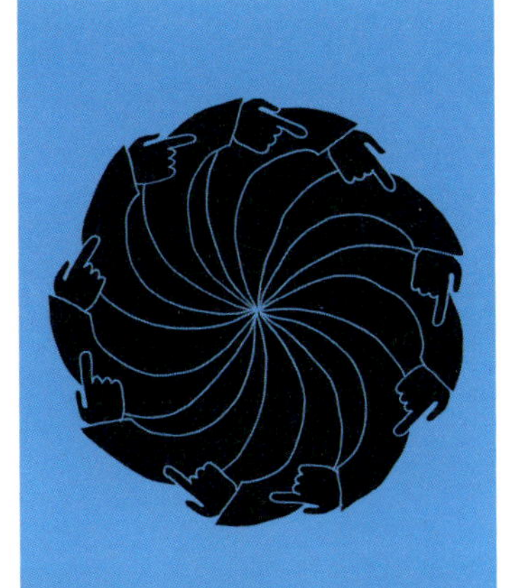

TUDO ESTÁ CONECTADO

UM VÍNCULO PERMANENTE COM OS DEUSES

EM CONTEXTO

PRINCIPAIS SEGUIDORES
Warao

QUANDO E ONDE
A partir de 6000 a.C., delta do rio Orinoco, Venezuela

ANTES
A partir da Pré-História Os waraos são um dos maiores grupos indígenas da região baixa da América Latina.

DEPOIS
Século XVI Os europeus encontram os waraos pela primeira vez e comparam seus povoados com estruturas muito similares em Veneza, batizando o local de Venezuela ("pequena Veneza", em espanhol).

A partir da década de 1960 A degradação ambiental na região afeta a pesca local e desloca as pessoas das tribos para as cidades. Algumas são convertidas ao catolicismo.

2001 Estima-se que mais de 36 mil waraos vivem na região do rio Orinoco.

Vivendo na região do delta do rio Orinoco, onde a Terra é dividida em inúmeras ilhas por uma rede de hidrovias, a tribo warao considera o mundo plano – a Terra é apenas uma fina crosta entre a água e o céu. Eles acreditam que Hahuba, a Serpente do Ser – a avó de tudo o que está vivo –, está enrolada em torno do planeta e que sua respiração é o movimento das marés. Seus diversos deuses, conhecidos como "Os Antigos", vivem em montanhas sagradas nos quatro cantos da Terra, enquanto os waraos vivem no centro. Em povoados protegidos por um dos deuses, a choça que serve de templo também contém uma rocha sagrada onde o deus habita.

Dependência divina

Os deuses waraos dependem dos humanos para receber oferendas, principalmente tabaco. Os waraos, por sua vez, dependem dos deuses para ter saúde e continuar vivendo. Esse vínculo permanente com os deuses é estabelecido assim que o bebê nasce. Dizem que o primeiro choro do bebê ecoa pelo mundo até chegar à montanha de Ariawara, o Deus da Origem, no Leste, que chora de volta como sinal de boas-vindas. Logo após o nascimento do bebê, Hahuba, a Serpente do Ser, faz soprar uma brisa agradável no povoado, para acolher o recém-nascido. A partir daí, o bebê passa a fazer parte do complexo equilíbrio entre o natural e o sobrenatural que constitui a rede do cotidiano warao. ■

Segundo o mito warao, o "Pássaro da Plumagem Bela" oferece proteção sobrenatural às crianças. Se uma criança morre, é porque os espíritos precisam de alimento no mundo dos mortos.

Veja também: O Sonho 34-35 ▪ Os espíritos dos mortos continuam vivendo 36-37 ▪ O simbolismo na prática 46-47 ▪ O homem e o universo 48-49

OS DEUSES DESEJAM SANGUE

SACRIFÍCIO E SANGUE COMO OFERENDAS

EM CONTEXTO

PRINCIPAIS SEGUIDORES
Astecas, maias e outros povos mesoamericanos

QUANDO E ONDE
Séculos III–XV d.C., México

ANTES
A partir de 1000 a.C. A civilização maia começa sua lenta ascensão, atingindo o auge entre os séculos III e X d.C. – o período maia clássico.

A partir do século XII d.C. O império asteca é estabelecido.

DEPOIS
1519 d.C. Os astecas, com uma população de 20-25 milhões de pessoas, são derrotados por forças espanholas sob a liderança do conquistador Hernán Cortés.

1600 d.C. A conversão obrigatória ao catolicismo e a exposição a doenças europeias destroem a civilização asteca e reduzem a população para cerca de 1 milhão de pessoas.

O sacrifício de animais e humanos caracterizou muitas tradições religiosas no mundo inteiro, mas a ideia de sacrifício ritualístico foi particularmente relevante nas antigas civilizações da Mesoamérica, sobretudo para os maias e os astecas.

Os povos mesoamericanos habitaram a região que hoje vai do México central à Nicarágua. A civilização maia (auge: c. 250–900 d.C.) precedeu a civilização asteca, que atingiu o apogeu por volta de 1300–1400 d.C. A cultura asteca inspirou-se na tradição maia, e os dois povos possuem diversas divindades em comum, com nomes diferentes, mas com as mesmas características.

Um pacto de sangue

As culturas mesoamericanas acreditavam que o sacrifício de sangue aos deuses era essencial para assegurar a sobrevivência do mundo, numa tradição de sangria ritualística que remonta à primeira grande civilização do México, o povo olmeca, que se destacou entre 1500 e 400 a.C. Reza a lenda que os próprios deuses realizaram enormes sacrifícios para criar o mundo, incluindo o derramamento de seu próprio sangue para gerar a humanidade, o que explica por que eles desejavam sacrifícios similares da humanidade em troca.

Sacrifício e criação

O poder do sangue e a necessidade de sacrifícios são elementos centrais no mito da criação asteca. Os astecas acreditavam que os deuses criaram e destruíram quatro eras, ou "sóis", e que, após a destruição do quarto sol por um dilúvio, o deus do vento, Quetzalcoatl, e seu irmão, Tezcatlipoca, rasgaram a deusa Tlaltecuhtli (ou deus, em algumas versões) ao meio para criar um novo céu e uma nova Terra. De seu corpo saiu tudo o que era necessário para a vida da humanidade – árvores, flores, grama, fontes, poços, vales e montanhas. Tudo isso causou uma terrível agonia à deusa Tlaltecuhtli, e ela passou a uivar durante a noite, exigindo o sacrifício de corações humanos para sustentá-la.

Seguiram-se outros atos cósmicos de criação, todos requerendo sacrifícios ou oferendas de sangue. Um relevo mostra as primeiras

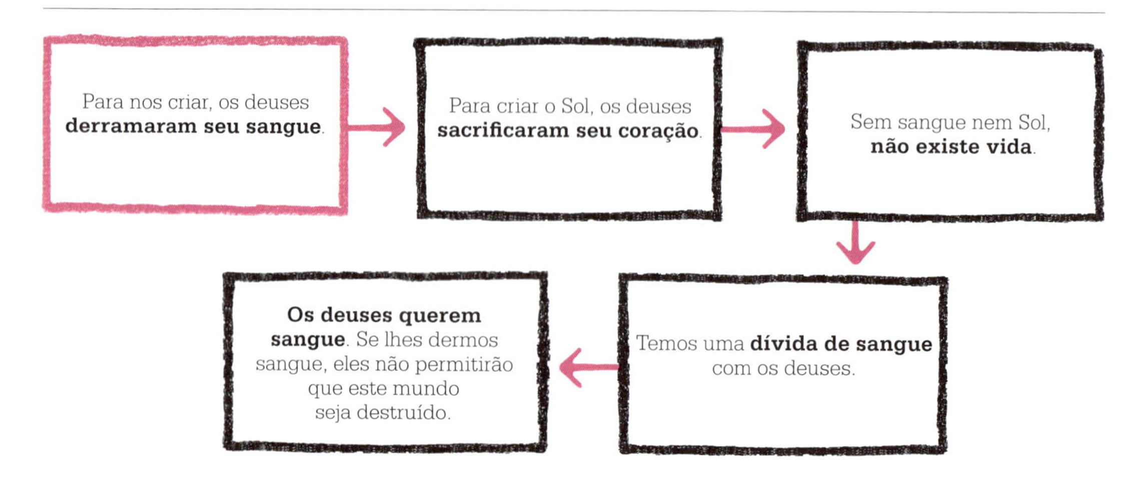

Veja também: O propósito da criação 32 ▪ Um vínculo permanente com os deuses 39 ▪ O peso da observância 50 ▪ A renovação da vida por meio de rituais 51 ▪ Crenças para novas sociedades 56-57

Você precisa derramar sangue da orelha e do cotovelo, em adoração. Essa será sua forma de agradecer a deus.
Tohil, deus maia

As vítimas dos sacrifícios humanos astecas eram em geral prisioneiros de guerra. Durante os combates, os guerreiros astecas preferiam capturar a matar seus adversários, para depois oferecê-los aos deuses.

estrelas nascendo do sangue jorrado pela língua de Quetzalcoatl depois que ele a furou. Para criar o quinto sol, um deus teria que se jogar numa pira funerária. Dois deuses, Tecuciztecatl e Nanahuatzin, em rivalidade pela honra, imolaram-se. Nanahuatzin tornou-se o Sol e Tecuciztecatl, a Lua. Os outros deuses ofereceram o coração para fazer com que o novo sol se movimentasse pelo céu (a oferenda do coração é um tema recorrente nos mitos e rituais mesoamericanos).

A pavorosa dívida da humanidade

Tanto os astecas quanto os maias estavam presos a seus deuses por uma dívida de sangue, decorrente dos atos da criação que jamais poderiam ser pagos. Conta-se que Quetzalcoatl desceu ao mundo subterrâneo, recolheu os ossos dos antigos humanos (restos mortais das quatro eras anteriores) e os deuses os moeram, derramando em seguida seu próprio sangue na fina farinha para lhe dar vida e criar uma nova raça de pessoas – pessoas cujo coração poderia satisfazer a sede de sangue dos deuses.

Segundo o mito mesoamericano, cada período de 52 anos representa um ciclo, no fim do qual o mundo pode acabar. O sacrifício humano era uma forma de agradar os deuses e convencê-los a não destruir a era presente – a era do quinto sol. Os maias acreditavam que o que fazia o Sol aparecer no céu toda manhã era o sacrifício de sangue.

O deus do Sol asteca, Huitzilopochtli, estava preso em constante luta contra a escuridão e precisava ser fortalecido com sangue para que o Sol continuasse em seu ciclo. Ou seja, a existência do mundo mesoamericano equilibrava-se sobre uma linha extremamente tênue e dependia de constantes atos de sacrifício para não chegar ao fim.

O derramamento de sangue para os deuses assumia duas formas: autossacrifício (derramamento de sangue próprio) e sacrifício humano. Tanto os maias quanto os astecas realizaram autossacrifícios. Os nobres da Mesoamérica tinham o que era considerado um privilégio e a responsabilidade de derramar seu próprio sangue para os deuses, furando a carne com espinhas de arraia, facas de pedra e, o mais comum, com espinhos de agave. Os furos eram feitos nas orelhas, nas canelas, nos »

Essa deusa chorava muitas vezes à noite, desejando o coração dos homens para comer.
A respeito da deusa asteca Tlaltecuhtli

Na celebração desse festival, os prisioneiros e escravos eram mortos.
Hino asteca a Huitzilopochtli

joelhos, nos cotovelos, na língua ou no prepúcio. A prática do autossacrifício remonta à época do povo olmeca, continuando mesmo após a conquista espanhola do México, em 1519. Tanto os homens quanto as mulheres da nobreza maia participavam – os homens derramando sangue do prepúcio e as mulheres, da língua. A oferenda era coletada em papel amate, que então era queimado. A fumaça produzida pelas oferendas ajudava-os a comunicar-se com os ancestrais e os deuses.

Ritos de sacrifício

O sacrifício humano era muito mais comum na cultura asteca do que na cultura maia, que o realizava apenas em circunstâncias especiais, como a consagração de um novo templo.

O sacrifício asteca normalmente envolvia a retirada do coração da vítima. Acreditava-se que o coração constituía um fragmento da energia do Sol, de modo que retirá-lo era uma forma de devolver a energia para sua fonte. A vítima era imobilizada por quatro sacerdotes sobre uma laje do templo, enquanto um quinto arrancava o coração do corpo com uma faca de pedra e o oferecia aos deuses, ainda batendo, numa cabaça chamada *cuauhxicalli*. Após a retirada do coração, o corpo era levado pelas escadas do templo em forma de pirâmide ao terraço de pedra, na base. Removia-se a cabeça da vítima e, às vezes, também os braços e as pernas. O crânio ficava em exibição numa estante específica. Dependendo do deus que estava sendo homenageado no sacrifício, as vítimas morriam em luta, afogadas, atingidas por flechas ou escalpeladas.

Os sacrifícios, muitas vezes, assumiam proporções inimagináveis. Por exemplo, na reinauguração do templo asteca de Huitzilopochtli no ano de 1487 em Tenochtitlán, estima-se que 80.400 vítimas tenham sido sacrificadas, enchendo piscinas de sangue coagulado no pátio do templo. Mesmo uma estimativa mais modesta de 20 mil vítimas ainda representa uma carnificina.

O ano ritualístico asteca era pontuado por sacrifícios a diversos deuses e deusas. Embora os deuses também se alegrassem com fumaça de incenso, tabaco, comida e objetos preciosos, o que eles realmente desejavam era sangue.

Rituais e o calendário

O ano mesoamericano tinha 260 dias, um calendário seguido tanto pelos astecas quanto pelos maias. No final de cada ano na sociedade asteca, um homem representando Mictlantecuhtli, o deus do mundo subterrâneo, era sacrificado no templo chamado Tlalxicco, "o centro umbilical do mundo". Dizia-se que a carne da vítima, depois, era comida pelos sacerdotes. Assim como a carne humana sustentava os deuses, ao consumir um deus (incorporado na vítima sacrificada), alcançava-se uma espécie de comunhão com aquele deus. Celebrantes menos eminentes comiam figuras feitas de massa de pão, na qual se misturava o sangue do sacrifício. Consumir essas figuras de massa, conhecidas como *tzoalli*, também era uma forma de comunhão com os deuses.

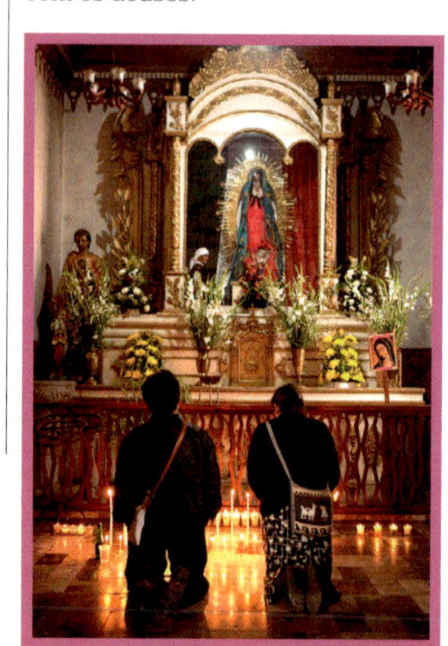

Descendente dos maias, o povo tzotzil foi obrigado a trabalhar nas colônias espanholas e misturar seus credos com cultos cristãos, formando uma religião com aspectos de sincretismo.

O calendário solar asteca possui uma imagem do sol com um anel de glifos representando medidas de tempo e refletindo a preocupação asteca com o Sol.

Tal representação dos mitos dos deuses era uma característica do credo asteca e dos ritos anuais. Durante o principal festival de Xipe Totec, um sacerdote personificando o deus "vestia" a pele do prisioneiro sacrificado. Da pele apertada que se rasgava emergia o sacerdote, como um rebento de uma semente, representando crescimento e renovação. Outros sacrifícios astecas honravam o milho, seu alimento básico. Todo ano, uma jovem representando Chicomecoatl, a deusa do milho, era sacrificada na época da colheita. A jovem era decapitada, o sangue, derramado sobre uma estátua da deusa, e a pele, vestida por um sacerdote.

Conquista e absorção

Quando o invasor espanhol Hernán Cortés e seus conquistadores desembarcaram no México em 1519, diz-se que os astecas o confundiram com o deus Quetzalcoatl, em parte pela semelhança do chapéu, e lhe ofereceram bolos de milho embebidos em sangue humano. A oferenda não agradou ao "deus", e a civilização asteca, com apenas quatro séculos de existência àquela altura, foi destruída pelo espanhol.

Em contrapartida, a cultura maia não sofreu a mesma aniquilação, possivelmente porque os maias estavam mais espalhados pelo território. No sul do México, até hoje o povo tzotzil, descendente dos maias, preserva muitos elementos da antiga cultura e religião, incluindo o calendário de 260 dias.

A religião tzotzil é uma mistura de catolicismo e crenças maias tradicionais. A terra natal desse povo, no planalto de Chiapas, no sul do México, está cheia de cruzes de madeira, não apenas em referência ao crucifixo cristão, mas como canais de comunicação com Yajval Balamil, o senhor da terra, um deus poderoso que deve ser atendido antes de se fazer qualquer trabalho na terra. Numa adaptação das antigas crenças, o povo tzotzil associa o Sol com o deus cristão e a Lua com a Virgem Maria, cultuando também imagens dos santos cristãos. ■

Almas tzotzil

A religião tzotzil mescla o catolicismo com algumas crenças não cristãs. O povo tzotzil sustenta que todo mundo tem duas almas, uma *wayjel* e uma *ch'ulel*. A *ch'ulel* é a alma interna, situada no coração e no sangue, inserida no embrião pelos deuses. No momento da morte, essa alma vai a Katibak, a terra dos mortos no centro da Terra, e fica lá o tempo que o falecido viveu; mas vive a vida ao contrário, voltando gradualmente à infância, até poder ser designada a um novo bebê do sexo oposto.

A segunda alma, *wayjel*, é uma companhia espiritual animal compartilhada com um animal selvagem, ou *chanul*, mantida em clausura pelos deuses ancestrais tzotzil. O espírito humano e o espírito animal possuem um destino comum – portanto, o que ocorrer ao humano influenciará o espírito animal e vice-versa. Entre os espíritos animais estão o jaguar, a onça, o coiote, o esquilo e o gambá.

Nessa celebração [a Xipe Totec], eles matavam todos os prisioneiros, homens, mulheres e crianças.
Bernardino de Sahagún, *História geral das coisas da Nova Espanha*

PODEMOS CONSTRUIR UM LUGAR SAGRADO

O SIMBOLISMO NA PRÁTICA

EM CONTEXTO

PRINCIPAIS SEGUIDORES
Pawnee

QUANDO E ONDE
A partir de c. 1250 d.C., Grandes Planícies, EUA

DEPOIS
1875 Os pawnees são transferidos de suas terras em Nebraska para uma nova reserva em Oklahoma.

1891-1892 Muitos pawnees adotam a nova religião "Dança dos fantasmas", que promete ressurreição para os ancestrais.

1900 O censo americano registra uma população de apenas 633 pawnees. Nas quatro décadas seguintes, as práticas religiosas dos pawnees perdem a força e desaparecem.

Século xx A nação pawnee é, em sua maioria, cristã, com pessoas ligadas às igrejas metodista, batista e pentecostal. Alguns pawnees são membros da Igreja Nativa Americana.

O **mundo** e nós mesmos fomos **criados por Tirawahat**, a vastidão **dos céus**. Ele nos disse que a **Terra é nossa mãe** e o **céu é nosso pai**.

Se fizermos com que **nossa casa circunde a Terra e englobe o céu**, convidamos nossa mãe e nosso pai para viver conosco.

Se abrirmos nossa casa para o leste, Tirawahat pode entrar com o sol da manhã. **Nossa casa é uma versão em miniatura do universo**.

Os primeiros espaços sagrados das primeiras religiões foram os naturais: florestas, nascentes e cavernas. No entanto, com o processo de ritualização dos cultos, surgiu a necessidade de definir lugares sagrados – construções designadas à devoção que apresentam as características essenciais de cada religião.

Por outro lado, construções utilizadas para atividades cotidianas assumiam importância cósmica em culturas onde religião e cotidiano se misturavam. Um exemplo disso foram as cabanas de terra, ou centros cerimoniais, dos pawnees, umas das nações de indígenas americanos das Grandes Planícies. A arquitetura da cabana de terra dos pawnees possuía um aspecto sagrado, fazendo com que cada construção fosse uma versão em miniatura do universo, conforme prescrito no início dos tempos por Tirawahat, o deus criador e chefe de todos os deuses, após ter criado os céus, a Terra e os primeiros seres humanos (veja quadro na página seguinte).

Cada cabana de terra era sustentada por quatro pilares, em representação a quatro deuses, as "Estrelas das Quatro Direções", que sustentavam também os céus do

Veja também: Dando sentido ao mundo 20-23 ▪ O homem e o universo 48-49 ▪ Vivendo no caminho dos deuses 82-85

A cabana de terra era uma versão em miniatura do universo na tradição pawnee, construída dessa forma. Uma família pawnee na entrada de casa em Loup, Nebraska, 1873.

nordeste, noroeste, sudoeste e sudeste. Os pawnees acreditavam que as estrelas ajudaram Tirawahat a criá-las e que, no fim do mundo, os pawnees virariam estrelas.

A entrada da cabana de terra era a leste, para permitir a entrada da luz da alvorada. No centro da habitação havia uma lareira e, no fundo (a oeste), um pequeno altar feito de terra. No altar, um crânio de búfalo seria ocupado pelo espírito de Tirawahat assim que os primeiros raios de sol da manhã incidissem sobre ele. Acreditava-se que Tirawahat vivia e se comunicava com as pessoas por meio desse crânio. Mais acima, pendurados numa viga, objetos sagrados utilizados em rituais, como mapas do céu noturno. Dizia-se que esses objetos davam a identidade e o poder de cada povoado.

Um mundo dentro de outro

No inverno, construíam-se pequenas cúpulas de vapor dentro das cabanas de terra. Essas cúpulas, utilizadas para propósitos espirituais e de cura, também eram locais sagrados. Segundo a crença, as pedras aquecidas utilizadas dentro das cúpulas de vapor eram "avôs" ancestrais, que deveriam ser tratados com grande reverência. As pedras quentes eram mergulhadas em água, e acreditava-se que o vapor produzido era a respiração dos ancestrais.

Reza a lenda que a primeira cúpula de vapor foi construída pelo filho de um indígena como parte de um ritual ensinado a ele por animais de guarda. Durante o ritual, ele disse: "Agora estamos sentados no escuro como Tirawahat quando criou todas as coisas e colocou os meteoros no céu para o nosso bem. Os pilares que nos protegem são representações deles. Quando eu soprar essa raiz sobre as pedras, vocês verão uma chama azul saindo delas, como sinal para rezarmos para Tirawahat e os avôs ancestrais". ■

A lenda de Tirawahat

Segundo o mito pawnee, depois que o deus criador Tirawahat criou o Sol, a Lua, as estrelas, os céus, a Terra e todas as coisas existentes, ele falou, e ao som de sua voz surgiu uma mulher. Tirawahat criou o homem e o enviou à mulher, dizendo: "Eu te dou a Terra, que chamarás de 'mãe'. Os céus chamarás de 'pai'. Agora, te mostrarei como construir uma cabana, para não sentires frio e te protegeres da chuva". Depois de um tempo, Tirawahat falou de novo e perguntou ao homem se ele sabia o que a cabana representava. O homem não sabia. "Eu te disse para chamar a terra de 'mãe'", lembrou Tirawahat. "A cabana representa seu peito. A fumaça que sai da abertura é como o leite que derrama de seus seios... Quando comes o que se prepara na lareira, é como se fosses amamentado, porque te alimentas e cresces."

Nosso povo foi criado pelas estrelas. Quando chegar o momento do fim, todos nós viraremos pequenas estrelas.
Touro Jovem

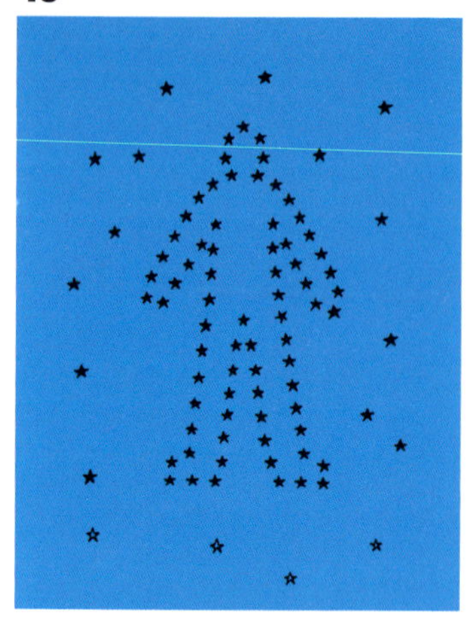

ESTAMOS EM SINTONIA COM O COSMOS

O HOMEM E O UNIVERSO

EM CONTEXTO

PRINCIPAIS SEGUIDORES
Dogon

QUANDO E ONDE
A partir do século xv, Mali, África Ocidental

ANTES
A partir de 1500 a.C.
Similaridades presentes nos mitos orais e no estudo da astronomia sugerem que as tribos ancestrais dogons podem ter se originado no antigo Egito, antes de migrar para a região da atual Líbia, depois para Burkina Faso ou Guiné.

A partir do século x d.C. A identidade dogon se desenvolve na África Ocidental a partir de uma mistura de tribos anteriores, que fugiram da perseguição islâmica.

DEPOIS
Hoje O povo dogon soma entre 400 mil e 800 mil pessoas. A maioria ainda pratica a religião tradicional, mas uma significativa minoria se converteu ao islamismo e ao cristianismo.

O povo dogon vive na falésia de Bandiagara, no Mali, África Ocidental, onde pratica uma religião animista tradicional. Para eles, tudo contém poder espiritual. Um dos fundamentos da religião dogon é a crença de que a humanidade é a "semente" do universo e que a forma humana reflete tanto o primeiro momento da criação como o universo inteiro. Por conta disso, todo vilarejo dogon tem o formato do corpo humano, sendo considerado um ser vivo.

Espaço simbólico e sagrado

Um vilarejo dogon estrutura-se como um corpo deitado de norte a sul, com a forja na cabeça e os santuários nos pés. Essa estrutura reflete a crença de que o deus criador, Amma, criou o mundo do barro, em forma de uma mulher deitada nessa posição. Tudo no vilarejo apresenta um equivalente antropomórfico. As choças para o período menstrual das mulheres, a leste e a oeste, são as mãos. As granjas familiares são o peito. Cada uma dessas granjas, por sua vez, é estruturada no formato de um corpo masculino, onde a cabeça é a cozinha, a barriga é o grande quarto central, os braços são duas fileiras de depósitos, o peito são duas jarras de água, e o pênis é o corredor de entrada. A construção reflete o poder criativo dos gêmeos ancestrais masculino-feminino, os *nommos* (veja quadro na página seguinte).

A cabana do *hogon*, o líder espiritual do povo dogon, constitui um modelo do universo. Cada

Dançarinos mascarados realizam o *dama*, um ritual funerário tradicional. O propósito dessa cerimônia religiosa do povo dogon é guiar a alma das pessoas falecidas com segurança para o além.

Veja também: O simbolismo na prática 46-47 ▪ A realidade suprema 102-105

Todo o universo estava originalmente contido dentro de um **ovo** ou **semente**.

↓

Tudo o que existe **começou como uma vibração** nesse ovo.

↓

A **forma do homem** já existia no ovo e também refletia a forma do universo.

↓

Tudo, desde a menor semente até a vastidão do cosmos, é um **reflexo e uma expressão de tudo**.

↓

Um vilarejo, uma granja, um chapéu ou uma semente podem **conter o universo inteiro**.

elemento da decoração e da mobília é carregado de simbolismo. Os movimentos do *hogon* estão de acordo com o ritmo do universo. Na alvorada, ele se vira para o leste, em direção ao nascer do Sol. Depois, caminha pela granja seguindo a ordem dos quatro pontos cardeais. Finalmente, ao anoitecer, ele se senta virado para o oeste. Sua bolsa é descrita como "a bolsa do mundo"; seu bastão é "o eixo do mundo".

Significado cósmico

Até a vestimenta do *hogon* representa o mundo em miniatura. O toucado cilíndrico, por exemplo, é uma imagem tecida das sete vibrações espirais que afetaram o "ovo-mundo" cósmico (veja à direita). Durante uma crise, os chefes se reúnem em torno do toucado e o *hogon* fala com o chapéu, virando-o para cima no chão, como se o próprio mundo estivesse sendo virado, pronto para recuperar a ordem por intervenção do deus Amma.

O complexo simbolismo cósmico dos dogons reflete-se para fora a partir do cosmos e volta para o toucado do *hogon*, a casca do ovo-mundo. Religião, sociedade, cosmologia, mitologia, cultivo, cotidiano – tudo se entremeia em cada detalhe, refletido em cada ação. ■

Os *nommos*

Os *nommos* são seres ancestrais cultuados pelos dogons, geralmente descritos como criaturas anfíbias hermafroditas que, segundo o mito, foram criadas pelo deus Amma, quando ele criou o ovo cósmico. Esse ovo assemelhava-se tanto à menor semente cultivada pelos dogons quanto à estrela irmã de Sírio – a estrela mais brilhante do céu. Dentro do ovo residia o germe de todas as coisas.

Em uma versão do mito, dois pares de gêmeos masculino-feminino, os *nommos*, encontravam-se dentro do ovo esperando nascer para trazer ordem ao mundo, mas o ovo foi afetado por uma vibração e um dos gêmeos masculinos, Yurugu, nasceu prematuramente, criando a Terra a partir de sua placenta. Amma, então, enviou os três *nommos* remanescentes ao mundo, e eles estabeleceram as instituições e os rituais necessários para a renovação e continuação da vida. Não obstante, por conta das ações prematuras de Yurugu, o mundo foi maculado desde o início.

Para os dogons, a vida social representa o funcionamento do universo.
Marcel Griaule, antropólogo

EXISTIMOS PARA SERVIR AOS DEUSES

O PESO DA OBSERVÂNCIA

EM CONTEXTO

PRINCIPAIS SEGUIDORES
Tikopiano

QUANDO E ONDE
A partir de c. 1000 a.C., Tikopia, ilhas Salomão, oceano Pacífico

DEPOIS
1606 Exploradores europeus desembarcam em Tikopia.

1859 A Missão anglicana melanésia faz contato com Tikopia.

1928-1929 A cultura tikopiana é estudada pelo antropólogo Raymond Firth. A população é dividida em quatro clãs.

1955 O Trabalho dos Deuses é abandonado após uma epidemia. Os chefes pagãos remanescentes convertem-se ao cristianismo.

2002 Tikopia é devastada pelo ciclone Zoë, mas os habitantes da ilha se protegem e conseguem sobreviver.

2012 A população de Tikopia é de aproximadamente 1.200 habitantes.

Até a chegada do cristianismo a Tikopia na década de 1950, todos os habitantes dessa pequena ilha no Pacífico dedicavam-se a rituais durante duas semanas por ano, assumindo o Trabalho dos Deuses. Nessas ocasiões, eles realizavam tarefas para agradar os *atuas*, espíritos ou deuses, acreditando que em retribuição eles garantiriam uma boa colheita. O Trabalho dos Deuses era um tipo de devoção que se expressava como um sistema de troca entre seres humanos e espíritos. Os tikopianos realizavam rituais, e os deuses garantiam suas necessidades básicas. Além disso, a religião era estruturada de modo que grande parte das atividades levadas a cabo para agradar os deuses – como consertar canoas, plantar, colher e produzir cúrcuma – possuísse valor econômico para os tikopianos. Oferendas de comida e *kava* (uma bebida inebriante) feitas aos deuses eram consumidas somente "em essência" – deixando o alimento de verdade para o consumo humano.

Fazer parte do Trabalho dos Deuses gerava status e era visto como um privilégio. Os rituais envolvidos nessa religião também serviam de base para estruturas sociais e econômicas fundamentais e ajudavam a manter o povo tikopiano unido. ■

Um tikopiano dança com um remo. Danças e toques de tambores ritualísticos faziam parte do Trabalho dos Deuses.

Veja também: Dando sentido ao mundo 20-23 ▪ Um vínculo permanente com os deuses 39 ▪ Sacrifício e sangue como oferendas 40-45 ▪ Devoção por meio do *puja* 114-115

NOSSOS RITUAIS SUSTENTAM O MUNDO

A RENOVAÇÃO DA VIDA POR MEIO DE RITUAIS

EM CONTEXTO

PRINCIPAIS SEGUIDORES
Hupa

QUANDO E ONDE
c. 1000 a.C., noroeste da Califórnia, EUA

ANTES
c. 900-1100 d.C. Ancestrais dos hupas chegam ao noroeste da Califórnia vindo de regiões subárticas ao norte.

DEPOIS
1828 Primeiro contato com caçadores de pele americanos. Cerca de mil hupas viviam no Hoopa Valley na época, comercializando peles até o início da Corrida do Ouro, em 1848.

Até 1900 A população hupa reduz-se a quinhentos habitantes por causa de doenças.

1911 Forma-se o primeiro conselho tribal hupa moderno.

Hoje Mais de 2 mil hupas vivem sob um governo independente em seu território tradicional.

Com suas músicas e danças ritualísticas, a tribo hupa do noroeste da Califórnia acreditava que era capaz de renovar o mundo, ou "firmar o planeta", revitalizando a terra de modo a assegurar recursos suficientes para o ano seguinte. Uma das principais danças de renovação do mundo, realizada todo outono, era a Dança da Camurça Branca. O propósito da dança era recriar as ações do povo kixunai, ou "o primeiro povo", os míticos antecessores dos hupas.

Ao reencenarem a narrativa sagrada dos kixunais, os hupas esperavam acessar os poderes da criação, a fim de salvaguardar a saúde da população e garantir provisão suficiente de animais selvagens e peixes para a temporada de caça. No decorrer da dança, que durava dez dias, exibia-se a pele de um cervo albino (símbolo de riqueza e status), toda decorada. De manhã os participantes remavam no rio em pirogas e, à tarde e à noite, eles dançavam, empunhando varas com efígies nas pontas.

Os kixunais se pintavam e dançavam à noite. Na manhã seguinte, eles dançavam de novo.
Mito hupa

O primeiro povo

Os hupas acreditavam que os kixunais eram humanos na forma, mas extraordinários no caráter. Tudo o que um kixunai fazia se tornava costume na nova raça hupa. Portanto, cada detalhe do cotidiano dos hupas baseava-se nas atividades do primeiro povo. De acordo com a crença hupa, os kixunais dispersaram-se pelo oceano, deixando apenas o lendário Yimantuwinyai para ajudar as pessoas em sua vida na Terra. ■

Veja também: Os espíritos dos mortos continuam vivendo 36-37 ▪ Crenças que refletem a sociedade 80-81

CRENÇAS MILENARE CLÁSSICA A PARTIR DE 3000

SE

S

A.C.

O **Egito antigo** é unificado, e inicia-se o **primeiro período dinástico**. É estabelecido o culto a um faraó divino.

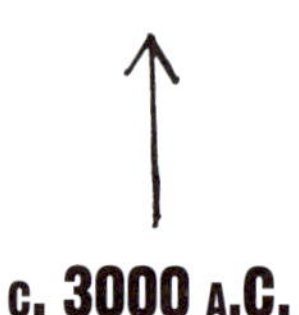

c. 3000 a.C.

c. 3000 a.C.

Clãs celtas espalham-se pela Europa, cada tribo com suas próprias divindades locais.

Inscrições em tumbas, conhecidas como os **"textos das pirâmides"**, os escritos religiosos mais antigos já registrados, sugerem que os **antigos egípcios** acreditavam em vida após a morte.

séculos xxv-xxiv a.C.

séculos xx-xvi a.C.

Na **primeira dinastia babilônica da Mesopotâmia**, uma complexa mitologia é registrada no poema épico "Enuma Elish".

O panteão da mitologia grega evolui na **cultura minoica** de Creta.

1700-1400 a.C.

c. 1600 a.C.

Povos **escandinavos** começam a criar imagens de deuses e deusas, desenvolvendo uma **mitologia nórdica**.

Provável data da fundação do **zoroastrismo** na Pérsia, embora a doutrina possa datar do século XVIII a.C.

c. 1200 a.C.

século viii a.C.

De acordo com a lenda, **Rômulo** mata Remo para fundar a **cidade** de **Roma**.

As primeiras civilizações surgiram quando tribos nômades começaram a fixar moradia para o cultivo agrícola. Crenças e práticas religiosas locais foram evoluindo, e os credos de diferentes tribos unificaram-se em torno de divindades e mitologias em comum. Ergueram-se complexos panteões, e um conjunto sofisticado de mitos (resultado das diversas vertentes que se uniram) passou a descrever a função dos deuses e de criaturas míticas no funcionamento do mundo.

Essas religiões mais formais ofereciam explicações para fenômenos naturais como o Sol, a Lua, as estações, o tempo e a influência dos deuses sobre eles, incluindo, amiúde, histórias sobre a criação e sobre o relacionamento do homem com os deuses. Os elaborados túmulos deixados pelas primeiras civilizações, como a egípcia, são um sinal inequívoco de que elas acreditavam em vida após a morte e que os rituais funerários desempenhavam um papel fundamental na religião. Com a formação de comunidades cada vez maiores, os templos dedicados aos deuses tornaram-se o foco de muitas cidades.

O processo de civilização também deu origem a diversas formas de linguagem escrita, permitindo o registro das histórias sobre deuses e a criação, que foram se desenvolvendo ao longo dos milênios. As inscrições religiosas apareceram pela primeira vez nas paredes dos túmulos e templos de civilizações como a egípcia. Em outros lugares, tradições próprias também começaram a adquirir forma, com a incorporação das religiões indígenas, chinesas, japonesas, nórdicas e celtas ao sistema de crença das nações emergentes.

Credos coalescentes

Em 1500 a.C., as tradições religiosas locais já estavam estabelecidas em grande parte do mundo, dando lugar a sociedades mais avançadas e exigindo sistemas de crença mais elaborados. Um pouco mais tarde, surgiram algumas religiões novas, como o zoroastrismo (possivelmente a primeira religião monoteísta), enquanto os fundamentos do judaísmo se definiam.

Na Índia, as inúmeras crenças religiosas locais foram incorporadas à tradição védica, baseada em escrituras milenares – os Vedas. A tradição védica tornou-se a amálgama pluralística hoje conhecida como hinduísmo, mas junto com ela vieram o jainismo, que dava maior ênfase a uma forma correta de viver do que ao culto de deidades, e o

SÉCULO XVI A.C.

O sábio chinês **Lao Tsé** descreve o tao, o caminho, e **estabelece o taoismo** na China.

SÉCULOS VIII-VII A.C.

O poeta grego **Homero** escreve *Ilíada* e *Odisseia*, e **Hesíodo** escreve *Teogonia* (a origem dos deuses).

599-527 A.C.

O mestre indiano **Mahavira** estabelece os **dogmas centrais do jainismo**.

551 A.C.

Confúcio, fundador do confucionismo, nasce em Zou, província de Lu, China.

SÉCULOS V-IV A.C.

O período clássico da **antiga civilização grega** começa no Mediterrâneo Oriental.

SÉCULO VIII D.C.

Dois livros da **mitologia japonesa**, *Kojiki* e *Nihon shoki*, são compilados como base para a religião nacional do Japão, o **xintoísmo**.

SÉCULOS IX-X D.C.

Os **vikings** surgem, disseminando sua religião no norte da Europa, na Islândia e na Groenlândia.

SÉCULO XIII D.C.

Poemas épicos islandeses descrevendo a **mitologia nórdica** são escritos e registrados nos *Eddas*.

budismo, mais uma filosofia de vida do que uma religião, já que o foco é a iluminação, sem a necessidade de deuses.

Esse foco na filosofia moral também prevaleceu nas religiões oriundas da China e do Japão. Na sociedade organizada das grandes dinastias chinesas, religião e organização política passaram a andar juntas. O taoismo, proposto pelo lendário sábio Lao Tsé, defendia uma forma religiosa de vida compatível com a sociedade chinesa. Confúcio partiu disso para desenvolver um novo sistema de crenças baseado numa reinterpretação do respeito pela hierarquia e reforçado por rituais. Mais tarde, no Japão, as religiões tradicionais unificaram-se para criar a religião nacional, o xintoísmo, que pregava a reverência aos ancestrais e incentivava os seguidores a se conectarem a eles por meio de práticas ritualísticas.

No século VI a.C., as cidades--estado gregas já estavam estabelecidas, e a civilização grega clássica exercia forte influência na região mediterrânea oriental. A religião (embora os gregos não tivessem uma palavra específica para descrevê-la) fazia parte da vida diária, e, apesar de se acreditar que os deuses vivessem separados dos seres humanos, a vida deles seria bastante similar à dos mortais. A história do povo grego, conforme interpretação de Homero em seus poemas épicos, era também a história de seus deuses. A hierarquia de divindades, com estilos de vida bem humanos e relacionamentos tempestuosos, refletia a sociedade da Grécia. Além de explicarem os acontecimentos do mundo, as divindades também justificavam as excentricidades do comportamento humano. Com sua ajuda, seria possível adivinhar o futuro, escolher os momentos mais propícios para agir e até derrotar inimigos. Elas quase sempre existiram paralelamente à vida humana, alheias aos assuntos mundanos, mas para mantê-las felizes os gregos erigiram templos, realizando rituais e festivais com frequência.

Com a ascensão e a queda das primeiras civilizações, muitas de suas crenças desapareceram ou foram incorporadas nas religiões que as substituíram. O panteão da mitologia grega, por exemplo, foi incorporado na mitologia romana e, junto com crenças celtas e outros credos, no cristianismo. Algumas religiões, porém – como as nórdicas –, foram praticadas até a Idade Média, e outras, como o xintoísmo, o jainismo, o taoismo e o confucionismo, sobreviveram até a era moderna. ■

EXISTE UMA HIERARQUIA DE DEUSES E HOMENS

CRENÇAS PARA NOVAS SOCIEDADES

EM CONTEXTO

PRINCIPAIS SEGUIDORES
Antigos babilônios

QUANDO E ONDE
c. 2270 a.C., Mesopotâmia (atual Iraque)

ANTES
5º milênio a.C. Os ubaidianos se fixam nos vales férteis entre os rios Tigre e Eufrates (Mesopotâmia).

c. 3300 a.C. O povo sumério suplanta os ubaidianos.

DEPOIS
c. 1770 a.C. O rei babilônico Hammurabi introduz leis para governar a Babilônia.

c. 1750 a.C. Os babilônios tornam-se o principal povo da Mesopotâmia, adaptando a religião suméria para refletir o poder e a autoridade do deus-chefe da Babilônia, Marduk.

691 a.C. A Babilônia é tomada pelos assírios. Os mitos de Marduk são readaptados para o deus assírio Assur.

O deus **Marduk mata** a deusa **Tiamat** e faz com que todos os outros deuses o aceitem como rei.

↓

Marduk traz **ordem para o universo** e **cria a humanidade** para servir aos deuses.

↓

Os **babilônios sucedem aos sumérios** e estabelecem a cidade da Babilônia.

↓

O **rei Hammurabi** reivindica autoridade divina para seu governo e introduz um código de leis.

↓

Tanto **Marduk quanto Hammurabi** reafirmam sua supremacia sobre os outros, estabelecendo...

↓

... uma hierarquia de deuses e homens.

A Mesopotâmia, área do atual Iraque, entre os rios Tigre e Eufrates, costuma ser chamada no Ocidente de "o berço da civilização". Foi lá que surgiram as primeiras cidades, na Idade do Bronze. À medida que essas comunidades cresceram, aumentou a necessidade de novas estruturas sociais, uma cultura comum e um credo único para unificar a população e reforçar o sistema político. A religião não só explicava os fenômenos naturais, mas também oferecia uma mitologia coerente. No 4º milênio

Veja também: O propósito da criação 32 ▪ A renovação da vida por meio de rituais 51 ▪ Crenças que refletem a sociedade 80-81 ▪ Um mundo racional 92-99

Imagens de soldados babilônicos na Porta de Ishtar, que conduzia à cidade da Babilônia. Efígies de deuses alinhavam-se do portão à cidade ao longo do Caminho Processional.

a.C., o povo sumério habitava a região, concentrando-se em cerca de doze cidades-estado, cada uma regida por um rei, mas com o poder político nas mãos do sumo sacerdote da religião de cada estado. Os sumérios cultuavam um panteão de deuses, entre eles Enki, deus da água e da fertilidade, e Anu, deus do céu. Quando os babilônios começaram a se fixar na Mesopotâmia no 3º milênio a.C., eles incorporaram o povo sumério e sua cultura – incluindo alguns aspectos de sua mitologia – a seu império. Os líderes babilônicos valeram-se da mitologia suméria para reforçar a hierarquia estabelecida, o que ajudou a reafirmar seu poder em relação a seu próprio povo e aos sumérios suplantados.

A religião da Babilônia

Fundamental para a religião babilônica, o poema épico "Enuma Elish", registrado em sete tábuas de argila, narra uma sequência de eventos adaptados da mitologia suméria, porém com divindades da Babilônia – em especial Marduk, filho do deus sumério Enki e herdeiro legítimo de Anu. A história apresenta Marduk como o líder de uma hierarquia de jovens deuses, cuja vitória sobre os deuses mais velhos, entre eles a deusa criadora Tiamat (veja quadro à direita), lhe deu o poder de criar e organizar o universo, que ele governava de sua casa na Babilônia. O "Enuma Elish" apresenta uma analogia clara à tomada da Suméria e à fundação da Babilônia, mas a supremacia de Marduk em relação aos outros deuses e sua organização do mundo também servem como metáfora para a soberania dos reis babilônicos e sua autoridade na criação e imposição de leis.

Um sinal da realeza

Para reforçar a ideia do domínio babilônico e unificar o império, o "Enuma Elish" era recitado e encenado num festival de Ano-Novo, conhecido como Akitu, realizado no equinócio da primavera. Além de marcar a mudança de ano, o evento era uma recriação ritualística do cosmos, que permitia a Marduk definir o destino das estrelas e dos planetas para o ano seguinte. Tanto na mitologia quanto no ritual, o propósito do Akitu era legitimar a realeza – uma demonstração pública de que o rei babilônico recebia sua autoridade diretamente de deus. Ao dramatizar o triunfo de Marduk sobre Tiamat, a centralidade da Babilônia também era reafirmada. ■

O "Enuma Elish"

O ritual Akitu apresentava a história da criação do "Enuma Elish", que começa antes da existência do tempo, quando somente Apsu (o oceano de água doce) e Tiamat (o oceano de água salgada) existiam. Apsu e Tiamat dão à luz os primeiros deuses, entre eles Anshar e Kishu, os horizontes do céu e da Terra, que têm Anu, o deus do céu, e Ea (Enki na Suméria), o deus da terra e da água. Os gritos dos jovens deuses perturbam a paz de Apsu e Tiamat. Apsu, então, tenta destruí-los, mas é morto por Ea. No local da batalha, o deus Ea ergue um templo, que batiza de Apsu (em homenagem ao pai), e ali nasce seu filho, Marduk. Para vingar a morte do marido, Tiamat declara guerra a Marduk e coloca o filho, Qingu, no comando de suas forças. Marduk aceita lutar contra o exército de Tiamat se todos os outros deuses o aceitarem como rei, com soberania sobre o universo. Marduk mata Tiamat e Qingu, e traz ordem para o universo. Do sangue de Qingu ele cria a humanidade.

Tenho a honra de batizá-la de Babilônia, lar dos grandes deuses, que será o centro da religião.
Marduk, 'Enuma Elish'

OS BONS VIVEM PARA SEMPRE NO REINO DE OSÍRIS

PREPARAÇÃO PARA A VIDA APÓS A MORTE

EM CONTEXTO

PRINCIPAIS SEGUIDORES
Antigos egípcios

QUANDO
2000 a.C. - século IV a.C.

ANTES
No Egito pré-dinástico Corpos enterrados na areia são preservados pela desidratação. Uma possível origem das práticas de mumificação.

c. 2400-2100 a.C. Inscrições em tumbas de Saqqara – os "textos das pirâmides" – sugerem crença em vida após a morte para os faraós egípcios, de acordo com a promessa dos reis: "Você não morreu".

c. 2100 a.C. Os primeiros "textos de caixão" – encantos escritos nos caixões de pessoas ricas, homens e mulheres – sugerem que a vida após a morte não é mais privilégio da realeza.

DEPOIS
A partir de século IV a.C. Os conquistadores gregos adotam algumas crenças egípcias, sobretudo o culto a Ísis, esposa de Osíris.

Queremos **viver de novo após a morte**, como Osíris.

Se copiarmos a mumificação de Osíris por Anúbis, poderemos **nos juntar a ele** no **reino dos mortos**.

Lá, **Osíris nos julgará**, e nosso coração será pesado, de acordo com nossos pecados.

Se formos **absolvidos**, poderemos gozar da **vida eterna**.

Os antigos egípcios deixaram extraordinários tributos a seus mortos, como as pirâmides, enormes necrópoles, túmulos subterrâneos, além de itens sepulcrais e arte, mas não seria certo dizer que eles eram obcecados pela morte. Ao contrário, eles estavam se preparando para a vida após a morte.

Todos os seus rituais fúnebres de embalsamamento, mumificação, enterro e recordação visavam a uma nova vida no além. Os egípcios desejavam viver após a morte como seres perfeitos no Aaru, os "campos de junco", que eram uma versão aperfeiçoada do Egito conhecido.

O Aaru era domínio de Osíris, o senhor dos mortos. Nele, os mortos abençoados colhiam cevada e trigo – colheitas fartas, retratadas com alegria nas paredes das tumbas egípcias.

Segundo os egípcios, um indivíduo completo possuía os seguintes elementos: o corpo físico, o nome, a sombra, o *ka* (força de vida espiritual), o *ba* (personalidade) e o *akh* (o ser aperfeiçoado que poderia aproveitar a vida no paraíso). Para garantir a vida no paraíso, a pessoa precisava atentar para todos esses elementos. O corpo tinha que ser preservado por meio da mumificação

Veja também: A origem da morte 33 ▪ Os espíritos dos mortos continuam vivendo 36-37 ▪ Adentrando a fé 224-225 ▪ Santidade social e evangelicalismo 239 ▪ A recompensa final para os justos 279 ▪ À espera do Dia do Julgamento 312-313

Preparações elaboradas para uma passagem segura ao próximo mundo eram, a princípio, reservadas apenas para a nobreza, como aqui, mas depois a promessa de vida eterna estendeu-se a todos os egípcios.

e enterrado com um conjunto de equipamentos funerários, incluindo jarras com os órgãos internos, em rituais que identificavam o falecido com o deus Osíris. A dramatização da morte e ressurreição do deus preparava o morto para o próximo mundo.

Cada etapa da mumificação era acompanhada por um ritual religioso. Embalsamadores faziam o papel de Anúbis, o deus com cabeça de chacal, que protegia os mortos. Anúbis criou os mistérios do embalsamamento para ressuscitar Osíris. Palavras mágicas durante o processo garantiam aos mortos: "Você viverá de novo, você viverá para sempre".

A jornada dos mortos

A preservação do corpo físico pela mumificação era importante porque era para o corpo que o *ka* precisava voltar em busca de sustento. Se o corpo estivesse deteriorado, o *ka* passaria fome. O *ka* precisava retirar força do corpo para se unir novamente ao *ba* no além. Juntos, eles criavam o *akh*, que deveria receber permissão para entrar no paraíso.

O morto, então, negociava o caminho deste mundo para o próximo e era conduzido por Anúbis ao "saguão das duas verdades", onde seu coração era pesado numa balança junto com Ma'at, a deusa da verdade, simbolizada por uma pena de avestruz. Se o coração, com o peso dos pecados, pesasse mais do que a pena, seria devorado por Ammut, a devoradora dos mortos. Se a balança ficasse equilibrada, o falecido poderia se encaminhar ao paraíso, onde Osíris o aguardava no portão.

Egípcios eminentes eram enterrados com um "manual": o *Livro dos mortos*, ou *Encantos para sair à luz*, um guia que ensinava os mortos a falar, respirar e beber no além. Incluía, evidentemente, um encanto para "não morrer de novo no reino dos mortos". ■

A morte de Osíris

A história da morte e ressurreição de Osíris foi o mito que deu aos egípcios a esperança de vida após a morte – inicialmente só para o rei, mas depois para todos os egípcios, no Médio Império.

Conta-se que o deus Osíris foi morto pelo irmão invejoso Seth, que partiu seu corpo em pedacinhos e o espalhou pelo Egito. "Não é possível destruir o corpo de um deus", disse Seth, "mas eu destruí." Ísis, mulher de Osíris, e a irmã dela, Néftis, recolheram o corpo, pedaço por pedaço, e o deus Anúbis o embalsamou. Foi a primeira múmia da história. Ísis transformou-se numa pipa e, pairando sobre Osíris mumificado, soprou-lhe a vida de volta, por tempo suficiente para conceber Hórus (que vingaria o pai), antes de Osíris ir ocupar seu lugar como senhor dos mortos.

Oh, coração meu,
não testemunhe contra
mim no tribunal!

***Livro dos mortos*, antiga obra egípcia**

O TRIUNFO DO BEM SOBRE O MAL DEPENDE DA HUMANIDADE

A BATALHA ENTRE O BEM E O MAL

EM CONTEXTO

PRINCIPAIS SEGUIDORES
Zoroastristas

QUANDO E ONDE
1400-1200 a.C., Irã (Pérsia)

ANTES
A partir da Pré-História
Muitos sistemas de crença caracterizam-se por um deus destrutivo ou por espírito maligno contrário a uma divindade mais benevolente.

DEPOIS
Século VI a.C. Os impérios persa e medo são unificados. O zoroastrismo vira uma das maiores religiões do mundo.

Século IV a.C. Filósofos gregos clássicos, entre eles Platão, estudam com sacerdotes zoroastristas. Diz-se que Aristóteles considerava Platão a reencarnação de Zoroastro.

Século X d.C. Os zoroastristas migram do Irã para a Índia, para evitar conversão ao islamismo, dando origem aos parsis, a maior comunidade zoroastrista atual.

O criador é **totalmente bom**.

Contudo, **tanto o bem quanto o mal** podem ser vistos no mundo.

O mal não tem como vir do bem.

Portanto, deve existir um **ser totalmente mau**, contrário ao criador.

Nós devemos **escolher o bem**, para ajudar o criador **na luta contra o mal**.

O zoroastrismo, uma das religiões mais antigas ainda existentes e umas das primeiras crenças monoteístas, foi fundado pelo profeta Zoroastro na antiga Pérsia, o atual Irã.

A religião de Zoroastro se desenvolveu a partir do antigo sistema de deuses indo-iranianos, que incluía Ahura Mazda, o "senhor da sabedoria". No zoroastrismo, Ahura Mazda (às vezes chamado de Ohrmazd) é elevado à condição de deus único e supremo, o sábio criador, fonte de todo o bem, que representa ordem e verdade, em contraposição à maldade e ao caos. Ahura Mazda conta com a ajuda de suas criações, os Amesha Spenta, ou "imortais sagrados", seis espíritos divinos. Um sétimo Spenta menos definível é o Spenta Mainyu, visto como o próprio "espírito santo" de Mazda e agente de sua vontade.

De acordo com o zoroastrismo, o bondoso Ahura Mazda ficou preso numa luta contra Ahriman, uma entidade malévola (também chamado de Angra Mainyu, ou "espírito destrutivo") desde o início dos tempos. Ahriman e Ahura Mazda são vistos como espíritos gêmeos. No entanto, Ahriman é um espírito caído e não pode ser considerado semelhante a Mazda. Ahura Mazda vive na luz, enquanto Ahriman se esconde na escuridão. A batalha entre eles, na qual o mal está sempre tentando acabar com o bem, constitui a base da mitologia zoroastrista.

Ahura Mazda luta com Ahriman utilizando a energia criativa de seu espírito, Spenta Mainyu. A relação exata entre essas três entidades permanece como um aspecto indefinido da religião. Os seres humanos, também criação de

Veja também: O fim do mundo que conhecemos 86-87 ▪ Da monolatria ao monoteísmo 176-177 ▪ A mensagem de Jesus para o mundo 204-207

A bondade do sábio Criador pode ser inferida do ato da criação.
Mardan-Farrukh

Mazda, têm um importante papel na contenção da desordem e do mal, usando o livre-arbítrio para escolher o bem. Pensamentos, palavras e ações positivas fortalecem o *asha*, a ordem fundamental do universo. O *asha* encontra-se permanentemente em risco, por conta da força contrária *druj*, ou caos, alimentada por pensamentos, palavras e ações negativas. A disputa central é entre a criação e a "descriação", com o mal ameaçando o tempo todo a estrutura e a ordem do mundo.

O nascimento de Zoroastro, cuja missão é convocar a humanidade para a luta entre o bem e o mal, desequilibrou a balança a favor do bem. De acordo com o zoroastrismo, o bem prevalecerá no final.

Um mundo feito de bondade

O zoroastrismo diz que, quando Ahura Mazda quis criar um mundo perfeito, ele criou os Amesha Spenta e um mundo espiritual invisível, que incluía um ser perfeito. O propósito espiritual desse mundo era derrotar Ahriman, que tenta atacá-lo de qualquer maneira. Ahura Mazda derrota Ahriman recitando a oração mais sagrada do zoroastrismo, a Ahunavar, que o lança de volta à escuridão.

Ahura Mazda, então, dá forma material a seu mundo espiritual. Cria um animal primitivo (um touro) e transforma seu ser espiritual perfeito num ser humano, conhecido como »

O símbolo do zoroastrismo, o Faravahar, retrata um *fravashi*, ou anjo da guarda, que protege a alma dos indivíduos na luta contra o mal.

Zoroastro

Não se sabe ao certo quando o profeta Zoroastro (também conhecido como Zaratustra) viveu, mas é provável que tenha sido entre c. 1400-1200 a.C. Embora seus ensinamentos se baseassem na literatura hindu – textos como o *Rig Veda* –, Zoroastro atribuía seus insights a visões recebidas diretamente de Deus. Ele já era sacerdote entre os iranianos seminômades do sul das estepes russas quando começou a pregar o culto de Ahura Mazda. No início, teve poucos seguidores, mas acabou adquirindo soberania local, transformando o zoroastrismo na religião oficial do povo avéstico. No entanto, só no reinado de Ciro, o Grande, no século VI a.C., é que a religião se espalhou pelo império persa.

Obras-chave

Século IV a.C. Os ensinamentos de Zoroastro são compilados no *Avestá*, incluindo os *Gathas*, dezessete cânticos com as próprias palavras de Zoroastro, conforme se acredita.
Século IX d.C. A natureza dualística da filosofia zoroastrista é detalhada em *Analytical treatise for the dispelling of doubts*.

Sacerdotes do fogo alimentam uma chama sagrada. Eles usam um lenço branco no rosto, o *padan*, para evitar profanar o fogo com respiração ou saliva.

A dessemelhança entre bem e mal, luz e escuridão, não é uma questão funcional, mas substancial. Sua natureza não se combina e é mutuamente destrutiva.
Mardan-Farrukh

Gayomart (que significa vida mortal ou humana). Pouco tempo depois, contudo, Ahriman se recupera e contra-ataca, cortando o céu como um raio de fogo e trazendo fome, doenças, dor, luxúria e morte para o mundo. Ele também cria demônios próprios. Gayomart e o touro acabam morrendo, mas o sêmen deles derrama-se no chão durante sua morte e é fertilizado pelo sol. Ahura Mazda envia chuva, e da semente de Gayomart nascem a mãe e o pai da humanidade: Mashya e Mashyoi. Da semente do touro nascem todos os animais do planeta.

Como sua criação perfeita foi maculada pela destrutividade de Ahriman, Ahura Mazda estabelece um limite para o tempo, que antes era ilimitado.

O mal e a escolha humana

Segundo o zoroastrismo, todos nós nascemos bons. A presença malévola de Ahriman explica por que nos sentimos tentados a fazer coisas erradas. Explica também como o mal pode existir na presença de um deus bom. Os textos zoroastristas afirmam: "O que é completo e perfeito em sua bondade não pode produzir o mal. Se pudesse, não seria perfeito. Se Deus é perfeito em bondade e conhecimento, a ignorância e o mal não podem vir dele". Ou seja, Ahura Mazda não pode ser responsável pela presença do mal no mundo: a fonte do mal é Ahriman. O fato de que Ahura Mazda deu livre-arbítrio à humanidade significa que todo momento da existência de um indivíduo requer uma escolha entre o que é certo e o que é errado, e é nossa responsabilidade escolher o bem em detrimento do mal.

Esse foco numa escolha moral faz do zoroastrismo uma religião em que a responsabilidade pessoal e a moralidade constituem fatores supremos, não só em termos conceituais, mas também na prática diária. As virtudes humanas importantes para Ahura Mazda

Dois filhos, um bom e um mau

No zurvanismo, uma extinta ramificação do zoroastrismo, Ahura Mazda não é o único criador. Ele e Ahriman são os filhos de um deus anterior, Zurvan ("Tempo"). Essa doutrina surgiu do argumento de que, se Mazda e Ahriman eram espíritos gêmeos (como dizem os textos), eles deviam ter um progenitor. Zurvan, um deus andrógino neutro, sacrifica mil anos de sua vida para ter um filho, mas começa a duvidar de seu poder de procriar. O malvado Ahriman nasce de sua dúvida, e Ahura Mazda nasce de seu otimismo. Zurvan vaticina que seu primogênito governará o mundo, e por isso Ahriman sai primeiro, declarando ser Ahura Mazda. Mas Zurvan não se deixa enganar e cai em prantos por ter criado tamanha abominação: "Meu filho é luminoso e perfumado, e você é tenebroso e fedorento".

Estabeleça o poder dos atos baseados numa vida de bons propósitos, para Mazda e o senhor, sacerdote dos pobres.
Oração Ahunavar

incluem sinceridade, lealdade, tolerância, capacidade de perdoar, respeito aos idosos e cumprimento de promessas. Elementos como raiva, arrogância, sede de vingança, palavrões e cobiça são condenados – e não somente nesta vida.

Julgamento e salvação

Os zoroastristas acreditam que as pessoas serão julgadas em dois momentos após a morte: quando morrerem e no dia do Juízo Final, no fim dos tempos. Os dois julgamentos focarão, respectivamente, a moralidade de pensamento do indivíduo e a moralidade de suas ações. Em ambos os casos, falhas morais são punidas com inferno. Essas punições, porém, não são eternas. Elas terminam quando o indivíduo corrige sua falha moral no além. A partir de então, ele pode ir morar com Ahura Mazda no paraíso.

De acordo com os ensinamentos zoroastristas, quando o fim dos tempos se aproximar, Saoshyant ("salvador") aparecerá para renovar o mundo, ajudando Ahura Mazda a destruir Ahriman. As pessoas se tornarão puras e deixarão de consumir carne e, depois, leite, vegetais e água, até não precisarem de mais nada. Quando todos tiverem escolhido o bem em vez do mal, não haverá mais pecado, e Az, o demônio feminino da luxúria criado por Ahriman, passará fome e se voltará contra seu criador. Ahura Mazda expulsará Ahriman da criação pelo mesmo buraco que Ahriman fez quando entrou no mundo. Será nesse momento que o tempo chegará ao fim.

Saoshyant, então, ressuscitará os mortos, que passarão por um rio de metal fundido para queimar os pecados. Segundo o zoroastrismo, o mundo terá um novo início, mas dessa vez será perene e imaculado.

O uso do fogo e do metal fundido como elementos purificadores no Juízo Final reflete a importância do fogo no zoroastrismo como símbolo de santidade. O fogo é visto como o mais puro dos elementos. Ahura Mazda é fortemente associado ao fogo e ao Sol. Por esse motivo, os templos zoroastristas mantêm sempre um fogo queimando, simbolizando o poder eterno das divindades. Algumas piras de templos ficaram acesas por séculos. Seguidores trazem oferendas de madeira (o único combustível utilizado), que os sacerdotes do fogo colocam na fogueira. Os visitantes são ungidos com cinzas.

A eterna luta

A ideia zoroastrista de forças opostas, o bem e o mal, é uma expressão do que a filosofia chama de "dualismo". Outra religião persa dualística, o maniqueísmo, foi fundada pelo profeta Mani no século III d.C. Mani dizia que sua "religião de luz" completava os ensinamentos de Zoroastro, Buda e Cristo.

Assim como Zoroastro, Mani via o mundo como uma eterna luta entre as forças do bem e do mal, luz e escuridão. Essa visão exerceu grande influência nos pensadores cristãos e nos cultos cristãos heréticos medievais, como o dos paulicianos na Armênia, o dos bogomilos na Bulgária e o dos cátaros na França. ■

Os zoroastristas reúnem-se para rezar juntos. Essa religião bastante moral é sintetizada pela antiga expressão avéstica: *"Humata, Hukhta, Hvarshta"* – "Bons pensamentos, boas palavras, boas ações".

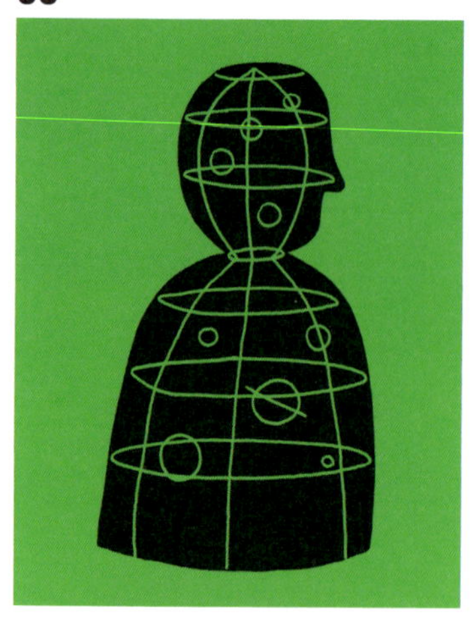

ACEITAR O CAMINHO DO UNIVERSO

O ALINHAMENTO DO EU COM O TAO

EM CONTEXTO

PRINCIPAL FIGURA
Lao Tsé

QUANDO E ONDE
Século VI a.C., China

ANTES
Século VII a.C. Na religião popular chinesa, as pessoas acreditam que o destino é controlado por divindades; e elas cultuam os seus ancestrais.

DEPOIS
Século VI a.C. Confúcio propõe um sistema ético no qual a virtude e o respeito levam a uma sociedade justa e estável.

Século III d.C. O budismo, com foco na jornada pessoal à iluminação, chega à China.

Século XX O taoismo é banido da China pelo regime comunista, até 1978.

Século XX O tai chi, uma disciplina física e mental, conquista adeptos no Ocidente.

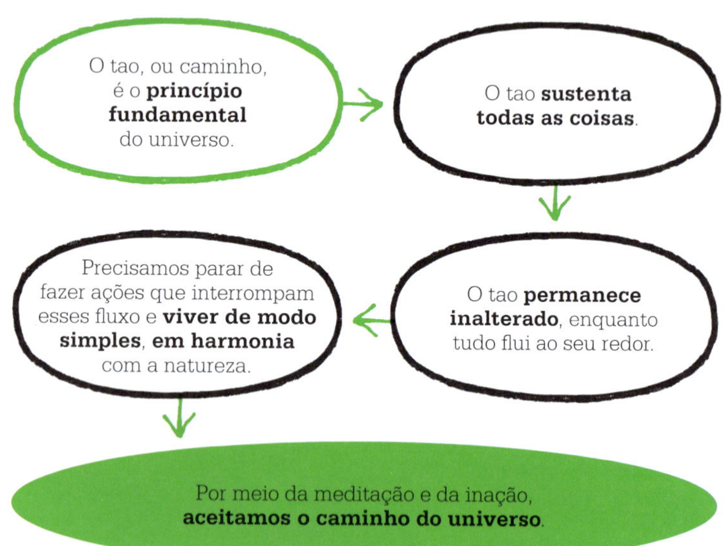

O tao, ou caminho, é o princípio fundamental do universo.
O tao sustenta todas as coisas.
O tao permanece inalterado, enquanto tudo flui ao seu redor.
Precisamos parar de fazer ações que interrompam esses fluxo e viver de modo simples, em harmonia com a natureza.
Por meio da meditação e da inação, aceitamos o caminho do universo.

As origens do taoismo remontam a crenças chinesas referentes à natureza e à harmonia, mas seu primeiro texto, atribuído ao filósofo Lao Tsé, foi escrito no século VI a.C. – uma época excepcionalmente ativa de ideias, que também viu o surgimento do confucionismo na China, do jainismo e do budismo na Índia, e o início da filosofia grega. O livro de Lao Tsé, *Tao te ching* (O livro do caminho e da virtude), identificava o tao, ou "caminho", como o poder ou princípio que sustenta todas as coisas – a fonte da ordem do universo. Seguir o tao (em vez de obstruí-lo), além de ajudar a garantir harmonia cósmica, propicia o desenvolvimento espiritual e uma vida plena e possivelmente mais longa. Na linguagem atual diríamos "seguir o fluxo".

Veja também: A sabedoria do homem superior 72-77 ▪ Disciplina física e mental 112-113 ▪ Insights zen além das palavras 160-163

Para a vida fluir, precisamos estar em sintonia com o caminho, realizando apenas ações simples que mantenham o equilíbrio inerente da natureza.

Ação e inação

O tao é eterno e imutável. A vida é que apresenta desvios sinuosos. Para se manter firme no caminho, os indivíduos precisam se desapegar de preocupações materiais e de emoções perturbadoras, como a ambição e a raiva. Devem, ao contrário, levar uma vida simples e pacata, agindo espontaneamente e em harmonia com a natureza, ignorando os impulsos do eu. Este é o conceito do *wu wei*, ou inação, inerente ao tao. Como está escrito no *Tao te ching*: "Quando nada é feito, nada fica por fazer". No dia a dia, Lao Tsé dava grande ênfase às virtudes que motivam o *wu wei*: humildade, submissão, não interferência, passividade e desapego.

A sabedoria de Lao Tsé vinha da longa contemplação da natureza do universo e seus elementos, que na filosofia chinesa são o *yin* e o *yang*. O *yin* compreende tudo o que é escuro, úmido, mole, frio e feminino, e o *yang*, tudo o que é luminoso, seco, quente e masculino. Tudo é feito de *yin* e *yang*, e a harmonia é alcançada quando os dois elementos são mantidos em equilíbrio. No taoismo, esse equilíbrio é buscado na mente, no espírito e no corpo, por meio de práticas como a meditação e o tai chi: exercício físico e mental para equilibrar o fluxo de *qi*, a força de vida, no corpo.

No período da dinastia Han (206 a.C.-220 d.C.), a filosofia taoista tornou-se uma religião. Suas práticas de meditação passaram a ser ensinadas para guiar os adeptos à imortalidade. No *Tao te ching*, a ideia de imortalidade não é apresentada literalmente. Alguém que aceita completamente o tao atinge um plano acima do material e alcança a imortalidade pelo desapego. Mas a afirmação de que, para o sábio, "não existe o plano da morte" foi levada ao pé da letra pelos seguidores do taoismo, que acreditavam na imortalidade real por meio da aceitação do caminho. ▪

Minhas palavras são muito fáceis de entender e de colocar em prática, embora ninguém consiga entendê-las ou colocá-las em prática.
Lao Tsé

Lao Tsé

Diz-se que o autor de *Tao te ching* foi um arquivista da corte do imperador Zhou que recebeu o nome de Lao Tsé (velho mestre) por causa de sua sabedoria. Conta-se que o jovem sábio Kong Fuzi, ou Confúcio (p. 75), viajou para consultá-lo em ritos religiosos. No entanto, não sabemos quase nada a respeito de Lao Tsé. É possível que ele nem tenha sido um personagem histórico e que o *Tao te ching* seja, na verdade, apenas uma compilação de frases.

Segundo a lenda, Lao Tsé desapareceu em circunstâncias misteriosas. O próprio Confúcio o comparou com um dragão, capaz de subir aos céus de carona no vento. A história diz que, após testemunhar o declínio da dinastia Zhou, Lao Tsé deixou a corte e viajou para o oeste, em busca de solidão. Na fronteira, em resposta a um guarda que lhe pedira uma palavra de sabedoria, Lao Tsé teria escrito o *Tao te ching* como presente e depois partiu, sem nunca mais ser visto neste mundo.

Obra-chave

c. Século VI a.C. *Tao te ching* (também conhecido como *Lao Tsé*).

OS CINCO GRANDES VOTOS

O ASCETISMO CONDUZ À LIBERTAÇÃO ESPIRITUAL

EM CONTEXTO

PRINCIPAL FIGURA
Mahavira

QUANDO E ONDE
A partir do século VI a.C., Índia

ANTES
A partir de 1000 a.C. O conceito de *samsara*, o ciclo de morte e renascimento, é desenvolvido por ascetas errantes da tradição indiana shramana.

DEPOIS
Século VI a.C. A iluminação de Buda mostra-lhe a forma de escapar do *samsara*.

A partir do século II a.C. No budismo mahayana, os bodhisattvas – humanos iluminados que permanecem na Terra para ajudar os outros – são reverenciados.

Século XX O jainismo é reconhecido como uma religião própria na Índia, separada do hinduísmo.

O jainismo é a mais ascética de todas as religiões indianas, propondo a abnegação para se alcançar a libertação (*moksha*) e não precisar voltar para este mundo de sofrimento. O jainismo conforme o conhecemos foi fundado por Mahavira, contemporâneo de Buda, no século VI a.C., mas diz-se que ele sempre existiu e sempre existirá. Dentro da fé, Mahavira é visto simplesmente como o mais recente dos 24 professores iluminados da era atual. Os jainas acreditam que cada era dura milhões de anos, repetindo-se num ciclo infinito de eras. Os professores são chamados de *jinas* ou *tirthankaras*, "fazedores de vau do

Veja também: Os quatro estágios da vida 106-109 ▪ A saída do ciclo eterno 136-143 ▪ Budas e bodhisattvas 152-157 ▪ A recompensa final para os justos 279 ▪ O código de conduta do sikhismo 296-301

A vida consiste em um **ciclo infinito de reencarnações**.

Para atingir a iluminação e escapar desse ciclo, precisamos nos **livrar do peso do carma**.

Para isso, devemos **seguir o exemplo** dos grandes mestres que atingiram a libertação, como Mahavira.

O caminho é definido nos **Cinco Votos**: não violência, honestidade, castidade, retidão e desapego.

Se seguirmos esse caminho, também conseguiremos **atingir a iluminação** um dia.

Imagens dos *jinas* ou *tirthankaras*, os seres iluminados reverenciados no jainismo, são usadas como objetos devocionais, e são o foco nas meditações enquanto preces e mantras são recitados.

oceano do renascimento". Seguindo o caminho do asceticismo ensinado pelos *tirthankaras*, os jainas têm a esperança de libertar sua alma dos emaranhados da existência material. Sem essa esperança, a vida é um mero ciclo de vida, morte e reencarnação.

Responsabilidade pessoal

O jainismo não reconhece nenhuma divindade, colocando total responsabilidade nas ações e na conduta do indivíduo. Para seguir uma vida de abnegação, monges e monjas jainistas fazem os chamados Cinco Grandes Votos – não violência (*ahimsa*), falar a verdade (*satya*), celibato (*brahmacharya*), não pegar o que não é claramente oferecido (*asteya*) e desapego de pessoas, lugares e coisas (*aparigraha*). O mais importante desses votos é o *ahimsa*, a prática da não violência, que se estende a todos os animais, incluindo os menores organismos encontrados na água ou no ar. Os outros quatro Grandes Votos preparam o monge ou a monja para seguir a vida de um mendicante errante, dedicada a pregação, jejum, devoção e estudo.

O asceticismo é um fator essencial no jainismo. Conta-se na religião que o próprio Mahavira andava nu, por ter estado tão compenetrado no início de suas perambulações que não percebeu quando seu roupão ficou preso num espinheiro. Mas no século IV d.C., muito tempo depois da morte de Mahavira, houve uma dissidência entre os shvetambaras (vestes brancas) e os digambaras (vestes celestiais) quanto à extensão da prática ascética. Os monges shvetambaras acreditavam que o desapego e a pureza são qualidades mentais, não influenciadas pelo uso de roupas. Os monges digambaras, por sua vez, andam nus, acreditando que o ato de usar roupas indica ainda um certo apego a sentimentos sexuais e falsas ideias de modéstia. Alguns monges digambaras não carregam nem a cumbuca de »

Graças à sabedoria, Mahavira não pecou, não induziu os outros ao pecado nem consentiu com os pecados dos outros.
Akaranga Sutra

A **alma livre** em sua moradia superior.
As **Três Joias**: fé correta, conhecimento justo e boa conduta.
Os **quatro estágios** pelo qual a alma precisa passar: celestial, humano, animal e infernal.
A **palma da mão**, um lembrete para parar e pensar antes de agir.
A **roda**, o símbolo do ciclo de morte e renascimento.
A palavra *ahimsa* – **não violência** –, o princípio fundamental do jainismo.

O símbolo adotado pelo jainismo é uma disposição complexa de elementos dentro de um contorno que representa o universo: preocupações mundanas na parte de baixo levam à morada dos seres celestiais.

caridades, recebendo comida nas mãos em concha. Os digambaras também acreditam que a libertação do ciclo de renascimento não é possível para as mulheres enquanto elas não reencarnarem como homens.

Vivendo no mundo

Os jainas laicos não fazem os Cinco Grandes Votos, mas fazem votos similares, em menor quantidade: abdicar da violência, não mentir, não roubar, assumir a castidade e evitar o apego a coisas materiais. Todos os jainas são vegetarianos, de acordo com o voto de não violência, e devem abrir mão de trabalhos que envolvam a destruição da vida. Alguns deles utilizam apenas flores que já caíram da planta nos cultos, argumentando que arrancar uma flor viva é um ato de violência. Os jainas laicos podem casar, mas devem manter os mais elevados padrões de comportamento. Nesse caso, como em todas as áreas, os jainas seguem o caminho das Três Joias: fé correta, conhecimento justo e boa conduta.

Alguns dizem que existe uma quarta joia: a penitência certa. A expiação dos pecados é importante no jainismo. No festival anual Samvatsari, depois de oito dias de jejum e abstinência durante a temporada das monções, os jainas confessam os pecados do ano que passou a familiares e amigos, e fazem votos de não carregar rancores no próximo ano. A meditação também é importante, e os rituais diários jainistas incluem sessões de 48 minutos, cujo objetivo é ser um com o universo, perdoar e ser perdoado por todas as transgressões. (Quarenta e oito minutos, a trigésima parte de um dia, corresponde a um *mahurta*, uma unidade de tempo padrão na Índia, geralmente utilizada em rituais.)

Outras virtudes jainistas são: servir aos outros, dedicar-se ao estudo religioso, desligar-se da paixão, demonstrar afabilidade e ser humilde. O indivíduo passa a ter um mérito especial se doar comida para monges e monjas. Todas essas práticas combinam-se com o asceticismo, exigido até de pessoas não religiosas para reduzir o carma – consequências de ações passadas que, segundo os jainas, se acumulam na alma como uma espécie de substância física. Todo carma, tanto bom quanto ruim, deve ser removido para se alcançar a libertação. A ideia é progredir gradualmente pelo caminho da iluminação espiritual, adquirindo mérito aos poucos, uma vida após a outra. Um dos escritos sagrados do jainismo, o *Tattvartha Sutra*, apresenta uma sequência de catorze estágios pelos quais a alma deve passar para atingir a libertação. O primeiro estágio chama-se *mithyadrishti*, no qual a alma se encontra em estado de letargia espiritual. O último, chamado *ayoga-kevali*, é povoado por almas conhecidas como *siddhas*, que já alcançaram a libertação espiritual. Esse estágio final está além do alcance dos jainas laicos.

Formas de devoção

Os jainas realizam seus cultos num templo ou num local sagrado em casa. Os templos jainistas são vistos como réplicas dos auditórios celestiais, onde os *tirthankaras* livres dão continuidade aos ensinos. Diz-se que a adoração e a contemplação das imagens desses *tirthankaras* produzem transformação espiritual interior. A forma mais simples de adoração, também presente no hinduísmo, é chamada de *darshan*, e envolve contato visual com a imagem de um *tirthankara* enquanto se recita um mantra sagrado. A principal reza do jainismo é o *navkar* ou *namaskar*. Ao dizer este mantra, *namo namahar*, o indivíduo honra as almas que já se libertaram e recebe inspiração delas em sua busca pessoal de iluminação. ■

Peço perdão a todos os seres vivos. Que eles me perdoem. Que eu possa ter um bom relacionamento com todos os seres.
Oração jainista

Apenas jainas monásticos que tenham abraçado por completo uma vida de austeridade e desapego podem esperar subir os catorze degraus rumo à iluminação espiritual.

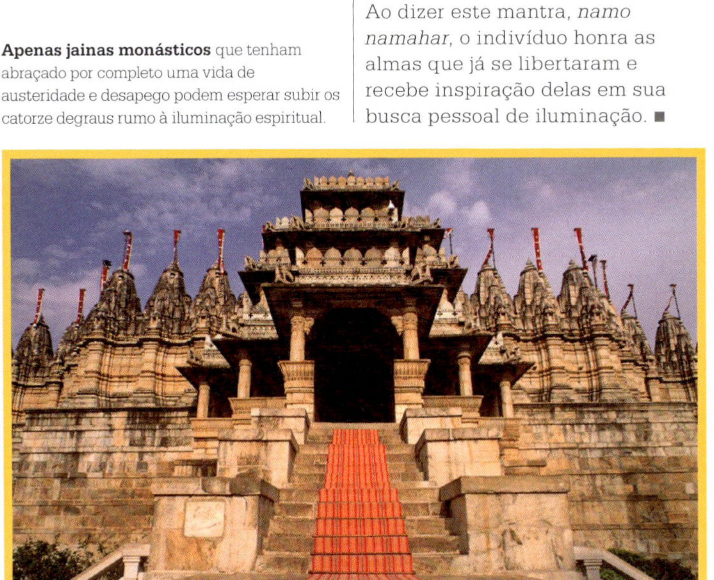

Mahavira

O reformista religioso Mahavira nasceu em c. 599 a.C. no nordeste da Índia como o príncipe Vardhamana, filho do rei Siddhartha e da rainha Trishala, que, segundo a lenda, teve muitos sonhos auspiciosos durante a gravidez. De acordo com a tradição jainista, Mahavira foi colocado no útero da rainha por Indra, o rei dos deuses védicos. Conta-se que Mahavira era tão dedicado à não violência que não chutou o útero da mãe, para não lhe causar dor.

Aos trinta anos, o príncipe Vardhamana deixou o palácio para viver como asceta, renunciando ao conforto material e devotando-se inteiramente à meditação. Doze anos depois, ele atingiu a iluminação e tornou-se um grande mestre, sendo chamado de Mahavira. Após fundar uma expressiva comunidade de monges e monjas jainistas (segundo a tradição, mais de 50 mil no total), deu forma ao jainismo atual. Mahavira morreu aos 72 anos, na cidade de Pava, em Bihar, Índia, atingindo a libertação (*moksha*) do ciclo de morte e renascimento.

A VIRTUDE NÃO VEM DO CÉU

A SABEDORIA DO HOMEM SUPERIOR

EM CONTEXTO

PRINCIPAL FIGURA
Confúcio

QUANDO E ONDE
Séculos VI-V a.C., China

ANTES
A partir do século XI a.C. A dinastia Zhou redireciona o culto tradicional chinês de adoração aos ancestrais para o conceito de céu, com o imperador como representante.

Século VI a.C. Lao Tsé propõe agir de acordo com o tao (o caminho) para manter a harmonia universal.

DEPOIS
A partir do século VI a.C. Os ideais confucianos de virtude e responsabilidade orientam o governo imperial Zhou e a ideologia das últimas dinastias.

Século XVIII As ideias meritocráticas de Confúcio são admiradas pelos pensadores do Iluminismo, que se opõem à autoridade absoluta da Igreja e do Estado.

Confúcio, como ele é conhecido no Ocidente, foi um dos primeiros pensadores a explorar sistematicamente a noção da bondade, questionando se a superioridade moral é um privilégio divino ou um elemento inerente à humanidade, que pode ser cultivado.

Nascido no século VI a.C. em Qufu, na província de Shandong, China, Confúcio foi um de uma série de novos estudiosos – na verdade, os primeiros funcionários públicos – que se tornaram conselheiros da corte chinesa, saindo da classe média para ocupar posições de poder e influência por mérito próprio, não por herança. Na sociedade rigidamente estratificada da época, isso não era normal, e é nessa anormalidade que se baseia o pensamento de Confúcio.

Os governantes da dinastia Zhou acreditavam que sua autoridade vinha diretamente dos deuses, sob o "mandato dos céus", e que a qualidade de *ren* (ou *jen*) – benevolência – era um atributo das classes dominantes. Confúcio também considerava o céu como a fonte da ordem moral, mas argumentava que as bênçãos celestiais estavam abertas para todos

Quem governa pela virtude é como a Estrela Polar, que permanece imóvel enquanto todas as outras estrelas circulam em torno dela.
Os analectos

e que a qualidade de *ren* poderia ser adquirida por qualquer um. Aliás, é um dever de todo mundo cultivar os atributos que constituem o *ren* – seriedade, generosidade, sinceridade, diligência e bondade. A prática dessas virtudes condiz com o desejo dos céus.

Os analectos – frases e ensinamentos de Confúcio compilados por seus discípulos – estabeleceram uma nova filosofia de moralidade em que o homem superior, ou *junzi* (literalmente, cavalheiro), se dedica à aquisição do *ren* para o próprio bem – ele aprende pelas vantagens do aprendizado e é bom

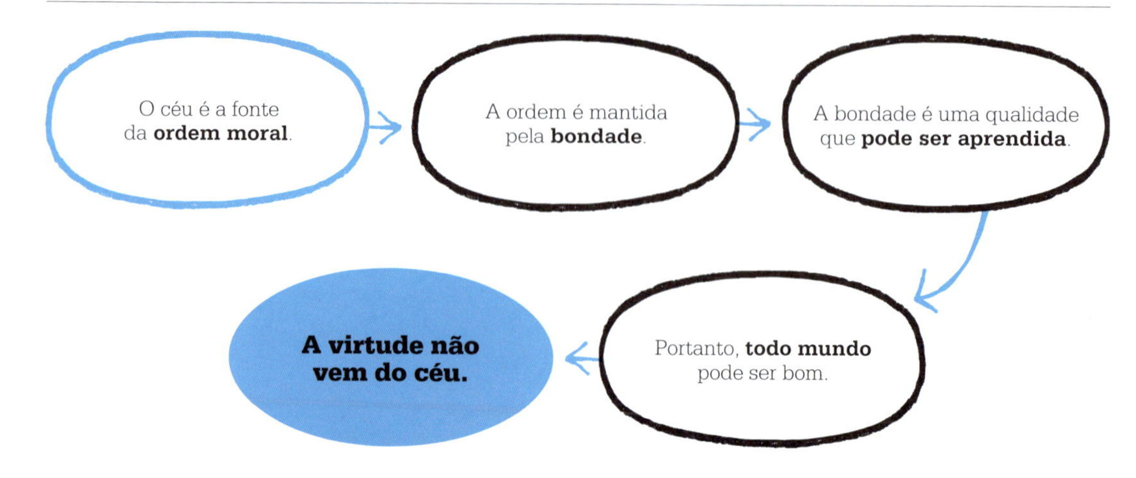

Veja também: Vivendo em harmonia 38 ▪ O alinhamento do eu com o tao 66-67 ▪ Um ato de abnegação 110-111 ▪ O homem como manifestação de Deus 188

pelas vantagens da bondade. Em resposta a um aluno que lhe pediu para explicar as regras a serem seguidas por quem busca o *ren*, Confúcio disse: "Não devemos ver, ouvir, dizer ou fazer nada impróprio".

Confúcio preocupava-se não só com o autoaperfeiçoamento, mas com as relações interpessoais e a forma apropriada de se comportar em família, numa comunidade e na sociedade como um todo. Ele próprio admitia alunos de todas as classes e acreditava que a virtude resultava do autoaperfeiçoamento, não da linhagem. Em meio à rigidez da hierarquia vigente na sociedade feudal da China, Confúcio teve que encontrar uma forma de promover a virtude pessoal sem preconizar a simples meritocracia. Ele argumentou que o homem de virtude aceita e entende seu lugar na ordem social e utiliza sua virtude para desempenhar o papel que lhe foi designado, em vez de tentar transcendê-lo. "O homem superior faz o que é apropriado para a posição em que se encontra, sem desejar ir além disso."

Atributos de um governante sábio

Em relação aos governantes, Confúcio dizia que, em vez de exercer seus poderes de maneira arbitrária e injusta, eles deveriam liderar pelo exemplo, e que tratar as pessoas com generosidade e bondade estimularia a virtude, a lealdade e o bom comportamento. No entanto, para governar os outros, primeiro é preciso governar a si mesmo. Para Confúcio, um governante humano era definido por sua prática do *ren*. Sem isso, ele pode perder o mandato dos céus. Em diversos aspectos, a ideia do governante perfeito de Confúcio assemelha-se ao conceito do tao de Lao Tsé: quanto menos o governante fizer, mais será realizado. O governante é o eixo estável em torno do qual gira a atividade do reino.

Os governantes que seguiram esse conselho à risca precisaram de »

A autoridade imperial na China expressava-se pelo governo absoluto, que reforçava a ideia de um poder central estável. Julgamentos ponderados dificilmente requeriam revisão.

Confúcio

De acordo com a tradição, Confúcio nasceu em 551 a.C. em Qufu, no estado de Lu, China. Seu nome original era Kong Qiu, e só mais tarde ele foi batizado de Kong Fuzi, ou "Mestre Kong". Pouco se sabe sobre sua vida, exceto que ele vinha de uma família próspera e precisou trabalhar na juventude para ajudar a família após a morte do pai. Mesmo assim, Confúcio encontrou tempo para estudar e tornou-se administrador na corte Lu, mas quando suas sugestões aos governantes foram ignoradas, ele decidiu largar tudo e se concentrar no ensino.

Como professor, Confúcio viajou por todo o império chinês, regressando no fim da vida a Qufu, onde morreu, em 479 a.C. Seus ensinamentos sobreviveram em fragmentos e ditados transmitidos oralmente por seus discípulos e compilados posteriormente em *Os analectos* e outras antologias idealizadas por estudiosos confucianos.

Obras-chave

Século v a.C. *Os analectos*; *A doutrina do meio*; *Great learning.*

Os Cinco Relacionamentos Comuns

Soberano–Subalterno
Os soberanos devem ser benevolentes, e os subalternos, leais.

Pai–Filho
Os pais devem ser carinhosos, e os filhos, obedientes.

Marido–Esposa
Os maridos devem ser bons e justos, e as esposas, compreensivas.

Irmão–Irmão
Os irmãos mais velhos devem ser gentis, e os mais novos, respeitosos.

Amigo–Amigo
Os amigos mais velhos devem ser atenciosos, e os mais novos, reverentes.

conselheiros e funcionários públicos cuja confiabilidade se baseava nos conceitos confucianos de virtude. Em 136 a.C., a dinastia Han introduziu novos concursos para o serviço público imperial com base nos ideais meritocráticos de Confúcio. O conceito chinês de paraíso, por sua vez, adquiriu um tom mais burocrático, e, na época da dinastia Song (960-1279 d.C.), o céu era visto como reflexo da corte do imperador chinês, com um imperador próprio e um serviço público de divindades menores.

Apesar do grande número de referências ao céu, Confúcio não acreditava que seus conceitos morais vinham dos deuses. Ao contrário, dizia que eram traços inerentes ao coração e à mente humana. Nesse sentido, o confucionismo é mais um sistema humanístico de filosofia moral do que uma religião, embora ainda hoje, com cerca de 6 milhões de seguidores, essa diferenciação não seja tão marcada. Na religião popular da China, Confúcio passou a integrar o enorme panteão de deuses, mas muitos de seus seguidores o reverenciam apenas como um grande mestre e pensador.

O ritual como base

A adoção do confucionismo como religião deve-se, em grande medida, ao fato de Confúcio defender a prática de ritos e cerimônias que honravam ancestrais – parte de uma obrigação maior de lealdade a família e amigos e respeito aos idosos, que Confúcio definiu como os Cinco Relacionamentos Comuns (veja à esquerda). A reciprocidade desempenha um papel fundamental nesses relacionamentos, uma vez que o confucionismo inclui, em sua essência, a regra de ouro: não faça com os outros o que você não gostaria que fizessem com você. Confúcio acreditava que por meio do desenvolvimento de laços de amor, lealdade, ritual e tradição, além do pensamento de virtude, ação de virtude e respeito, todo mundo poderia ser bom, e a sociedade se uniria de maneira sensata e positiva. Reverenciando ancestrais e realizando os rituais certos em homenagem a eles, os humanos poderiam manter um estado de harmonia entre este mundo e o céu. No nível familiar, esses rituais eram um reflexo dos ritos e sacrifícios realizados pelos imperadores para seus ancestrais, confirmando o mandato dos céus que

Confúcio passou doze anos viajando e ensinando. Adquiriu discípulos da mesma forma que as "escolas" de filosofia contemporâneas da Grécia antiga.

Somente o indivíduo dotado da mais completa sinceridade existente sob o céu pode se transformar.
A doutrina do meio

regia seu governo. A devoção aos pais e aos antepassados continua sendo uma das mais importantes virtudes confucianas, e seus laços e deveres não se extinguem com a morte. Os filhos devem levar oferendas ao túmulo de seus pais e reverenciá-los em locais sagrados em casa, que devem conter tábuas nas quais o espírito dos ancestrais possa morar. Até hoje, o principal momento de um casamento confuciano é quando o casal se curva perante as tábuas dos ancestrais do noivo – uma forma de "apresentação" formal da noiva aos antepassados da família do marido, para receber sua bênção.

Tenha a lealdade e a sinceridade como princípios fundamentais.
Os analectos

A natureza dos homens é parecida; são seus hábitos que os afastam.
Os analectos

A evolução do confucionismo

Foi durante a dinastia Song que o erudito Zhu Xi (1130-1200 d.C.) incorporou os elementos do taoismo e do budismo no confucionismo, criando uma religião também conhecida como neoconfucionismo. Confúcio não foi o primeiro sábio chinês a contemplar as verdades eternas, e ele próprio admite não ter inventado nada, mas simplesmente estudado as ideias de antigos pensadores, compilando-as em cinco livros: os Cinco Clássicos. Na dinastia Zhou ocidental (1050-771 a.C.), os estudiosos eram bastante valorizados na corte, e no século VII a.C. surgiram as chamadas Cem Escolas de Pensamento. Confúcio viveu numa época de efervescência filosófica, mas também de grandes mudanças sociais, com a diminuição do poder dos imperadores Zhou e a ameaça à ordem social. O foco de Confúcio na ordem e na harmonia resultou de sua verdadeira preocupação com o possível colapso da sociedade. Os imperadores das últimas dinastias, como a Han (206 a.C.-220 d.C.), a Song (960-1279 d.C.) e a Ming (1368-1644 d.C.), reconheceram o valor dos ideais confucianos em manter a ordem social, e o confucionismo se tornou a religião oficial da China, o que causou forte repercussão na vida diária e no pensamento chinês até o século XX. O confucionismo foi atacado durante a Revolução Cultural por seu conservadorismo social, mas recentemente um novo confucionismo surgiu na China, mesclando ideias confucianas com pensamentos atuais chineses e filosofia ocidental. Embora Confúcio tenha desenvolvido sua filosofia com base em conceitos e práticas existentes, ele ficou conhecido por afirmar que os seres humanos são naturalmente bons – só precisam aprender a utilizar suas virtudes – e que essa bondade não se restringe à aristocracia. ■

O respeito aos idosos e aos ancestrais é um valor central no confucionismo. Estes jovens estudantes chineses comemoram o aniversário de Confúcio reverenciando sua imagem.

NASCE UM SER DIVINO

A ASSIMILAÇÃO DO MITO

EM CONTEXTO

PRINCIPAIS SEGUIDORES
Antigo povo minoico e messênios

QUANDO E ONDE
Século XIV a.C., Creta

ANTES
A partir da Pré-História Os primeiros colonizadores, provavelmente do oeste da Ásia, deixam vestígios de rituais e adoração nas cavernas de Creta.

c. século XXV-1420 a.C. Deusas são foco de adoração na Creta minoica. Muitas são associadas com serpentes, pássaros ou abelhas.

DEPOIS
Século VII a.C. O poeta grego Hesíodo narra o nascimento de Zeus em Psychro e seu ocultamento pela mãe, Reia, da fúria do pai.

Século V a.C. Os romanos incorporam os mitos e a iconografia de Zeus em seu deus supremo, Júpiter ou Jove.

Por volta de 1420 a.C., a civilização minoica da ilha de Creta foi conquistada pelos messênios da Grécia continental. Assim como os invasores gregos absorveram a cultura do povo minoico, os mitos indígenas cretas e gregos se misturaram. Uma das divindades minoicas era uma grande deusa--mãe que, segundo a lenda, teve um filho divino na caverna do monte Dicte, acima de Psychro. Essa caverna tornou-se um lugar sagrado onde ninguém, homem ou deus, tinha permissão de entrar. Conta-se que uma vez por ano um brilho intenso saía da caverna, quando o sangue do nascimento da criança divina jorrava.

Essa criança transforma-se num jovem imberbe (*kouros*), um semideus evocado em hinos para trazer fertilidade e sorte para os humanos.

Os gregos dóricos, que sucederam aos messênios, deram ao *kouros* minoico o nome de seu próprio deus supremo, Zeus, a divindade que veio governar o clássico panteão de deuses que viviam no monte Olimpo. Considerado o lugar em que a mãe de Zeus, Reia, escondeu o filho do pai ciumento, Cronus, a caverna tornou-se um dos principais locais sagrados da Grécia.

Reia pode ter sido um dos nomes da grande deusa minoica original, mas na mitologia grega, embora ela fosse a mãe dos deuses, não era considerada uma deusa do Olimpo. Seu filho, por outro lado, ganhou o status de maior deus de todos, o pai de todos os outros deuses. ■

Segundo a mitologia, o menino Zeus, aqui retratado por Carlo Cignani (1628-1719), foi cuidado por ninfas, uma cabra ou abelhas que viviam na caverna do monte Dicte.

Veja também: O simbolismo na prática 46-47 ▪ Crenças para novas sociedades 56-57 ▪ O poder da grande deusa 100

OS ORÁCULOS REVELAM A VONTADE DOS DEUSES

ADIVINHANDO O FUTURO

EM CONTEXTO

PRINCIPAIS SEGUIDORES
Antigos gregos

QUANDO E ONDE
Séculos VIII a.C.-IV d.C., Grécia e Mediterrâneo

ANTES
A partir do 3º milênio a.C. O templo de Per-Uadjit contém o oráculo mais famoso do Egito, o da deusa com cabeça de cobra, Uadjit.

c. 800 a.C. O oráculo de Apolo é estabelecido em Delfos.

DEPOIS
A partir do século I a.C. O haruspex é uma figura influente no Império Romano, utilizando técnicas de adivinhação etruscas para interpretar as entranhas de animais sacrificados.

A partir do século I d.C. A Igreja católica condena a adivinhação como prática pagã, conforme previsto no livro de Deuteronômio.

Os antigos gregos davam grande importância à adivinhação do futuro, e as fontes mais valiosas de profecia e sabedoria eram os oráculos, geralmente mulheres. Os oráculos entravam em estado de transe, e os deuses "falavam" diretamente através deles. As mensagens dos deuses muitas vezes eram ininteligíveis, mas podiam ser interpretadas pelos sacerdotes. Se o indivíduo levasse oferendas ao santuário ou moradia dos oráculos (normalmente uma caverna), eles davam respostas mais satisfatórias.

Os oráculos podiam ser consultados a respeito de qualquer aspecto da vida, desde questões pessoais, como amor e casamento, até assuntos de Estado. As profecias também se dirigiam a fins políticos: Alexandre, o Grande, visitou o oráculo do deus egípcio Amon após conquistar o Egito em 332 a.C., legitimando seu domínio quando o oráculo o reconheceu como "o filho de Amon". O número de oráculos, porém, era limitado, e isso, somado ao fato de que era aconselhável levar oferendas substanciais, fez com que o acesso "personalizado" aos deuses passasse a ser privilégio de ricos e poderosos. Uma alternativa popular era o serviço oferecido por videntes, que, ao contrário dos oráculos, podiam viajar – algo muito útil para os exércitos gregos em movimento. Esses videntes interpretavam os "sinais" dos deuses recorrendo a métodos como interpretação de sonhos, análise de acontecimentos fortuitos, observação dos pássaros e prognóstico com base no sacrifício de animais. ■

A sibila, com sua voz delirante, fazia-se escutar além de mil anos, graças à presença divina dentro dela.
Heráclito

Veja também: O poder do xamã 26-31 ▪ As raízes africanas da santeria 304-305 ▪ Pentecostalismo 337

OS DEUSES SÃO EXATAMENTE COMO NÓS

CRENÇAS QUE REFLETEM A SOCIEDADE

EM CONTEXTO

PRINCIPAIS SEGUIDORES
Antigos romanos

QUANDO E ONDE
Século VIII a.C., Roma

ANTES
Séculos VIII-VI a.C. A civilização grega floresce, com seu panteão de deuses.

DEPOIS
Século VIII a.C. Roma é fundada.

c. 509 a.C. A monarquia romana é derrubada e inaugura-se a República.

133-44 a.C. Guerras civis põem fim à República romana. Júlio César é nomeado "ditador vitalício" antes de ser assassinado em 44 a.C.

42 a.C. Júlio César é divinizado.

c. 335 d.C. O imperador romano Constantino I (o Grande) converte-se ao cristianismo.

391 d.C. O imperador Teodósio proíbe a adoração de deuses pagãos.

Os deuses têm um interesse ativo em nossa **vida pessoal**.

Os deuses têm um interesse ativo em nossa **vida pública**.

Os deuses do lar, **os penates**, vivem em nossa casa e nos ajudam no sustento.

Os deuses são como nós.

Líderes públicos **consultam os deuses** para tomar decisões políticas.

Líderes políticos podem receber o status de deuses.

Deuses de espíritos de antepassados, **os lares**, agem como nossos guardiões.

O panteão dos antigos deuses romanos foi, em grande parte, adaptado do panteão de outras civilizações, sobretudo o dos gregos. Assim como as divindades gregas, os deuses romanos viviam, amavam e lutavam, refletindo dessa maneira a vida e a história dos mortais. Porém, enquanto os gregos viam seus deuses como seres que controlavam remotamente o universo, os romanos os consideravam uma parte intrínseca de sua vida, com

Veja também: Crenças para novas sociedades 56-57 ▪ A assimilação do mito 78 ▪ Vivendo no caminho dos deuses 82-85

influência direta em cada aspecto da existência humana. Como acreditavam que a ajuda divina era fundamental para uma governança bem-sucedida, os romanos incorporaram cultos, rituais e sacrifícios nas cerimônias públicas para assegurar a cooperação dos deuses. As cerimônias públicas também ajudavam a fortalecer a autoridade do regime, e os festivais religiosos, quase sempre envolvendo feriados e jogos, contribuíam para a unidade política. A vida religiosa e a estatal eram interdependentes. Os sacerdotes faziam parte da elite política, e os líderes tinham deveres religiosos. Com o tempo, determinados governantes ficaram associados com deuses específicos. Alguns acabaram sendo vistos como deuses – idolatrados após a morte ou divinizados ainda em vida.

Cultos e deuses domésticos

Diversos cultos coexistiram com a religião oficial. Alguns eram dirigidos a um deus específico – em geral, um deus de fora do panteão convencional. Às vezes, o deus estrangeiro de um povo conquistado era "convidado" para estabelecer residência em Roma. Para a maioria dos cidadãos romanos, no entanto, os deuses domésticos, os lares e penates, eram os que tratavam da vida cotidiana. Esses deuses se interessavam pelos assuntos humanos que estavam em toda parte, abertos a negociação. As orações para os deuses domésticos geralmente assumiam a forma de barganhas: "Se você fizer isso, eu faço aquilo".

A religião romana baseava-se na família. O páter-famílias – o chefe da família – era o líder espiritual e a autoridade moral da casa, com direitos sobre a propriedade familiar e responsabilidade por seus membros na sociedade. O lar era um lugar sagrado para os romanos, e o coração da casa era a lareira. O espírito do chefe da família presidia sobre todos os deuses domésticos, incluindo os penates, as divindades do aparador, aos quais se oferecia uma parte de cada refeição nas chamas da lareira. ■

Os deuses romanos tinham características humanas. Eles costumam ser retratados em banquetes, bebedeiras ou dormindo.

Os lares

Uma ponte entre os deuses públicos e domésticos, os lares eram divindades de guarda, com a missão de proteger a subsistência de uma área específica. Embora muitas casas tivessem um santuário dedicado aos lares locais, seu alcance era muito maior do que o dos penates domésticos, e eles contavam com lugares sagrados em cruzamentos de avenidas, um símbolo de "lar" em seu sentido mais amplo. Acredita-se que os lares provenham dos antigos cultos a heróis-ancestrais ou dos espíritos de antepassados enterrados na terra, e que sua função seja proteger a plantação e o gado. Na República romana, eles se tornaram os guardiões dos negócios, dos transportes e da comunicação. Os lares estavam intimamente associados às comunidades locais e à vida pública diária. Eram deuses mais dos plebeus (soldados, marinheiros, agricultores e comerciantes) do que das classes dominantes de aristocratas, complementando as maiores divindades da "religião oficial".

Em Roma ou em qualquer lugar, para entendermos a sociedade dos deuses, não podemos perder de vista a sociedade dos homens.

Georges Dumézil

OS RITUAIS NOS CONECTAM COM NOSSO PASSADO

VIVENDO NO CAMINHO DOS DEUSES

EM CONTEXTO

PRINCIPAL MOVIMENTO
Xintoísmo

QUANDO E ONDE
Século VIII, Japão

ANTES
A partir da Pré-História No Japão, a crença animista nos espíritos da natureza se mistura com a adoração a ancestrais. Os imperadores se dizem descendentes dos deuses.

2º milênio a.C. Na antiga China, acreditava-se que só os governantes possuíam autoridade divina.

Século VI d.C. O budismo chega ao Japão e começa a atrair seguidores.

DEPOIS
Século XIX O xintoísmo torna-se a religião oficial do Japão.

1946 O imperador japonês renuncia à sua linhagem divina. O xintoísmo é separado do Estado, mas continua a ser praticado.

O xintoísmo é a religião indígena tradicional do Japão. Há quem diga que é mais um estilo de vida do que uma religião, por seu intrínseco vínculo com a topografia da região, sua história e suas tradições. Suas origens remontam ao período pré-histórico japonês, em que prevaleciam crenças animistas de respeito à natureza e aos fenômenos naturais.

Como era o único sistema de crenças de uma nação isolada, o xintoísmo nunca precisou se definir, até a chegada de uma religião rival, o budismo, no século VI d.C. As crenças tradicionais japonesas careciam de doutrinas intelectuais, abrindo espaço para o budismo e o confucionismo na teologia e na filosofia do Japão. Em

Veja também: Dando sentido ao mundo 20-23 ▪ O animismo nas sociedades primitivas 24-25 ▪ Crenças para novas sociedades 56-57 ▪ Devoção por meio do *puja* 114-115 ▪ Ritual e repetição 158-159 ▪ A identidade divina de Jesus 208

O grande Japão é a terra dos deuses. Aqui o deus do Sol transmitiu sua lei eterna.
Relato dos Reinados justos dos imperadores divinos

O **mundo foi criado pelos deuses** no início do céu e da Terra.

O mundo está repleto de energias sagradas, ou **kamis**.

Alguns kamis são **grandes seres criativos**, outros são **forças naturais**, e outros ainda são **almas dos antepassados**.

Os kamis **criaram nossa nação** e **definiram nossa cultura**.

Rituais em homenagem aos kamis nos ligam ao nosso passado.

resposta a isso, a corte imperial nipônica consolidou as crenças nacionais com um nome – xintoísmo –, e no século VIII, a pedido da imperatriz Gemmei, os grandes textos xintoístas, como *Kojiki* (Registro de assuntos milenares) e *Nihon shoki* (Crônicas do Japão), foram compilados.

Esses livros registravam as tradições da história e da mitologia do Japão, junto com a linhagem de imperadores japoneses, considerados descendentes dos deuses. Além disso, definiam um conjunto de rituais, fundamental para o xintoísmo desde então – talvez mais até do que a crença. O xintoísmo ainda permeia todos os aspectos da vida no Japão, e seus rituais, nos quais a purificação desempenha um papel central, são realizados tanto em contextos espirituais quanto seculares – por exemplo, para trazer sorte e sucesso para eventos esportivos, uma nova linha de produção automotiva ou projetos de construção. Durante os rituais carregados de tradição, seres sagrados, os kamis, são cultuados. A palavra *xintó*, literalmente, significa "caminho dos seres divinos", e o xintoísmo é conhecido no Japão atualmente como *kami no michi*, o "caminho do kami".

A essência de tudo

A palavra kami significa "aquilo que está oculto" e pode ser traduzida como deus, espírito ou alma. Na crença xintoísta, entretanto, o termo designa não somente uma grande variedade de deuses e seres espirituais, como também a "energia espiritual" ou "essência" presente em tudo, que define cada coisa. O kami é a essência, por exemplo, dos fenômenos naturais (como tempestades e terremotos) e de elementos ambientais (rios, árvores e cachoeiras). Montanhas, sobretudo o monte Fuji, são elementos especialmente sagrados.

Como entidades, os kamis podem ser deuses, deusas, as almas ou espíritos de ancestrais da família (*ujigami*) e outros seres humanos fora do comum. O xintoísmo ensina que esses kamis estão no mesmo mundo material das pessoas, não em um plano sobrenatural. Eles respondem a orações e podem influenciar nos acontecimentos. No entanto, ao contrário dos seres divinos de muitas outras tradições religiosas, os kamis, embora divinos, não são onipotentes. »

Eles têm limitações e estão sujeitos a erros. Além disso, nem todos os kamis são bons – alguns são maus ou demoníacos. Em seu aspecto mais benigno, porém, eles são sinceros e comprometidos com a verdade (*makoto*), mantendo harmonia no universo por meio de sua força criativa conhecida como *musubi*.

Os deuses criadores do xintoísmo

De acordo com o *Kojiki*, na criação do universo surgiram os primeiros três kamis, entre eles Kamimusubi (kami divino da força criativa), abstrato demais para ser reverenciado. Após diversas gerações de kamis sem forma, os maiores deuses do xintoísmo apareceram: Izanagi e Izanami, que criaram o mundo, ou "o convidaram à existência". Muitos mitos xintoístas giram em torno deles e das atividades de seus descendentes: Susanoo, o deus da tempestade, Tsukuyomi, o deus da Lua, e Amaterasu, a deusa do Sol.

Os kamis representam os criadores do Japão, a Terra (como o espírito de seus elementos e forças naturais), e os ancestrais japoneses. A adoração ritualística desses seres sagrados confirma, portanto, uma poderosa conexão com a história e a tradição japonesas.

Templos e locais sagrados

Uma harmoniosa relação entre os kamis e a humanidade é mantida com rezas e oferendas nos locais sagrados e templos, onde se realizam rituais de purificação, fundamentais para o xintoísmo, que se concentra bastante nas ideias de pureza e impureza. O xintoísmo não tem um conceito de pecado original, mas acredita que os seres humanos nascem puros e são manchados pela impureza só mais tarde. As fontes de impureza são o pecado (atos dentro do nosso controle) e a poluição (coisas além do nosso controle, como doença ou contato com a morte). Essas impurezas, ou *tsumi*, precisam ser limpas por meio de um ritual. Os rituais de purificação podem assumir diversas formas, mas quase todos começam com a lavagem das mãos e da boca.

Pequenos santuários, conhecidos como *kamidanas*, são encontrados em muitos lares japoneses e consistem em uma pequena prateleira com objetos utilizados para reverenciar ancestrais e outros kamis. Templos e santuários públicos podem ter o tamanho de um povoado inteiro ou de uma pequena casa, sendo conhecidos pela simplicidade. Muitos surgiram como áreas sagradas em volta de elementos naturais, como árvores, lagos ou pedras. Cada templo xintoísta possui uma entrada sem porta chamada *torii*, composta de dois pilares verticais e uma trave horizontal. De um modo geral, todo templo tem um muro onde os adoradores colocam mensagens aos kamis, pedindo, por exemplo, para passar numa prova ou encontrar a pessoa certa para casar.

Orações individuais no saguão de adoração de um templo xintoísta seguem um processo de quatro passos, após a limpeza ritualística inicial. Primeiro, deposita-se dinheiro numa caixa de caridade. Depois, o adorador curva-se duas vezes perante o oratório, bate palmas duas vezes e, após concluir as rezas, curva-se uma última vez. Além das orações e oferendas nos templos, o xintoísmo

Pela bênção concedida ao reinado, curvo minha cabeça como um cormorão em busca de peixe, para adorá-lo com todas estas oferendas em seu nome.

Oração a Amaterasu

Os sacerdotes xintoístas podem ser homens ou mulheres. Seus assistentes de vestes brancas, ou *miko*, geralmente são as filhas dos sacerdotes. Costumes tradicionais evidenciam o vínculo com o passado imperial do Japão.

realiza festivais de celebração, conhecidos como *matsuri*, nos quais os kamis são reverenciados e importantes pontos no ano agrícola são marcados, como plantação de arroz em abril. Os xintoístas acreditam que esses rituais, se forem realizados da maneira certa, ativam o *wa*, a harmonia positiva que ajuda a purificar o mundo e o faz funcionar de forma equilibrada.

Rituais para agradar e aplacar os deuses estão entre os mais antigos da história e continuam a ser realizados pelos seguidores do xintoísmo. Uma oferenda de sushi para o espírito da raposa, ou *kitsune*, deve vir acompanhada de uma oração a Inari, deusa da fartura, e será recompensada com uma boa colheita.

Descendente dos deuses

O templo xintoísta mais venerado é o de Amaterasu, a deusa do Sol, em Ise, na ilha japonesa de Honshu. O santuário simples de madeira foi reformado a cada vinte anos nos últimos 1.300 anos. Acredita-se que a ação de renovação agrada os kamis. A maioria dos japoneses deseja visitar Ise pelo menos uma vez na vida.

Os imperadores do Japão eram originalmente vistos como descendentes diretos de Amaterasu (conta-se que o primeiro imperador, Jimmu, que assumiu o poder em 660 a.C., era seu pentaneto), e essa doutrina se tornou oficial nos séculos VII e VIII. A codificação do xintoísmo nessa época não só eliminou influências do budismo, mas também enfatizou a superioridade do povo japonês, o que foi utilizado como fundamento para as ambições políticas e militares do Japão, sobretudo após a Restauração Meiji, que trouxe de volta o poder imperial ao país no século XIX.

O imperador e sua corte eram obrigados a realizar cerimônias para fazer com que os kamis zelassem pelo Japão e garantissem seu sucesso, uma tradição que se manteve até o fim da Segunda Guerra Mundial. O prestígio xintoísta no Japão se transformou, contudo, depois que o país perdeu a guerra e foi forçado a fazer concessões para os Aliados. Considerado pelas forças de ocupação americanas como militarista e nacionalista demais, o xintoísmo foi separado do Estado em 1946, deixando de ser a religião oficial. No mesmo ano, o imperador Hirohito renunciou a suas prerrogativas divinas. Embora o imperador não seja mais visto como um ser divino, as cerimônias imperiais continuam sendo consideradas importantes. A forte ênfase xintoísta na ordem e na harmonia, sua preocupação com as normas sociais, os rituais e a tradição, e o respeito pelos imperadores significam que o xintoísmo conseguiu cumprir sua função como base da conservadora sociedade japonesa. ■

O homem e o mundo onde ele vive (mundo kami) são inerentemente bons. O mal, portanto, não tem como se originar no homem ou no mundo. O mal é um intruso.

Sokyo Ono

As origens dos rituais de purificação

Os rituais de purificação (*harai*) desempenham um papel fundamental no xintoísmo, originando-se de um mito que envolve Izanami e Izanagi, os dois deuses criadores. A parte feminina, Izanami, morre queimada ao dar à luz o deus do Sol, Kagutsuchi, e desce a Yomi, a terra dos mortos. Desconsolado, Izanagi decide segui-la e descobre que ela está presa às profundezas por ter ingerido a comida de lá. Izanami implora a Izanagi que não olhe para ela, mas ele a ilumina com uma tocha e vê que seu corpo encontra-se em estado de putrefação, coberto de vermes. Izanagi volta correndo para o mundo dos vivos e vai banhar-se no mar para se purificar. A mensagem é clara: o xintoísmo considera a morte como o estado de impureza máxima. Por esse motivo, os sacerdotes xintoístas não oficiam funerais, o que significa que a maioria dos funerais no Japão é budista, seja qual for a crença do falecido.

OS DEUSES MORRERÃO

O FIM DO MUNDO QUE CONHECEMOS

EM CONTEXTO

PRINCIPAIS SEGUIDORES
Vikings

QUANDO E ONDE
Séculos VIII-XII d.C., Escandinávia

ANTES
A partir da Pré-História Corpos preservados em pântanos, como o homem de Tollund, descoberto na Dinamarca, são indícios de sacrifício humano ritualístico. Um panteão de deuses nórdicos – o Aesir, liderado por Odin – desenvolve-se e é reverenciado em todo o norte da Europa.

DEPOIS
Século XIII À medida que o cristianismo se espalha pelas regiões nórdicas, os credos vikings começam a virar lenda. Para preservá-los, criam-se os *Eddas*, uma compilação poética da mitologia nórdica.

A partir do século XIX Na Escandinávia e no norte da Europa, formam-se movimentos neopagãos de reverência ao Aesir.

A ideia de destino fatídico permeia a mitologia nórdica dos vikings, pois tudo nela conduz a um momento calamitoso em que dois deuses – Odin, o pai de todos, e o malvado Loki – chegam ao terrível desfecho de um conflito milenar entre os deuses e os gigantes. Essa é Ragnarok, a batalha final, em que os deuses morrerão e o mundo será destruído.

Como castigo por ter ludibriado o filho cego de Odin, Hoder, fazendo-o matar o irmão, Balder, o "príncipe reluzente" da bondade, Loki foi acorrentado a três rochas para sempre. Em suas tentativas de se soltar, o mundo tremerá. As árvores

Catástrofes e **violência** assinalarão **o começo do fim**.

A **barreira** entre o mundo dos vivos e o mundo dos mortos **se romperá**.

Em um **acirrado conflito**, os próprios **deuses morrerão**.

No crepúsculo dos deuses, o **mundo inteiro será destruído**.

Mas um **novo mundo surgirá**, trazendo uma **nova esperança** para a humanidade.

Veja também: Dando sentido ao mundo 20-23 ▪ A batalha entre o bem e o mal 60-65 ▪ Crenças que refletem a sociedade 80-81 ▪ Adentrando a fé 224-227 ▪ À espera do Dia do Julgamento 312-313

O gigantesco lobo Fenrir, aqui engolindo Odin, nasceu da união entre Loki e uma *jötunn*, uma raça de gigantes em guerra contra os deuses.

serão desarraigadas, e as montanhas virão abaixo. Loki começará a recuperar sua força, e a própria natureza entrará em colapso. Rigorosos invernos, com neve, frio e ventos cortantes, serão o comum. Não haverá mais verão. Muitas batalhas serão travadas, irmãos contra irmãos, pais contra filhos, até o mundo inteiro acabar. Quando o deus acorrentado finalmente se soltar, o céu se partirá em dois, o monstruoso filho de Loki, o lobo Fenrir, engolirá o Sol, e Loki liderará um exército de gigantes, monstros e espíritos das profundezas, num navio feito das unhas não cortadas dos mortos.

A retaliação do exército de Odin

Odin é o deus da poesia e da magia, mas também é o deus da guerra e, por isso, convoca um exército – composto por guerreiros mortos nos campos de batalha, os *einherjars* – para lutar contra a horda de Loki.

A mitologia nórdica não deixa dúvida, porém, de que mesmo com esse exército poderoso, os deuses serão derrotados e destruídos nesse conflito. O filho de Odin, o poderoso deus Thor, será morto pela enorme serpente Jörmungandr, e Odin será devorado por Fenrir. O irmão de Thor, Vidar, rasgará Fenrir em dois, pela mandíbula, mas isso não será suficiente para salvar Odin e a criação. O mundo inteiro será destruído pelo fogo e afundará no oceano. Dessa destruição, contudo, um novo mundo nascerá, surgindo do mar. Um homem e uma mulher, Lifthrasir e Lif, escaparão da destruição. Deles, uma nova raça de humanos será formada. Quanto aos deuses, os filhos de Odin, Vidar e Vali, e os filhos de Thor, Modi e Magni, serão os únicos sobreviventes da batalha, aos quais se juntarão Balder e Hoder, que conseguirão finalmente se libertar do mundo dos mortos. ■

O Sol escurecerá,
a Terra afundará no mar, e
as estrelas reluzentes
desaparecerão do céu.
Os Eddas

Guerreiros derrotados eram queimados numa pira, conforme decretado por Odin. Objetos eram incendiados com eles para uso no além.

O paraíso viking

Os vikings que morriam de causas naturais iam para Hel, o lúgubre reino dos mortos. Somente os vikings escolhidos para morrer em batalha contra as valquírias (uma raça de deidades bélicas) ou aqueles selecionados para sacrifício poderiam atravessar a "ponte do arco-íris" em direção a Asgard, o reino dos deuses. Metade daqueles que morriam em batalha pertencia à deusa Freya e ia para o saguão do campo Fólkvangr. Mulheres que tiveram mortes heroicas também eram escolhidas. A outra metade dos guerreiros mortos pertencia a Odin e ia para Valhalla, o palácio dos mortos, coberto de escudos. Lá, eles lutavam uns contra os outros o dia todo, mas chegavam ilesos à noite para se esbaldar com a carne de um javali mágico e o leite de uma cabra encantada – uma forma de se preparar para o dia em que partiriam de Valhalla a fim de lutar pelos deuses na batalha final de Ragnarok.

HINDUÍS
A PARTIR DE 1700

MO

A.C.

A **tradição védica** começa a se desenvolver na Índia, com rituais de oferendas aos deuses.

1700 A.C.

1200-900 A.C.

Os **quatro Vedas** são escritos – as escrituras hindus mais remotas e o mais antigo texto em sânscrito.

Surgem **ideias bramânicas** com base no conceito de brahman, o poder supremo.

SÉCULO VI A.C.

SÉCULO VI A.C.

É escrito o primeiro dos **Upanishads**, uma abordagem filosófica à religião.

Mahavira torna-se uma grande figura no desenvolvimento do jainismo.

SÉCULO VI A.C.

SÉCULO VI A.C.

Nasce Siddhartha Gautama, mais tarde conhecido como **Buda**, numa família hindu.

O poeta **Valmiki** escreve o épico hindu *Ramayana*.

C. 500-100 A.C.

Embora o hinduísmo possa ser considerado a religião mais antiga dentre as existentes hoje em dia, o termo é relativamente novo, dando a impressão equivocada de uma fé unificada, com um único conjunto de crenças e práticas religiosas. As origens do hinduísmo remontam à Idade do Ferro, mas a palavra "hinduísmo" é mais um hiperônimo conveniente para denominar a maior parte das religiões do subcontinente indiano. Apesar de apresentarem características em comum, essas religiões diferem bastante quanto à prática, abrangendo uma grande variedade de tradições. Em algumas dessas tradições, a fé manteve-se substancialmente inalterada desde tempos primordiais.

Mais de três quartos da população da Índia se diz "hinduísta", mas a definição de um conjunto tão desconexo de credos é mais política do que religiosa. A palavra "hindu" (cuja raiz é a mesma do rio Indo, na Índia) significa "indiano" e diferencia as religiões nativas daquelas introduzidas no país, como o Islã, e religiões "desertoras" mais recentes, como o jainismo e o budismo.

A dificuldade de definir o hinduísmo foi sintetizada numa sentença normativa do Supremo Tribunal indiano em 1995: "... a religião hindu não reconhece profetas, não cultua deuses, não segue dogmas, não acredita em conceitos filosóficos e não professa ritos religiosos de ninguém. Na verdade, o hinduísmo não se limita às características de nenhuma religião ou credo, podendo ser descrito, em termos gerais, como uma forma de vida e nada mais que isso".

Crenças comuns

Algumas ideias, porém, são centrais em praticamente todas as vertentes do hinduísmo, sobretudo a noção de *samsara* (o ciclo de morte e renascimento do *atman*, a alma) e a crença na possibilidade de *moksha*, ou libertação desse ciclo infinito. O segredo para atingir essa libertação é resumido na palavra *dharma*, que costuma ser traduzida como "virtude", "lei natural", "retidão" ou "adequabilidade".

Inevitavelmente, o assunto sujeita-se a um grande número de interpretações, mas existem três formas principais de alcançar o *moksha* (conhecidas coletivamente como *marga*): *jnana-marga* (conhecimento ou insight), *karma-marga* (bom

Os **Yoga Sutras** – os principais textos sobre ioga, uma escola da filosofia hindu – são compilados.

SÉCULO II A.C.

SÉCULO II A.C.

O *Mahabharata*, incluindo o **Bhagavad-Gita** (Canção do Senhor), apresenta modelos de vida para os hindus.

SÉCULO VI D.C.

Surge o **bhakti**, um movimento hindu que enfatiza a devoção pessoal.

788-820 D.C.

Adi Shankara funda a escola de filosofia hindu não dualista Advaita Vedanta.

1526

O **Império Mogol islâmico** é fundado, controlando partes da Índia até a chegada do Raj britânico em 1858.

1788-1860

O filósofo alemão **Arthur Schopenhauer** começa a incorporar crenças indianas em sua filosofia idealista.

1836-1886

Sri Ramakrishna aparece como líder da reforma hindu.

1869-1948

Mahatma Gandhi mistura religião e política em sua resistência pacífica à injustiça e à discriminação.

comportamento) e *bhakti-marga* (devoção aos deuses). O *marga* abre espaço para as mais variadas vertentes religiosas praticarem suas tradições, entre rituais, meditação, ioga e devoção diária (*puja*).

Conceitos de deus

Quase todas as ramificações do hinduísmo acreditam na existência de um deus criador supremo, Brahma, que, junto com Vishnu (o preservador) e Shiva (o destruidor), forma a principal trindade, *trimurti*. Muitas tradições, todavia, têm seus próprios panteões ou acrescentam divindades locais e pessoais ao conjunto. Para confundir um pouco, até os três maiores deuses (e vários outros menores) costumam ter aparências diferentes. E assim, embora possa parecer que o hinduísmo é uma religião politeísta, em muitas tradições seria mais correto dizer que os adeptos acreditam em um deus supremo, amparado por divindades menores com poderes especiais e responsabilidades específicas.

Textos sagrados

As diferentes tradições hindus estão todas compiladas nos quatro Vedas, um conjunto de textos sagrados de 1200-900 a.C. Os Brahmanas, comentários sobre os Vedas, e depois os Upanishads, constituem a base teórica da religião, enquanto outros textos – principalmente os dois poemas épicos indianos, o *Mahabharata* e o *Ramayana* – tratam de história, mitologia, religião e filosofia. Uma das principais características das tradições hindus é a tolerância. Em decorrência de invasões, primeiro pelos gregos sob liderança de Alexandre, o Grande, e depois por muçulmanos e cristãos, o hinduísmo sofreu algumas influências.

No entanto, apesar de terem surgido movimentos de reforma como resultado dessas influências, batizar de hinduísmo o conjunto de religiões da Índia lhes deu coesão política e um vínculo nacionalista. Tal medida chegou a um ponto crítico na luta pela independência indiana, no século XX, quando Mahatma Gandhi defendeu o uso da resistência pacífica e desobediência civil como arma, estabelecendo uma Índia independente, onde todas as religiões não são apenas toleradas, mas também admitidas. ■

POR MEIO DO SACRIFÍCIO NÓS MANTEMOS A ORDEM DO UNIVERSO

UM MUNDO RACIONAL

EM CONTEXTO

PRINCIPAL FONTE
Os Vedas

QUANDO E ONDE
1500-500 a.C.

ANTES
A partir da Pré-História
Segundo as crenças iniciais, os acontecimentos são imprevisíveis e dependem da vontade dos deuses.

1700 a.C. Raças arianas começam a migrar para o subcontinente indiano.

DEPOIS
Século VI a.C. A autoridade da classe brâmane que realiza sacrifícios é contestada por Buda e Mahavira, fundador do movimento jainista.

Século VI d.C. O hinduísmo devocional, ou bhakti, ganha popularidade. Adoradores fazem suas próprias oferendas para manter um relacionamento pessoal com os deuses, uma ideia muito diferente do estabelecimento da ordem pelo sacrifício védico.

A rigor, não existe nenhuma religião que possa ser chamada de "hinduísmo". "Hinduísmo" é um termo ocidental corrente utilizado para denominar as diferentes religiões e filosofias espirituais do subcontinente indiano. Não obstante, algumas características básicas nessas ideias e práticas religiosas são compartilhadas pela maioria dos hinduístas, e são essas ideias que, agrupadas, recebem o nome de "hinduísmo". Na prática, os hindus são livres para escolher quais divindades reverenciar (em casa ou no templo) e com que frequência participarão das cerimônias religiosas, mas todos possuem antecedentes sociais e religiosos comuns, o que diferencia o hinduísmo dos outros sistemas de crenças, sobretudo os credos monoteístas.

Da mesma forma que outras religiões, entretanto, o hinduísmo procura explicar a relação da vida humana com o contexto universal. Seus rituais e práticas voltam-se para três níveis de relacionamento – da pessoa com a divindade, de uma pessoa com outra e da pessoa com ela mesma – e a ligação disso tudo com a ordem universal das coisas.

A ordem cósmica eterna

Dharma, ou "o caminho certo", é um termo essencial para explicar o que é o hinduísmo. Em sua forma original, *sanatana dharma*, poderia ser traduzido como "a eterna ordem das coisas", "verdade" ou "realidade", expressando a ideia de que há uma estrutura e um sentido oculto no mundo. Por trás da complexidade e aparente aleatoriedade dos acontecimentos, existem princípios fundamentais, sustentados por uma realidade única e imutável. Essas ideias manifestam-se na hierarquia de deuses e deusas, cada um responsável por um aspecto específico de uma verdade absoluta.

A ideia de "ordem eterna" também possui implicações individuais e sociais. A religião, de fato, é uma forma de compreender o lugar da humanidade no mundo. Se o mundo for compreendido e tiver uma hierarquia ou estrutura definida, o indivíduo, ao seguir essa estrutura, poderá viver em harmonia com o resto da sociedade e com o universo como um todo. Uma característica axial das vertentes religiosas que orientam o hinduísmo é que, para manter essa ordem, ou *dharma*, a pessoa pode ter que realizar rituais e

Veja também: Dando sentido ao mundo 20-23 ▪ Sacrifício e sangue como oferendas 40-45 ▪ O homem e o universo 48-49 ▪ Crenças para novas sociedades 56-57 ▪ A realidade suprema 102-105

O hinduísmo não é apenas uma religião. É a união entre a razão e a intuição, algo que não pode ser explicado, somente vivido.
Radhakrishnan, Bhagavad-Gita

oferendas aos deuses, como forma de sacrifício.

As ideias hinduístas de tempo

Os hindus veem o tempo como cíclico, acreditando que o universo já passou por três grandes ciclos de milhões de anos.

Considerar o tempo como algo cíclico tem uma importante inferência no pensamento religioso. No conceito ocidental linear de tempo, tudo é resultado de algo precedente (lei de causa e efeito), e, portanto, é natural querer saber como o mundo começou. Esse ponto de partida é o único estágio no qual as teorias lineares de tempo requerem explicações para além do mundo. Algo tem que ter sido responsável por colocar em movimento o grande trem de causa e efeito no início dos tempos.

Por outro lado, no pensamento hindu, os infinitos ciclos de tempo sucessivos contrastam com a ideia da eterna realidade imutável, conhecida como brahman, que existe em tudo e através de tudo. O tempo terrestre acontece em ciclos, mas o brahman é atemporal – a força central que mantém os ciclos em movimento, a realidade eterna por trás do processo de criação e destruição que caracteriza o mundo da experiência humana.

Se os grandes ciclos de tempo são totalmente dependentes de uma realidade atemporal, o ordenamento correto deste mundo em constante transformação depende da consciência dessa realidade. Essa lógica dá origem à ideia de que um dos objetivos da religião é compreender e manter a ordem correta do mundo.

Rituais religiosos e ordem

A partir de 1700 a.C., e nos séculos seguintes, o povo ariano da Ásia central exerceu uma influência gradual na Índia, trazendo consigo seu panteão e suas ideias, similares às dos gregos antigos. Os arianos integraram-se à civilização no vale do Indo, no norte da Índia, uma antiga sociedade conhecida por ter suas próprias tradições religiosas. Existem fortes evidências de banhos ritualísticos e adoração de uma grande deusa-mãe (p. 100). Outros artefatos encontrados incluem urnas de cremação e um selo com a imagem de uma divindade de chifre e pernas cruzadas.

A mudança não se deu de maneira repentina e opressiva. O que ocorreu foi uma mistura de culturas. Em termos de religião, surgiu uma tradição de devoção e rituais de sacrifício manifestada nos hinos da primeira grande coleção de escritos sagrados hindus, os Vedas. Nessa nova tradição, os rituais e sacrifícios religiosos eram considerados importantes porque se acreditava que eles mantinham a ordem do universo, além de ajudarem os participantes a compreender seu »

Ao realizar rituais da maneira prescrita, os hindus acreditam que estão se alinhando com a ordem racional do mundo e tornando-se um com o universo. Imagens e ações são cheias de simbolismo.

Concentramo-nos na luz radiante do deus Sol, que sustenta o céu, a Terra e o espaço.
Mantra Gayatri, Rig Veda

lugar dentro dessa ordem e alinhar-se com o cosmos.

O sacrifício foi o principal rito da tradição védica – uma encenação simbólica da criação do mundo na qual se evocavam divindades que representavam características do universo ou da verdadeira realidade. Segundo a tradição, por meio desses cultos o ser humano realizava a mais importante das tarefas humanas: criar uma ligação com o divino. O sacrifício realístico, além de possibilitar uma conexão com o plano invisível da realidade, também ajudava a estabelecer a ordem certa das coisas. Em troca do sacrifício, o indivíduo podia obter proteção de forças malignas e benefícios materiais – como melhores colheitas, tempo bom, saúde e felicidade.

"Sacrifício" nesse contexto significava apenas fazer uma oferenda aos deuses, geralmente de comida ou bebida. O fogo desempenhava um papel crucial nos sacrifícios, pois, segundo a tradição, ele existe tanto na Terra quanto no céu, possuindo, portanto, o poder de alcançar os deuses.

Com o desenvolvimento da religião védica, tornou-se importante que os sacrifícios fossem realizados pelas pessoas certas (a classe brâmane) e de maneira exata. Detalhes dos hinos a serem recitados e das ações a serem realizadas foram cuidadosamente prescritos.

O terreno dos sacrifícios precisava ser preparado numa área específica, conforme recomendado pelos Vedas. Os textos também especificavam o modo certo de acender o fogo sacrificial e o tipo de recipiente necessário para receber a oferenda (*huti*). Os sacerdotes tinham a missão de alimentar o fogo com oferendas que incluíam manteiga de garrafa, cereais, frutas ou flores, entoando cânticos dos Vedas.

O sacrifício também devia ser realizado numa data propícia. A oferenda podia ser para um deus específico (ou deusa), mas os preferidos eram Agni, Varuna e Indra. Agni é o deus do fogo. Sua principal função é manifestar-se como fogo no altar do sacrifício, destruindo qualquer demônio que queira tentar interromper o culto. Varuna, o deus do céu, das águas e do oceano celestial, é também o guardião do *rta* – a ordem cósmica. Responsável por separar a noite e o dia, é o mais importante deus do Rig Veda (o livro de rituais dos Vedas). Diz-se que Varuna criou as águas para impedir que os rios e oceanos inundassem e para sustentar o universo. Indra, o deus dos trovões, da chuva e da guerra, é conhecido por gostar de *soma*, uma bebida sagrada utilizada nos sacrifícios (veja abaixo). É fundamental garantir a boa vontade de Indra – ele está preso numa eterna luta contra as forças do caos e da destruição, e são seus esforços que separam e sustentam o céu e a Terra.

Deuses como aspectos de ordem

Com a evolução do hinduísmo, os deuses arianos dos Vedas foram ganhando a companhia de outros deuses, sendo, em muitos casos, substituídos por eles. Deuses védicos menores também foram elevados a posições muito mais destacadas. Escritos hindus mais recentes apresentam uma enorme lista de deuses e deusas, refletindo a mistura de diferentes tradições e períodos da

A bebida dos deuses

A bebida ritualística *soma* aparece nos Vedas e nos textos sagrados do zoroastrismo, a antiga religião persa, que, como o hinduísmo, remonta às primeiras culturas arianas. Produzida a partir do sumo de determinadas plantas, a bebida tem propriedades inebriantes, possivelmente estimulantes e alucinógenas. O Rig Veda descreve-a como "Rei Soma", proclamando: "Já tomamos *soma* e nos tornamos imortais. Atingimos a luz, os deuses descobriram". O *soma* era preparado pelos sacerdotes como uma oferenda aos deuses, com o intuito de que suas propriedades energizantes os revigorassem, embora eles provavelmente também tomassem.

O cogumelo psicotrópico *Amanita muscaria* ou os "cogumelos mágicos" (*psilocibina*) são os prováveis ingredientes do *soma*. Ambos são indutores de transe comuns em rituais xamânicos. A maconha e a ephedra também foram sugeridas, esta última por seus efeitos altamente estimulantes, o que condiz com o relato de que o deus Indra tomava *soma* antes de sair em batalha.

A dança de Shiva representa os ciclos cósmicos de criação e destruição, o equilíbrio entre vida e morte. Shiva é o destruidor, mas também o transformador.

história da religião primordial da Índia. De todos esses deuses, surgiu um triunvirato dominante, responsável pela existência, ordem e destruição do universo. Esses três deuses – *trimurti*, ou trindade – representam diferentes aspectos da realidade. Brahma, o criador (não confundir com brahman); Vishnu, o protetor e guardião da humanidade; e Shiva, o destruidor, ou aquele que equilibra as forças da criação e da destruição.

O deus Shiva costuma ser representado em imagens e esculturas como "Shiva Nataraja", o senhor da dança. A dança cósmica de Shiva acontece dentro de um círculo de fogo, que representa o processo contínuo de nascimento e morte. Shiva possui quatro braços, com um tambor na mão direita superior, cujo toque promove a criação, e uma chama destrutiva na mão esquerda superior. Seus braços inferiores expressam o equilíbrio rítmico entre a criação e a destruição.

Tu habitas em todos os seres; és perfeito, onipresente, onipotente e onisciente. És a Vida em todas as vidas, embora sejas invisível ao olho humano.

Trecho de um hino a Vishnu

O pé direito está levantado, pela dança, e o esquerdo pisa num demônio, que representa a ignorância. Essa figura selvagem e exuberante simboliza o perfeito equilíbrio num mundo em constante mutação. Como o tempo é cíclico, a destruição do universo por Shiva é vista como algo construtivo, pois prepara o caminho para uma mudança benéfica.

O ordenamento da sociedade

A classificação da sociedade indiana em quatro grupos principais baseia-se, desde os tempos védicos, no conceito de *dharma*, estendendo a teoria da ordem e estrutura do universo ao correto ordenamento da vida humana e da sociedade. Historicamente, é provável que, com a invasão dos arianos de pele clara, tenha se instaurado um contraste entre eles e os habitantes naturais da Índia, de pele mais escura, sendo estes tratados como inferiores – o que levou a um sistema social de quatro classes principais, ou *varnas*, que significa "cores".

No hinduísmo, contudo, um relato mitológico da origem do sistema de classes sobrepõe-se a essa explicação histórica. No Rig Veda, há um cântico dedicado a Purusha (o ser divino), o qual relata que o corpo de um ser humano primitivo é sacrificado e dividido, criando as quatro *varnas* ou classes: brâmanes, xátrias, vaixás e sudras. Os brâmanes são membros da classe sacerdotal, criados da boca de Purusha. Os xátrias formam a classe militar ou administrativa, criados dos braços de Purusha, enquanto os vaixás são membros da classe mercantil, criados das coxas de Purusha. Os sudras constituem a classe dos trabalhadores comuns, criados dos pés de Purusha. Como todos vêm da única realidade humana, Purusha, eles são interdependentes e todos têm um »

De acordo com a tradição hindu, as quatro *varnas*, ou classes, originaram-se das diversas partes de Purusha, o homem primordial.

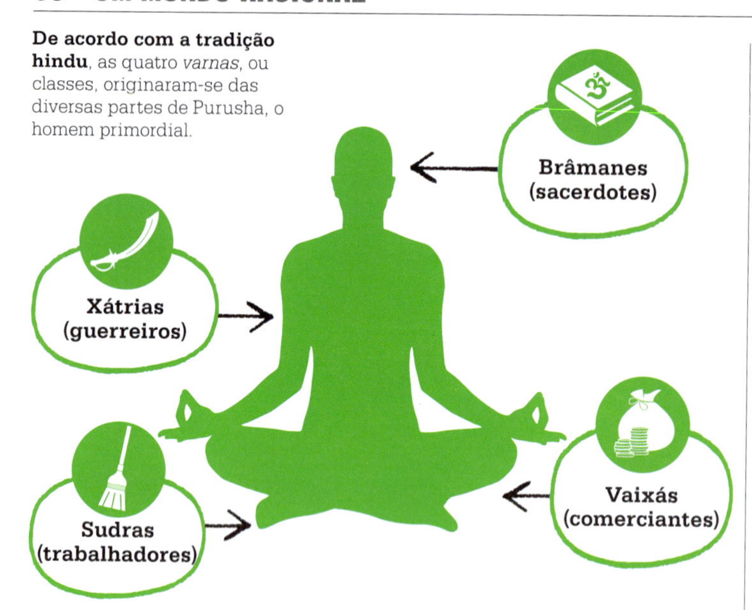

papel essencial a desempenhar no ordenamento da sociedade. Suas funções refletem seu *dharma* – seu dever divino.

Dizem que os membros das três primeiras *varnas* "nascem novamente" num ritual conhecido como "fio sagrado", o *upanayana*, que marca a aceitação do hinduísmo por parte do indivíduo. O ritual geralmente é realizado quando a criança faz oito anos, estabelecendo sua posição social. Abaixo das quatro *varnas* encontram-se aqueles que estão totalmente fora do sistema de classes. Antes chamados de "desclassificados", hoje eles são conhecidos como dalits, "os oprimidos".

Distinção de classes

As quatro *varnas* às vezes são chamadas de "castas", mas esse termo não é preciso. O sistema de castas indiano baseia-se numa antiga forma de classificar a população, geralmente referente à ocupação. Existe um grande número de classes, ou *jaitis*, cada uma com um status social correspondente. As duas abordagens diferentes parecem ter se misturado a partir do desenvolvimento da sociedade hindu no último período védico (c. 1000 a.C.), e as diferenças cruciais entre elas tornaram-se indistintas.

No sistema de *varnas*, todas as diferentes classes sociais são essenciais para o correto ordenamento do mundo. Como todo mundo vem de um único humano primordial, Purusha, todos dependem uns dos outros. Só os brâmanes eram retratados como uma classe superior – o que é compreensível, pois na literatura védica eles são os escolhidos pela tradição para manter a ordem do universo. O sistema de castas, por sua vez, era discriminatório, defendendo a separação das

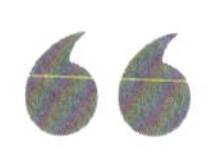

Todos os seres vivos possuem diferentes características que os distinguem uns dos outros.
Bhavishya Purana

pessoas para evitar a "contaminação". Indivíduos de castas mais elevadas começaram a temer o contato com indivíduos de castas inferiores. O sistema de castas promovia a fragmentação social, com regras que proibiam o relacionamento e o casamento de pessoas de diferentes castas. Essa divisão foi reconhecida pela Constituição da Índia, criada em 1948, que proibiu a discriminação contra castas mais baixas, embora o preconceito popular tenha demorado muito tempo para ser banido.

Pessoal x social

No século VI a.C., mestres errantes da Índia, como Buda e Mahavira, passaram a criticar a natureza formal e estratificada da cultura védica, aceitando seguidores de qualquer classe e tratando a todos da mesma maneira. O que importava era a contribuição pessoal, não um privilégio herdado. Esses mestres errantes também rejeitaram a autoridade dos Vedas, e por isso foram taxados de "heterodoxos". Mas, por volta de 500 a.C., ocorreu uma mudança definitiva na forma como a religião era vista em toda a sociedade hindu. Em vez de ser considerada como um meio para manter a ordem universal, a religião agora prometia ser uma maneira de escapar das limitações da vida material, mediante uma existência puramente espiritual. Em vez de buscar o alinhamento com a ordem estabelecida, o caminho agora era buscar a libertação dessa ordem. Nos séculos que se seguiram, a tradição hinduísta adotou a ideia de devoção pessoal como forma de libertação, e a adoração tornou-se mais uma questão de envolvimento pessoal do que simplesmente a realização correta de sacrifícios. Com o tempo, surgiram formas pessoais de devoção e rito, a ponto de muita gente ter um local sagrado em casa, sem a necessidade de um brâmane para realizar o ritual.

Religião e sociedade

No período védico, a religião concentrava-se basicamente na busca do indivíduo para encontrar seu lugar no mundo e na sociedade, procurando viver da forma que lhe fora determinada, segundo as *varnas*. A religião tinha, portanto, um aspecto pessoal e um aspecto social, além de um sistema aparentemente lógico de como o indivíduo e a sociedade deviam interagir.

Ninguém nasce brâmane ou excluído. Essa classificação depende de suas ações.
Buda, sobre as *varnas*

Essa primeira fase do hinduísmo aponta para uma questão presente em todas as religiões: se ela deve basear-se somente no indivíduo ou na sociedade como um todo. As religiões estão integradas na sociedade, e às vezes é difícil distinguir ideias verdadeiramente "religiosas" de crenças e atitudes resultantes do meio político ou cultural no qual a religião se desenvolve. Outra questão a ser discutida é que as doutrinas e as tradições religiosas também podem ser utilizadas por uma elite dominante para manter sua posição.

A própria questão referente ao foco da religião (se deve recair sobre o indivíduo ou a sociedade) é delicada, pois sugere que a experiência pessoal da religião vale mais do que a social. ■

O conceito de *varna* precisa ser redefinido na Índia do século XXI, onde novas funções e carreiras não tradicionais desafiam as hierarquias existentes.

A literatura sagrada do hinduísmo

As escrituras hindus dividem-se em duas categorias: *shruti* e *smriti*. O termo *shruti*, do sânscrito, "aquilo que é ouvido", é usado para descrever a literatura védica, que era "ouvida" por sacerdotes e estudiosos no processo de revelação ou de compreensão da verdade indubitável. Esse conhecimento canônico, então, foi transmitido pela tradição oral de uma geração bramânica para a outra.

Existem quatro conjuntos de hinos védicos, compostos ao longo de um período de mil anos. O primeiro, de 1200 a.C. aproximadamente, chama-se Rig Veda. Fazem parte desse primeiro conjunto (e também do *shruti*) os Brahmanas, com instruções sobre os rituais védicos, os Aranyakas, com discussões sobre meditação, e os Upanishads, com interpretações filosóficas. A literatura védica *shruti* é a obra mais importante do hinduísmo.

O termo *smriti*, do sânscrito, "aquilo que é lembrado", é usado para descrever o resto da literatura hindu, sobretudo os grandes poemas épicos, o *Mahabharata* e o *Ramayana*. Apesar de não gozarem do mesmo status da literatura *shruti*, por não terem tido inspiração divina, esses textos também são relevantes, pois estão abertos à interpretação. Essa importante vertente da literatura indiana ainda é muito influente, incluindo o Bhagavad-Gita, provavelmente a mais conhecida de todas as obras hindus.

O DIVINO POSSUI UM ASPECTO FEMININO

O PODER DA GRANDE DEUSA

EM CONTEXTO

PRINCIPAL OBRA
Os Vedas

QUANDO E ONDE
A partir de 1700 a.C., Índia

ANTES
3000 a.C. Estatuetas dessa época encontradas no vale do rio Indo sugerem reverência à deusa da fertilidade.

DEPOIS
Séculos V-III a.C. Os Puranas, antigos textos hindus, celebram o poder feminino, e as deusas descritas como companheiras dos deuses nos Vedas começam a ganhar seus próprios seguidores.

300-700 d.C. Ritos tântricos usam imagens de casais de deuses como foco de meditação, e o shaktismo torna-se uma importante ramificação do hinduísmo.

c. 800 d.C. Adi Shankara compõe *Saundaryalahari* (Ondas de beleza), um hino para Parvati e sua força sexual.

Enquanto em muitas religiões a imagem de deus é geralmente masculina, no hinduísmo há muitas deusas, representando criatividade, fertilidade ou poder. O termo geral para a força divina feminina é Shakti, que significa "ser capaz". Shakti está personificada em Maha Devi, a mãe divina ou "grande deusa". Maha Devi representa o poder ativo do divino, assim como sua força de vida. Na escola hindu do shaktismo, ela é reverenciada como a divindade suprema. A grande deusa assume diferentes formas, cada uma expressando uma qualidade específica. Em seu aspecto associado a Shiva, por exemplo, Shakti aparece como a doce e amável Parvati, mas ela também é Kali e Durga – figuras terríveis e ameaçadoras.

Lakshmi, deusa da sorte, beleza e fertilidade, é companheira de Vishnu. Ela tem quatro braços e quatro mãos, com as quais concede dádivas materiais e espirituais aos devotos.

A serpente enroscada

Além do poder criativo do divino, Shakti representa o elemento feminino dentro do ser. Os hindus acreditam que nossa energia sexual e força vital (*kundalini*) vivem como uma serpente enroscada ou uma deusa adormecida na base da espinha dorsal. A consciência e o desenvolvimento dessa força por meio da ioga podem ser uma forma de libertação espiritual. Esses rituais tântricos – às vezes praticados fisicamente, mas geralmente em meditações – são usados para fortalecer a união entre nossos elementos masculino e feminino. ■

Veja também: Disciplina física e mental 112-113 ▪ Devoção por meio do *puja* 114-115 ▪ Budas e bodhisattvas 152-157 ▪ Shaktismo 328

SENTE-SE PERTO DE SEU GURU

NÍVEIS MAIS ELEVADOS DE ENSINAMENTO

EM CONTEXTO

PRINCIPAL FONTE
Os Upanishads

QUANDO E ONDE
Século VI a.C., Índia

ANTES
A partir de 1200 a.C. Os Vedas oferecem textos e instruções para rituais realizados exclusivamente pelos brâmanes (sacerdotes).

DEPOIS
Século VI a.C. Na Índia, mestres errantes como Buda e Mahavira atraem seus próprios discípulos.

A partir do século I a.C. Surgem seis escolas diferentes da filosofia hindu, conhecidas como darshanas.

800 d.C. Adi Shankara funda quatro famosas *mathas* (escolas monásticas) para ensinar as ideias dos Upanishads.

1500 d.C. O nome sikhismo vem da palavra em sânscrito *shishya*, "aluno do guru".

Faz sentido oferecer os mesmos ensinamentos e princípios religiosos para todo mundo? No hinduísmo, existem diferentes níveis de compreensão e prática da religião. Seus primeiros textos, os Vedas, e os comentários que se seguiram fornecem explicações, rezas e instruções para a realização de sacrifícios e outros atos públicos de devoção. Mais tarde, os épicos *Ramayana* e *Mahabharata* (p. 111), cheios de histórias sobre deuses, foram usados com o mesmo propósito. No século VI a.C., porém, surgiu outro corpo de literatura – os Upanishads –, oferecendo acesso, para os iniciados, a um plano mais elevado de conhecimento espiritual.

Conceitos difíceis

A palavra "Upanishad" significa "sentar-se perto" e aplica-se aos ensinamentos restritos àqueles que foram aceitos por um guru ou mestre para o estudo religioso. Os Upanishads focam em conceitos abstratos referentes à natureza do ser e do universo. Em particular, os textos afirmam que existe uma realidade única universal, brahman, que só pode ser conhecida por meio do pensamento e da análise da vivência. Os Upanishads, portanto, acrescentam uma dimensão bastante filosófica à discussão religiosa indiana. A ideia de sentar-se perto do guru sugere que, se investigarmos os conceitos religiosos em busca de verdades universais, encontraremos níveis de ensinamento mais profundos do que as crenças convencionais. ■

Na Terra, a grandeza é atingida por meio da concentração.
Os Upanishads

Veja também: A realidade suprema 102-105 ▪ O ser em constante transformação 148-151 ▪ A Reforma Protestante 230-237 ▪ Os darshanas 328

O BRAHMAN É MINHA ESSÊNCIA NO CORAÇÃO

A REALIDADE SUPREMA

EM CONTEXTO

PRINCIPAL FONTE
Os Upanishads

QUANDO E ONDE
Século VI a.C., Índia

ANTES
A partir de 2000 a.C. A ideia de uma alma que pode ser separada do corpo está presente em alguns credos indo-europeus, mas refere-se a um espírito com a essência do indivíduo, não a uma alma em harmonia com a realidade suprema.

DEPOIS
c. 400 a.C. A filosofia indiana influencia antigos pensadores gregos. Platão apresenta a ideia de um ser supremo do qual todos os outros seres vivos se originam.

Século I O sábio budista Nagasena rejeita a noção de um "ser" imóvel, com base no ensinamento de Buda de que tudo o que existe segue um fluxo.

Os Upanishads são uma série de textos filosóficos (o mais antigo datando do século VI a.C.) com o mais elevado nível de ensinamento, reservado apenas para as mentes treinadas e meditativas dos sábios e gurus hinduístas. Sua principal preocupação é a natureza do ser. Compreender o ser é compreender tudo.

A filosofia ocidental adotou, basicamente, duas posições sobre a natureza do ser. Para a escola conhecida como "dualista", o ser é algo não físico e separado do corpo. Quer seja chamado de alma ou de mente, é o aspecto pensante e emocional do que somos – o "eu"

Veja também: O animismo nas sociedades primitivas 24-25 ▪ O homem e o universo 48-49 ▪ Enxergar com a consciência pura 116-121 ▪ O homem como manifestação de Deus 188 ▪ Experiência mística no cristianismo 238 ▪ O sufismo e a tradição mística 282-283

que vivencia o mundo. É esse “eu” que recebe e decodifica dados sensoriais. Os materialistas, em contrapartida, afirmam que só existe o físico, e, portanto, o “ser” é apenas uma forma de descrever a atividade do cérebro.

De um modo geral, tendemos a pensar em nós mesmos como **algo distinto de nosso corpo** e separado do resto do mundo.
Mas se analisarmos um objeto físico em termos de composição, chegaremos a uma **realidade absoluta** invisível até mesmo ao microscópio mais potente.
Se isso vale para **todos os objetos do mundo**, vale também para nós mesmos.
Portanto, nosso **verdadeiro ser é idêntico** à realidade absoluta invisível, brahman.

No hinduísmo, porém, os Upanishads exploraram uma visão que difere dessas duas abordagens ocidentais, descrevendo o ser como um elemento dividido em três partes: um corpo material; um corpo mais “sutil”, feito de pensamentos, sentimentos e experiências; e uma consciência pura, chamada de *atman*. Diz-se que o *atman* é idêntico à realidade absoluta, impessoal, brahman. Portanto, embora possamos sentir que somos indivíduos insignificantes, isolados e vulneráveis, nosso verdadeiro ser está em comunhão perfeita com a realidade do universo.

O ser como “nada”

Os Upanishads expressam a ideia de *atman* por meio de diálogos e imagens. Um dos mais famosos vem do Chandogya Upanishad, um diálogo entre o sábio Uddalaka Aruni e seu filho, Svetaketu. O sábio pede ao filho para abrir um figo e lhe dizer o que ele vê ali dentro. “Sementes”, responde o filho. O sábio, então, pede ao filho para dividir uma semente ao meio e descrever o que há dentro. “Nada”, responde o menino. O sábio, então, argumenta que toda a enorme figueira é feita desse “nada”. Essa é sua essência, sua alma, sua realidade. E o diálogo conclui: “Isso é você, Svetaketu!”.

A afirmação “Isso é você!” (*Tat tvam asi!*, em sânscrito) é provavelmente a mais conhecida em toda a filosofia hindu. Baseia-se na ideia de que a análise de qualquer objeto aparentemente sólido acabará por revelar uma essência invisível, onipresente, que é o brahman. Isso se aplica a tudo, desde figos até seres humanos. Segundo o hinduísmo, além dos aspectos físicos e mentais do ser, existe algo maior, o *atman*, que não pode ser nada mais do que o brahman, a realidade única e absoluta. Não há nenhuma diferença entre nós e essa realidade divina suprema.

A compreensão do brahman

O diálogo sobre a semente de figo é seguido de uma segunda conversa, »

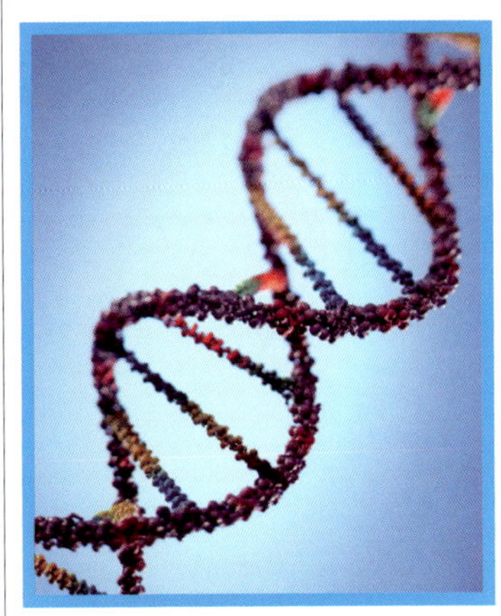

O microscópio ajudou a ciência a concluir que o ser humano é feito de DNA, mas isso inclui o que chamamos de “eu”?

Um ciclo infinito de vidas é o que nos espera, a menos que nos libertemos do sofrimento da reencarnação pela consciência da verdadeira natureza do *atman* ou brahman.

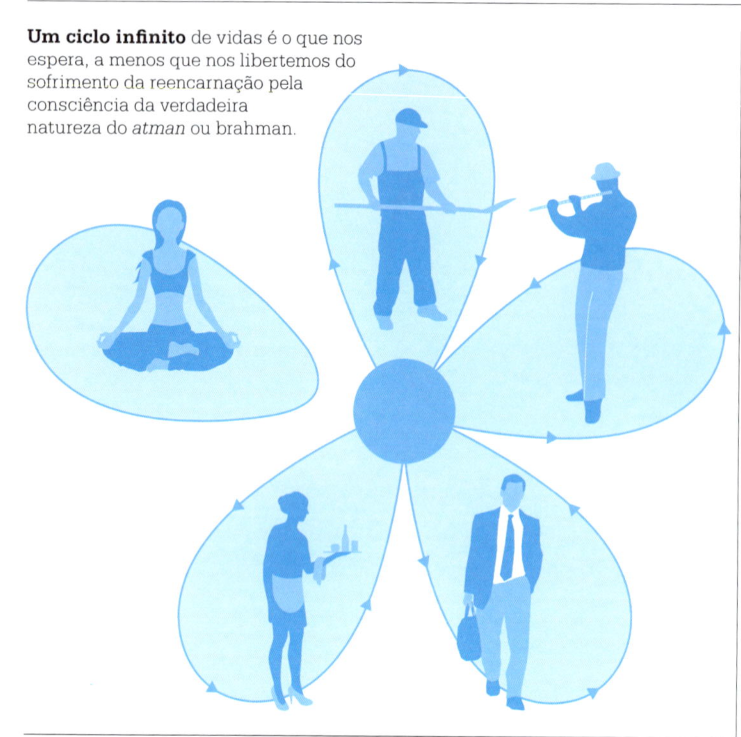

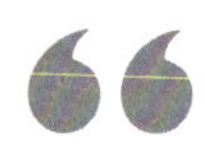

Tudo isto é brahman: minha essência dentro do coração, menor que um grão de milho.
Chandogya Upanishad, 14º khanda

que nos dá uma ideia do que é brahman. O sábio pede ao filho para provar a água de diferentes partes de uma bacia. A água tem gosto puro em todas as partes. Após ser dissolvido sal na bacia, a aparência da água permanece a mesma, mas toda a água fica salgada. Do mesmo modo, brahman, a realidade absoluta, é invisível, mas está presente em toda parte.

O Mundaka Upanishad recorre a uma imagem diferente de brahman. Assim como milhares de faíscas de uma grande fogueira retornam a ela, inúmeros seres são criados a partir do brahman, "o imperecível" ou "o grandioso", descrito como um elemento sem vida, sem respiração, sem mente e puro – mas capaz de criar respiração, mente e todos os sentidos. "Seu coração é o mundo inteiro. Na verdade, brahman é o ser interior de tudo."

De acordo com essa compreensão, a forma como percebemos o mundo através de nossos sentidos, considerando-o como uma entidade separada de nós, não representa a verdade absoluta. Há uma realidade por trás que sustenta tudo, uma realidade invisível dentro de nosso ser mais profundo.

Carma e reencarnação

Na religião védica original, acreditava-se que o ato de oferecer sacrifícios aos deuses mantinha a ordem do universo. Os Upanishads internalizaram esse processo, afirmando que a realidade consiste num ponto imóvel, absoluto e simples, dentro do ser. E essa realidade é universal, não individual. Assim como realizar um sacrifício da maneira correta era a forma de alinhar o ser com a ordem universal, a consciência do brahman como o verdadeiro ser nos ajuda a alinhar a nós mesmos com a realidade.

Os hindus acreditam que o carma (ações) produz consequências – boas e ruins – não só no mundo externo, mas também para o indivíduo. O hinduísmo desenvolveu uma ideia de reencarnação em que o ser utiliza diversos corpos no decorrer de muitas vidas. A forma de cada vida é determinada pelo carma da vida anterior. No entanto, a consciência de que "*atman* é brahman" pode libertar a pessoa desse constante ciclo de nascimento, morte e renascimento (conhecido como *samsara*). O carma é gerado pelas ações do corpo físico e do corpo mental "sutil" (como nossos pensamentos e sentimentos), mas o indivíduo que estiver consciente do *atman* e, portanto, do brahman, voltando-se profundamente para dentro, transcenderá o nível dos dois "corpos" (o físico e o mental "sutil") em que o carma opera.

Embora os hindus esperem melhorar suas chances em vidas

Quando acendemos velas umas com as outras, a mesma chama arde em todas elas. Ou seja, o brahman único parece ser vários.
Sábio Vasishtha

futuras gerando bom carma, há sempre a ameaça de que um carma negativo os faça renascer numa casta inferior ou num animal. Mesmo assim, tal fator não é tão importante quanto parece, pois a ideia de ir para uma outra vida (boa ou ruim) não é o objetivo final do hinduísmo. À diferença das religiões monoteístas, em que a perspectiva de vida após a morte é uma promessa esperada, no hinduísmo o objetivo é libertar-se do sofrimento inevitável de ter que nascer e morrer numa sucessão de vidas.

Intuição consciente

Os argumentos apresentados nas histórias do Chandogya Upanishad sobre as sementes de figo e a água salgada são bastante lógicos. De certa forma, eles consistem apenas em análises científicas da matéria, apresentadas na linguagem de uma era pré-científica. Seria como dizer hoje que tudo é feito de partículas subatômicas, energia e forças fundamentais.

No entanto, o propósito e as implicações dos diálogos upanishádicos e da ciência moderna são bem diferentes. Nos Upanishads, o argumento lógico não é um fim em si, mas um meio de conduzir a uma intuição que vai além das palavras. A lógica do argumento da identidade do *atman* e do brahman constitui apenas o ponto de partida para uma compreensão maior. O objetivo dos ensinamentos é incentivar os alunos a internalizar e refletir sobre eles, até que a realidade sugerida ali seja vivenciada diretamente – ultrapassando os limites da lógica e da linguagem. Essa consciência inefável produz um estado de glória inaudito (*ananda*).

Poderíamos argumentar que um "eu" formado somente pela experiência dos sentidos e pela razão bastaria para os propósitos da vida humana. Os sábios que escreveram os diálogos dos Upanishads contestaram essa ideia. O Katha Upanishad utiliza uma carruagem, como analogia para o ser. Os sentidos são os cavalos da carruagem e a mente, o cocheiro, mas o passageiro da carruagem é o *atman*. A implicação dessa imagem é que, para um indivíduo cuja consciência se limita à lógica e aos sentidos, o movimento da carruagem não faz sentido, pois falta um passageiro para realizar a viagem. É isso o que a intuição do *atman* restaura.

O hinduísmo não considera o processo de conscientização do *atman* como um processo fácil. Essa conscientização só pode ocorrer após a análise e o descarte de outras possíveis identidades. Não é um fato a ser aprendido, mas uma intuição, capaz de formar, gradualmente, uma consciência ativa. ■

Além da morte

Se a alma, por não ser algo físico, pode separar-se do corpo, a possibilidade de continuar vivendo após a morte é bem real. De acordo com a maioria das religiões ocidentais, as almas foram criadas num momento específico do tempo, mas são capazes de viver indefinidamente depois da morte do corpo. No hinduísmo, o ser é um elemento atemporal, sem início, comparável à realidade única indiferenciada, que assume uma forma física numa sucessão de vidas, dando origem à ideia de reencarnação. O que as religiões ocidentais monoteístas discutem é se a alma pode realmente se separar do corpo e como elas manteriam a identidade. Para os hindus, a questão é compreender intuitivamente que essa alma e esta vida fazem parte de algo muito maior e que o ser está em harmonia com a realidade fundamental do universo.

Oculto no coração de todos os seres encontra-se o *atman*, o espírito, a essência do ser, menor do que o menor átomo, maior do que o espaço sideral.
Katha Upanishad

APRENDIZADO, VIVÊNCIA, RETIRADA E ISOLAMENTO

OS QUATRO ESTÁGIOS DA VIDA

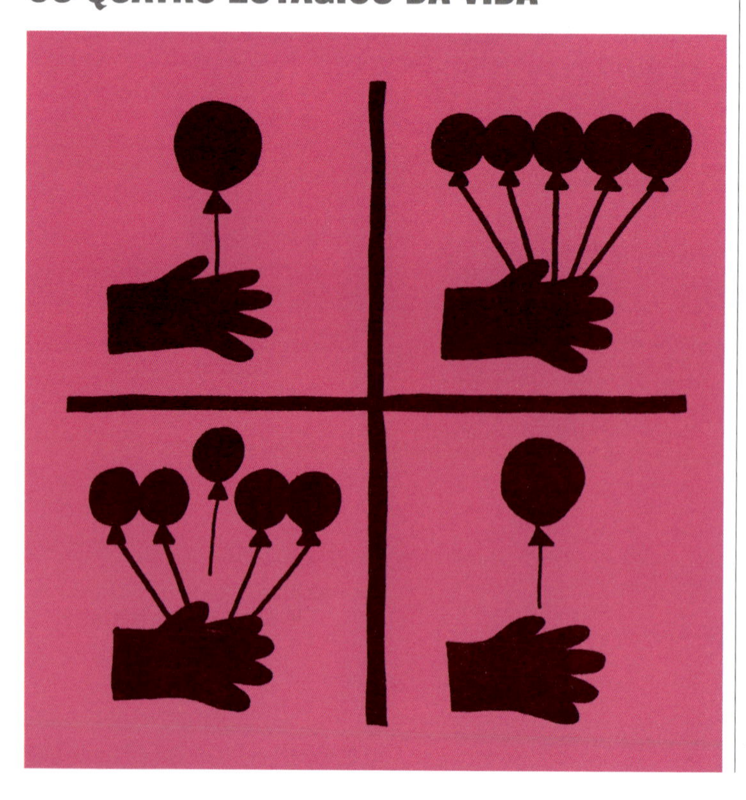

EM CONTEXTO

PRINCIPAL OBRA
Os Dharma-shastras

QUANDO E ONDE
Século v a.C., Índia

ANTES
A partir da Pré-História Muitos sistemas de crenças arcaicos têm regras relacionadas à idade e aos ritos de passagem.

A partir de 1700 a.C. A religião védica inclui uma tradição de disciplina ascética, mas considera o dever social como a principal meta da maioria das pessoas.

Século vi a.C. À medida que as ideias sobre reencarnação e libertação tornam-se conhecidas no hinduísmo, mais pessoas rejeitam a sociedade e a vida em família para escolher o caminho do ascetismo.

DEPOIS
Hoje A maioria dos hindus permanece, quase toda a vida, no estágio "chefe de família".

Em todas as religiões está implícita a ideia de que existem objetivos na vida e formas certas de viver para atingir esses objetivos. Segundo o hinduísmo, a vida tem alguns objetivos principais: *dharma* (vida correta); os conceitos associados de *artha* (riqueza) e *kama* (prazer); e *moksha* (libertação). A busca do *dharma* – viver de acordo com os deveres – mantém a pessoa no caminho certo. A busca por riqueza e prazer traz valiosas lições, assim como filhos e condições de sustentar a família e fazer caridade. O objetivo final, *moksha*, consiste na libertação das preocupações mundanas.

Veja também: O ascetismo conduz à libertação espiritual 68-71 ▪ Um mundo racional 92-99 ▪ Um ato de abnegação 110-111 ▪ Encontrando o caminho do meio 130-136 ▪ O propósito dos votos monásticos 145

Os quatro estágios da vida
Aprendizado
No primeiro estágio da vida, os alunos devem **estudar os Vedas** sob a instrução de um guru.
Vivência
Como chefe de família, um homem deve **casar, ter filhos e trabalhar** para sustentar a família e os outros na sociedade.
Retirada
Com o nascimento de um neto, alguns podem **parar de trabalhar**, retirando-se para refletir e dar conselhos.
Isolamento
Poucos homens dão o passo final de virar um **ascético errante**.

No século VI a.C., existiam duas tradições muito diferentes na religião indiana. A maioria das pessoas da Índia seguia a tradição védica, oferecendo sacrifícios aos deuses na esperança de obter uma vida de riqueza e prazer, moderada pelos princípios morais e sociais do *dharma*. Outros, contudo, sentiram-se atraídos por um estilo de vida diferente – a vida de um asceta errante, comprometido com uma rígida disciplina física e mental para alcançar libertação espiritual, abstendo-se de riqueza e prazeres. Essa tradição ascética, conhecida como *shramana* (uma palavra em sânscrito que significa "trabalho em austeridade") exerceu grande influência no desenvolvimento do budismo e do jainismo. Os Dharma Sutras – textos sagrados sobre as regras do bom comportamento – sugeriam que uma pessoa versada no *dharma* (virtude ou "vida correta") tinha, basicamente, três caminhos possíveis: o estudo contínuo dos escritos védicos como principal objetivo da vida; uma vida em busca de prazer e riqueza; ou a renúncia de tudo para se tornar um asceta. Esta última opção não era nada incomum na sociedade hindu da época. O exemplo mais famoso disso foi Buda, que abandonou sua vida privilegiada de príncipe, deixando esposa e filho para se tornar um mestre itinerante.

No entanto, a posição dos seguidores da tradição *shramana* – de que o asceticismo tinha maior valor espiritual do que a busca de *artha* (riqueza) e *kama* (prazer) – contrastava com a tradição védica. Por cerca de mil anos, os Vedas foram usados para ensinar que a busca de conforto material e satisfação pessoal constituíam metas nobres na vida, se perseguidas da maneira certa. Então, por que escolher entre caminhos tão radicalmente diferentes? Ou seria possível a pessoa aproveitar os benefícios das quatro metas tradicionais juntas?

Ter tudo

Por volta do século V a.C., mais comentários sobre o *dharma*, conhecidos como *shastras*, apresentavam uma nova abordagem: em vez de fazer uma única escolha, a pessoa poderia trabalhar numa sucessão de diferentes metas, à »

Os deveres dos brâmanes, xátrias, vaixás e sudras, ó Arjuna, são distribuídos de acordo com as qualidades de sua natureza.
Bhagavad-Gita

Quando renunciamos aos desejos da mente e ficamos felizes com o que somos, podemos ser chamados de indivíduos de sabedoria inquebrantável.
Bhagavad Gita

medida que avançasse pelos quatro estágios da vida, ou *ashramas*: aluno, chefe de família, aposentado e renunciante ou asceta. Os objetivos certos na vida e, por extensão, o comportamento correto não dependeriam somente da *varna*, ou classe social (pp. 92-99), do indivíduo, mas variariam também de acordo com o estágio alcançado na vida.

Nem todo mundo é considerado capaz de passar por esses quatro estágios. As mulheres (geralmente) são excluídas, assim como os sudras (a classe trabalhadora) e aqueles de fora do sistema de classes (os dalits, ou os "intocáveis"). Só homens das três *varnas* superiores – brâmanes (sacerdotes), xátrias (soldados ou protetores da nação) e vaixás (comerciantes e fazendeiros) – submetem-se ao rito, começando aos oito anos de idade, numa cerimônia conhecida como "fio sagrado", na qual eles "nascem novamente" e dão início à sua jornada pela vida.

Aprendizado e vivência

O primeiro estágio da vida é o de *brahmacharya*, aluno. Os meninos vão a uma *gurukula* (escola), onde estudam os Vedas com um guru, ou professor. Aprendem sobre *dharma* – vida correta – de modo acadêmico, junto com história, filosofia, direito, literatura, gramática e retórica. A educação, tradicionalmente, continua até os 25 ou trinta anos, e nesse estágio, além de demonstrarem respeito aos pais e professores, aos alunos também devem se abster de relações sexuais, sublimando toda a sua energia em vista do aprendizado.

No fim dessa educação, o homem hindu deve casar e construir uma família. Este é o início do estágio *grihastha*, "chefe de família", durante o qual todo homem deve ser economicamente ativo e sustentar não apenas esposa e filhos, mas também os parentes mais velhos. As famílias indianas tradicionais costumam incluir três ou quatro gerações, que juntam suas rendas e utilizam a mesma cozinha. Essa grande família, de um modo geral, é organizada de maneira hierárquica, e os chefes de família, ademais, devem apoiar os ascetas.

O chefe de família carrega os deveres de seu *dharma* e sua *varna* (classe), mas, diferente dos outros três estágios, parte de seu dever é correr atrás de *artha* (riqueza) e *kama* (desejo), incluindo prazer sexual e procriação. Descrever esse estágio da vida como uma fase em que a riqueza e o prazer são as principais metas, contudo, pode dar uma visão distorcida de suas obrigações, que envolvem cuidar da grande família e oferecer hospitalidade.

Retirada do mundo

O terceiro estágio da vida é o estágio de *vanaprastha* (aposentadoria), que começa, de um modo geral, com a chegada do primeiro neto. Originalmente, o seguidor precisava ir "morar na mata", optando por uma vida simples de reflexão, ao lado de sua esposa – sem relações sexuais. Hoje, é mais uma questão de deixar para trás as responsabilidades profissionais e preocupações financeiras para poder se dedicar ao estudo e à sabedoria, cedendo lugar à nova geração.

A maioria dos hindus nunca passa do estágio de aposentadoria. Eles só podem entrar no quarto estágio da vida depois que cumprirem todas as obrigações familiares. Esse é o momento em que o indivíduo abandona todas as preocupações e os vínculos mundanos para dedicar-se à busca da libertação final (*moksha*).

Uma fórmula combinada

Os quatro estágios da vida combinam-se com a classe do indivíduo em um conceito que define moralidade e estilo de vida: *varnashrama-dharma*, literalmente o ordenamento correto da vida (*dharma*) de acordo com sua classe (*varna*) e estágio da vida (*ashrama*) – uma fórmula de "como viver corretamente", muito diferente das outras religiões, com um conjunto único de regras que se aplicam

Um vendedor mede um tecido em seu local de trabalho. Durante a fase "chefe de família", o homem deve buscar riqueza para sustentar a família e a grande família.

As diversas obrigações espirituais do hinduísmo podem parecer difíceis de serem cumpridas em uma única vida. No entanto, definindo quatro fases isoladas, cada uma com um foco diferente e deveres específicos a ser realizados por um período determinado, a missão parece mais viável.

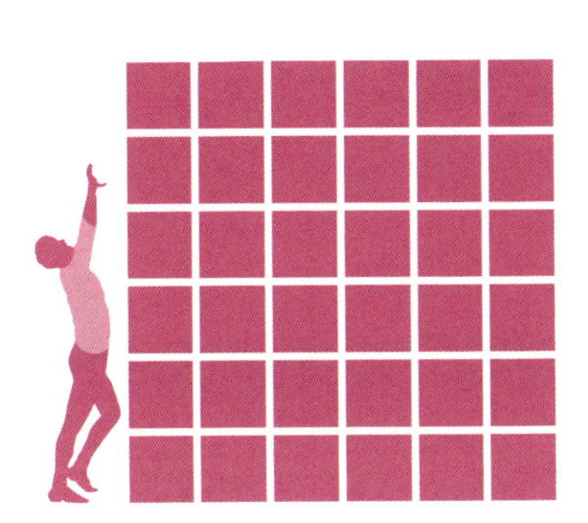

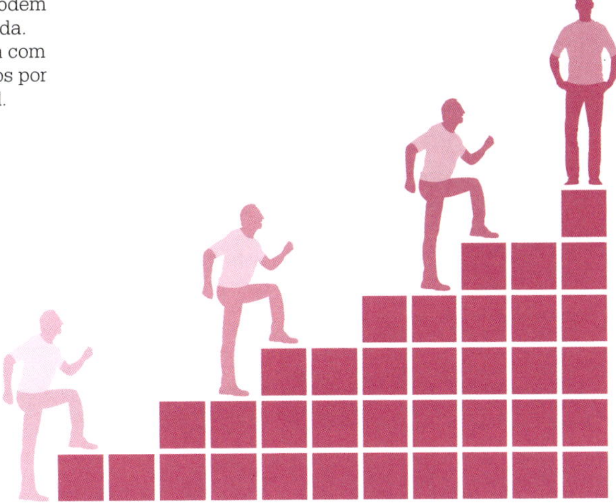

igualmente a todos. No caso do hinduísmo, é um sistema moral que reconhece flexibilidade e diferenças de contexto, além de evitar que os indivíduos de classes mais elevadas tenham orgulho, uma vez que eles devem se submeter a uma rigorosa educação para desenvolver o desapego e preparar-se mentalmente para a libertação das responsabilidades e dos benefícios mundanos no estágio final da vida. O sistema valoriza o esforço dos chefes de família, reconhecendo que eles apoiam todo o resto da família, e confere dignidade aos mais velhos, que podem abandonar as obrigações práticas e domésticas para se dedicar ao crescimento espiritual.

No mundo moderno

Até bem pouco tempo atrás, a "grande família" era o principal modelo familiar na sociedade hindu, formando o contexto no qual os homens passavam pelos quatro estágios, com seus princípios morais e espirituais. Nesse cenário tradicional, as mulheres não participam nem do primeiro nem do último estágio da vida de um homem, e o casamento é considerado um contrato entre famílias, não uma questão de amor. Quando uma nova mulher é apresentada à grande família, ela terá problemas se não for adequada ao homem em termos de *dharma*, *varna* ou *ashrama*. Isso explica certas atitudes sociais e tradições – por exemplo, o casamento arranjado –, mas grande parte dessas tradições contrasta com a mentalidade de hindus criados numa sociedade mais individualizada e secular.

O hinduísmo é mais uma prática do que uma crença, e está intimamente vinculado com ideias de idade e classe. Conceitos ocidentais de direito individual e igualdade não convivem bem com alguns ensinamentos hindus originais; e com a ocidentalização das atitudes, a crescente mobilização social na Índia moderna e a prática do hinduísmo em países do mundo inteiro, não há como saber ainda se os "quatro estágios" continuarão sendo um modelo viável de vida hindu. ■

Princípios morais

O hinduísmo tem cinco grandes princípios morais: *ahimsa* (não matar), *satya* (falar a verdade), *brahmacharya* (continência sexual – celibato), *asteya* (não roubar) e *aparigraha* (não ser avarento). A forma de cumprir cada um desses princípios depende do estágio da vida. Por exemplo, o celibato não será praticado pelos chefes de família, cujo dever é ter filhos. Esses princípios definem a moralidade externa, mas existe também uma tradição de conduta interna para todos os estágios, que envolve a busca de cinco qualidades: correção, contentamento, concentração, estudo em grupo e devoção a Deus. Essas cinco qualidades refletem a progressão da tradição védica original, baseada na prática de rituais, para uma religião de desenvolvimento espiritual e devoção pessoal, muitos séculos depois.

SEU DEVER PODE SER MATAR

UM ATO DE ABNEGAÇÃO

EM CONTEXTO

PRINCIPAL FONTE
Bhagavad-Gita

QUANDO E ONDE
Século II a.C., Índia

ANTES
A partir de 1700 a.C. O *dharma* – a forma correta de viver para preservar a ordem universal – é uma característica fundamental do hinduísmo original.

Século VI a.C. Buda defende o conceito de abnegação, mas ensina que qualquer forma de matar é errada.

Século III a.C. O imperador indiano Asoka institui a não violência e a compaixão como regras.

DEPOIS
A partir do século XV O sikhismo inclui o dever de proteger os fracos e defender a religião.

Séculos XIX-XX Mahatma Gandhi apresenta a estratégia de resistência pacífica como arma contra a injustiça.

O Bhagavad-Gita é uma antiga escritura hindu sobre virtude e dever, em forma de diálogo entre Krishna (reencarnação do deus supremo Vishnu) e o príncipe guerreiro Arjuna, que está se preparando para lutar contra outra parte de sua família pelo reinado. Como membro da classe xátria (a elite governante ou militar), o dever de Arjuna é lutar, mas ele teme matar alguém do "outro lado" – seus parentes ou algum grande mestre.

Na seção de abertura do Bhagavad-Gita, Arjuna diz que preferiria abrir mão do reinado a ter de estar envolvido na matança. A ideia de matar familiares e mestres vai muito além de sua natureza, e Arjuna teme ainda que o ato gere consequências funestas, criando um carma negativo para todos os envolvidos. No hinduísmo, matar um parente conduz à destruição da família e ao renascimento no inferno.

Arjuna se vê diante de dois princípios aparentemente conflitantes: cumprir seu dever como membro da classe guerreira ou evitar as desastrosas consequências cármicas do ato de matar? Decide, por fim, ouvir o conselho de seu cocheiro, que é nada mais nada menos que o deus Krishna.

Krishna lhe diz que ele deve cumprir seu dever e lutar. O ato de matar só criará carma negativo se for pelos motivos errados – ódio ou cobiça, por exemplo. O ideal é o indivíduo cumprir seu dever, seja ele qual for, por mais que contrarie suas inclinações pessoais, mas deve fazê-lo de maneira abnegada. Além de não causar nenhum dano, tal gesto será um passo a mais em direção à libertação pessoal.

Krishna diz que os motivos pessoais são o que conta ao considerarmos qualquer tipo de ação. Elogia a disposição de agir diligentemente por motivos não

Se cumprir suas obrigações, um indivíduo jamais passará por tormentos.
Krishna

Veja também: Vivendo em harmonia 38 ▪ Um mundo racional 92-99 ▪ O hinduísmo na era política 124-125 ▪ O império da bondade e da compaixão 146-147 ▪ A luta no caminho de Deus 278 ▪ O código de conduta do sikhismo 296-301

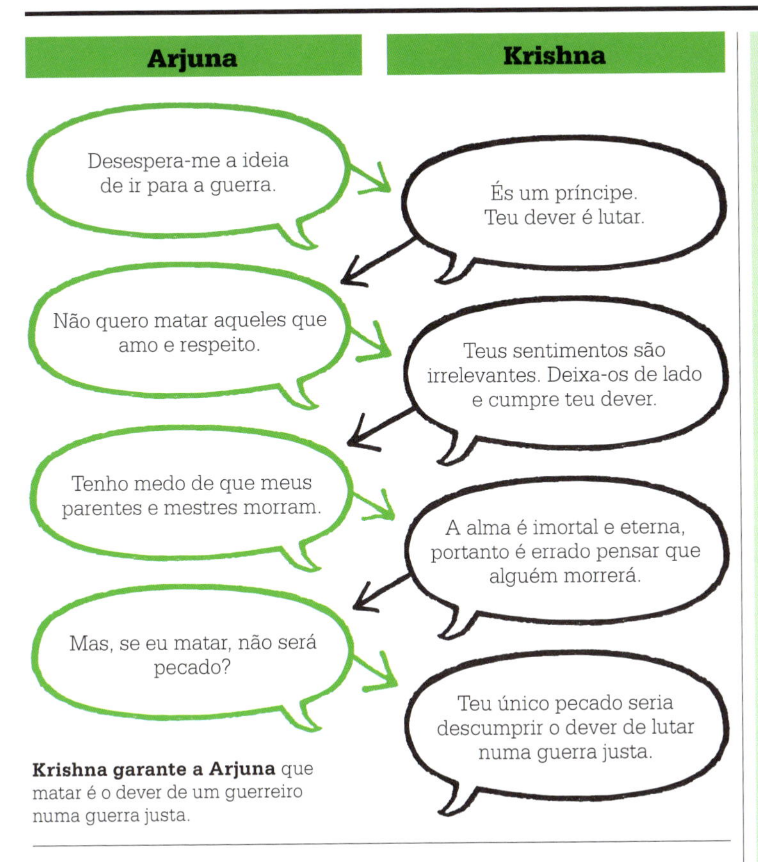

Arjuna
Krishna
Desespera-me a ideia de ir para a guerra.
És um príncipe. Teu dever é lutar.
Não quero matar aqueles que amo e respeito.
Teus sentimentos são irrelevantes. Deixa-os de lado e cumpre teu dever.
Tenho medo de que meus parentes e mestres morram.
A alma é imortal e eterna, portanto é errado pensar que alguém morrerá.
Mas, se eu matar, não será pecado?
Teu único pecado seria descumprir o dever de lutar numa guerra justa.

Krishna garante a Arjuna que matar é o dever de um guerreiro numa guerra justa.

egoístas e apresenta uma segunda razão para Arjuna lutar: o ser é imortal e passa por sucessivas encarnações, de modo que ninguém morre de verdade. Só o corpo morre. A alma viverá de novo, em outro corpo.

Um contexto de mudança

Quando o Bhagavad-Gita foi escrito, havia duas correntes de pensamento religioso muito diferentes na Índia. A mais antiga, datando do primeiro período védico, promovia a ordem social e o dever como base da moralidade, sendo criticada pelas novas filosofias – sobretudo o budismo e o jainismo –, que consideravam a regra de "não matar" como o principal preceito da moralidade. Essa visão representou uma ruptura com o sistema védico de classes e suas obrigações tradicionais. O dilema de Arjuna reflete esse conflito de prioridades morais, e o conselho de Krishna é uma tentativa de manter as obrigações de classe em face da crítica das filosofias centradas na ideia de carma e reencarnação. ■

Os poemas épicos

O ensinamento sobre o dever abnegado é apenas um dos temas encontrados no Bhagavad--Gita, uma obra marcada pela beleza da imagística e da linguagem. Integra o *Mahabharata*, um poema épico que narra a rivalidade entre duas partes de uma mesma família.

O outro grande épico hindu é o *Ramayana*, que conta o relacionamento entre o príncipe Rama e a esposa Sita, raptada pelo demônio Ravana. A narrativa tem personagens maravilhosos.

Os dois épicos oferecem uma visão bastante positiva dos brâmanes e dos sacrifícios védicos, chamando a atenção para as terríveis consequências da rivalidade real. Os textos exploram dilemas morais e celebram qualidades humanas, apresentando modelos de conduta a serem seguidos pelos hindus. Ambos os poemas levaram muito tempo para serem escritos, com início por volta dos séculos IV ou V a.C.

Dançarino no papel de Ravana, o demônio vingativo, vilão de *Ramayana*, numa produção da obra em Kerala, sudeste da Índia.

A PRÁTICA DA IOGA CONDUZ À LIBERTAÇÃO ESPIRITUAL

DISCIPLINA FÍSICA E MENTAL

EM CONTEXTO

PRINCIPAL OBRA
Os Yoga Sutras

QUANDO E ONDE
Século II a.C., Índia

ANTES
Antes de 1700 a.C. Tábuas de argila encontradas no vale do rio Indo com o desenho de uma pessoa sentada de pernas cruzadas sugerem posturas da ioga.

1000 a.C. A medicina indiana ayurvédica analisa o corpo e propõe o exercício.

Século VI a.C. O taoismo e o budismo promovem a disciplina física e mental como formas de alcançar a harmonia e aumentar a percepção.

DEPOIS
Século XII No Japão, o zen budismo aprimora a busca pela quietude mental e pelo pensamento focado.

Século XX No Ocidente, a ioga conquista popularidade no contexto secular por suas propriedades terapêuticas.

A palavra ioga, originária do sânscrito, descreve um conjunto de práticas, físicas e mentais, utilizadas para ajudar a alcançar visão espiritual e libertação das limitações do corpo físico.

Os primeiros textos filosóficos hindus, os Upanishads, do século VI a.C., apresentam noções sobre ioga, e há uma seção sobre ioga no Bhagavad-Gita, antigo texto sagrado. O primeiro relato sistemático sobre ioga está nos Yoga Sutras. Alguns estudiosos atribuem esses textos ao filósofo Patanjali, que viveu no século II a.C. No entanto, a conclusão consensual é de que os textos foram escritos entre os séculos II e IV d.C. por mais de um autor, incluindo tradições e práticas dos períodos anteriores. Os Yoga Sutras consistem num conjunto de técnicas para promover a tranquilidade mental e a concentração, condições consideradas necessárias para intensificar a capacidade de percepção.

Criada originalmente para quem tomou o caminho do ascetismo, a ioga acabou se transformando numa atividade que pode ser praticada por todo mundo. As posições e as técnicas de controle da respiração não são o objetivo final; o intuito é acalmar a mente e fazê-la focar num único ponto. A mente só tem como se acalmar quando os sentidos estiverem controlados. Só então a liberdade interna e a capacidade de observação podem surgir.

Um caminho de libertação

De acordo com os Yoga Sutras, a ioga permite que o praticante evite "aflições" mentais, como ignorância, visões centradas no ego e emoções

Posturas físicas e técnicas de controle da respiração são usadas na ioga para acalmar tanto o corpo quanto a mente. Técnicas mais avançadas podem levar a uma consciência elevada.

Veja também: O alinhamento do eu com o tao 66-67 ▪ Enxergar com a consciência pura 116-121 ▪ Insights zen além das palavras 160-163

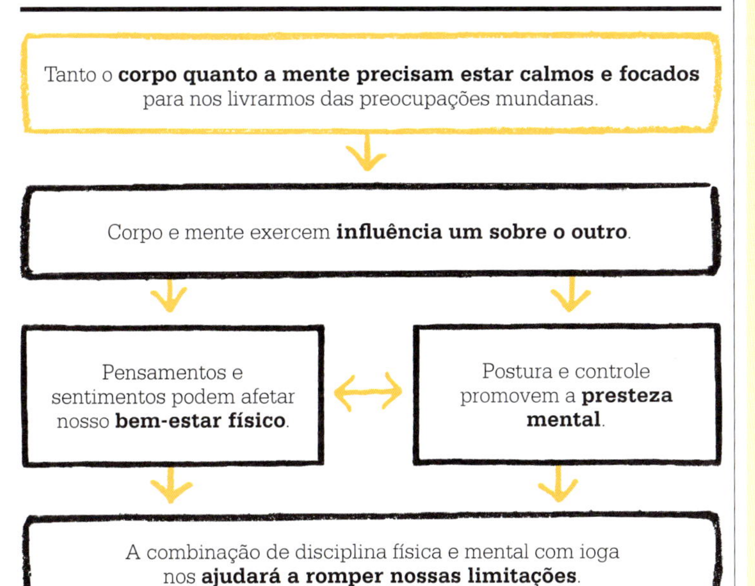

extremas, além de poupá-lo dos "três venenos", que são a cobiça, a raiva e a ilusão (uma meta buscada também no budismo).

Tanto o **corpo quanto a mente precisam estar calmos e focados** para nos livrarmos das preocupações mundanas.
Corpo e mente exercem **influência um sobre o outro**.
Pensamentos e sentimentos podem afetar nosso **bem-estar físico**.
Postura e controle promovem a **presteza mental**.
A combinação de disciplina física e mental com ioga nos **ajudará a romper nossas limitações**.

Os Yoga Sutras apresentam a prática da ioga em oito passos. Os dois primeiros são preparatórios e mostram o contexto no qual a ioga se torna eficaz. O primeiro é a prática da contenção moral, sobretudo *ahimsa* (não tirar a vida). O segundo foca em observâncias pessoais, como o estudo de textos filosóficos e a contemplação de um deus para ganhar inspiração. Os três passos seguintes visam ao controle do corpo e dos sentidos: adotar posturas físicas (*asanas*) para controlar o corpo; controlar a respiração; e tirar a atenção dos sentidos. Para finalizar, existem três passos mentais: concentrar a mente num único objeto; meditar nesse objeto; e chegar a um estado de absorção meditativa. Esses passos são progressivos e conduzem à libertação da visão mundana do ser e do mundo, com suas aflições mentais, em direção a um estado mais elevado de consciência.

Atualmente, a ioga é bastante praticada como uma atividade para melhorar a saúde física e promover a calma interior. Mas é importante lembrar que, no contexto da religião hindu, o termo "ioga" abrange disciplinas e práticas não só de postura, mas de moralidade, meditação, conhecimento e devoção, com o objetivo de libertar o verdadeiro ser ou consciência (*purusha*) dos enredos da matéria (*prakriti*), restaurando, assim, sua condição natural. Portanto, embora muita gente no mundo ocidental considere a ioga como uma espécie de exercício físico, para os hindus ela é o caminho da libertação final. ■

Uma filosofia sem deus

Para praticar ioga não é necessário crer em nenhuma divindade externa, mas a prática desfaz os emaranhados da experiência física, libertando o verdadeiro ser para a união de sua identidade com o absoluto. Isso só faz sentido, porém, no contexto da filosofia na qual ela se baseia – o Samkhya.

Uma das escolas mais antigas da filosofia indiana, o Samkhya defende o dualismo absoluto de *prakriti* (matéria) e *purusha* (consciência pura). Algumas filosofias contrastam o físico com o mental, mas o Samkhya considera a mente como uma forma aperfeiçoada da matéria. Uma pessoa, portanto, é feita de três elementos – um corpo físico, uma parte mundana (com toda a sua atividade mental e experiências sensoriais) e uma essência pura e eterna, identificada com o *purusha* infinito – e está além de qualquer limitação de tempo e espaço.

No Samkhya, em vez da devoção a um deus, o objetivo é a libertação do ser para que ele possa reconhecer sua pureza espiritual, livre das limitações do mundo físico, e o meio para se alcançar isso é a ioga.

A ioga é a prática de silenciar a mente.
Patanjali

FALAMOS COM OS DEUSES EM RITUAIS DIÁRIOS

DEVOÇÃO POR MEIO DO *PUJA*

EM CONTEXTO

PRINCIPAL MOVIMENTO
O desenvolvimento do bhakti

QUANDO E ONDE
Século VI d.C., Índia

ANTES
A partir da Pré-História O ato de fazer oferendas perante imagens de deuses caracteriza a adoração em muitas culturas.

A partir de 1700 a.C. Na religião védica, assim como em outras civilizações antigas, a classe sacerdotal realiza ritos religiosos em nome do povo.

Século VI a.C. Os Upanishads introduzem conceitos mais abstratos ao pensamento religioso hindu.

A partir do século II a.C. No budismo mahayana, imagens de budas e bodhisattvas (seres iluminados) são utilizadas para devoção.

DEPOIS
Século XV A adoração no sikhismo baseia-se em cânticos devocionais.

Sempre houve um elemento de ritual e adoração na religião hindu. Nas primeiras tradições prescritas pelos textos védicos sagrados, era vital que os sacrifícios nas piras fossem realizados de maneira precisa, e somente pelos brâmanes (classe sacerdotal). Nos primeiros séculos da era cristã, todavia, as adorações tornaram-se menos exclusivas, dando origem à prática do bhakti (devoção por amor). Ergueram-se templos com imagens dos deuses, abertos aos seguidores, e, paralelamente aos rituais sacerdotais de nascimento, maioridade, casamento e morte, desenvolveu-se uma tradição de devoção pessoal às divindades (*puja*), também aberta a todos, independente de classe.

Homenagem aos deuses

O *puja* consiste em fazer uma oferenda simples – de comida vegetariana, incenso ou flores – perante a imagem de um deus ou deusa. Pode ser feito num templo ou em casa, e os devotos costumam marcar a testa em reconhecimento à bênção recebida da divindade agraciada. No final do *puja*, eles podem ficar com a comida oferecida. A natureza da oferenda é menos importante do que a intenção por trás do ato em si. Às vezes, basta ir a um templo e olhar para a imagem da deidade.

Uma devota realiza o *puja* oferecendo comida para a imagem de uma divindade. Os hindus acreditam que elas contêm a energia espiritual da divindade.

Veja também: Sacrifício e sangue como oferendas 40-45 ▪ Vivendo no caminho dos deuses 82-85 ▪ A Reforma Protestante 230-237 ▪ Devoção ao Senhor 322

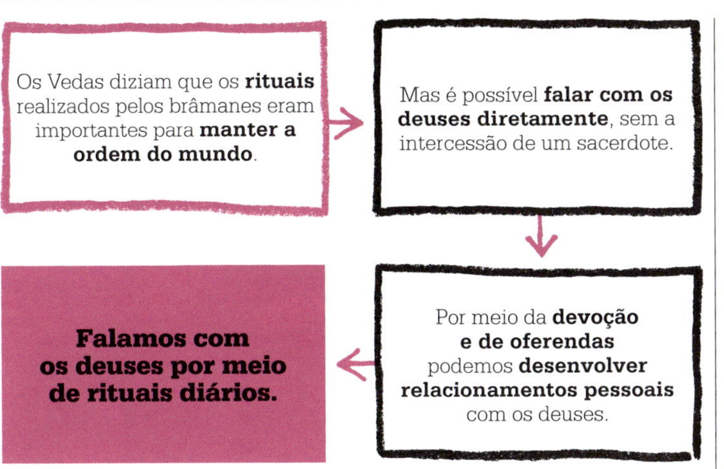

Os Vedas diziam que os **rituais** realizados pelos brâmanes eram importantes para **manter a ordem do mundo**.
Mas é possível **falar com os deuses diretamente**, sem a intercessão de um sacerdote.
Por meio da **devoção e de oferendas** podemos **desenvolver relacionamentos pessoais** com os deuses.
Falamos com os deuses por meio de rituais diários.

Por meio do *puja*, o indivíduo pode homenagear os deuses ou pedir favores. Os deuses hindus costumam ser chamados de acordo com as tarefas que realizam, como "Ganesha, o removedor de obstáculos", o que facilita a escolha da divindade apropriada. No entanto, o *puja* nem sempre está relacionado com pedidos pessoais ou agradecimentos. Em algumas ocasiões, é realizado por um grande grupo de pessoas em festivais como o Durga Puja. Nessa solenidade anual de nove dias da deusa Durga – o aspecto feminino do poder divino –, celebra-se a morte de Mahishasura, o terrível demônio em forma de búfalo. Os devotos fazem oferendas, recitam orações, cantam hinos, dançam, jejuam e homenageiam a deusa.

Amor divino

Na devoção, a divindade (que possui uma imagem própria, ou *murti*) é vista como um ser com o qual o adorador pode se relacionar. Por meio do bhakti, o devoto desenvolve um forte laço emocional com a divindade escolhida, que passa a morar no coração de seu seguidor. O bhakti tornou-se popular no hinduísmo por volta do século XII. Adorações em templos envolvendo cantos e danças e o relacionamento entre os devotos e sua divindade eram comparáveis a um relacionamento amoroso.

Embora praticado amplamente, muitas formas de bhakti concentravam-se no deus Vishnu (veja abaixo, à esquerda), retratado nos grandes épicos *Ramayana* e *Mahabharata* como um deus que vem à Terra ajudar a humanidade disfarçado com um de seus muitos avatares (personificação de um deus). O oitavo avatar de Vishnu é Krishna, cujos seguidores consideram o bhakti como o caminho mais elevado à libertação. ■

As nove formas de adoração de Vishnu

No *Ramayana*, Vishnu, personificado como Rama, descreve nove modos de bhakti para agradá-lo. "Primeiro: associar-se com devotos amorosos (*satsang*). Segundo: gostar de ouvir minhas histórias maravilhosas. Terceiro: servir aos gurus. Quarto: entoar meus cânticos. Quinto: repetir meu nome sagrado (Japa), entoando meus *bhajans*. Sexto: respeitar e obedecer às proibições das escrituras, exercendo o controle dos sentidos, a nobreza de caráter e o serviço abnegado. Sétimo: ver-me manifestado em tudo o que existe e adorar meus santos mais do que a mim. Oitavo: não ver defeito em ninguém e estar sempre satisfeito com o que tem. Nono (o modo mais elevado de bhakti): confiar plenamente em minha força, entregando-se sem reservas a mim."

O coração transbordando, os olhos derramando lágrimas de amor, a voz embargada pela emoção, com danças, músicas e cantorias, certamente me agradarão.

Devi Gita

O MUNDO É UMA ILUSÃO

ENXERGAR COM A CONSCIÊNCIA PURA

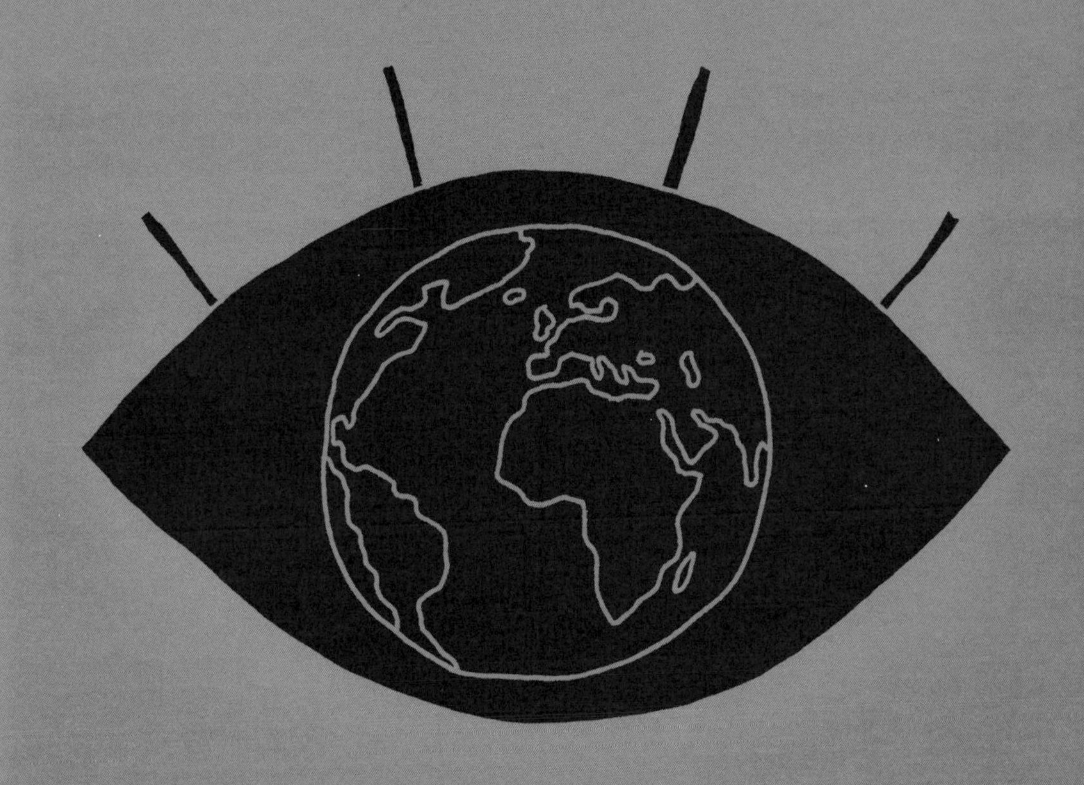

EM CONTEXTO

PRINCIPAL FIGURA
Adi Shankara

QUANDO E ONDE
788-820, Índia

ANTES
Século VI a.C. Os Upanishads descrevem o brahman como a realidade suprema.

Século IV a.C. O filósofo grego Platão compara a experiência sensorial com a realidade em si. Em algumas correntes platônicas posteriores, essa realidade suprema é identificada com uma "unidade transcendente", ou Deus.

Século II d.C. Nagarjuna funda a escola de filosofia budista Madhyamaka, centrada na ideia de "vazio".

DEPOIS
Século XIII No soto zen, o objetivo é transcender a percepção sensorial por meio do desenvolvimento de uma consciência pura.

Com o trabalho do filósofo indiano Adi Shankara, desenvolveu-se no século IX uma ramificação da filosofia hindu conhecida como Vedanta ("o fim dos Vedas"). O objetivo era sistematizar e explicar o material dos antigos Vedas e explorar a natureza do brahman conforme apresentado na obra filosófica Upanishads (a última seção dos Vedas).

O Vedanta possui diversas ramificações, mas a estabelecida por Shankara chama-se Advaita Vedanta (Vedanta "não dualista"). Shankara afirma que só existe uma realidade, apesar de a vivenciarmos de diferentes maneiras. Essa crença "não dualista" contrapõe-se a formas posteriores de Vedanta, nas quais a divindade assume um papel pessoal.

Shankara dizia que a razão humana é limitada à experiência sensorial, ou seja, não há como ir além dos sentidos para enxergar o mundo em sua essência. Mesmo dentro desse mundo de sentidos, há sempre a possibilidade de erro, uma vez que todo conhecimento sensorial é ambíguo. Utilizando o exemplo de Shankara, uma corda enrolada pode ser confundida com uma serpente, ou vice-versa. Além disso, o indivíduo pode saber que é possível enganar-se com o que vê, ouve ou toca – mas e se todo o processo de assimilação de informações dos sentidos for uma forma de ilusão?

Um brahman incognoscível?

Segundo os Upanishads, existe somente uma única realidade, o brahman, com a qual o ser interior mais profundo, o *atman*, se identifica. O problema é que o brahman não pode ser percebido pela experiência sensorial, uma vez que não faz parte da realidade (como os objetos materiais). O brahman é a própria realidade. Objetos comuns podem ser percebidos, pois se distinguem uns dos outros devido a características que os sentidos conseguem detectar. O brahman, ao contrário, como não possui atributos físicos, não tem como ser compreendido por meio da interpretação racional do que é percebido pelos sentidos.

Sendo assim, o que fazer da ideia de um ser supremo ou dos deuses utilizados na religião? Parece haver uma profunda diferença entre o que

Nosso **conhecimento do mundo** vem por meio dos sentidos, por isso é suscetível a erro.

↓

O mundo do nosso conhecimento convencional é uma ilusão.

Conhecemos o brahman – a realidade absoluta – não por meio dos sentidos, mas diretamente, como sendo idêntico ao ***atman*, nosso eu interior ou alma.**

↓

A realidade absoluta não é conhecida por intermédio dos sentidos.

←

Veja também: Níveis mais elevados de ensinamento 101 ▪ A busca pessoal pela verdade 144 ▪ O desafio da modernidade 240-245 ▪ Uma religião aberta a todas as crenças 321

O problema do seguidor do Advaita Vedanta é explicar como o mundo de impureza dos homens e das coisas pode ter advindo da pureza de brahman.
T.M.P. Mahadevan

O brahman é real, o mundo é ilusório. A chamada 'alma' é o próprio brahman.
Adi Shankara

os Upanishads têm a dizer em termos de argumentos filosóficos e o que é realmente praticado nos Vedas quanto às divindades reverenciadas. Por exemplo, como o brahman pode ser ao mesmo tempo pessoal (cognoscível) e impessoal (incognoscível)? Como descrever algo eterno e absoluto?

A resposta de Shankara

Shankara procura responder a essa questão fazendo uma distinção entre *nirguna* brahman (realidade sem forma), cognoscível apenas pela consciência pura, e *saguna* brahman (realidade com forma), mais próximo da ideia tradicional de um deus que intercede no mundo. O brahman é a mesma realidade, mas pode ser percebido de diferentes formas. Uma maneira de expressar isso é dizer que não há nada no mundo que não seja brahman, pois o brahman é a própria realidade; e que nada é brahman, pois nenhum objeto isolado corresponde à ideia de brahman. Para explicar isso, Shankara dá o exemplo dos raios de Sol incidindo sobre diversos potes de água. Cada pote reflete a luz de uma forma, embora o Sol seja o mesmo. Como conhecer brahman então? A resposta de Shankara baseia-se na identidade do brahman e do *atman*, o aspecto mais profundo da consciência pura. Shankara afirma que o brahman não pode ser percebido externamente, por meio dos sentidos, mas pode ser conhecido internamente, pois é nossa essência interna.

Consciência e conhecimento

Shankara propõe que existe somente uma única realidade, mas duas formas diferentes de compreendê-la. Do ponto de vista convencional e pragmático, temos o mundo das experiências sensoriais, com toda a sua variedade. Do ponto de vista absoluto, precisamos reconhecer que o mundo que percebemos com nossos sentidos é irreal, uma ilusão. Só podemos, portanto, conhecer a verdadeira realidade por meio da percepção resultante da consciência pura.

É possível que Shankara tenha pegado essa ideia dos dois níveis de verdade do budismo, que apresentava uma distinção similar na época, entre a verdade pragmática e a verdade absoluta. »

Na filosofia de Shankara, a razão humana é limitada pela percepção dos sentidos. Para compreender a realidade absoluta, precisamos de outra forma de percepção.

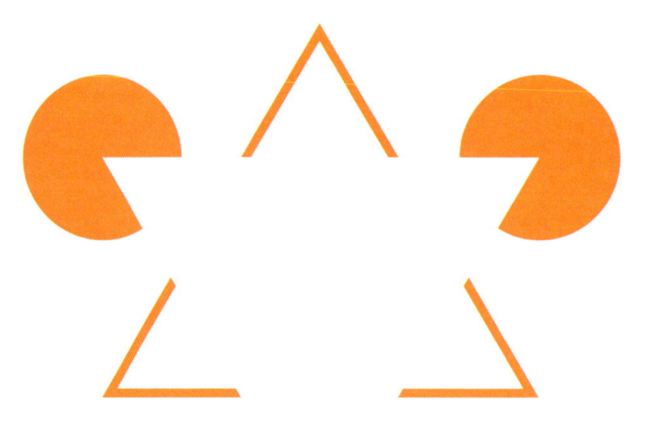

Shankara afirmou que o mundo dos sentidos é uma ilusão e que nós impomos nossas ideias ao meio, o que nos faz "ver" coisas que não existem.

Para o hinduísmo e o budismo, essa distinção constituía um passo necessário para unir os princípios filosóficos da religião com a prática. Durante o primeiro milênio, a prática religiosa foi assumindo cada vez mais a forma de devoção a diferentes divindades (no caso do budismo, bodhisattvas), cada uma refletindo um aspecto específico da realidade. Tanto no hinduísmo quanto no budismo, o objetivo dessa prática não era macular a religião convencional, mas posicioná-la num contexto filosófico mais amplo.

Uma ilusão parcial

A maneira mais óbvia de descrever a visão de mundo de Shankara é dizer que ele vê o mundo como uma ilusão (*maya*), embora ele afirme que a questão é mais sutil. Shankara sugere que existem dois níveis de "realidade", os dois falsos: o mundo aparente (que enxergamos e tocamos) e o mundo pragmático (que é nossa visão de mundo, resultado de nossas ideias preconcebidas). Enquanto o mundo aparente deriva da interpretação de nossos sentidos, o mundo pragmático deriva da projeção de nossa mente, que impõe nossas ideias ao meio (como reconhecer num formato verde pontudo "uma folha"). Essas duas visões do mundo, porém, estão erradas, uma vez que são apenas representações do mundo. Portanto, podemos dizer que o mundo que percebemos é uma ilusão, mas não que o mundo – além da percepção dos sentidos – é uma ilusão. O mundo dos sentidos chama-se *maya* (ilusão). É por isso que a filosofia de Shankara é descrita como "não dualista": não existem duas realidades distintas, o mundo e brahman, mas somente uma.

Este mundo é transitório. Quem nasceu nele está vivendo como que num sonho.
Nirvana Upanishad

No momento em que a pessoa tornar-se consciente da identidade do *atman* (o verdadeiro ser) e do brahman (a realidade única), ela reconhecerá que o ser convencional, enquanto objeto entre outros objetos no mundo, é parcialmente uma ilusão. A iluminação resulta da percepção do que fomos desde o princípio – o *atman* de consciência pura. E, comparado com essa ideia, o corpo físico, superficial e em constante transformação é relativamente irreal.

Os deuses indicam o caminho

A diferenciação entre brahman *nirguna* e *saguna* (realidade sem forma x realidade com forma) e o contraste entre a percepção dos sentidos e a compreensão da consciência pura são de fundamental importância – não só para entender o hinduísmo, mas para a religião em geral.

Essas distinções sugerem que existem dois níveis de religião. Em um nível mais popular, há devoções a divindades escolhidas (como na tradição bhakti) e deuses e deusas com características específicas agindo no mundo. Essa devoção, contudo, é apenas um passo em direção ao conhecimento e à libertação, que só pode ser alcançada com a disciplina requerida para um nível de meditação que conduz à verdadeira percepção. Para Shankara, essa percepção é a visão de uma realidade única. Não há um mundo dos deuses à parte. Isso significa que, se existe apenas uma única realidade, cognoscível por meio da consciência interna, não há necessidade de cerimônias religiosas. Tudo o que a pessoa precisa fazer é desenvolver a percepção através da meditação.

É tentador dizer que Shankara promove uma filosofia, não uma religião, mas isso não seria de todo verdade. Para chegar a perceber a unidade entre *atman* e brahman, é necessário praticar disciplinas como a meditação, que tendem mais para o exercício religioso do que para o questionamento filosófico. O tipo de autocontrole exigido para alcançar a percepção verdadeira não é meramente intelectual. A abordagem de Shankara lhe permite unir duas tradições bem diferentes em um único sistema: as cerimônias religiosas dos Vedas, além dos comentários posteriores a eles, e a disciplina mental dos ascetas, que se julgavam acima do estágio de rituais religiosos.

A verdade pura do *atman*, enterrada debaixo de *maya*, pode ser alcançada por meio da meditação, contemplação e outras disciplinas espirituais, conforme prescrito por um conhecedor do brahman.
Adi Shankara

Ciência e realidade

As teorias da ciência moderna baseiam-se na premissa de que o universo é feito de objetos, estruturas, acontecimentos e experiências sensoriais cognoscíveis e mensuráveis. Essas teorias, entretanto – embora consideradas uma forma confiável de compreender o mundo –, refletem apenas as interpretações dos cientistas perante os fenômenos que eles observam, e estão sempre sujeitas a modificações. O mundo das experiências sensoriais, por exemplo, mesmo quando explorado nos limites do conhecimento científico, é somente uma aproximação da realidade, medida pelas ferramentas disponíveis, não a realidade em si.

Além disso, os métodos científicos utilizados para tentar desvendar a realidade acabam interferindo na natureza do que é observado. Por exemplo, o mero ato de observar e mensurar um objeto num nível quântico pode alterar significativamente o resultado.

O que a ciência percebe como verdade ou realidade, na filosofia de Shankara ainda é ilusão, uma vez que existem dois níveis completamente diferentes de verdade e os deuses, assim como as leis científicas, constituem apenas uma aproximação de uma realidade suprema, além do alcance da razão e dos sentidos. Portanto, a consciência pura só pode ser alcançada transcendendo a ilusão por meio da meditação. ■

Adi Shankara

Adi Shankara, fundador da filosofia indiana Advaita Vedanta, nasceu em 788 numa família brâmane em Kerala e, aos setes anos, começou seu treinamento espiritual com um guru (mestre). Mais tarde, Shankara mudou-se para Varanasi, onde conquistou os primeiros seguidores, e depois para Badrinatha, onde, com apenas doze anos, teria escrito um comentário sobre os *Brahma Sutras*.

Shankara tornou-se guru e atraiu muitos seguidores, representando uma peça fundamental na retomada do hinduísmo e fundando uma série de monastérios. Faleceu aos 32 anos. Diversos textos, na maior parte comentários sobre os Upanishads, foram atribuídos a Shankara. Sua filosofia, que apresentou um desenvolvimento sistemático da tradição Vedanta nos Upanishads, continua sendo uma importante contribuição à doutrina hindu.

Obras-chave

Século VIII *Brahma Sutra Bhaysa.*
Século VIII *The crest-jewel of discrimination.*
Século VIII *A thousand teachings.*

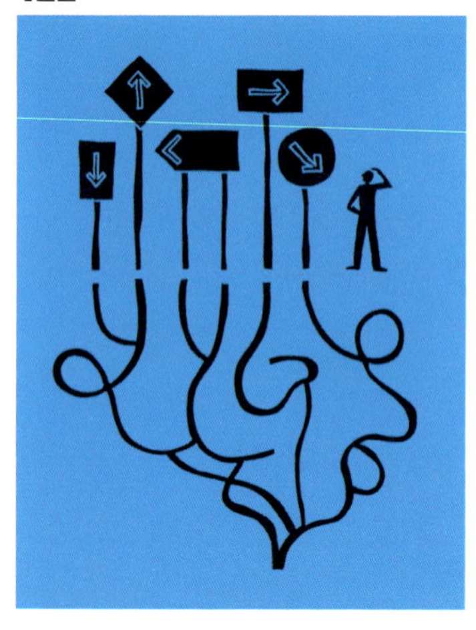

MUITOS CREDOS, MUITOS CAMINHOS

A CONSCIÊNCIA DE DEUS

EM CONTEXTO

PRINCIPAL FIGURA
Sri Ramakrishna

QUANDO E ONDE
Século XIX, Índia

ANTES
A partir do século III a.C. Com a disseminação do budismo, imagens e práticas devocionais diversificam-se.

Século VI Segundo a tradição bhakti do hinduísmo, o divino pode ser reverenciado com qualquer número de imagens.

Século XV Guru Nanak, fundador do sikhismo, abre sua nova religião para todos aqueles que amam a um só Deus, independentemente de classe ou credo.

DEPOIS
Século XX O diálogo entre religiões torna-se comum.

Um sem-número de novos movimentos religiosos oferece um caminho espiritual aberto a todos, independentemente de cultura ou religião.

Cada **indivíduo em busca espiritual** pode reverenciar um deus específico ou seguir um caminho próprio.

Mas, assim como as diferentes divindades do hinduísmo representam diferentes aspectos do brahman, **diferentes religiões** constituem **diferentes formas** de lidar com **uma única realidade espiritual**.

É melhor permitir que cada pessoa **siga sua própria religião** do que tentar convertê-la de uma religião a outra.

A ideia de que todas as religiões conduzem ao mesmo Deus foi apresentada por Sri Ramakrishna, místico do século XIX praticante do bhakti (devoção religiosa hindu) e seguidor da filosofia Advaita Vedanta, conforme originalmente transmitida por Adi Shankara (p. 121) – em torno da ideia de uma realidade única, o brahman, com a qual o ser (*atman*) se identifica. O ponto de partida do pensamento de Ramakrishna era a ideia de que, na meditação, a pessoa passa a reconhecer o aspecto divino dentro de si e, seja qual for a divindade que reverencia, existe apenas uma realidade espiritual. Dentro do hinduísmo, portanto, cada um é livre para rezar do jeito que quiser, reconhecendo que há somente um único "poder sagrado"

Veja também: A realidade suprema 102-105 ▪ Os sistemas de classe e a fé 302-303 ▪ O Cao Dai visa unir todas as religiões 316 ▪ Uma religião aberta a todas as crenças 321

> Além de defendermos a tolerância universal, acreditamos que todas as religiões são válidas.
> **Swami Vivekananda**

(brahman). Para Ramakrishna, isso significava que todas as religiões podiam ser vivenciadas da mesma maneira – a maneira pessoal ou interna – e que, por isso, todos os caminhos espirituais acabariam levando ao mesmo lugar.

Uma transformação interna

Ramakrishna levou esse entendimento às últimas consequências, afirmando que chegou a se tornar muçulmano por um tempo. Mergulhou nos ensinamentos do Islã e passou a realizar orações islâmicas, de tal modo que se sentiu realmente imbuído da fé muçulmana, a ponto de não ter nenhum desejo de olhar para as imagens de templos hindus.

A maioria dos muçulmanos não consideraria tal experiência como válida, alegando que Ramakrishna não se dedicou às práticas sociais e culturais do Islã. Mesmo assim, para Ramakrishna, aquela vivência totalmente interna levou-o a concluir que qualquer jornada interior de autodescoberta possibilitará que a pessoa se identifique com o que seu discípulo Vivekananda chamaria mais tarde de "o eterno ideal da unidade espiritual do universo". Para Ramakrishna, se a religião significa um processo de transformação interna, e se Deus representa a realidade máxima, pode-se concluir que um indivíduo, seguindo qualquer conjunto de ideias religiosas disponível, trilhará um caminho que fatalmente coincidirá com o caminho de outros na mesma busca. Ramakrishna acreditava que a pessoa podia encontrar "Deus dentro de si" por meio de qualquer tradição religiosa, e isso transcendia toda diferença externa, cultural ou doutrinal entre religiões. Sua conclusão, portanto, é a de que uma pessoa realmente religiosa deve enxergar todas as outras religiões como caminhos que conduzem à mesma verdade fundamental. Em vez de tentar converter as pessoas de uma religião a outra, cada indivíduo deve seguir seu próprio caminho, dando lugar a uma convergência espiritual natural. ■

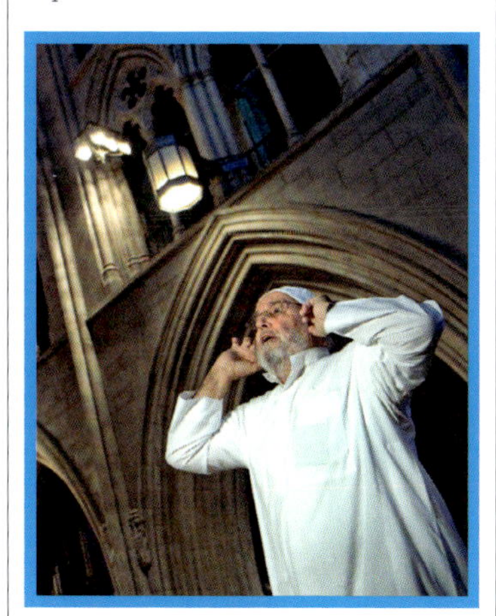

Um imame chamando os muçulmanos para rezar na Catedral Nacional em Washington D.C., durante um serviço inter-religioso realizado por uma congregação de cristãos, judeus e muçulmanos.

Sri Ramakrishna

Nascido Gadadhar Chattopadhyay, numa família brâmane pobre em Bengala no ano de 1836, Ramakrishna tornou-se sacerdote num templo dedicado a Kali, perto de Calcutá, onde ficou conhecido por seu carisma. Desde cedo, entrava em transes religiosos e via a deusa Kali, a mãe do universo, em todos os lugares. Chegava a dançar em sua presença, em estado de êxtase.

Em 1866, um sufi hindu iniciou Ramakrishna no islamismo. Conta-se que ele seguiu esse credo por alguns dias, além de meditar com uma imagem de Jesus Cristo.

As ideias de Ramakrishna foram disseminadas e sistematizadas por seu discípulo, Swami Vivekananda (1836-1902), que dizia que na religião hindu o importante não era tentar acreditar em doutrinas ou proposições filosóficas, mas viver a experiência. Vivekananda apresentou essas ideias no Parlamento Mundial das Religiões em 1893 e estabeleceu o Movimento Ramakrishna para promover a obra do mestre.

A NÃO VIOLÊNCIA É A ARMA DOS FORTES

O HINDUÍSMO NA ERA POLÍTICA

EM CONTEXTO

PRINCIPAL FIGURA
Mahatma Gandhi

QUANDO E ONDE
1869-1948, Índia

ANTES
A partir do século VI a.C. O *ahimsa* (não violência) é o princípio ético central do jainismo e do budismo.

Século III a.C. O imperador Asoka converte-se ao budismo e dá início a reformas sociais inspiradas no conceito de não violência.

Século II a.C. O Bhagavad-Gita hindu explora a dicotomia entre o *ahimsa* e o dever da classe guerreira de lutar em guerras justas.

DEPOIS
1964 O pastor batista Martin Luther King prega o uso de meios não violentos para combater a desigualdade social nos Estados Unidos.

Foi no trabalho de combate à discriminação racial na África do Sul que Gandhi cunhou o termo *satyagraha*, "agarrar-se à verdade", tema central de suas campanhas de desobediência civil não violenta na África e depois na Índia.

Embora tenha sido criado como hindu, Gandhi foi fortemente influenciado pelo jainismo, defendendo a não violência e o bem-estar de todas as criaturas, mas opondo-se à ideia de que, diante da injustiça social, o indivíduo deve isolar-se na espiritualidade e evitar confrontos. O hinduísmo dividia-se entre aqueles que achavam que deviam seguir seu dever social, conforme determinado por sua classe e estágio de vida, e aqueles que optaram por não fazer parte da sociedade para seguir um caminho ascético de disciplina religiosa pessoal. Gandhi sentiu-se compelido a buscar justiça política e social, mantendo, ao mesmo tempo, o valor ascético fundamental da não

A inércia e a indiferença fazem com que a **injustiça** social continue sem controle.

Mas a **violência** só gera mais violência e retaliação, conduzindo ao **próprio fracasso**.

Portanto, a melhor forma de alcançar **mudanças sociais** e políticas é por meio do **protesto pacífico** e da determinação de agarrar-se à **verdade**, custe o que custar.

Veja também: O ascetismo conduz à libertação espiritual 68-71 ▪ Um ato de abnegação 110-111 ▪ O império da bondade e da compaixão 146-147 ▪ Morrendo pela mensagem 209 ▪ A luta no caminho de Deus 278

Deus é a verdade. O caminho para a verdade se alcança pela não violência.
Mahatma Gandhi

violência. Considerava inútil e atroz a ideia de combater a violência com violência.

Gandhi acreditava que um indivíduo só conseguiria realmente encontrar a verdade se estivesse disposto a abrir mão de sua posição social e interesse próprio. Para opor-se à injustiça, portanto, a pessoa tinha de ter a coragem e a força de agarrar-se à verdade, fossem quais fossem as consequências pessoais – no caso dele, anos de prisão. Gandhi considerava a não cooperação e a desobediência civil como "armas da verdade", as quais os indivíduos e a sociedade não deveriam ter medo de usar se as negociações falhassem. Aceitar as consequências de nossas ações é um sinal de força, se tivermos também a certeza moral da verdade.

Ame a todos, não odeie ninguém

Gandhi defendia o *ahimsa* (não violência) em seu sentido mais positivo, ou seja, a ideia de cultivar o amor a todos, em vez de simplesmente deixar de matar. Essa filosofia teve outras consequências sociais e políticas, pois devia incluir apoio aos oprimidos. Por exemplo, Gandhi defendeu a causa daqueles que estavam fora do sistema de castas, os "intocáveis", considerados impuros para rituais. A "intocabilidade", segundo ele, era um crime contra a humanidade, e essa discriminação acabou sendo proscrita na Índia. Gandhi também lutou incansavelmente pela liberdade religiosa, condenando todas as formas de exploração. Infelizmente, o último ano de sua vida foi marcado por guerras e derramamento de sangue, quando o Paquistão muçulmano foi separado da Índia hindu. Ainda assim, seus ensinamentos, sobretudo o legado da resistência pacífica, espalharam-se pelos quatros cantos do mundo, inspirando grandes líderes e movimentos políticos, entre eles a luta contra o apartheid na África do Sul e os movimentos pelos direitos civis nos EUA, China e outros lugares. ■

Um manifestante desafia tanques de guerra perto da praça da Paz Celestial em Pequim, imagem que se tornou símbolo mundial da resistência pacífica.

Mohandas Karamchand ("Mahatma") Gandhi

Nascido em 1869 em Porbandar, Índia, Mohandas Karamchand Gandhi (conhecido como "Mahatma" ou "grande alma") formou-se em direito em Londres. Depois de uma breve passagem de volta pela Índia, Gandhi passou 21 anos na África do Sul, oferecendo suporte jurídico para a comunidade indiana. Durante esse período, lançou um programa de resistência pacífica contra o registro compulsório de indianos.

Em 1914, voltou à Índia, onde se opôs às injustiças impostas pelo governo britânico. Na década de 1920, deu início a campanhas de desobediência civil e acabou sendo preso por dois anos. Continuou promovendo campanhas similares e foi parar de novo na prisão. Gandhi queria ver uma Índia livre do domínio britânico, onde todos os grupos religiosos tivessem participação. Quando a Índia finalmente conquistou a independência em 1947, Gandhi se opôs à divisão do país, que ia contra seu ideal de unidade religiosa.

Gandhi foi assassinado em Nova Déli no ano de 1948 por um fanático hindu que o acusou de ser solidário demais com as necessidades do povo muçulmano.

BUDISMO
A PARTIR DO SÉCULO VI A.C.

Siddhartha Gautama (mais tarde conhecido como Buda) nasce no nordeste da Índia.

C. 563 A.C.

SÉCULO V A.C.

Surgem diferentes **ramificações do budismo**, quando a religião se espalha pela Ásia.

Acontece o **Primeiro Conselho Budista** logo após a morte de Buda.

SÉCULO V A.C.

SÉCULO IV A.C.

Acontece o **Segundo Conselho Budista**, resultando na primeira dissidência do budismo.

Asoka, imperador da Índia, converte-se ao budismo e convoca o **Terceiro Conselho Budista**.

SÉCULO III A.C.

SÉCULO III A.C.

O budismo chega ao Sri Lanka, à Birmânia e provavelmente à Ásia central.

O **Cânone Páli**, um compilado dos ensinamentos de Buda, é escrito no Sri Lanka, constituindo a base do **budismo theravada**.

SÉCULO I A.C.

SÉCULO I A.C.

O **budismo mahayana** surge na Índia, com ênfase no ideal bodhisattva.

O budismo é considerado por algumas pessoas mais como uma filosofia do que uma religião, porque não envolve a ideia de deus. Sua origem também é atípica. O fundador do budismo, Siddhartha Gautama, o Buda (aquele que despertou), não baseou seus ensinamentos numa visão mística ou epifania, mas em conclusões resultantes de um longo período de experiência e reflexão – iluminação, em vez de revelação. Gautama não confirmava nem negava a existência de divindades, irrelevantes em seu pensamento, mas algumas ramificações do budismo tornaram-se mais teístas, embora os deuses não representem um papel central na prática.

A Índia em que Gautama foi criado era dominada pelas religiões bramânicas, adotando a crença hindu de *samsara* – uma alma presa ao eterno ciclo de morte e renascimento. O budismo propôs uma visão totalmente diferente de como quebrar esse ciclo. Em vez de recorrer às práticas religiosas hindus, como adoração e rituais, Gautama defendia uma mudança no estilo de vida. Em vez de textos sagrados com orientação e permissão divina, o budismo oferecia os ensinamentos de seu fundador como ponto de partida para a meditação.

Princípios básicos

A doutrina do budismo foi transmitida oralmente, primeiro para o grupo de seguidores próximos a Gautama e depois pelos professores da ordem monástica que ele fundou. Somente no século I a.C., centenas de anos após sua morte, é que os ensinamentos de Gautama foram registrados, no *Tipitaka*, escrito em páli, um dialeto do Sri Lanka, não em sânscrito, o idioma dos estudiosos. O chamado Cânone Páli deu origem a comentários, como os Mahayana Sutras, uma interpretação dos ensinamentos de Buda.

O que o budismo pecava em teologia compensava na análise dos motivos pelos quais a alma pode ficar presa ao *samsara*, explorando as formas de alcançar a iluminação e o nirvana – a completa eliminação do desejo, da aversão e da desilusão. Gautama explicou que o principal obstáculo para escapar do ciclo de reencarnações era o sofrimento humano, causado por desejos insaciáveis e apego. Buda estabeleceu "Quatro Nobres Verdades" – a doutrina central do budismo – para explicar a natureza do sofrimento e as formas de

Os **Mahayana Sutras** são compostos.

SÉCULOS I-V D.C.

SÉCULO III D.C.

O budismo começa a se desenvolver na **China**.

O **vajrayana, ou budismo tântrico**, desenvolve-se na Índia, a partir da tradição theravada.

SÉCULOS IV-V

SÉCULO VII D.C.

O budismo mahayana é adotado no **Tibete**, com ênfase na imagística e em rituais.

O budismo theravada espalha-se do Sri Lanka para **Birmânia, Tailândia, Laos e Camboja**.

SÉCULOS XI-XIII D.C.

SÉCULO XII

O **declínio do budismo** é acelerado com a invasão do subcontinente indiano pelos muçulmanos.

Surge o **zen-budismo** no Japão, da tradição chinesa de meditação budista.

SÉCULOS XII-XIII

SÉCULO XIX

Filósofos ocidentais, como **Schopenhauer**, começam a demonstrar interesse pelas religiões indianas.

superá-la: *dukkha* (a verdade do sofrimento), *samudaya* (a verdade da origem do sofrimento), *nirodha* (a verdade do fim do sofrimento) e *magga* (a verdade do caminho para o fim do sofrimento). Esta última verdade alude ao "caminho do meio" – o estilo de vida defendido por Buda, simples na teoria, mas difícil na prática.

Disseminação e diversificação

O budismo espalha-se rapidamente do norte da Índia na direção sul, por todo o subcontinente, e na direção norte, até a China. Diferentes tradições do budismo começam a surgir. As duas principais ramificações do budismo, theravada e mahayana, existem até hoje, seguindo modelos regionais.

O theravada, com sua abordagem conservadora e austera, permaneceu fiel aos ensinamentos originais de Buda, mas ficou restrito ao sul da Índia e ao Sri Lanka. O theravada foi revitalizado no século XII, chegando à Birmânia, Tailândia, Laos e Camboja.

O budismo mahayana teve um grupo de seguidores mais abertamente "religiosos", com templos e rituais, além de um rico simbolismo e imagens de Buda. Assim como o theravada, o mahayana também perdeu força na Índia, mas foi entusiasticamente adotado no Tibete, China, Vietnã, Coreia e Japão. Um elemento fundamental do mahayana é o conceito de líderes religiosos, conhecidos como bodhisattvas, seres que alcançaram a iluminação, mas permanecem na Terra para indicar o caminho aos outros.

Mais tarde, ocorreram algumas divisões dentro dessas duas grandes tradições, dando origem a ramificações contrastantes, como o zen-budismo, que preconiza a prática de silenciar a mente para alcançar a iluminação espontânea, sem a necessidade de rituais, escrituras ou raciocínio; e as diversas formas do budismo tibetano, caracterizado por templos coloridos, muitas imagens e rituais.

Atualmente, estima-se que o budismo tenha mais de 500 milhões de adeptos, sendo considerado a quarta maior religião do mundo (atrás do cristianismo, islamismo e hinduísmo). No entanto, apesar do crescente interesse ocidental pelo budismo como religião e filosofia, a doutrina budista está em declínio desde a segunda metade do século XX, tendo perdido a posição de maior religião individual do mundo no início da década de 1950. ■

ENCONTRANDO O CAMINHO DO MEIO

A ILUMINAÇÃO DE BUDA

EM CONTEXTO

PRINCIPAL FIGURA
Siddhartha Gautama

QUANDO E ONDE
Século VI a.C., norte da Índia

ANTES
A partir de 1700 a.C. Um grande número de deuses é cultuado na religião védica do norte da Índia.

Século VI a.C. Na China, o taoismo e o confucionismo apresentam filosofias em que se cultiva o desenvolvimento espiritual pessoal.

Século VI a.C. Mahavira rejeita o destino de príncipe indiano e torna-se um ascético extremo. Seus ensinamentos formam os textos sagrados do jainismo.

DEPOIS
Século I d.C. Surgem os primeiros textos com os ensinamentos de Siddhartha Gautama. Logo depois, o budismo se espalha para a China.

O século VI a.C. foi uma época de muitas mudanças sociais e políticas no norte da Índia. Tribos locais foram destruídas pelos novos impérios; cidades expandiram-se, afastando a população da simplicidade da vida agrícola; e o comércio ganhou força. Ao mesmo tempo, os indivíduos começaram a fazer perguntas essenciais sobre a vida e os fundamentos da religião.

Por um lado, havia a religião védica estabelecida, com base no sacrifício e na autoridade dos textos védicos, aos quais pouca gente além dos brâmanes (classe sacerdotal da sociedade indiana) tinha acesso. Era uma religião formal e conformista, que exigia obediência à tradição e mantinha as diferenças de classes. Por outro lado, muitos mestres errantes desafiavam a religião formal. Alguns se retiraram da sociedade em busca do ascetismo (renúncia aos confortos materiais), optando pela simplicidade e privação como formas de desenvolvimento espiritual. Esses mestres rejeitavam tanto o conforto físico quanto as normas sociais, e passaram a viver fora do sistema de classes. Outros mestres errantes seguiram a filosofia materialista lokayata e rejeitaram os ensinamentos espirituais convencionais em prol de uma vida de prazeres, afirmando que não há nada além do mundo físico.

Siddhartha atingiu a **iluminação** após meditar sob a árvore Bodhi. Uma muda da árvore original foi plantada em Bodh Gaya em 228 d.C., hoje um local de peregrinação para os budistas.

Siddhartha busca respostas

Nascido numa família rica, Siddhartha Gautama concluiu, ao chegar à idade adulta, que sua vida

Siddhartha Gautama

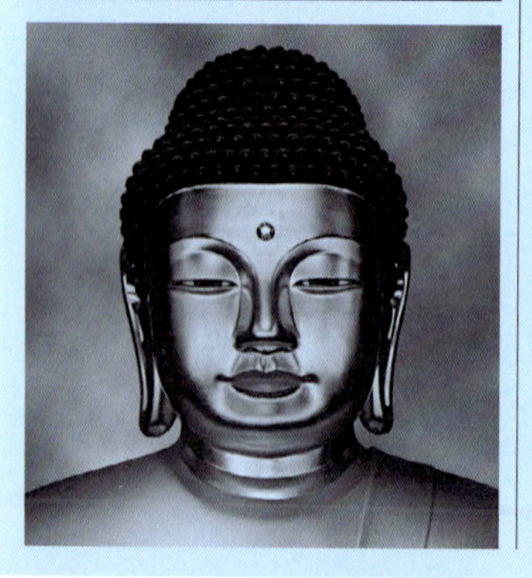

Nascido em 563 a.C. na família real do clã Shakya, no norte da Índia, Siddhartha Gautama estava destinado a ocupar um lugar importante na sociedade. Criado com regalias e bem-educado, casou-se aos dezesseis anos e teve um filho.

Aos 29 anos, porém, insatisfeito com a vida que levava, saiu de casa e passou anos como ascético religioso. Após uma experiência de "iluminação", conforme descreveu, tornou-se um mestre errante e logo atraiu muitos seguidores, sobretudo nas cidades da planície indo-gangética.

Siddhartha estabeleceu comunidades de monges e monjas, conquistando um número cada vez maior de seguidores. Envolveu-se também em discussões com governantes e mestres de outras religiões. Quando morreu, aos oitenta anos, o budismo já havia se tornado um movimento religioso importante.

Obra-chave

29 a.C. O *Dhammapada*, um resumo dos primeiros ensinamentos de Buda, faz parte do Cânone Páli (p. 140).

Veja também: O alinhamento do eu com o tao 66-67 ▪ O ascetismo conduz à libertação espiritual 68-71 ▪ A sabedoria do homem superior 72-77 ▪ Um mundo racional 92-99 ▪ Uma religião aberta a todas as crenças 321

Por mais **conforto material** que tenhamos na vida, não estamos imunes à dor e ao sofrimento.

↓

A total **negação do conforto material** e uma vida de ascetismo **também não nos protegem** do sofrimento.

↓

Cada pessoa precisa encontrar **equilíbrio** e disciplina, de acordo com as circunstâncias individuais.

↓

Precisamos encontrar o caminho do meio.

de conforto era incompatível com a crescente conscientização das dificuldades da existência e a certeza da morte. Além disso, o conforto material não oferecia nenhuma proteção contra essa dura realidade. Desse modo, Siddhartha embarcou numa busca religiosa para encontrar a origem do sofrimento e uma forma de superá-lo.

Por sete anos, praticou o ascetismo, privando-se de tudo, ficando apenas com o mínimo necessário para o sustento, mas chegou à conclusão de que isso não o ajudou a encontrar o conhecimento que procurava. Decidiu, portanto, abandonar a vida ascética, embora continuasse determinado a descobrir a causa do sofrimento. Conta-se que Siddhartha chegou a um estado de "iluminação" (consciência da verdadeira natureza da realidade) após uma noite inteira de meditação, e isso lhe trouxe a resposta para as questões de sofrimento, envelhecimento e morte. A partir desse momento, seus seguidores passaram a chamá-lo de Buda, um título honorário que significa "aquele que está totalmente desperto" ou "o iluminado".

O caminho do meio

O ensinamento de Buda é conhecido como "o caminho do meio". Num nível mais óbvio, o conceito sugere um meio-termo entre os dois tipos de existência que ele rejeitou: uma vida de luxo, procurando obter proteção do sofrimento no conforto material, e uma vida de extrema austeridade, privando-se de quase tudo na busca pelo crescimento espiritual. A abordagem ou "caminho" encontrado envolvia uma dose moderada de disciplina em busca de uma vida ética, sem cair na tentação dos prazeres físicos ou na automortificação. O caminho do meio proposto por Buda, porém, também se refere a dois outros extremos: o eternalismo (crença de que a alma tem um propósito e vive para sempre) e o niilismo (extremo ceticismo, em que se nega o valor e o sentido de tudo).

Eternalismo e niilismo

A religião védica, principalmente conforme apresentada nos textos conhecidos como Upanishads (p. 105), afirmava que a verdadeira essência de todo ser humano é o *atman*, a alma eterna que reencarna diversas vezes. O *atman* liga-se ao corpo físico apenas temporariamente, sendo independente dele.

Um ponto crucial da religião védica é a identificação desse *atman* com o brahman, a realidade divina fundamental por trás de tudo. As coisas comuns do mundo (como árvores, animais e pedras) são uma ilusão, conhecida como *maya*. A verdadeira realidade está além do mundo físico. Quando Buda rejeitou a perenidade do ser, ele estava rejeitando um elemento central do pensamento e da religião hindu.

Buda também rejeitou o outro extremo – o niilismo, segundo o qual nada tem importância ou valor. O niilismo pode se manifestar de duas maneiras (ambas existentes na época de Buda). Uma é o caminho do ascetismo: purificar o corpo por meio da mais extrema austeridade e rejeitar qualquer tipo de valor mundano. Esse foi o caminho que Buda escolheu, julgando-o insatisfatório. A outra forma de manifestação do niilismo foi o » caminho adotado na Índia pelos seguidores da escola heterodoxa de filosofia lokayata: a entrega total ao materialismo. Se tudo é apenas uma disposição temporária de elementos físicos, não existe uma alma eterna que se influencie por boas ou más ações durante a vida. Além disso, se não existe vida após a morte, a melhor conduta a se tomar é buscar o máximo de prazer possível nesta vida.

Porém, ao rejeitar esses dois extremos, Buda não optou simplesmente por um "caminho do meio" no sentido de termo comum. Sua visão baseava-se no conceito de interconexão, fundamental para compreender a essência do ensinamento budista.

As três marcas da existência

Buda dizia que todas as coisas na vida acontecem como resultado de determinadas causas e condições. Quando essas causas ou condições deixam de existir, os elementos que dependem delas também desaparecem. Nada, portanto, é permanente ou independente. O termo em sânscrito para essa interdependência é *pratitya samutpada*, que num sentido literal significa "coisas que avançam juntas". A expressão costuma ser traduzida como "originação dependente", para transmitir a ideia de que nada se origina do acaso – tudo está atrelado a causas anteriores. Em outras palavras, vivemos num mundo onde tudo está interconectado e nada é a fonte de sua própria existência.

Essa observação simples e profunda conduz ao que ficou conhecido como as três marcas universais da existência. A primeira marca chama-se *anicca*: tudo é impermanente e está sujeito à mudança. Poderíamos desejar que não fosse assim, mas é.

Buda comentou que a busca pela permanência e o desejo de que as coisas tenham uma essência fixa levam as pessoas a um estado geral de insatisfação na vida (*dukkha*), o que constitui a segunda marca da existência. A palavra *dukkha* normalmente é traduzida como "sofrimento", mas significa mais do que o sofrimento físico ou a inevitabilidade da morte. Refere-se à frustração existencial. A vida nem sempre nos dá o que queremos e, ao mesmo tempo, apresenta situações e pessoas que não queremos. Nada na vida nos dá satisfação completa. Tudo tem suas limitações.

A terceira marca da existência é *anata*: como tudo está em constante transformação, nada possui uma essência fixa. De um modo geral, vemos as coisas (as árvores, por exemplo) como elementos isolados e as definimos assim. No entanto, como tudo depende de algo para existir (as árvores precisam de terra, água e sol, por exemplo), nada pode ser definido permanentemente em termos de percepção ou linguagem.

A ideia de interconexão, assim como o conceito das três marcas da existência, não constitui uma suposição sobre o mundo. Ao contrário, refere-se a como as coisas são, demonstrando que as tentativas de negar essa realidade representam a causa de nossa frustração diária.

O ensinamento subsequente de Buda baseou-se no conceito de interconexão. Relacionando *dukkha* (insatisfação) com o processo de mudança, Buda mostrou que

Os monges budistas devem comer com moderação e dependem de doações para se alimentar – um exemplo prático de interdependência.

existem contextos nos quais essa insatisfação pode ser minimizada. Essa observação deu origem às "Quatro Nobres Verdades" ou o "Nobre Caminho Óctuplo" (pp. 136-143).

O caminho do meio na vida diária

A ideia do caminho do meio está presente no budismo de maneira bastante prática. Por exemplo, algumas ramificações do budismo preconizam a vida monástica, mas os votos feitos não são vitalícios, e muitos monges ou monjas voltam para a vida em família após meses ou anos de retiro (p. 145). Da mesma forma, para não causar um sofrimento desnecessário, os budistas procuram ser vegetarianos, mas se por algum motivo for difícil seguir uma dieta vegetariana ou houver alguma questão de saúde que requeira o consumo de carne, eles têm essa permissão. Os monges, cuja alimentação depende de doações, devem comer o que receberem. Nada disso está relacionado à acomodação, mas ao reconhecimento de que tudo depende de condições prévias.

O conceito do caminho do meio também possui profundas implicações em nossa compreensão geral da religião, da ética e da filosofia. Em termos práticos, a ideia é que a realidade da vida, com suas constantes transformações, envelhecimento e morte, não pode ser evitada para sempre, mesmo com segurança material ou abnegação. Uma vez compreendido isso, nossa visão de valores e de ética muda, modificando também nossa forma de encarar a vida.

A existência disto depende daquilo. Quando isto surge, aquilo toma forma. Quando isto não existe, aquilo não vem a existir. Com o fim disto, aquilo acaba.
Buda

Assim como uma flor vive e morre, as três marcas universais da existência de Buda sustentam que tudo é impermanente e está sujeito à mudança (*anicca*). A consequência dessa ideia é o conceito de *anata*: como tudo está em constante transformação, nada possui uma essência fixa.

Uma filosofia flexível

Em termos de religião, a negação budista da essência imutável e eterna dos Upanishads hindus foi revolucionária. Sugere que a vida não pode ser compreendida (e o sofrimento não pode ser evitado) por crenças religiosas convencionais. O budismo – visto como religião em vez de como uma filosofia ética – não nega a existência de deuses ou alguma forma de alma eterna, mas os considera uma distração desnecessária. Quando lhe perguntavam se o mundo é eterno ou se uma pessoa iluminada vive após a morte – questões centrais para a religião –, Buda se recusava a responder. Em termos de filosofia, o budismo sustenta que o conhecimento parte da análise da experiência, não de uma especulação abstrata. Por conta disso, o budismo sempre foi um sistema não dogmático, flexível e aberto a novas ideias culturais, sem deixar de preservar seu princípio básico. A interconexão de todas as coisas, manifestada no equilíbrio entre continuidade e mudança, é a base da filosofia budista.

Os conceitos do budismo também tiveram importância psicológica. Como o ser não é simples e eterno, mas um elemento complexo e sujeito a mudanças, ele pode ser explorado como uma entidade instável. Além disso, o convite de Buda para as pessoas seguirem o caminho do meio estende-se a toda a humanidade, fazendo do budismo – apesar da indiferença em relação à ideia de um deus ou de deuses – uma proposta atraente numa sociedade presa a convenções e rituais. ■

O SOFRIMENTO PODE TER FIM

A SAÍDA DO CICLO ETERNO

EM CONTEXTO

PRINCIPAL FONTE
O primeiro sermão de Buda, "A colocação em movimento da roda do *dhamma*", e ensinamentos posteriores

QUANDO E ONDE
Século VI a.C., Índia

ANTES
A partir da Pré-História
O sofrimento é considerado uma punição dos deuses.

A partir de 700 a.C. Os hindus veem o sofrimento como o resultado inevitável do carma (ações de vidas passadas ou da vida presente).

DEPOIS
Século III a.C. O imperador indiano Asoka toma medidas práticas e políticas para minimizar o sofrimento, promovendo os valores budistas.

Século II a.C. Nagasena sustenta que a insatisfação com a vida pode ser superada pelo reconhecimento da natureza mutável e insubstancial do ser.

O ponto central dos ensinamentos de Buda – o *dhamma* – é a superação do sofrimento. Tudo o que não contribuir para esse propósito é considerado irrelevante. As ideias do budismo não devem ser vistas como um fim em si nem são resultado de uma especulação imparcial sobre a natureza do mundo, mas observações sobre a vida e os princípios para se pôr em prática.

As Nobres Verdades

O *dhamma* budista começa com quatro afirmações, conhecidas como as "Quatro Nobres Verdades", que

O Abençoado [Buda] é compassivo e quer nosso bem-estar. Ele ensina o *dhamma* por compaixão.
Kinti Sutta

apresentam um panorama geral do problema do sofrimento humano e soluções para ele. As verdades, que segundo a lenda foram o assunto do primeiro sermão de Buda após sua iluminação embaixo da árvore Bodhi, giram em torno dessa questão.

A primeira das Quatro Nobres Verdades de Buda é *dukkha*, a verdade do sofrimento: a ideia de que a vida é cheia de sofrimento – uma noção central nos ensinamentos budistas, que deu origem à longa busca de Siddhartha Gautama pela verdade. A vida humana, disse Buda, é frágil e sempre vulnerável, caracterizada pelo sofrimento. A natureza desse sofrimento é bastante ampla, ou seja, abrange não somente grandes dores, mas também sentimentos menores e dispersos de insatisfação. Pode resultar da morte de um ente querido, da sensação de que a vida não tem sentido ou simplesmente de um desconforto corriqueiro, como ficar preso num engarrafamento. *Dukkha* é o sentimento que temos em situações de estresse, incômodo ou insatisfação. Às vezes, desejamos estar em outro lugar ou até ser outra pessoa.

Buda dizia que a busca pela felicidade leva as pessoas para a direção errada. Os indivíduos desejam coisas – sexo, riqueza, poder, posses materiais – na esperança de que essas coisas as façam felizes, mas isso não acontece. Eis a base da segunda nobre verdade (*samudaya*): a origem do sofrimento é o desejo. *Tanha*, o termo budista para desejo, refere-se ao desejo que as pessoas têm de obter o que querem, imaginando que, se conseguirem realizar o que desejam, todos os seus problemas serão resolvidos. A palavra *tanha* pode ser traduzida como "sede", indicando que esse desejo nos parece essencial e natural. Buda afirma, no entanto, que esse desejo é contraproducente, gerando apenas mais sofrimento e infelicidade.

De acordo com Buda, esse desejo pelas coisas vai além do desejo físico e do desejo de poder, incluindo a necessidade de apegar-se a visões, ideias, regras e observâncias específicas, o que é igualmente nocivo. A visão do budismo é totalmente diferente do ponto de vista da maioria das religiões, que

As pessoas choram em funerais e outras cerimônias tristes, mas os budistas afirmam que esse sofrimento decorre de um apego equivocado a algo ou alguém.

Veja também: O alinhamento do eu com o tao 66-67 ▪ Um mundo racional 92-99 ▪ Disciplina física e mental 112-113 ▪ A iluminação de Buda 130-135 ▪ O sufismo e a tradição mística 282-283 ▪ Tenrikyo e a vida plena 310

tendem a considerar a aceitação das doutrinas e as observâncias religiosas como fator essencial para a salvação. Embora não tenha dito que essas crenças são negativas em essência, Buda advertiu para o perigo de apegar-se à religião na esperança de que ela ajude automaticamente a superar o sofrimento.

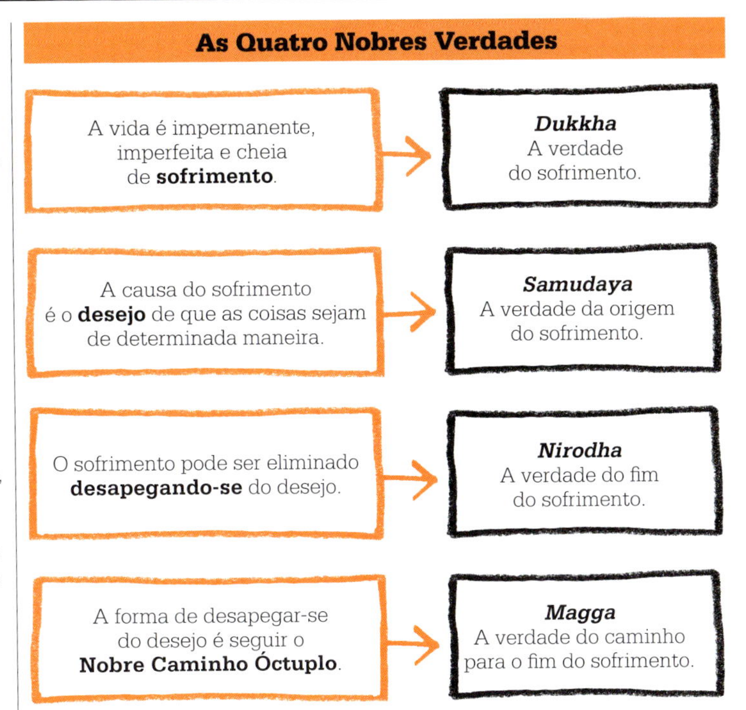

As Quatro Nobres Verdades
A vida é impermanente, imperfeita e cheia de **sofrimento**.
Dukkha A verdade do sofrimento.
A causa do sofrimento é o **desejo** de que as coisas sejam de determinada maneira.
Samudaya A verdade da origem do sofrimento.
O sofrimento pode ser eliminado **desapegando-se** do desejo.
Nirodha A verdade do fim do sofrimento.
A forma de desapegar-se do desejo é seguir o **Nobre Caminho Óctuplo**.
Magga A verdade do caminho para o fim do sofrimento.

O nirvana

Para os budistas, tudo tem uma causa. Isso significa que o sofrimento também tem uma causa. Se essa causa for removida, o sofrimento acabará. A segunda Nobre Verdade, *samudaya*, identifica o desejo como a causa do sofrimento. Por conseguinte, se o desejo for removido, o sofrimento deixará de existir. A terceira Nobre Verdade, *nirodha* (o fim do sofrimento e das causas do sofrimento), refere-se à ausência de desejo. Pôr fim ao desejo não significa interromper as atividades da vida normal – o próprio Buda continuou dando aulas por 45 anos após sua iluminação e estava exposto a todos os problemas da condição humana.
O fim do desejo refere-se a um estado em que a pessoa compreende e aceita a vida como ela é, sem a necessidade emocional de mudá-la.

Com a terceira Nobre Verdade vem um estado de paz conhecido como nirvana, um estado além do desejo ou anseio por qualquer coisa ou por alguém. Não é o mesmo que extinção. Buda criticava quem procurava escapar da realidade por meio do aniquilamento. Ao contrário, o que acontece é que o fogo triplo da cobiça, ódio e ilusão – três características que perpetuam o sofrimento humano – é apagado, como uma vela. Em outras palavras, ao desapegar-se do desejo negativo, a mente fica livre do sofrimento e da infelicidade, alcançando um estado de felicidade ativa, uma forma de felicidade resultante da boa conduta moral.

Diferente de todo o resto, o nirvana não seria resultado de causa e efeito, extrapolando esses limites. Diz-se que é um estado permanente e inalterável. Enquanto tudo no mundo à nossa volta (assim como nós mesmos) é temporário e efeito de alguma circunstância, o nirvana é um estado incondicional, sem causa – uma verdade absoluta para os budistas. Esse estado de bem-aventurança pode ser alcançado por nós aqui na Terra, durante nossa vida. Ao contrário da maioria das religiões, que incentivam as pessoas a terem uma vida moral no presente para atingir a felicidade num próximo mundo, o budismo diz que o verdadeiro fim para o sofrimento encontra-se aqui, neste mundo mesmo.

O próprio Buda atingiu um estado de nirvana aos 35 anos de idade e, por meio de seus ensinamentos, empenhou-se em mostrar aos outros como alcançar essa iluminação. A quarta Nobre Verdade descreve "o caminho que conduz ao fim do sofrimento. Isso é *magga*, o caminho do meio, também conhecido como o "Nobre Caminho Óctuplo".

O Nobre Caminho Óctuplo

O caminho para o fim do sofrimento consiste em oito passos, sem »

Bens materiais, como sapatos, são anunciados como itens imprescindíveis, numa tentativa de provocar nosso desejo. Esse desejo, insaciável por natureza, leva ao sofrimento.

uma sequência definida, pois os passos são princípios (não ações) para os budistas superarem o desejo e alcançarem a felicidade. O Nobre Caminho Óctuplo abrange os três aspectos básicos do budismo: sabedoria (nos dois primeiros passos), virtude (nos próximos três) e concentração (nos três passos finais).

A sabedoria, segundo Buda, consiste em duas direções para a mente: "visão correta" e "intenção correta". A primeira é importante para enxergar e identificar a causa do sofrimento, conforme estabelecido nas Quatro Nobres Verdades. Sem isso, o resto do caminho não tem muito propósito. Intenção correta significa "compromisso" – referindo-se à intenção de seguir o caminho, porque a mera compreensão dos ensinamentos, sem a intenção de colocá-los em prática, não serve para nada.

Os passos 3, 4 e 5 do caminho representam diretrizes morais práticas. A moralidade budista não está relacionada a regras que devem ser obedecidas, mas a condições que facilitem o caminho para a iluminação. O passo 3 é a "fala correta": não mentir, não ser duro ou cruel ao falar, não ouvir nem falar mal dos outros. Devemos fazer exatamente o contrário: falar a verdade, ser compreensivos e gentis e só falar com propósito.

O passo 4 refere-se à "ação correta", em relação aos cinco "preceitos" morais: não destruir a vida, não roubar, não usar os sentidos de maneira imprópria, não mentir e não obscurecer a mente com substâncias inebriantes (importante para o treinamento mental da última parte do caminho). O quinto passo também possui uma abordagem ética: "meio de vida correto", que significa viver de maneira a não contradizer os princípios morais do budismo.

O Cânone Páli

Nos quatrocentos anos após a morte de Buda, seus ensinamentos e as diretrizes para a vida monástica foram transmitidos oralmente na linguagem local, não em sânscrito, idioma das escrituras hindus. No entanto, no século I a.C., os ensinamentos budistas foram escritos no Sri Lanka numa língua chamada páli, muito próxima à língua que o próprio Buda falava. Esses textos, em conjunto, são chamados de Cânone Páli, a base do budismo theravada (p. 330).

O Cânone Páli também é conhecido como *Tipitaka* (em páli) ou *Tripitaka* (em sânscrito) – "três cestos" –, pois está dividido em três seções: o Vinaya Pitaka, com diretrizes sobre a vida monástica; o Sutta Pitaka, um compilado das frases de Buda e histórias sobre sua vida; e o Abhidhamma Pitaka, uma análise filosófica dos ensinamentos budistas.

Existem quatro formas de apego: apego aos prazeres sensoriais, apego a visões, apego a regras e observâncias e apego a uma doutrina do ser.

Sammaditthi Sutta

Há um caminho do meio, que leva à paz, ao conhecimento, à iluminação, ao nirvana. Que caminho do meio é esse? É simplesmente o Nobre Caminho Óctuplo...
Buda

Cultivando a mentalidade correta

Os três últimos passos explicam como realizar o treinamento mental correto para atingir o estado de nirvana. O passo 6 é "esforço correto". A pessoa deve conscientizar-se de seus pensamentos negativos e substituí-los por pensamentos positivos equivalentes. Por exemplo, no início do Dhammapada (os "versos do *dhamma*"), Buda diz que aqueles que se ressentem das ações dos outros e ficam remoendo mágoas do passado jamais se livrarão do ódio. A ideia de "esforço correto" inclui a intenção consciente de romper o ciclo de mágoa e reatividade.

O sétimo passo fala da "atenção correta". Nossa mente se distrai com muita facilidade, pulando de uma coisa para outra o tempo todo. Um passo importante para a disciplina mental é estar totalmente consciente do momento presente e permitir que a mente foque em apenas uma coisa. Essa abordagem é utilizada em técnicas de meditação, como "plena atenção à respiração", que geralmente constituem o ponto de partida para o treinamento na meditação budista.

O oitavo passo, o passo final, é a "concentração correta". A prática da meditação é um aspecto fundamental do *dhamma* budista. O controle da mente é essencial para a superação do sofrimento, pois o que está sendo tratado não é a dor física ou a morte, mas o mal-estar existencial relacionado a elas. Na meditação de "insight" (*vipassana*), o indivíduo pode, deliberadamente e sem sobressaltos, contemplar as coisas em que a maioria das pessoas evita pensar, como a morte. Na meditação de *metta* (amor), cultivamos pensamentos positivos em relação aos outros, tanto as pessoas que amamos quanto as que nos parecem mais difíceis. Esse exercício estimula a benevolência e o desenvolvimento de um conjunto mais positivo de atributos mentais.

O Nobre Caminho Óctuplo é um programa de autodesenvolvimento. No entanto, o budismo não tem um conjunto de regras ou doutrinas que devem ser aceitas. A ideia é apresentar uma forma de vida que diminua o sofrimento. Diferentes pessoas focarão em diferentes »

O Nobre Caminho Óctuplo, ou caminho do meio, especifica as oito características que devemos desenvolver para pôr fim ao sofrimento.

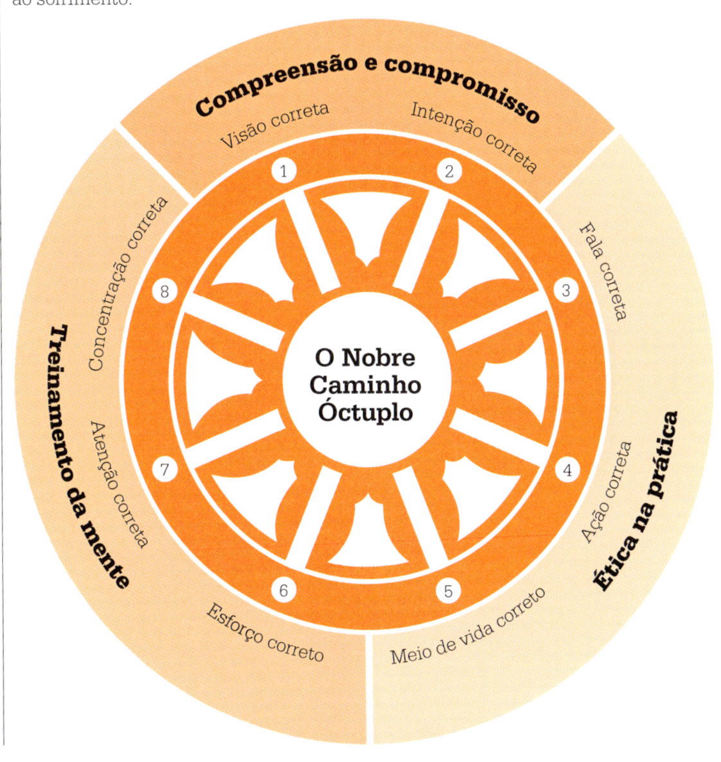

Abandonando a paixão, a raiva e a desilusão, o homem não almejará seu próprio dano e o dano dos outros. Estará livre de aflições e angústia na mente. Conseguirá enxergar o nirvana neste vida.

Anguttara Nikaya

aspectos do caminho, dependendo de suas circunstâncias.
Além disso, o caminho em si não é uma estrada reta que começa no passo 1 e termina no passo 8. Podemos passar de um passo para outro em qualquer momento, sem uma ordem definida. Os três principais aspectos de compreensão, moralidade e meditação podem ser usados para reforçar uns aos outros. Alguns passos, contudo, como os relacionados a questões éticas, podem ser importantes para estabelecer o contexto no qual a meditação será realmente eficaz.

A Roda da Vida

Um aspecto essencial dos ensinamentos de Buda é a "interconexão" (pp. 130-135), a ideia de que tudo acontece de acordo com causas preexistentes. O caminho budista, portanto, está sempre dentro de um contexto. Seu objetivo é criar as condições para que mal-estar e sofrimento sejam substituídos por alegria e felicidade.

Isso significa que, se olharmos para a cadeia de causas e efeitos de nossa vida, poderemos encontrar os elos que devemos mudar para que nossa vida tome um rumo diferente. Se não fosse possível escolher diferente e alterar os resultados dos acontecimentos, nosso destino e nossas ações estariam totalmente predeterminados e não teríamos como acabar com o sofrimento. Embora o budismo tenha pegado a ideia de carma do hinduísmo (a de que toda ação tem uma consequência), sua relação com essa ideia não é rígida nem mecânica. Há sempre um elemento de escolha em nossas ações.

A visão budista de ações e consequências é apresentada de maneira gráfica na "Roda da Vida", uma obra iconográfica complexa que retrata o sofrimento e as possíveis formas de superá-lo. Tudo dentro da roda representa o mundo de *samsara* – um mundo de reencarnações infinitas, a que todos os seres estão presos como consequência de suas ações cármicas. A roda encontra-se nas garras de um temível demônio, que representa a morte.

No centro da roda, vemos três animais – um galo, uma cobra e um porco –, que representam os três venenos: cobiça, ódio e ignorância. Buda considerava esses elementos como a raiz da vida "doentia" e do sofrimento humano. Em volta deles, há um círculo com seres humanos em diferentes situações da vida (ascendendo ou descendendo) e diversos quadrantes retratando diferentes reinos. Os reinos retratados são: o reino dos humanos, dos animais, dos deuses, dos *asuras* (guerreiros em constante batalha), dos fantasmas e do inferno (o mais

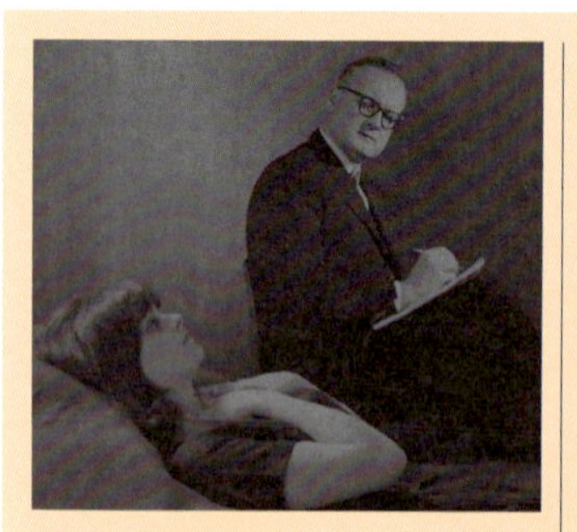

Os ensinamentos de Buda sobre as Quatro Nobres Verdades são comparáveis ao diagnóstico e ao tratamento médico de doenças.

A prescrição do médico

O propósito prático do budismo, muito parecido com o de um médico, é acabar com o sofrimento do mundo. As Quatro Nobres Verdades da religião podem ser comparadas com os estágios do procedimento médico: o diagnóstico, a causa, a cura do sofrimento pela remoção da causa e o método para eliminar a causa.

Em analogia à condição humana, Buda descrevia a humanidade como um homem ferido por uma flecha venenosa que se recusa a retirá-la enquanto não entender todos os detalhes referentes à flecha e à sua fabricação. A prioridade do homem deveria ser retirar a flecha. Buda considerava irrelevante a maioria das questões abordadas pela filosofia ocidental, como a especulação relacionada a por que o mundo é como é. Para alguns, portanto, o budismo representa uma terapia, não uma religião: um regime saudável a ser seguido, não um conjunto de ideias em que devemos acreditar.

Ameaçados pelo perigo, os seres humanos procuram refúgio em espíritos, templos e árvores sagradas, mas isso não é um verdadeiro refúgio.
Dhammapada

baixo). A ideia é que as pessoas podem passar de um reino para o outro. Os ensinamentos de Buda nos ajudariam a escapar do reino humano para um estado pleno de existência.

Para aqueles que querem entender o processo pelo qual os budistas alcançam esse estado – superando o sofrimento –, o círculo externo é o mais importante. Os doze *nidanas*, ou elos, desse círculo expressam graficamente o conceito de interconexão, essencial no budismo. Vemos pessoas e construções, desde um cego (representando o início de total ignorância espiritual) até uma casa com cinco janelas (representando a mente e os sentidos). Há uma oportunidade crucial entre o sétimo *nidana*, um homem com uma flecha cravada no olho (representando a dor), e o oitavo, uma mulher oferecendo bebida a um homem (sentimentos que conduzem ao desejo). Esse elo – entre a dor e o prazer, que resulta do contato com o mundo e o desejo decorrente dessa experiência – é central. Se o elo for preservado, o processo de renascimento (*samsara*) continua para sempre. Se o elo puder ser quebrado, há a possibilidade de escapar do ciclo de existência e sofrimento.

A quebra do elo indica uma volta ao ponto de partida do caminho, para o fim do sofrimento definido por Buda: a capacidade de viver a vida sem dar lugar aos desejos decorrentes do apego e da decepção. Para criar as condições que ajudarão a quebrar esse elo, as pessoas devem seguir o Nobre Caminho Óctuplo. A ação pode conduzir ao nirvana. De acordo com o budismo, nenhum deus salvará a humanidade. Portanto, o que precisamos cultivar é a sabedoria, não a fé. ■

A Roda da Vida budista representa o universo e o ciclo infinito de morte e renascimento, no qual os seres humanos estão presos, a menos que sigam o caminho do meio.

EXAMINE AS PALAVRAS DE BUDA COMO FARIA COM O OURO

A BUSCA PESSOAL PELA VERDADE

EM CONTEXTO

PRINCIPAL FONTE
O Cânone Páli

QUANDO E ONDE
Século VI a.C., norte da Índia

ANTES
A partir de 1000 a.C. O pensamento hindu tradicional baseia-se em textos védicos e ensinamentos dos sacerdotes brâmanes.

Século VI a.C. Os jainas e os budistas rejeitam os Vedas e os brâmanes como autoridades.

DEPOIS
A partir de 483 a.C. Por mais de quatro séculos após sua morte, os ensinamentos de Buda são transmitidos oralmente por seus seguidores.

29 a.C. Um compilado escrito dos ensinamentos e frases de Buda é lançado no Quarto Conselho Budista no Sri Lanka.

Século XII Os zen-budistas rejeitam a necessidade de escrituras.

Na maioria das religiões, as crenças baseiam-se na ideia de autoridade, seja a autoridade de um líder, de uma classe sacerdotal ou de textos sagrados. Aqueles que aceitam as crenças de sua cultura procuram defendê-las racionalmente, enquanto quem discorda costuma ser taxado de herege.

No budismo é diferente. Há um grande respeito a Buda e outros mestres religiosos, valorizando-se a linhagem e a tradição. No entanto, os budistas também valorizam o debate. Os mestres e as convicções intelectuais são considerados apenas o ponto de partida. Buda dizia para não confiar em seus ensinamentos, mas para testá-los, tanto racionalmente quanto em termos de experiência pessoal.

A sabedoria budista, portanto, é adquirida em três estágios: com os mestres ou as escrituras; por meio da reflexão pessoal; e como resultado da prática espiritual. O terceiro estágio geralmente inclui meditação, a busca pela verdade e pelo crescimento espiritual e a prática dos ensinamentos budistas.

Aceite como verdadeiro apenas o que é preconizado pelos sábios e aquilo que você testar e souber que é bom para você e para os outros.
Buda

Os primeiros seguidores de Buda atingiram a iluminação procurando compreender seus ensinamentos, não apenas acreditando em suas palavras. Os budistas argumentam que não basta confiar em autoridades externas. As crenças devem basear-se na convicção e na experiência pessoal. ■

Veja também: A sabedoria do homem superior 72-77 ▪ Budas e bodhisattvas 152-157 ▪ O homem como manifestação de Deus 188

A DISCIPLINA RELIGIOSA É NECESSÁRIA

O PROPÓSITO DOS VOTOS MONÁSTICOS

EM CONTEXTO

PRINCIPAL FONTE
Os primeiros Conselhos Budistas

QUANDO E ONDE
A partir do século V a.C., norte da Índia

ANTES
A partir da Pré-História
A maioria das religiões combina desenvolvimento espiritual com a consciência de nosso lugar na sociedade ou num grupo religioso.

Século VII a.C. Surge uma nova tradição de extremo ascetismo no hinduísmo.

c. 550 a.C. Buda defende um caminho do meio entre o ascetismo e o hedonismo.

DEPOIS
A partir do século XII d.C.
No Japão, o budismo Terra Pura e o budismo de Nitiren preconizam a fé no Buda Amida e nos cânticos (em contraposição a um estilo de vida específico) como o caminho para a iluminação.

Ao longo de toda a vida, Buda teve dois tipos de seguidores: os monges e os chefes de família. Os monges eram pregadores errantes como Buda no início, formando, mais tarde, comunidades monásticas, onde seguiam disciplinas voltadas para o próprio progresso espiritual e o bem-estar da comunidade. Os chefes de família também podiam alcançar a iluminação, desde que praticassem o budismo e ajudassem os monges.

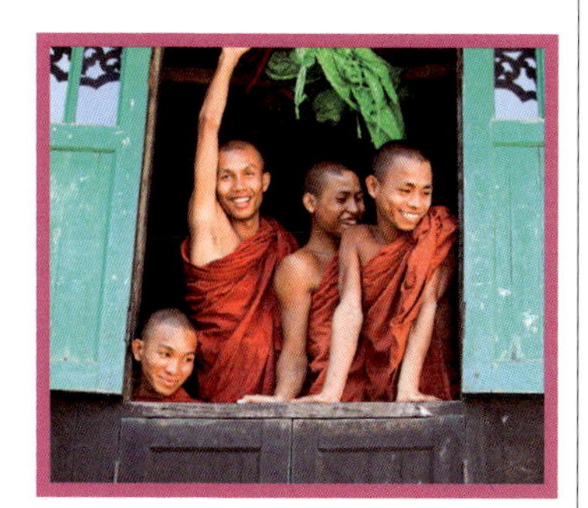

Jovens monges budistas aceitam a disciplina monástica por um tempo. No caminho para uma maior consciência pessoal e social, eles devem seguir algumas regras monásticas.

Cerca de cem anos após a morte de Buda, a rigidez das regras monásticas entrou em debate. Com a disseminação do budismo, desenvolveram-se diferentes tradições, algumas com menor ênfase na vida monástica (sobretudo na China e no Japão). Mesmo assim, o monasticismo continuou sendo um importante elemento do budismo, principalmente no Sri Lanka e na Tailândia, onde se segue a tradição theravada.

No budismo, os votos monásticos não são vitalícios e não constituem um fim em si. Seu propósito é criar as condições necessárias para a prática budista. Ou seja, não são essenciais, mas ajudam a trilhar o caminho do meio. Os seguidores do budismo, porém, não devem buscar apenas a iluminação pessoal, o que os conduziria ao fracasso, uma vez que tal egoísmo é incompatível com os ensinamentos budistas. Ao contrário, devem desenvolver a compaixão universal e a boa vontade, tanto em termos pessoais quanto sociais. ■

Veja também: Os quatro estágios da vida 106-109 ▪ A iluminação de Buda 130-135 ▪ Escrevendo a lei oral 182-183 ▪ Servindo a Deus em nome dos outros 222-223

A ORIGEM DA BENEVOLÊNCIA: PARE DE MATAR

O IMPÉRIO DA BONDADE E DA COMPAIXÃO

EM CONTEXTO

PRINCIPAL ACONTECIMENTO
A conversão do imperador Asoka

QUANDO E ONDE
Século III a.C., norte da Índia

ANTES
A partir de 2000 a.C. A religião védica, depois hinduísmo, desenvolve a doutrina da não violência (*ahimsa*), mas justifica a guerra em certas circunstâncias.

Século VI a.C. Buda ordenou que seus seguidores se abstivessem de matar. Mahavira funda o jainismo, que proíbe que se tire a vida de qualquer ser vivo.

DEPOIS
Século XVII O sikhismo permite que se mate em defesa dos oprimidos e da religião.

Século XIX Mahatma Gandhi, criado como hindu, adota a não violência como estratégia política.

Se uma pessoa morrer, seus familiares e amigos **sofrerão**.

Por isso, o **bom líder abstém-se de matar** e ordena que se faça o mesmo.

O bom líder constrói uma **sociedade melhor** cultivando a **bondade** e incentivando-a nos outros.

A origem da benevolência: pare de matar.

O budismo originou-se do hinduísmo, uma religião sempre ambivalente quanto à ideia de matar. Por um lado, o hinduísmo promovia o princípio do *ahimsa* (não matar). Por outro, a sociedade sacrificava animais, permitia o consumo de carne e preconizava a luta em guerras justas. Como muitos outros mestres de sua época, incluindo Mahavira, fundador do jainismo, Buda enfatizou o princípio de não matar, que se tornou o primeiro dos cinco preceitos, a base ética do estilo de vida budista.

Cinco regras para viver

Os cinco preceitos proíbem a destruição da vida, o roubo, a má conduta sexual, a mentira e o consumo de substâncias inebriantes, como o álcool. Cada um desses preceitos tem um equivalente positivo, gerando cinco regras relacionadas ao que se deve fazer. A primeira regra é tratar todo mundo com bondade e amor (*metta*). Aliás, umas das principais práticas de meditação do budismo é agir sempre com boa vontade – tratar amigos, estranhos e até pessoas que nos pareçam difíceis com o mesmo nível de preocupação

Veja também: Vivendo em harmonia 38 ▪ O ascetismo conduz à libertação espiritual 68-71 ▪ Um ato de abnegação 110-111 ▪ O hinduísmo na era política 124-125 ▪ Morrendo pela mensagem 209 ▪ O código de conduta do sikhismo 296-301

Se existe uma prática capaz de criar budeidade, essa prática é o exercício da compaixão.
Dalai Lama

e cuidado. A magnitude evidente dessa primeira regra serve de base para as outras quatro. A boa vontade em relação aos outros promove a generosidade, o não abuso (o terceiro preceito está relacionado à proibição do adultério, estupro e outras formas de abuso sexual), a honestidade e a abstinência de substâncias tóxicas (de modo a ter clareza para tomar decisões corretas).

Embora o princípio de não matar fosse um dos pontos centrais do budismo desde o começo, a primeira iniciativa de instituí-lo na sociedade partiu do imperador Asoka (século III a.C.), que emitiu 32 editos, descobertos, mais tarde, em gravações rupestres. Além de defender a não violência, Asoka promoveu a ajuda aos pobres, a proteção de serviçais e o estabelecimento de centros médicos/serviços veterinários – manifestações diretas do *metta*.

Um ideal de paz

Apesar de raros relatos de autoimolação (como o suicídio de monges budistas, que atearam fogo no próprio corpo como forma extrema de protesto político), o budismo, de um modo geral, jamais procurou impor suas ideias à sociedade nem teve nenhuma relação com guerras.

Conforme o princípio de não matar, os budistas deveriam ser vegetarianos. No entanto, o caminho do meio de Buda (pp. 130-135) indica que a abnegação não deve nunca chegar a extremos que ponham a vida em risco. Desse modo, os budistas podem comer carne e peixe em casos de cuidados com a saúde ou se houver falta de frutas e vegetais (como nas montanhas do Tibete). Monges e monjas podem consumir carne se lhes for oferecido, com a condição de que os animais não tenham sido abatidos para eles. ■

Toda vida é sagrada para os monges budistas. Eles acreditam que todos os seres vivos podem conviver pacificamente lado a lado, até homens e tigres – conforme evidenciado no Templo do Tigre, em Kanchanaburi, Tailândia.

O imperador Asoka

Asoka nasceu na Índia em 304 a.C. Ele era filho do imperador Bindusara e assumiu o trono do reino de Magadha em 268 a.C., após matar os irmãos e outros rivais para garantir a posição. Asoka, então, procedeu a uma brutal campanha de expansão, estabelecendo um império que abarcava quase toda a Índia.

Depois de uma batalha particularmente sangrenta, a visão dos mortos e do sofrimento causado fez com que ele se comprometesse a jamais travar uma nova batalha. Asoka procurou respostas no budismo e, ao encontrá-las, tornou-se um militante convicto da religião. Sua conversão foi marcada por uma mudança dramática de atitude: Asoka começou a promover os princípios budistas em seu império, emitindo editos sobre questões morais, proibições de sacrifício de animais e aumento do bem-estar social. Enviou missionários para disseminar o budismo mundo afora, mas também considerava todas as religiões, promulgando apenas preceitos morais que pudessem ser aceitos por todos os grupos religiosos dentro de seu império.

NÃO TEMOS COMO DIZER O QUE UMA PESSOA É

O SER EM CONSTANTE TRANSFORMAÇÃO

EM CONTEXTO

PRINCIPAL FIGURA
Nagasena

QUANDO E ONDE
Século I a.C., Índia

ANTES
Século VI a.C. Os Upanishads hindus fazem uma diferenciação entre o corpo físico, o "ser" feito de pensamentos e experiências e o ser eterno.

Século VI a.C. Buda afirma que tudo está em constante transformação e nada tem uma essência fixa.

DEPOIS
Século XII d.C. Mestres do zen-budismo diferenciam a "mente pequena", ou ego, da "mente de Buda".

Século XX Pensadores existencialistas, assim como os budistas, dizem que os indivíduos moldam a vida de acordo com as decisões que tomam.

A ideia de que os seres humanos constam de um corpo físico e uma essência não física, ou alma, está profundamente arraigada em quase todas as religiões, dando lugar à especulação de vida após a morte – se continuamos vivendo em algum tipo de céu ou inferno ou reencarnamos em um novo corpo. A crença numa alma imortal e em Deus parece constituir a própria essência da religião. Ambos os conceitos, entretanto, foram rejeitados por Buda, que acreditava na instabilidade do ser.

A ideia de um ser não permanente em constante transformação é central no pensamento budista, diferenciando o budismo da maioria dos outros

Veja também: Preparação para a vida após a morte 58-59 ▪ A realidade suprema 102-105 ▪ Enxergar com a consciência pura 116-121 ▪ A iluminação de Buda 130-135 ▪ Imortalidade no cristianismo 210-211

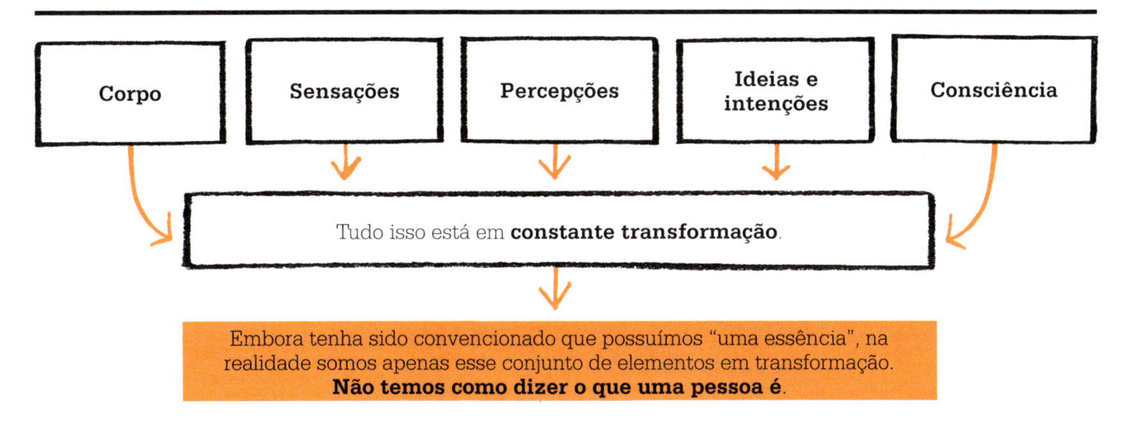
Corpo
Sensações
Percepções
Ideias e intenções
Consciência
Tudo isso está em **constante transformação**.
Embora tenha sido convencionado que possuímos "uma essência", na realidade somos apenas esse conjunto de elementos em transformação. **Não temos como dizer o que uma pessoa é**.

sistemas de crenças e filosofias. Essa noção está implícita no ensinamento do caminho do meio de Buda (pp. 130-135) e reflete ainda o conceito da interconexão entre todas as coisas. O melhor exemplo da ideia de mudança, contudo, está presente em *As perguntas do rei Milinda*, um livro de autor anônimo, escrito no século I d.C., que narra a conversa de um sábio budista, Nagasena, com o rei Milinda – governante indo-grego do noroeste da Índia, c. 150 a.C.

O monge Nagasena é considerado um dos dezesseis (ou dezoito) *arhats*, seres que atingiram um nível elevadíssimo de realização espiritual.

Analisando o ser

Milinda começa inocentemente perguntando se seu interlocutor é mesmo Nagasena, ao que este responde sem pestanejar que, embora o nome "Nagasena" seja utilizado com frequência para se referir a ele, não há nada nesse nome que os vincule. A palavra é um "mero nome", pois "não se pode apreender nenhuma pessoa real a partir dela". Num sentido absoluto, "Nagasena" não existe.

Perplexo, o rei pergunta como aquilo é possível, se Nagasena estava bem na sua frente. Para responder a essa pergunta, Nagasena usa uma analogia. Ele observa que o rei chegou em uma carruagem, então é óbvio que a carruagem existe. No entanto, depois de listar as diversas partes da carruagem (eixo, rodas etc.), Nagasena pergunta ao rei se alguma daquelas partes "é" a carruagem, recebendo resposta negativa. Então onde está a carruagem, pergunta o sábio, se ela não é as rodas, o eixo etc.? Evidentemente, não existe uma carruagem além das partes que a compõem. "Carruagem" é um nome aplicado ao conjunto dessas partes quando elas são utilizadas para conformar um veículo. Do mesmo modo, explica Nagasena, não existe um ser permanente além das diversas partes que o compõem. O termo "Nagasena" não representa nada a que se possa apontar. Como a carruagem, "Nagasena" refere-se a um conjunto de elementos que »

> Sou conhecido como Nagasena, mas a palavra 'Nagasena' é apenas um nome. Não há individualidade permanente (alma) na matéria.
> **Nagasena**

Pensamos nas pessoas como elementos fixos, mas Nagasena afirma que o ser está num processo de mudança constante e não tem como ser definido além do próprio movimento.

existem num estado de dependência mútua.

Os budistas veem os seres humanos como um conjunto de cinco *skandhas* (no sentido literal, "agregados") interdependentes: forma (nosso corpo físico), sensações (informações sobre o mundo recebidas pelos sentidos), percepção (nossa visão do mundo por meio dos sentidos) e formações mentais ou impulsos (o fluxo de ideias, intenções e pensamentos sobre as coisas percebidas). O quinto *skandha* é a consciência: a noção de estar vivo, incluindo a conscientização das informações recebidas pelos sentidos e dos pensamentos, ideias e emoções.

O ponto principal do argumento de Nagasena é que cada um desses *skandhas* está em constante transformação. No caso da forma, isso é evidente. Basta observar o processo natural de desenvolvimento físico. Mas a afirmação vale para os outros quatro *skandhas* também. Nenhum *skandha* é fixo. Todos refletem uma constante corrente de transformações ao longo da vida. Isso significa que, além de não ser possível identificar o que é "Nagasena", é impossível também afirmar que uma pessoa é a mesma no decorrer da vida. Não obstante, ainda temos a sensação de ser "os mesmos", com um passado e um futuro. Nagasena diz que é um absurdo afirmar que continuamos "os mesmos" ao longo do tempo, mas também é absurdo afirmar o contrário.

Na verdade, Nagasena diz que as questões em si estão erradas, uma vez que elas pressupõem um ser fixo em vez de um ser dependente do corpo. Em um exemplo posterior, para evidenciar a dependência do ser, Nagasena pede a Milinda para considerar o leite, a coalhada, a manteiga e a manteiga clarificada. Não é tudo igual, mas os três últimos estágios – a coalhada, a manteiga e a manteiga clarificada – não têm como existir sem o leite. Isso equivale a dizer que a manteiga só existe por causa do leite. Ela depende da existência do leite. Da mesma forma, diz Nagasena, "os elementos do ser

Um encontro de culturas

O encontro entre o rei Milinda e Nagasena ocorreu no contexto de uma confluência de culturas. O budismo havia chegado ao norte da Índia com os ensinamentos dos missionários enviados pelo imperador Asoka cerca de cem anos antes. Nesse meio-tempo, a influência da Grécia clássica crescia no Oriente, alcançando o norte da Índia e sendo adotada pelos governantes locais (num processo conhecido como helenização). Milinda – ou Menandro, em grego – foi um desses governantes, responsável por uma região conhecida como reino indo-grego (hoje, noroeste da Índia), no século II a.C. Podemos concluir, portanto, que Nagasena viveu nessa região entre os séculos II e I a.C.

Embora existam referências de Milinda em moedas e textos de escritores clássicos, sabemos muito pouco a respeito do monge filósofo Nagasena. Sua única aparição na literatura é no diálogo com o rei em *As perguntas do rei Milinda*, um livro muito respeitado no budismo theravada, escrito no século I d.C. Uma lenda sobre Nagasena conta que, na época em que viveu em Pataliputra (atual Patna, Índia), ele criou o buda de esmeralda, uma estátua de Buda em jade com roupa de ouro, que agora se encontra em Wat Phra Kaew, Bangkok, Tailândia.

juntam-se em série: um elemento perece, outro surge em seu lugar, sucedendo-o instantaneamente".

Um erro de categoria

No século XX, o filósofo britânico Gilbert Ryle contestou a ideia de que o corpo físico está ligado a uma mente não física, utilizando um argumento igual ao de Nagasena. Um turista na cidade de Oxford, após visitar diversas faculdades, bibliotecas etc., pergunta: "Mas onde está a universidade?". Ryle responde que não existe uma universidade além das partes que a compõem.

Do mesmo modo, não há uma "mente" separada do corpo. Quem afirma que sim está incorrendo num "erro de categoria". É errado considerar a mente como um objeto físico, porque o termo "mente" se refere a um conjunto de capacidades e disposições.

No final do século XX e início do século XXI, a maioria dos filósofos ocidentais defendia uma visão materialista, no sentido físico, da mente, afirmando que "mente" é apenas uma palavra para descrever as funções cerebrais. Para a ciência moderna, não existe um ser além do corpo. O cérebro realiza um complexo processamento de experiências e respostas, que chamamos de mente ou ser.

O que somos hoje é resultado de nossos pensamentos de ontem, e nossos pensamentos presentes determinarão nosso futuro. Nossa vida é uma criação de nossa mente.
Buda

Qual destas partes é a carruagem? Nagasena responderia que nenhuma delas. Da mesma forma, nossa essência não pode ser definida, embora influencie o presente e o futuro.

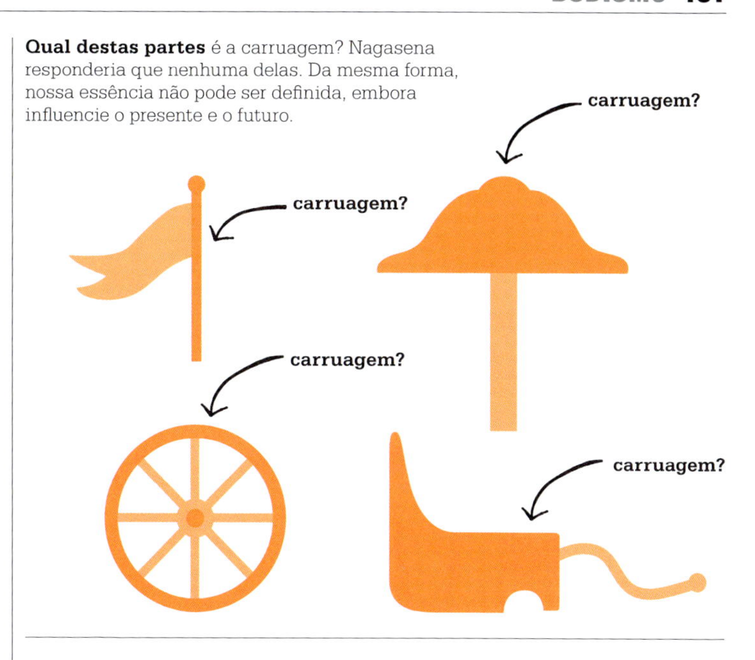

Essa visão difere da de Nagasena no sentido de que o sábio analisa mais profundamente como enxergamos a nós mesmos enquanto seres pensantes que sentem e reagem. Conforme demonstrado ao rei Milinda, mesmo sendo assim, não significa que exista uma entidade separada que pode ser chamada de ser.

Outra vertente filosófica moderna que se baseou inconscientemente nessa ideia budista é o existencialismo, que costuma ser sintetizado na frase: "a existência precede a essência", ou seja, nascemos e existimos mesmo antes de nossa vida ter um propósito. Os existencialistas dizem que moldamos nossa vida de acordo com as escolhas que fazemos e que deveríamos reconhecer nossa responsabilidade nisso: nós somos o que escolhemos fazer – não temos um ser ou essência interna "real".

Verdade absoluta

Essa discussão a respeito do ser traz à tona uma importante característica do pensamento budista: a diferença entre a verdade convencional e a verdade absoluta. Para termos um funcionamento normal, precisamos adotar uma abordagem pragmática ou prática e nos referir aos objetos como se eles tivessem uma existência independente reconhecível e permanente.

A comunicação seria impossível se tudo tivesse que ser descrito em termos de partes constituintes. O budismo, portanto, aceita a necessidade dessa verdade convencional, mas ressalta que ela não deve ser confundida com a verdade absoluta. ■

A ILUMINAÇÃO TEM MUITAS FACETAS

BUDAS E BODHISATTVAS

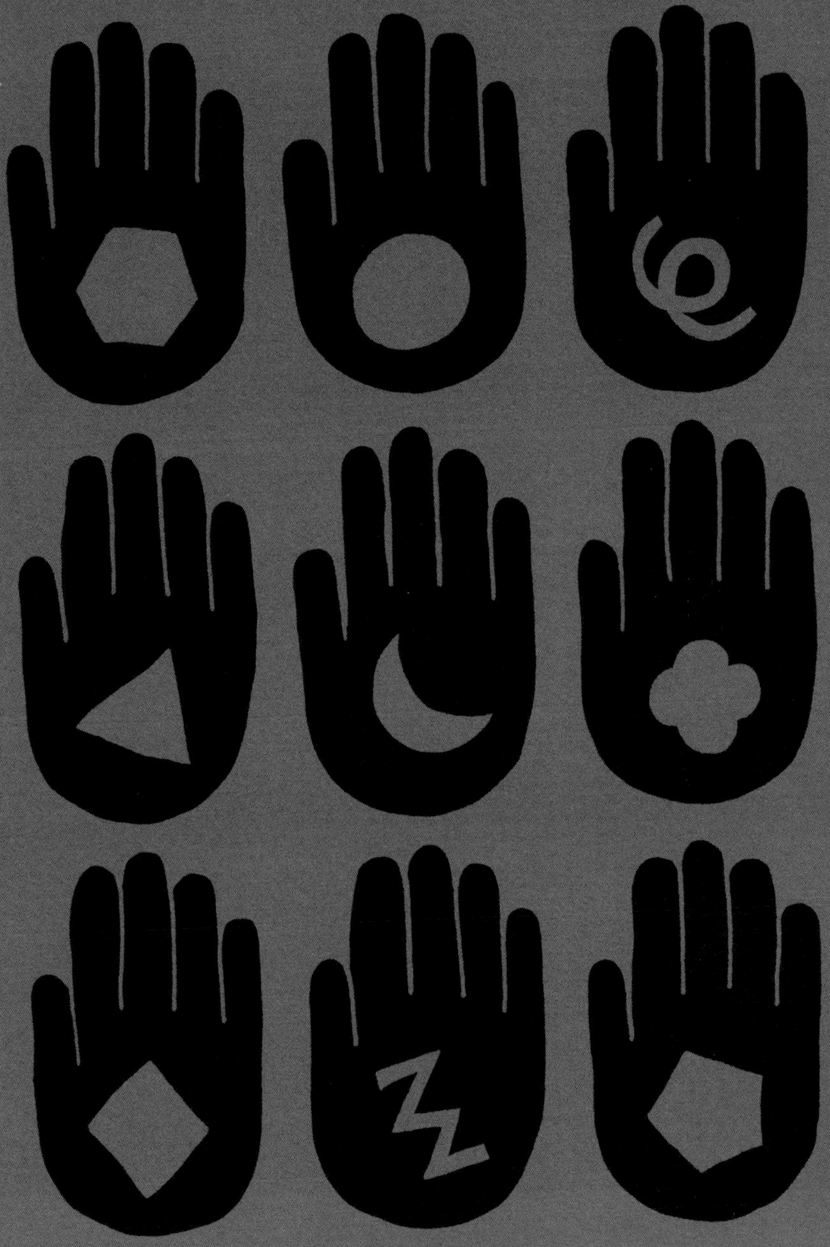

EM CONTEXTO

PRINCIPAL ACONTECIMENTO
O desenvolvimento do budismo mahayana

QUANDO E ONDE
Séculos II-III d.C., Índia

ANTES
A partir de 1500 a.C. Os Vedas hindus referem-se a muitos deuses e deusas, cada um representando um aspecto da natureza e da vida.

A partir do século II a.C. Práticas devocionais ganham força no hinduísmo.

DEPOIS
Século VII d.C. O budismo mahayana, com imagens e rituais elaborados, é estabelecido no Tibete.

Século VIII d.C. Imagens de mestres budistas são usadas como fonte de inspiração, assim como imagens de budas e bodhisattvas. Uma imagem conhecida é a de Padmasambhava, o guru precioso, que introduziu o budismo tântrico no Tibete.

Um bodhisattva é um ser iluminado que decide ficar no mundo **para ajudar todas as outras pessoas**.

Cada imagem de um buda ou bodhisattva representa uma ou mais qualidades de **uma mente iluminada**.

Se visualizarmos uma imagem, prestando-lhe homenagem, recebemos ajuda para **desenvolver a qualidade** representada por ela.

As imagens budistas são **ferramentas para o desenvolvimento espiritual**, não deuses a serem reverenciados.

A iluminação tem muitas facetas.

Os ensinamentos que Buda sintetizou nas Quatro Nobres Verdades e no Nobre Caminho Óctuplo (pp. 136-143) eram claros e objetivos. A prática requeria treinamento mental e análise das experiências, mas sem especulação metafísica (reflexão sobre o que existe e o que não existe), rituais religiosos ou utilização de imagens – ao menos nos primeiros séculos. Hoje em dia, os templos budistas mahayanas da China ou do Tibete apresentam imagens elaboradas e diversas formas de adoração devocional. As imagens de Buda – de diferentes cores, formas, gêneros, algumas intimidadoras, outras meditando – parecem, aos olhos do observador externo, um objeto de devoção igual à devoção a deuses e deusas de outras religiões. Uma vez que o budismo ainda se apresenta como um sistema racional, de que maneira se deu essa transformação e como ela se justifica?

O caminho dos bodhisattvas

Como os indianos, de um modo geral, acreditam na reencarnação, em pouco tempo as pessoas começaram a se perguntar sobre as vidas anteriores de Buda, especulando sobre as ações e características que o teriam levado ao nirvana. Essas reflexões levaram à compilação dos contos Jataka, ou "histórias de nascimento", com personagens, às vezes humanos, às vezes animais, que retratavam o amor, a compaixão e a sabedoria de Buda, qualidades necessárias para atingir a iluminação. Essas histórias, por sua vez, deram origem à ideia do

Veja também: A realidade suprema 102-105 ▪ Disciplina física e mental 112-113 ▪ Enxergar com a consciência pura 116-121 ▪ Insights zen além das palavras 160-163 ▪ O homem como manifestação de Deus 188

Surgiu em mim o desejo de atingir a onisciência em relação a todos os seres, com o propósito de libertar o mundo inteiro.
Siksha Samuccaya

"bodhisattva": um ser capaz de alcançar a iluminação – ou "budeidade" –, mas que decide ficar no mundo, reencarnando, para ajudar os outros seres humanos. Essa ideia provocou uma grande mudança na visão geral do caminho budista. Em vez de lutar para se tornar um *arhat*, "ser perfeito" (o termo é utilizado em referência aos seguidores de Buda que atingiram a iluminação), os budistas agora podiam se dedicar ao caminho mais elevado de budas aprendizes – bodhisattvas que resolvem ficar no mundo por compaixão universal.

O grande veículo

Os seguidores desse novo ideal chamam-no de mahayana, ou "grande veículo", em contraposição à tradição anterior, hinayana ("pequeno veículo"), de alcance mais limitado. Os praticantes do mahayana acreditam que o grande veículo representa um ensinamento mais profundo, implícito no *dhamma* original do budismo. Seus escritos – sobretudo o Lotus Sutra – apresentam a imagem de Buda pregando aos seres num vasto universo feito de muitos mundos, e o mundo presente é apenas uma pequena parte desse universo. Os seguidores do mahayana dizem que o ensinamento anterior era uma versão limitada, e sua versão foi mantida em segredo por anos, esperando as condições adequadas para a manifestação.

O budismo mahayana, embora tenha surgido na Índia, espalhou-se para o norte e estabeleceu-se na China e depois no Tibete. A tradição anterior, o budismo theravada ("tradição dos mais velhos"), ainda existe, sendo encontrado principalmente na Tailândia, no Sri Lanka e no sudeste da Ásia.

Dois bodhisattvas

A tradição mais antiga, hoje conhecida como theravada, reconhece apenas dois bodhisattvas: a encarnação da figura histórica de Buda (também conhecida como Buda Sakyamuni ou Buda Gautama) e Maitreya, um bodhisattva que chegará no futuro para transmitir a verdade do *dhamma*. No budismo mahayana, porém, tanto a classe monástica quanto as pessoas comuns são incentivadas a buscar o nirvana e a se tornar bodhisattvas. Devido à possibilidade de um grande número de bodhisattvas, todos dedicados à missão de iluminação universal, as comportas da iconografia budista se abriram, com o propósito de inspirar os outros.

Simbolismo e imagens

Cada bodhisattva faz um voto de se tornar um buda (ser iluminado) e conduzir os outros no caminho da iluminação. Para isso, eles precisam cultivar seis "perfeições": generosidade, moralidade, paciência, energia, meditação e sabedoria. Cada uma dessas qualidades aparece na imagem de um bodhisattva específico. Por exemplo, a sabedoria é retratada na imagem de Manjushri, um jovem segurando uma flor de lótus (representando a mente iluminada) e brandindo uma espada com fogo (representando a sabedoria com a qual ele corta o véu da ignorância).

A imagem mais venerada de todas é a de Avalokiteshvara, o bodhisattva da compaixão. Seu nome, em sânscrito, significa "o senhor que olha para baixo". Ele cuida dos seres terrestres como um bom pai cuidaria dos filhos, oferecendo-lhes ajuda e procurando livrá-los de seus defeitos e sofrimentos por meio de sua compaixão incondicional. »

Este *thangka*, ou tapete de seda, retrata Tara, que decidiu se tornar uma bodhisattva para mostrar que a diferença entre o masculino e o feminino são ideias ilusórias.

Os budistas oferecem incenso ou flores a imagens de Buda como ato de devoção, não adoração a um deus. A devoção demonstra respeito a um ser humano iluminado, retratado de maneira criativa.

Que eu possa ser um tesouro inesgotável para os desesperados e desamparados. Que eu possa me manifestar de acordo com o que eles precisam e desejam ter por perto.
Shantideva

Conhecido pelos tibetanos como Chenrezig, Avalokiteshvara assume forma feminina na China (Kuan Yin) e no Japão (Kannon). Avalokiteshvara costuma ser retratado com quatro braços: dois em pose de oração na altura do peito, um terceiro segurando uma flor de lótus e um quarto, com um rosário. Os braços em oração simbolizam a compaixão do bodhisattva, que sai de seu coração e chega aos seres terrestres. A flor de lótus representa a iluminação e a sabedoria, enquanto o rosário é um símbolo do desejo de libertar os seres humanos do ciclo infinito da existência. Acredita-se que o 14º Dalai Lama (p. 159) seja a reencarnação desse bodhisattva da compaixão.

Nem todas as imagens mahayanas são elaboradas. Os budas *dhyana* ou "meditativos", como o Buda Amitabha, por exemplo, aparecem sentados de pernas cruzadas, meditando de olhos fechados com um manto simples. No entanto, por menos elaboradas que sejam essas imagens e por mais distantes que pareçam estar dos ensinamentos objetivos do Buda histórico, todas representam aspectos da iluminação. As imagens não retratam deuses a serem reverenciados, embora a adoração budista em templos e locais sagrados mostre o contrário.

Foco na meditação

As imagens de bodhisattvas e budas são consideradas como uma ajuda no caminho espiritual. Em meditação, a pessoa pode visualizar a imagem escolhida, retratando-a como quiser. Os praticantes de meditação, portanto, estabelecem uma relação com aquela imagem em especial. A imagem, em geral, é selecionada para esse propósito, segundo indicação de um mestre, com o intuito de desenvolver uma qualidade específica – representada pelo bodhisattva ou buda. O benefício dessa prática só é percebido após um tempo. Ou seja, o processo não é considerado automático e requer atenção pessoal contínua às qualidades que a imagem representa.

A mandala impermanente

A mandala é outro símbolo budista criado para o desenvolvimento espiritual, seja na meditação ou no estudo. A mandala é uma imagem geométrica complexa com um padrão específico, contendo diversas formas, letras e desenhos de budas e bodhisattvas.

Os padrões são cuidadosamente criados com areia colorida, exibidos em festivais e depois destruídos. O momento de destruição é importante, pois reforça a ideia de que tudo é temporário. A tentativa de reter as imagens é uma representação do apego e do desejo, o que contradiz os ensinamentos budistas, no sentido de que esses dois fatores conduzem à frustração e ao sofrimento. Somente por meio do desapego é que a jornada rumo à iluminação pode começar.

Budas e o vazio

O filósofo budista Nagarjuna (veja ao lado) afirmou que tudo o que

Se quiser que os outros sejam felizes, pratique a compaixão. Se quiser ser feliz, pratique a compaixão.
Dalai Lama

existe carece de existência própria, ou seja, nada no mundo, incluindo todos os seres vivos, possui uma essência inerente. Nagarjuna atribuiu essa ideia ao ensinamento original de Buda sobre o conceito de interconexão (pp. 130-135), segundo o qual os objetos e seres terrestres carecem de essência (ou "uma existência própria"), porque tudo depende da existência prévia de alguma outra coisa. Como não temos uma essência independente, o objetivo da meditação é ir além dos sentidos e das ideias resultantes da percepção, para ficar frente a frente com a verdade absoluta.

A possibilidade de invocar budas e bodhisattvas na meditação sugere que eles não possuem um corpo físico nem estão localizados em algum ponto específico do universo. As imagens invocadas não são a representação de uma pessoa, mas parte da verdade máxima sobre o indivíduo que está meditando. O grande número de imagens de budas e bodhisattvas serve apenas como ajuda temporária no reconhecimento de que todo mundo é um buda em potencial. ■

Existem três tipos de bodhisattvas, que realizam a missão de ajudar os outros a atingir a iluminação de maneiras diferentes.

Capitão do navio
"Carregarei os outros comigo, para que possamos nos tornar iluminados juntos."
Rei
"Tornar-me-ei iluminado e depois ajudarei os outros no caminho da iluminação."
Pastor
"Guiarei todo mundo rumo à iluminação e só depois procurarei a iluminação para mim."

Nagarjuna

Nagarjuna é considerado o filósofo budista mais importante de todos depois de Buda. Ele nasceu no século II d.C. numa família bramânica (sacerdotal), provavelmente no sul da Índia. Um oráculo previu sua morte prematura aos oito anos. Aos sete anos, então, seus pais o enviaram a um monastério para estudar com o grande mestre budista Saraha. Conta-se que Nagarjuna escapou da morte recitando um mantra ininterruptamente, da noite ao amanhecer de seu oitavo aniversário. Depois disso, fez votos monásticos.

Nagarjuna é mais conhecido pelo ensino dos sutras da Perfeição da Sabedoria de Buda. Reza a lenda que ele aprendeu os sutras com os *nagas* (espíritos semiterrenos), recebendo o nome de Nagarjuna (mestre dos *nagas*). Ele também escreveu muitos sutras próprios e fundou a escola madhyamika de filosofia budista.

Obras-chave

c. 200 d.C. *Versos fundamentais sobre o caminho do meio; O tratado sobre a grande perfeição da sabedoria.*

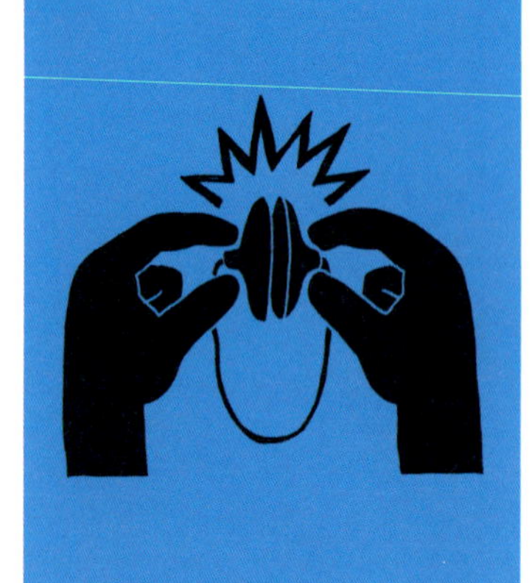

ENCENE SUAS CRENÇAS

RITUAL E REPETIÇÃO

EM CONTEXTO

PRINCIPAL MOVIMENTO
Budismo tibetano

QUANDO E ONDE
A partir do século VIII, Tibete

ANTES
300 d.C. Surgem rituais tântricos de encenação da realidade espiritual em algumas ramificações do hinduísmo na Índia.

Séculos IV-V d.C. Segundo a filosofia budista yogacara, tudo o que conhecemos da realidade é uma interpretação da mente. Por isso, ações imaginativas e simbólicas são "reais" para nós.

DEPOIS
Século XIX Estudiosos orientalistas do mundo ocidental se interessam pela ioga tântrica.

1959 Depois da invasão chinesa no Tibete, os lamas começam a ensinar o budismo tibetano tântrico em outras partes do mundo, sobretudo EUA e Europa.

No budismo tibetano, os **rituais são coloridos e imaginativos**.

O objetivo dos rituais é que os budistas tenham um envolvimento **emocional e físico**, não somente intelectual.

Esse envolvimento ajuda a sentir o que é **estar iluminado**.

Encene suas crenças.

Na maioria das formas de budismo, os rituais são simples (talvez apenas fazer uma oferenda a uma imagem de Buda). O budismo tibetano, porém, é dramático e cheio de cores. Nas adorações, os monges entoam mantras, usam toucados chamativos, tocam cornetas e fazem gestos elaborados com as mãos (*mudras*) – geralmente segurando pequenos objetos simbólicos (*vajras*) e sinos. Os seguidores do budismo também cantam, giram rodas de oração e tremulam bandeiras coloridas. Nos festivais, é comum haver encenações dramáticas e danças, com grandes imagens de pano estendidas ou penduradas nos muros dos templos, e a criação e destruição de intrincados desenhos de areia (p. 156). Como se explica e se justifica tudo isso, diante da simplicidade do caminho budista original?

Por mais de mil anos, o budismo e o hinduísmo coexistiram na Índia, influenciando-se mutuamente. Quando Padmasambhava,

Veja também: O simbolismo na prática 46-47 ▪ Vivendo no caminho dos deuses 82-85 ▪ Devoção por meio do *puja* 114-115 ▪ Budas e bodhisattvas 152-157 ▪ O sufismo e a tradição mística 282-283 ▪ Devoção ao Senhor 322

considerado o fundador do budismo tibetano, levou a religião para o Tibete no início do século VIII, a prática foi influenciada pelo budismo mahayana, que já havia chegado à China, e pela tradição devocional (bhakti) do hinduísmo, que havia se desenvolvido na Índia nos séculos anteriores. O bhakti requeria um envolvimento mais pessoal e emocional na adoração, evoluindo tanto no hinduísmo quanto no budismo com o desenvolvimento do tantra.

O tantra envolve não só o pensamento do que será alcançado pela prática espiritual, mas também um processo de "encenação". Por exemplo, em vez de simplesmente visualizar a imagem de um buda, o praticante encarna o papel do buda. Esse processo de envolvimento emocional deve ser completo, abrangendo não só o intelecto. A pessoa deve sentir como é alcançar a iluminação.

Os *mudras* feitos na adoração tântrica, portanto, são os mesmos dos retratados nas imagens de budas e bodhisattvas. Cada um dos *mudras* expressa uma qualidade específica: a mão aberta com as palmas para cima representa generosidade; o *mudra* "destemido" de levantar a mão direita como em saudação, bênção ou advertência induz o sentimento de determinação. Ao fazer esses gestos, o praticante do budismo está imitando a imagem do buda ou bodhisattva escolhido, identificando-se com o que ele representa. O propósito dos cânticos, *mudras* e outros elementos do budismo tântrico é fazer com que o praticante sinta como é o caminho da iluminação, sem precisar de explicações.

Rituais personalizados

Os rituais tântricos são realizados sob a instrução de um mestre (lama), que seleciona rituais específicos para cada indivíduo. Em outras palavras, os praticantes recebem um conjunto personalizado de imagens para visualizar, mantras para entoar e *mudras* para realizar, dependendo de suas inclinações pessoais e do que eles pretendem alcançar.

Monges budistas realizam ritual em um monastério no norte da Índia. Roupas e acessórios coloridos servem para envolver os seguidores.

Embora existam aspectos tântricos em formas públicas de adoração tibetana, grande parte dos rituais tântricos deve ser realizada de modo privado, e seus detalhes são mantidos em segredo. De qualquer maneira, seja na adoração pública ou privada, uma característica comum a todas as formas de budismo tibetano é a encenação de crenças e valores com base em ações e textos esotéricos. ■

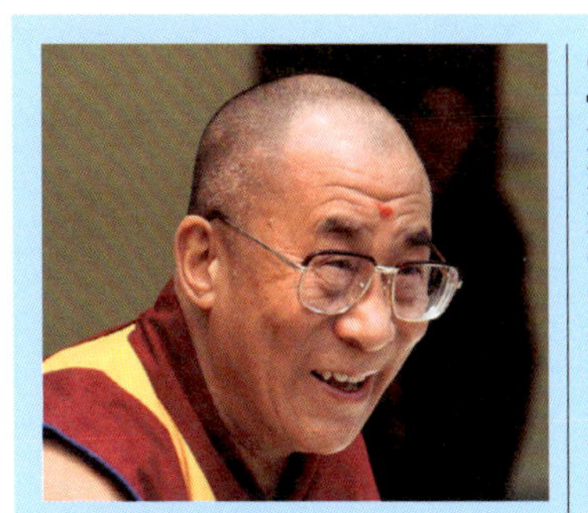

O Dalai Lama é o 14º lama da linhagem de Tsongkhapa, budista que fundou a escola Gelugpa do budismo tibetano no século XV.

Os lamas tibetanos

No budismo mahayana, um bodhisattva é alguém que decide permanecer na Terra para ajudar os outros, talvez por muitas vidas (p. 155). O budismo tibetano desenvolve a ideia com o conceito de *tulku*, ou "lama reencarnado" – lama é o título concedido a um mestre budista sênior no Tibete. Segundo a tradição, quando um grande lama morre, outro lama nasce para continuar seu trabalho. Para certificar-se de que a criança candidata é realmente a reencarnação do lama, ela deve identificar objetos da vida passada. Existem centenas de *tulkus*. Talvez o mais conhecido seja o Dalai Lama, considerado a reencarnação de Avalokiteshvara, um bodhisattva de compaixão e divindade de proteção do Tibete. Mesmo sendo a última manifestação do bodhisattva, o Dalai Lama vive como um ser humano comum, apesar de sua incrível vocação para expressar a natureza de Avalokiteshvara no mundo atual.

DESCUBRA SUA NATUREZA BUDA

INSIGHTS ZEN ALÉM DAS PALAVRAS

EM CONTEXTO

PRINCIPAL ACONTECIMENTO
O desenvolvimento do zen-budismo

QUANDO E ONDE
Séculos XII-XIII d.C., Japão

ANTES
Século VI a.C. Buda ensina meditação como forma de aprimorar a percepção e alcançar a iluminação.

Século VI d.C. O monge budista Bodhidharma leva o budismo ch'an para a China. Conta-se que ele promoveu a prática de artes marciais no templo Shaolin.

DEPOIS
Décadas de 1950-1960 As ideias zen tornam-se populares na contracultura ocidental, conforme evidenciado na obra de poetas da geração beat e no livro de Robert Pirsig, *Zen e a arte da manutenção de motocicletas*. Formam-se muitos grupos de meditação zen, e o primeiro mosteiro zen da Califórnia é fundado.

O termo zen e seu equivalente chinês, ch'an, significam simplesmente "meditação". Como tradição da prática budista, o zen é atribuído ao monge indiano Bodhidharma, que o levou à China em 520 d.C., sendo definido como "uma transmissão direta da consciência desperta, além da tradição e além das escrituras".

Essa definição ressalta o elemento central do zen: a busca da iluminação espontânea, como resultado do esvaziamento da mente, sem a necessidade de argumentos racionais, textos ou rituais. Em outras palavras, o zen cria as condições ideais para que a confusão mental, que impede a clareza da

Veja também: O alinhamento do eu com o tao 66-67 ▪ O sufismo e a tradição mística 282-283 ▪ A cultivação da energia vital no Falun Dafa 323

O uso de palavras – seja em rezas ou em conversas – **cria confusão mental**.

Quando pensamos e lemos em silêncio, **mais "palavras"** são criadas em **nossa cabeça**.

No momento em que queremos encontrar respostas, nosso **desejo turva a mente**.

Se quisermos descobrir nossa natureza Buda, precisamos **esvaziar nossa mente** de todas essas coisas.

Com a mente vazia, teremos **insights e entendimentos** além das palavras.

mente, seja substituída pelo insight direto.

O zen-budismo dá continuidade a uma tradição que remonta aos primeiros dias dos ensinamentos budistas. Reza a lenda que um dia, cercado pelos discípulos, Buda pegou uma flor e girou-a na mão, sem dizer nem uma palavra. Um dos discípulos, Kasyapa, sorriu. Ele havia entendido o que o mestre queria dizer. O insight silencioso foi transmitido de mestre para discípulo por 28 gerações, até chegar a Bodhidharma, que o levou para a China, de onde ele se espalhou para o Japão. Portanto, em vez de um produto do desenvolvimento das duas principais ramificações budistas (o budismo theravada e o budismo mahayana, p. 330), o zen-budismo considera-se uma religião de desenvolvimento independente.

A mentalidade de Buda

Uma ideia central no budismo é a de que a infelicidade existencial é causada pela ilusão de que cada pessoa tem um ego fixo, separado do resto do mundo, mas apegado a ele, tentando abarcar suas mudanças.

O zen-budismo chama isso de mente pequena e superficial, uma forma de pensar inata, influenciada mais tarde pelo meio. Segundo a tradição zen, contudo, as pessoas também nascem com uma "mente de Buda", livre do pensamento »

Nishida Kitaro

Nishida Kitaro (1870-1945) estudou zen-budismo e história da filosofia ocidental, procurando expressar os ensinamentos budistas com termos do Ocidente. Deu aulas na Universidade de Kyoto de 1910 a 1928 e fundou a Escola de Filosofia de Kyoto.

O filósofo japonês afirmava que a experiência pura ocorria antes da divisão entre sujeito e objeto, ser e mundo – exatamente a mesma distinção do zen-budismo, entre a mente egoica e a unidade indiferenciada da mentalidade de Buda (veja à esquerda). Nishida comparou sua observação com as ideias do filósofo alemão Immanuel Kant (1724-1804), que distinguia a experiência pessoal (fenômeno) das coisas em si (númeno), este último, incognoscível. Nishida chegou a apresentar a ideia de Deus como base da realidade e de nossa "verdadeira essência", comparando o zen-budismo com os pensamentos de Heidegger, Aristóteles, Bergson e Hegel.

Obra-chave

1911 *A study of good.*

Segundo a filosofia soto zen, basta sentar e meditar para alcançar a iluminação. O silenciamento da mente desfaz a ilusão do ser.

egocêntrico conceitual, mas essa mente é ofuscada pela confusão da mente pequena. O trabalho não é desenvolver uma mente de Buda, mas descobrir algo que já estava lá o tempo todo.

De acordo com o mestre zen-budista Dogen, nossa verdadeira essência não é o ego superficial que temos agora, mas a "face original" que tínhamos antes de nascer. Só quando desenvolvemos nossas próprias "faces" é que nos vemos como entidades isoladas e egocêntricas. Dogen sugere, portanto, que procuremos reconhecer quem fomos antes de sermos condicionados pela vida e pela experiência.

O zen-budismo no Japão

O zen-budismo possui duas grandes vertentes: o zen rinzai e o zen soto. O zen rinzai foi estabelecido no Japão no século XII por Eisai e reformado no século XVIII por Hakuin. Essa escola apresentou a visão zen de que o mundo é uma ilusão e de que a verdadeira realidade é uma simples e indivisível unidade. O zen-budismo não tem escrituras ou ensinamentos formais. É uma tradição oral de meditação, passada de mestre para discípulo – daí a importância da prática somente sob a orientação de um mestre.

Uma característica fundamental do zen rinzai, introduzida por Hakuin, é a utilização de *koans* – perguntas irrespondíveis que desestruturam o pensamento convencional. Talvez o *koan* mais conhecido seja: "Qual o som de uma única mão batendo palma?". Quem julga saber a resposta de um *koan* deve pensar de novo e abrir mão de todas as ideias preconcebidas. A análise racional de um *koan* (ou um *mondo*, diálogo zen) dificilmente produzirá grandes insights, pois é fácil cair nos parâmetros do pensamento discursivo. Um mestre zen tomará o cuidado para que isso não aconteça.

Como resultado da prática zen, o indivíduo pode repentinamente atingir o estado de *satori* (insight ou iluminação). Esse estado não é uma condição permanente, mas uma experiência momentânea que pode se repetir muitas vezes. Acontece quase por acaso e não pode ser forçado, porque o desejo de atingir o *satori* é uma forma de apreensão. O zen não procura definir a realidade ou a natureza do *satori*.

O zen soto foi desenvolvido no Japão no século XIII pelo mestre Dogen, que tinha viajado para a China e encontrado uma tradição de meditação chamada ts'ong tung. Sua forma de meditação é muito diferente da meditação do zen rinzai. Em vez de tentar atingir a percepção de maneira repentina, o zen soto baseia-se na meditação sentada (*zazen*) e em um processo mais gradual de iluminação.

Segundo o zen-budismo soto, podemos prescindir das tradições e dos rituais religiosos. A iluminação pode ser alcançada pela prática do *zazen*, que consiste em sentar-se de pernas cruzadas de frente para uma parede branca por um tempo e depois caminhar de maneira contemplativa (uma técnica conhecida como *kinhin*). Em meditação, a mente esvazia-se do fluxo de ideias, gerando iluminação. A pessoa não se senta para meditar com o objetivo de atingir

Se você entender a primeira palavra do zen, saberá a última. A última e a primeira: não são uma única palavra.
Mumon

Se encontrares Buda no caminho, mata-o!
Koan zen

a iluminação. No próprio ato de meditar, a pessoa *já* está iluminada. Iluminação é silenciar a mente e desfazer a ilusão de um ser à parte.

Além das palavras

Na meditação zen, o que vemos não pode ser descrito. A atenção cuidadosa à caligrafia ou ao ato de varrer areia num jardim – práticas comuns no zen-budismo – pode ajudar a mente a se libertar do constante processo de pensar, ajudando-nos a entrar em harmonia com a natureza. É por isso que o zen-budismo encontra expressão em diversas formas artísticas, desde arranjos de flores até design de computadores.

A prática zen está relacionada a criar situações que aumentem a percepção, sem tentar explicá-las racionalmente. Tentar descrever a meta do zen-budismo é uma contradição em si. O objetivo do zen é esvaziar o conteúdo da mente, que não faz parte dela. O zen não é um estudo, mas um exercício. E se atingirmos o *satori* ou iluminação, não conheceremos nada novo – tudo o que se sabe é que não é necessário saber tudo. Repleto de paradoxos propositais, o zen-budismo busca quebrar os processos normais do pensamento lógico.

Tentar descrever algo é uma forma de apego, e esse apego é o que Buda descreveu como a causa do sofrimento. Num mundo onde as pessoas desejam adquirir coisas, ter conhecimento e insight como bens pessoais, o zen é a frustração máxima. Colecionar artefatos zen jamais poderia resultar na compreensão do que existe por trás de sua produção. Zen é desapego.

Em alguns aspectos, o zen retoma a primeira fase do budismo, antes de imagens de budas e bodhisattvas, práticas devocionais e escrituras reverenciadas. A iluminação é para todo mundo. Aliás, todo mundo já está iluminado, só que não reconhece. O zen prescinde de quase tudo relacionado à religião e apresenta-se como um caminho de insight e compreensão, sem o aprisionamento religioso.

O zen-budismo também é deliberadamente anárquico, suas histórias, provocativas, e seus mestres, notoriamente provocadores. Conta-se que quando pediram a Bodhidharma para sintetizar a ideia do budismo, ele respondeu: "Um amplo vazio. Um nada sagrado". Não o que se esperava, mas bem preciso. ■

Este *koan* visa demonstrar que **vento, bandeira e mente** não são inerentemente diferentes. A externalização é uma função da mente egoica, não da mentalidade indiferenciada de Buda.

JUDAÍSM

A PARTIR DE 2000

0

A.C.

A **era dos patriarcas**, Abraão, seu filho Isaac, e seu neto, Jacó.

c. 2000-1500 a.C.

c. 1300 a.C.

Moisés liberta os israelitas da escravidão do Egito e conduz o povo a **Canaã, a terra prometida**, onde recebe a **Torá**.

Reinado de **Davi**, o "enviado" de Deus ou "Messias", em Israel.

c. 1005-965 a.C.

INÍCIO DO SÉCULO VI a.C.

Os babilônios conquistam o reino de Davi e em 586 a.C. destroem o primeiro templo de Jerusalém.

Milhões de judeus morrem em duas **rebeliões contra o Império Romano** e novamente são expulsos de Israel.

70 e 135 d.C.

200 d.C.

Compilação da Mishná, uma versão escrita da **lei oral judaica**.

Conclusão do **Talmud**, que inclui a Mishná e a Guemará (comentários sobre a Mishná).

c. 425 d.C.

900-1200

A **Era Dourada da cultura judaica na Espanha**. O filósofo Maimônides escreve obras de grande influência.

Compilação do **Zohar**, obra-chave da cabala (o misticismo judaico) de autoria atribuída a Rabi Shimon bar Yochai.

1250

Uma das mais antigas religiões existentes, o judaísmo originou-se das crenças do povo de Canaã, no sul do Oriente Médio, há mais de 3.500 anos, e está intimamente ligado à história do povo judeu. A Bíblia hebraica, o Tanach, conta não só a história da criação do mundo por parte de Deus, como também a história de sua relação com os judeus.

A aliança, ou pacto, de Deus com o povo judeu começou com a promessa a Abraão de que ele seria o pai de um grande povo. Deus disse a Abraão que seus descendentes deveriam obedecer-lhe e adotar o rito da circuncisão como um sinal da aliança. Em troca, Deus os guiaria, protegeria e lhes daria a terra de Israel. Abraão, por sua fé, foi agraciado com um filho, Isaac, que também teve um filho, Jacó, pai das doze tribos de Israel, conforme relata o Tanach. Abraão, Isaac e Jacó são conhecidos como os patriarcas – os ancestrais físicos e espirituais do judaísmo.

O Tanach conta a história de Jacó e seus descendentes, escravizados no Egito e mais tarde libertados por Moisés, segundo a ordem de Deus em Êxodo. Como parte da aliança com Deus, Moisés recebeu a Torá (os cinco livros de Moisés) no monte Sinai e conduziu seu povo de volta à terra de Israel, onde o povo se estabeleceu. Mais tarde, Deus aponta Davi – o ungido – como rei, originando a crença de que um descendente de Davi viria para instaurar uma nova era para o povo judeu. O filho de Davi, Salomão, construiu um templo em Jerusalém, como símbolo da soberania do povo judeu na terra de Israel, mas os judeus foram obrigados a abandonar a "terra prometida", e o templo foi destruído duas vezes: a primeira, pelos babilônios no século VI a.C., e a segunda, depois que eles voltaram, sendo subjugados pelo Império Romano, no século I d.C.

A diáspora

Como resultado do domínio estrangeiro, ocorreu a diáspora do povo judeu. Alguns judeus, mais tarde conhecidos como sefarditas, fixaram-se nos territórios que hoje correspondem aos atuais Espanha, Portugal, África do Norte e Oriente Médio, mas a maioria, os asquenazes, formou comunidades na Europa Central e Oriental. A separação geográfica ocasionou diferenças inevitáveis no desenvolvimento do judaísmo entre os grupos, e surgiram

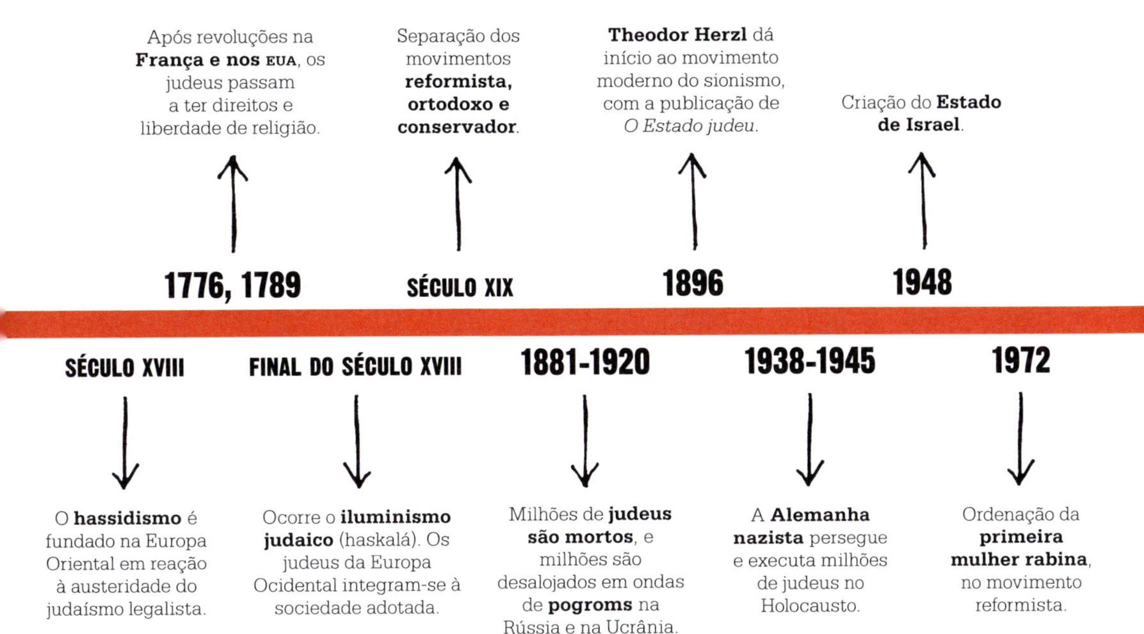

diversas tradições religiosas. Na Espanha, a Era Dourada da cultura judaica (do século X ao século XII) produziu grandes filósofos, como Moisés Maimônides. O local também foi centro de interesse dos aspectos mais místicos do judaísmo, conhecidos como cabala. No Leste Europeu, indivíduos de pequenos povoados judaicos isolados, os shtetls, chegaram à conclusão de que a erudição da religião não promovia o fortalecimento dos laços comunitários, e o resultado disso foi o surgimento do hassidismo, um movimento mais espiritual. Nos séculos seguintes, ocorreram mais divisões no judaísmo, de modo geral pelas diferentes interpretações da lei judaica. O judaísmo ortodoxo defende a observância estrita à Torá, considerada um livro de autoria divina, enquanto o judaísmo conservador e reformista assume uma abordagem menos rígida, considerando a Torá mais como um conjunto de diretrizes, não de obrigações. Uma questão que dividiu as diferentes ramificações do judaísmo no século XX foi o papel da mulher. Apesar da doutrina de que a identidade judaica é transmitida apenas pela linhagem maternal, as mulheres não puderam desempenhar um papel ativo nas cerimônias religiosas até bem pouco tempo atrás.

Opressão e identidade

Em grande parte por conta da condição de imigrantes deslocados e de sua religião distinta, os judeus foram bastante perseguidos ao longo da história. Em muitos lugares, o povo judeu foi isolado em guetos, sofrendo graves difamações e ataques. A partir do século XVIII, países como os Estados Unidos e a França passaram a garantir os direitos do povo judeu, iniciando um movimento de maior integração. Essa medida, porém, levantou uma questão de identidade. O povo judeu é um grupo religioso, étnico, cultural ou nacional? O sionismo, que surgiu em resposta, reivindicava a formação de um Estado judaico, o que se concretizou após o Holocausto com a formação do Estado de Israel em 1948. Atualmente, é difícil precisar quantos seguidores do judaísmo existem no mundo, porque muitos daqueles que se dizem judeus não praticam a religião ativamente. No entanto, a estimativa é de que existam 13 milhões de judeus no mundo todo, a maioria vivendo na América do Norte ou em Israel. ■

EU VOS TOMAREI POR MEU POVO E SEREI VOSSO DEUS

A ALIANÇA DE DEUS COM ISRAEL

EM CONTEXTO

PRINCIPAL TEXTO
A Torá

QUANDO E ONDE
c. 1000-450 a.C., Oriente Médio

ANTES
c. 1300 a.C. Tratados reais hititas servem de modelo para a descrição de aliança da Torá.

DEPOIS
200-500 d.C. A Mishná e o Talmud codificam a "lei oral", ou ensinamentos rabínicos, e apresentam interpretações e orientações bíblicas referentes à aliança.

1948 Na esteira da Segunda Guerra Mundial, o Estado de Israel é fundado, permitindo que o povo judeu voltasse para sua terra natal.

1990 A teóloga americana Judith Plaskow propõe a reinterpretação dos textos tradicionais que excluem as mulheres da aliança.

Deus pediu para Abraão **deixar sua casa** e sua **família** e ir para um lugar que Ele lhe mostraria.

Se Abraão assim o fizesse, **Deus prometeu** recompensá-lo. Essa promessa ficou conhecida como **a aliança**.

A promessa era a de que, enquanto Abraão e seus descendentes obedecessem a Deus, **Ele protegeria seus descendentes** e lhes concederia a terra de Canaã para sempre.

"Eu vos tomarei por meu povo e serei vosso Deus."

A aliança, ou pacto, de Deus é o conceito central do judaísmo, remontando às crenças dos israelitas, um antigo povo do Oriente Médio. Os judeus, aliás, veem-se ligados a Deus por uma série de alianças. A aliança abraâmica foi a primeira, distinguindo os israelitas como o povo escolhido de Deus, enquanto as alianças mosaicas posteriores (mediadas por Moisés) reforçaram esse laço inicial.

Os israelitas, por vezes chamados de hebreus, eram um povo que ocupava parte de Canaã, a região equivalente à atual Palestina e Israel, provavelmente desde o século XV a.C. Por volta de 1200 a.C., num período em que essa parte do mundo estava sob domínio egípcio, o termo "Israel" como povo foi mencionado numa inscrição pela primeira vez.

No século VI a.C., muitos israelitas foram obrigados a exilar-se na Babilônia. Durante esse período de exílio, grande parte da Bíblia hebraica, ou Bíblia judaica, foi composta. Ela relata a história do povo israelita, registrando a origem de suas crenças religiosas.

A primeira aliança

Como muitos povos do antigo Oriente Médio, os israelitas eram politeístas, mas cultuavam um "deus nacional", que oferecia proteção especial para seu povo. Os judeus acabaram, mais tarde, considerando o nome de Deus muito sagrado para pronunciar e decidiram retirar as vogais originais, chegando ao nome YHVH (provável pronúncia: "iavé"). YHVH também ficou conhecido por diversos outros nomes, como El e Elohim, que significam "Deus".

De acordo com o Gênesis, o primeiro dos cinco livros da

Veja também: O animismo nas sociedades primitivas 24-25 ▪ Sacrifício e sangue como oferendas 40-45 ▪ O peso da observância 50 ▪ Um desafio à aliança 198

Torá (a primeira parte da Bíblia hebraica), foi por decreto de Deus que os israelitas se estabeleceram em Canaã. Ele chamou um homem, Abraão, nascido na cidade-estado mesopotâmica Ur (atual Iraque), e ordenou-lhe que viajasse para um lugar chamado Canaã, que deveria se tornar a terra israelita. A Torá conta que, em Canaã, Deus fez uma aliança com Abraão, similar a uma espécie de privilégio real que os reis da época concediam aos súditos leais. O pacto estipulava que, em recompensa à lealdade de Abraão, Deus lhe concederia muitos descendentes, os quais herdariam a terra. Como sinal do pacto, Abraão e todos os homens da casa fizeram circuncisão. Até hoje, os meninos judeus são circuncidados no oitavo dia de vida como sinal da aliança.

Abraão teve dois filhos, Ismael e Isaac. Deus abençoou Ismael, prometendo que ele se tornaria o pai de uma grande nação. Mas foi Isaac que Deus escolheu para dar continuidade à aliança do pai, aparecendo para ele diretamente. Isaac, por sua vez, transferiu a aliança ao filho Jacó, que foi batizado "Israel" por Deus e transferiu a aliança a todos os seus descendentes.

A lealdade de Abraão foi testada quando Deus lhe pediu para sacrificar o filho Isaac. No último momento, Deus enviou um anjo para deter Abraão, conforme retratado neste quadro do século XVIII.

Abraão, Isaac e Jacó são conhecidos como os três patriarcas de Israel, porque representam as três primeiras gerações envolvidas na aliança com Deus.

A aliança no monte Sinai

A Torá conta que, quando a fome devastou a terra de Canaã, Jacó e os filhos migraram para o Egito, onde seus descendentes se tornaram escravos. Várias gerações depois, já com uma grande população israelita no Egito, Deus designou Moisés, um israelita criado na corte egípcia, para libertar o povo da escravidão e conduzi-lo de volta à terra de Canaã. A fuga dos israelitas do Egito (o êxodo) envolveu muitos milagres: Deus assolou os egípcios com pragas – entre elas a praga das úlceras e das águas do rio Nilo, que se converteram em sangue – e abriu o mar Vermelho para que os israelitas pudessem passar. Com esses milagres, Deus demonstrou seu poder e lealdade em relação à aliança estabelecida com os patriarcas.

Após libertar os israelitas do Egito, e antes de fazê-los entrar em Canaã, Deus conduziu-os a um monte chamado Sinai, ou Horebe. Moisés subiu ao monte Sinai para falar com Deus, e uma nova aliança entre Deus e o povo de Israel foi estabelecida: Deus salvaria os israelitas, que seriam seu "tesouro", caso eles observassem os mandamentos entregues a Moisés. »

A Bíblia hebraica

A Bíblia hebraica ou judaica, as escrituras sagradas do povo judeu, é um conjunto de textos compostos quase todos em hebraico ao longo do primeiro milênio a.C. Com algumas variações na sequência e no conteúdo, essas escrituras compõem o Antigo Testamento, ou a primeira parte da Bíblia cristã.

Na tradição judaica, a Bíblia é dividida em três partes. A primeira, chamada Torá, ou Pentateuco, descreve a criação do mundo e a aliança de Deus com Israel, apresentando os preceitos que o povo israelita deveria cumprir. Tradicionalmente, a autoria da Torá é atribuída a Moisés, mas estudiosos modernos acreditam que ela foi escrita por diversos autores ao longo dos séculos.

A segunda parte da Bíblia, Profetas, consiste numa narrativa da história israelita, que vai desde a entrada do povo em Canaã até o fim de seu reinado, quando a capital e o templo foram destruídos e o povo, expulso. Contém também os escritos dos profetas.

A parte final, Escritos, é um conjunto de textos compostos mais tarde.

De acordo com a Torá, Deus pronunciou os mandamentos em voz alta, do alto do monte Sinai, coberto de fogo e nuvens, enquanto todo o povo de Israel ouvia lá de baixo. Segundo a tradição, esses mandamentos foram escritos diretos por Deus em duas tábuas de pedra que Moisés trouxe do monte, embora a Torá não seja totalmente clara em relação a esse ponto. Moisés, decepcionado, quebrou as tábuas quando viu que os israelitas haviam construído um deus falso – um bezerro de ouro – em sua ausência e voltou ao monte Sinai para receber mais duas tábuas, que foram colocadas numa arca de ouro chamada a Arca da Aliança. A arca tinha aduelas para que pudesse ser carregada pelos israelitas em seu caminho a Canaã.

Os mandamentos

Os mandamentos mais famosos da aliança no Sinai são os "Dez Mandamentos", ou decálogo, que abrangem as principais regras da aliança de Israel. Os mandamentos proíbem a adoração a outros deuses ou a representação gráfica de Deus, requerem que os israelitas guardem um dia sagrado de descanso na semana, o Shabat, e proíbem certas ações, como matar e cometer adultério.

A ti, e à tua raça depois de ti, darei a terra em que habitas, toda a terra de Canaã, como possessão perpétua, e serei o vosso Deus.
Gênesis 17,8

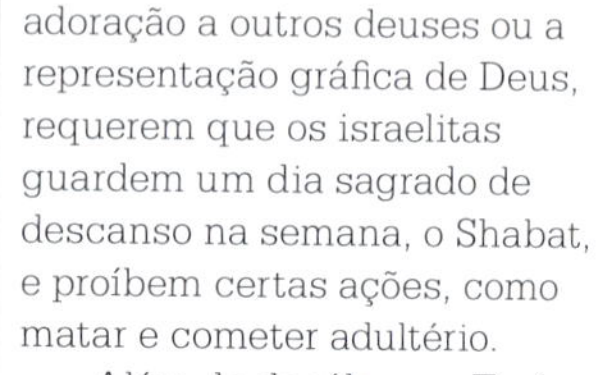

Além do decálogo, a Torá inclui inúmeras leis que Deus teria transmitido indiretamente aos israelitas por Moisés, tanto no Sinai quanto em outras ocasiões. Essas leis também fazem parte da aliança. De acordo com o cálculo do Talmud (a interpretação rabínica da lei judaica), existem 613 preceitos na Torá, referentes a diversos aspectos da vida dos israelitas em Canaã. Alguns representam o que consideraríamos leis civis, com sistemas de governo, regulamentações relacionadas a disputas de propriedade e diretrizes referentes a casos de roubo e assassinato, entre outros assuntos. Outros se relacionam à construção de um

Quando os israelitas saíram do Egito durante o Êxodo, Deus os protegeu e lhes deu comida, como mostra esta obra do século XV, *The gathering of the manna*.

santuário para rezar a Deus e oferecer sacrifícios, realizados por uma classe sacerdotal hereditária. Outros, ainda, direcionam o comportamento dos israelitas, instruindo-os em relação ao que se pode comer, com quem se pode casar e como tratar os semelhantes com dignidade humana. De um modo geral, o objetivo dos preceitos era estabelecer uma sociedade justa, de acordo com os padrões da época, que se destacasse no serviço divino.

O último livro da Torá, Deuteronômio, descreve uma terceira aliança entre Deus e Israel, estabelecida na terra de Moab (atual Jordânia) antes de os israelitas entrarem em Canaã. Está escrito que Deus ordenou a Moisés que ele fizesse esse pacto adicional com o povo de Israel. O livro de Deuteronômio é o discurso final de Moisés, que morreria antes de chegar à terra prometida. Moisés lembra o momento de salvação, transmite mais mandamentos recebidos no monte Sinai e promete que Deus abençoará os israelitas se eles obedecerem aos preceitos. Caso contrário, o povo será amaldiçoado. A aliança em Moab reafirma a lealdade dos israelitas em relação a Deus e seus mandamentos.

A aliança na prática

Em princípio, os judeus tradicionais consideram as leis da Torá irrevogáveis. No entanto, os preceitos foram sujeitos a séculos de interpretação, e muitos já não se aplicam na prática. Certas leis referentes à soberania dos reis, por exemplo, perderam o sentido após a queda da monarquia no século VI a.C., e os sacrifícios não são realizados desde a destruição do templo em Jerusalém pelos romanos, em 70 d.C. Além disso, muitas das leis da Torá estão vinculadas à agricultura, sendo consideradas obrigatórias só em Israel. Atualmente, os judeus lidam com os preceitos e suas interpretações das maneiras mais diversas. Os judeus tradicionais observam o Shabat, as festas e leis de *kashrut* (leis relacionadas à alimentação, como evitar certas carnes e não misturar carne com leite), entre outras. Para muitos judeus modernos, porém, as leis essenciais são as relacionadas à ideia de amar ao próximo como a si mesmo. Judeus progressistas costumam citar uma frase atribuída a Rabi Hillel, o Ancião, sobre a regra de ouro: "Não faça com os outros o que você não gostaria que fizessem com você. Essa é a essência da Torá. O resto é comentário". »

Os rituais do judaísmo, como acender velas antes do Shabat, o dia de descanso, servem para lembrar aos judeus do laço criado na aliança com Deus.

Noé é uma figura importante não só no judaísmo e no cristianismo, mas também no islamismo. Sua aliança

A aliança com Noé

Além da aliança de Deus com Israel, a Torá também fala de uma aliança de Deus com todos os seres vivos. Deus fez essa aliança com Noé, cuja família sobreviveu a um dilúvio que acabou com quase toda a vida na Terra. A aliança estipulava que Deus jamais destruiria o mundo de novo. Como no caso dos patriarcas de Israel, Deus também prometeu a Noé muitos descendentes. O símbolo da aliança de Deus com Noé seria o arco-íris, que, a partir daquele momento, serviria como lembrete da promessa de segurança divina. Mais tarde, os estudiosos afirmaram que a aliança incluía sete leis, válidas para toda a humanidade. As "sete leis de Noé" proibiam a idolatria, o assassinato, a blasfêmia, o roubo, a imoralidade sexual (como o incesto) e o consumo de determinadas carnes, e requeriam a criação de tribunais de justiça.

A lealdade dos israelitas a Deus foi testada nos quarenta anos de exílio no deserto. Esse período é celebrado no festival de Sucot, no qual se constroem cabanas em referência à moradia da época do exílio.

A terra prometida

Em sua aliança com Abraão, Deus concedeu a terra de Canaã aos descendentes do patriarca como uma dádiva inviolável. No entanto, em diversos trechos da Bíblia, está escrito que a propriedade da terra por parte dos israelitas está condicionada à observância dos preceitos. Essa condicionalidade explicaria por que os israelitas acabaram sendo derrotados pelos inimigos e exilados de sua terra. Algumas partes da Torá incluem o exílio entre as maldições que se abateriam sobre os israelitas caso eles violassem os pactos feito no monte Sinai e em Moab. Muitos estudiosos atuais acreditam que essas passagens foram escritas em resposta a esses eventos.

Ao mesmo tempo, a Torá afirma que Deus nunca abandonou a aliança com os patriarcas. No exílio, os israelitas tiveram a oportunidade de se arrepender, e Deus os conduziu de volta à terra, fazendo valer o pacto com Abraão. Desse modo, a promessa da terra, embora condicional, é eterna. Os israelitas podem perder a terra por um tempo devido aos pecados que cometeram, mas não devem perder a esperança de voltar.

Agora, se ouvirdes a minha voz e guardardes a minha aliança, sereis para mim uma propriedade peculiar entre todos os povos.
Êxodo 19,5

O "povo escolhido"

A Torá não dá muitas explicações sobre por que Deus escolheu os patriarcas e seus descendentes, mas ressalta que, em virtude da aliança estabelecida, os israelitas foram privilegiados em relação às outras nações. Os autores da Bíblia não consideram o povo israelita inerentemente superior a outros povos – ao contrário, o povo é descrito como pecador e indigno –, mas reconhecem sua condição de especial. Como os judeus acreditam que seu deus é o Deus que governa todo o mundo, seu status de nação escolhida assumiu uma importância ainda maior.

Ao longo de toda a história, os judeus se perguntaram por que Deus os escolheu e quais as implicações dessa escolha em seu lugar no mundo. Antigos sábios afirmam que não foi Deus quem escolheu Israel, mas os israelitas é que escolheram Deus. Segundo a tradição, Deus ofereceu os mandamentos a todas as nações da Terra, mas só Israel aceitou. Todas as outras nações consideraram o fardo pesado demais. De acordo com essa visão, o status dos israelitas não é resultado de uma escolha divina, mas produto do livre-arbítrio. Ao mesmo tempo, essa visão parece negar a liberdade de escolha, uma vez que os indivíduos são responsabilizados pelas decisões de seus ancestrais.

Algumas tradições do misticismo judaico, da época da Idade Média, sugerem uma perspectiva diferente, afirmando que as almas dos judeus foram escolhidas no momento da criação, sendo superiores às almas dos não

O significado da história judaica gira em torno da lealdade de Israel à aliança.
Abraham Joshua Heschel, rabino polonês

judeus. No entanto, grandes pensadores das principais vertentes do judaísmo (ortodoxo moderno, conservador e reformista) rejeitam veementemente qualquer diferenciação entre a essência de um judeu e um não judeu. Os pensadores do judaísmo moderno costumam ver a aliança como um ato de imposição aos judeus, que devem viver de acordo com a vontade de Deus e transmitir sua verdade para o mundo. Alguns afirmam que Israel não é a única nação escolhida por Deus e que outros povos devem ter sido escolhidos para cumprir outras missões. Judeus liberais rejeitam a ideia de "povo escolhido", uma vez que ela pressupõe superioridade em relação a outros povos, estimulando o etnocentrismo.

Fazendo parte da aliança

O judaísmo tradicional sustenta que o status na aliança é transmitido de mãe para filho. Portanto, o filho de uma mãe judia é automaticamente judeu e obrigado a cumprir os preceitos. Esse status herdado não se perde. Um judeu que não observa os preceitos está violando a aliança, mas não deixa de ser judeu. Por outro lado, um não judeu pode se tornar judeu por meio da conversão. De acordo com a lei rabínica, um convertido ao judaísmo deve aceitar os preceitos judaicos e realizar um banho de imersão, conhecido como *mikve* (no caso dos homens, é necessário também fazer circuncisão). A partir da conversão, o indivíduo assume todos os direitos e deveres de um judeu.

Tradicionalmente, a conversão ao judaísmo envolvia um estrito regime de observância. Hoje, o judaísmo progressista enfatiza a autonomia individual para determinar quem é judeu e quais as suas obrigações. Tanto no judaísmo reformista americano quanto no judaísmo liberal britânico, os filhos de pais judeus com mães não judias são considerados judeus se eles se identificarem como tal, sem necessidade de conversão.

A despeito das diversas crenças e práticas, o conceito de aliança continua sendo fundamental nas diversas correntes do judaísmo. A aliança representa e define o propósito de um judeu no mundo, ligando-o a seu povo ao longo da história e a seu Deus. ■

Como um indivíduo passa a fazer parte da aliança depende da religião ou, em outros contextos, da religião dos pais. O judaísmo não procura ativamente converter pessoas, mas aceita bem aqueles que demonstram compromisso e sinceridade.

Se sua **mãe é judia** e seu pai, não, **você é judeu** e jamais deixará de ser.

Se apenas seu **pai é judeu**, algumas vertentes atuais do judaísmo **o aceitarão** sem necessidade de conversão.

Se nenhum de seus pais é judeu, você **pode se converter** ao judaísmo, seguindo os rituais apropriados.

NÃO EXISTE OUTRO DEUS ALÉM DE MIM

DA MONOLATRIA AO MONOTEÍSMO

EM CONTEXTO

PRINCIPAL FONTE
Livro de Isaías

QUANDO E ONDE
c. 540 a.C., Babilônia/Reino de Judá

ANTES
1400-1200 a.C. O profeta Zoroastro forma uma nova religião com um único deus supremo.

c. 1000 a.C. A "Canção do Mar", um poema bíblico do livro de Êxodo, proclama YHVH como deus supremo sobre outros deuses.

c. 622 a.C. O rei Josias de Judá proíbe o culto a outros deuses que não sejam YHVH.

DEPOIS
c. 20 a.C.-40 d.C. Fílon de Alexandria diz que o monoteísmo bíblico prenunciou as concepções filosóficas gregas posteriores relacionadas a Deus.

Século VII O islamismo é revelado para o profeta Maomé, e o monoteísmo suplanta as crenças politeístas das tribos da Arábia.

YHVH é o **deus supremo**. Seu poder é universal e eterno.

Como é **onipotente**, não precisa de subordinados.

Nenhum outro ser pode **revogar** seus decretos.

Até **acontecimentos** que prejudicam seu povo – os israelitas – são **coordenados por ele**.

Tanto o "bem" quanto o "mal" do mundo fazem parte de **seu plano**.

Não existe nenhum outro deus além de YHVH.

Os primeiros autores da Bíblia judaica parecem reconhecer a existência de vários deuses, mas insistem na soberania do chamado YHVH, o único deus que os israelitas deviam reverenciar. Em algum momento do período bíblico, então, o povo judeu abandonou a reverência exclusiva a um único deus entre muitos (monolatria) e passou a acreditar na existência de um só deus (monoteísmo).

A supremacia de YHVH

Além da visão dos autores da Bíblia, evidências arqueológicas sugerem que os antigos israelitas reverenciavam diversos deuses locais. Os profetas do deus YHVH, cujos escritos compõem grande parte da Bíblia, censuraram severamente o povo por essa prática. Não se sabe ao certo se os profetas eram todos verdadeiramente monoteístas, mas eles acreditavam no poder e na supremacia de YHVH sobre todas a nações.

Em 722 a.C., os assírios conquistaram o Reino de Israel e expulsaram o povo. Cerca de 130 anos depois, os babilônios conquistaram o território sul do povo judeu, conhecido como Reino de Judá. No Oriente Médio,

Veja também: Crenças para novas sociedades 56-57 ▪ A batalha entre o bem e o mal 60-65 ▪ A aliança de Deus com Israel 168-175 ▪ Definindo o indefinível 184-185 ▪ A unidade da divindade é necessária 280-281

O povo de Israel foi derrotado pelos assírios no século VIII a.C. e expulso de sua terra, como mostra este relevo do palácio de Senaquerib, em Nínive.

conquistas como essas eram interpretadas como vitórias do deus do povo vitorioso sobre o povo derrotado, de modo que a supremacia de YHVH parecia ameaçada. Os profetas, no entanto, afirmaram que aqueles acontecimentos, na verdade, eram obra de YHVH: ele estava usando as outras nações para punir os israelitas por violarem a aliança divina (pp. 168-175).

Nenhum Deus além de YHVH

Os judeus voltaram do exílio na Babilônia para sua terra natal em 538 a.C., sob decreto de Ciro, o Grande, imperador da Pérsia, onde a religião zoroastrista predominava.

Mais ou menos nessa época, surgiu a primeira articulação clara do monoteísmo na Bíblia, num livro conhecido como o "Livro de Isaías". O texto enfatizava que YHVH criou e governa o mundo sozinho. A restauração de Israel é um sinal do controle de YHVH sobre a história, tanto transcendente quanto pessoal: ele determina as ações dos reis, mas também conduz seu povo à salvação, como um pastor conduzindo seu rebanho.

O problema do mal

O monoteísmo suscita o "problema do mal", ou seja, se há apenas um Deus justo e misericordioso conforme está escrito na Bíblia, como ele pode presidir um mundo onde os justos sofrem? Este é o tema do livro de Jó. O livro conta a história de um homem justo que questiona Deus pelo terrível infortúnio de sua vida. A resposta de Deus dá a entender que não existe resposta: o ser humano é incapaz de compreender seus desígnios. ■

Segundo Isaías

A autoria do Livro de Isaías da Bíblia é atribuída ao profeta homônimo, que viveu entre o final do século VIII e início do século VII a.C. A última parte do livro, porém, refere-se à volta dos judeus do exílio na Babilônia no século VI. Estudiosos da atualidade chamam essa seção de "Segundo Isaías" ou "Dêutero-Isaías", atribuindo sua autoria a um ou mais escritores do século VI.

O Segundo Isaías mantém a linguagem e os temas da primeira parte do livro, mas também apresenta novas ideias e assuntos, incluindo o monoteísmo. Como outros escritos proféticos anteriores, o livro interpreta o exílio de Israel como castigo pelos pecados do povo, mas proclama o fim da punição e prevê glória eterna quando Israel finalmente cultuar somente YHVH.

Muitos estudiosos acreditam que a porção final do livro foi escrita mais tarde ainda, constituindo um "Terceiro Isaías".

Antes de Mim nenhum Deus foi formado e depois de Mim não haverá nenhum.
Isaías 43,10

O MESSIAS REDIMIRÁ ISRAEL

A PROMESSA DE UMA NOVA ERA

EM CONTEXTO

PRINCIPAL TEXTO
Os Pergaminhos do Mar Morto

QUANDO E ONDE
c. 150 a.C-68 d.C., Palestina

ANTES
c. 1005-965 a.C. Reinado de Davi, o "enviado" de Deus ou "Messias", em Israel.

586 a.C. Conquista babilônica e exílio dos judeus. Fim da dinastia de Davi.

DEPOIS
Século I d.C. Jesus é proclamado Messias.

Século II d.C. Shimon bar Kochba é recebido como Messias.

Século XX d.C. Menachem Mendel Schneerson, líder do movimento hassídico, promove a observância judaica como forma de trazer o Messias. Ele próprio é considerado o Messias por seus seguidores.

Ao longo de grande parte de sua história escrita, o povo de Israel esteve sob o domínio de reis. Um ritual conhecido como "unção", em que se despejava óleo sobre a cabeça do monarca, funcionava como uma espécie de coroação e servia para indicar a escolha de Deus. O rei escolhido era chamado de "o ungido", ou "Messias" (do hebraico, *mashiach*). Originalmente, o termo "Messias" era usado para o líder ungido, mas com o tempo passou a se referir a um soberano específico que chegaria no futuro para salvar Israel de seus inimigos, marcando o início de uma era de ouro – a era messiânica. A tradição judaica apresenta muitas

Veja também: A aliança de Deus com Israel 168-175 ▪ Religião e Estado 189 ▪ As origens do sionismo político moderno 196-197

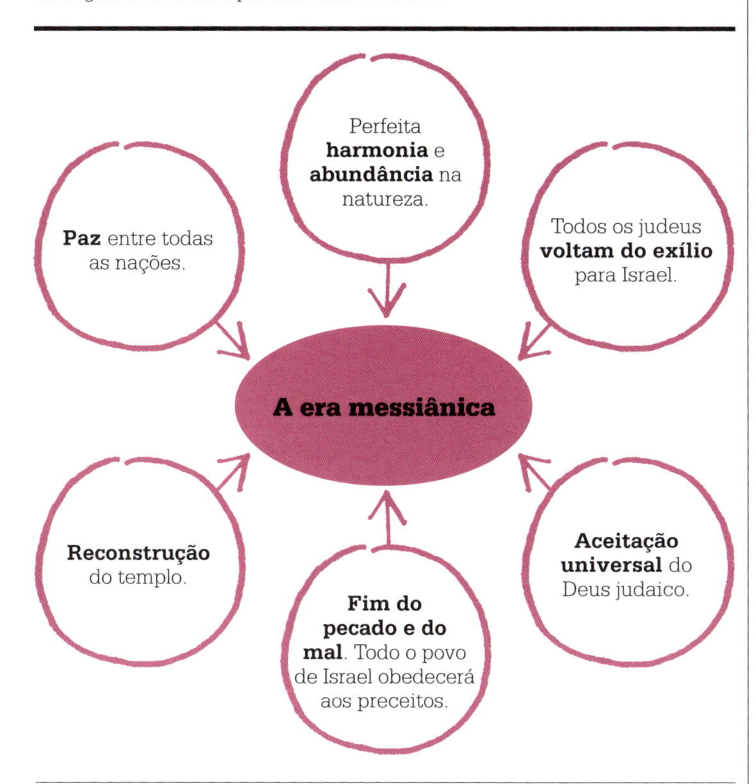
Perfeita **harmonia** e **abundância** na natureza.
Paz entre todas as nações.
Todos os judeus **voltam do exílio** para Israel.
A era messiânica
Reconstrução do templo.
Aceitação universal do Deus judaico.
Fim do pecado e do mal. Todo o povo de Israel obedecerá aos preceitos.

Israelitas e judeus

Isaac, filho de Abraão, teve dois filhos: Esaú e Jacó. A Bíblia relata que Deus mudou o nome de Jacó para "Israel". Os doze filhos de Jacó deram origem às doze tribos de Israel (os israelitas), ocupando uma área equivalente ao território israelense atual. No final do século x a.C., os israelitas foram divididos em dois reinos – as tribos do sul formaram o Reino de Judá, e as tribos do norte formaram o Reino de Israel. Esses dois reinos acabaram sendo conquistados – o Reino de Israel, pelos assírios em 722 a.C., e o Reino de Judá, pelos babilônios em 586 a.C. O povo de Judá, entretanto, sobreviveu como um novo grupo, com uma religião distinta. A partir desse momento eles foram chamados de "judeus", e sua religião, de "judaísmo", embora eles ainda se considerassem israelitas. Hoje, os cidadãos de Israel são chamados de israelenses.

especulações sobre os acontecimentos que caracterizarão a era messiânica, mas a maioria acredita que será um período de irmandade entre os povos e glória na Terra, em que os milagres serão algo corriqueiro, as espadas se transformarão em arados e os carneiros conviverão com os lobos.

Algumas tradições afirmaram que o Messias será um rei de carne e osso (com forte ligação divina), outras, que será um ser celestial, designado para salvar o mundo desde antes da própria criação. Da mesma forma, uma série de tradições considera a era messiânica como parte do curso natural da história, enquanto para outras será uma era de milagres, em que o espírito de Deus governará sobre a Terra.

Um Messias da linhagem de Davi

Um dos primeiros reis da monarquia de Israel e Judá foi um homem chamado Davi, que governou entre 1005 e 965 a.C., aproximadamente. De acordo com a Bíblia, Davi foi uma peça fundamental na união do povo de Israel e na luta contra os filisteus. A Bíblia conta que Deus amava Davi como um "filho" e estabeleceu uma aliança com ele, prometendo-lhe que seus descendentes reinariam sobre Israel para sempre.

No entanto, os babilônios conquistaram Judá em 586 a.C., expulsando a maioria dos habitantes e destruindo o templo. A dinastia de Davi chegava ao fim. A derrubada do »

Quebrarão as suas espadas, transformando-as em relhas, e suas lanças, a fim de fazerem podadeiras. Uma nação não levantará a espada contra a outra, e nem se aprenderá mais a fazer guerra.
Isaías 2,4

trono pode levar a crer que Deus desfez a aliança com Davi. O povo de Judá, entretanto, manteve a esperança de que, em algum momento no futuro, um descendente de Davi reinaria sobre Israel como Messias de Deus.

A previsão dos profetas

Mesmo antes da queda da monarquia, alguns profetas de Israel previram que um rei descendente de Davi uniria os dois reinos e os salvaria dos inimigos. Embora essas profecias tenham sido escritas em diferentes momentos e algumas se refiram a reis específicos, gerações posteriores interpretaram-nas como uma previsão de um futuro Messias. Após a conquista babilônica, os profetas afirmaram que o povo retornaria à sua terra natal e reconstruiria o templo. Alguns previram que, um dia, as nações do mundo reconheceriam o Deus de Israel e o reverenciariam em Jerusalém. Essas visões de um futuro glorioso, porém, não eram incondicionais. Os profetas acreditavam que os infortúnios de Israel representavam uma punição de Deus pelos pecados do povo e de seus líderes, e que a futura restauração só seria possível se Israel se arrependesse.

Domínio estrangeiro

As visões dos profetas concretizaram-se em parte. O rei persa Ciro, o Grande, derrotou os babilônios, permitindo que muitos judeus regressassem à terra natal e reconstruíssem o templo. Aliás, Ciro é chamado na Bíblia de "o ungido de Deus". No entanto, à repatriação dos judeus seguiu-se um longo período de domínio de forças estrangeiras, entre elas os Impérios grego e romano. Durante essa época, os judeus voltaram-se mais uma vez para as profecias bíblicas sobre o Messias e uma era de restauração nacional.

Os judeus basearam-se em tradições proféticas que previam uma grande batalha entre as forças do bem e do mal, na qual Deus sairia triunfante e os pecadores seriam punidos. Obras apocalípticas judaicas desse período, entre elas os Pergaminhos do Mar Morto, oferecem descrições detalhadas dessa batalha e das decorrentes pragas e atribulações que precederiam a chegada do Messias: enchentes, terremotos, o escurecimento do Sol e da Lua e o desaparecimento das estrelas do céu. Todos esses acontecimentos passaram a ser conhecidos como "as dores do parto do Messias", uma vez que, apesar de toda a agonia que causariam, representavam apenas um prenúncio da era messiânica, em que todo o mal seria banido da Terra, a soberania de impérios opressivos terminaria e as pessoas poderiam viver em liberdade, num mundo sem crimes.

> O meu servo Davi será rei sobre eles, e haverá um só pastor para todos, e andarão de acordo com as minhas normas e guardarão os meus estatutos e os praticarão.
> **Ezequiel 37,24**

A chegada do Messias

Ao longo de toda a história, vários indivíduos excepcionais foram

Manuscritos bíblicos compõem quase metade dos pergaminhos. A maioria está em hebraico, aramaico, grego ou nabateu.

Os Pergaminhos do Mar Morto

Em 1947, um pastor beduíno descobriu pergaminhos escondidos na caverna de Qumran, na costa noroeste do mar Morto. Estudiosos acreditam que os pergaminhos sejam escritos dos essênios – antiga seita do judaísmo –, guardados ao fugirem durante a rebelião judaica de 66-70 d.C contra os romanos. Os essênios rejeitaram a classe sacerdotal que controlava o templo de Jerusalém na época e formaram uma comunidade no deserto, onde passaram a esperar o fim dos tempos, acreditando que só eles seriam redimidos na era messiânica – a era de um novo templo e de uma nova classe sacerdotal. Os pergaminhos constituem os manuscritos mais antigos de que se tem notícia, abrangendo quase todos os livros da Bíblia hebraica, assim como grandes pérolas da literatura judaica posterior. Os Pergaminhos do Mar Morto contribuíram enormemente para nossa compreensão do pensamento judaico da época.

Alguns pensadores judeus sustentam que a volta da diáspora e a reconstrução de Jerusalém serão os dois maiores prenúncios da chegada do Messias.

considerados o Messias. Um exemplo é Jesus de Nazaré, conhecido por seus seguidores como "Cristo", palavra em grego que significa "messias". Os seguidores de Jesus, os chamados "cristãos", continuaram acreditando que ele era o Messias após sua execução pelos romanos, mas a maioria dos judeus rejeita essa ideia.

Outro candidato a Messias foi Shimon bar Kochba, judeu que liderou uma revolta contra os romanos em 132 d.C. A rebelião foi um fracasso, pondo fim à vida judaica em Jerusalém e arredores. Os judeus que não foram mortos dispersaram-se pelo Império Romano, e muitos foram vendidos como escravos.

O fracasso dessa e de outras rebeliões contra o Império Romano e mais uma vez a perda do centro religioso judaico em Jerusalém chamaram a atenção para as profecias do exílio babilônico.

Ressurreição e vida após a morte

Originalmente, algumas tradições consideravam a era messiânica como um período de restauração nacional, em que Israel seria redimido e seus opressores, exterminados. Mais tarde, porém, passou-se a acreditar que a era messiânica seria um período de julgamento para todas as pessoas, vivas ou mortas, em que os justos serão recompensados e os maus, punidos.

A Bíblia hebraica fala pouco sobre a vida após a morte. A maioria dos primeiros autores bíblicos compartilha da ideia de que os mortos continuavam vivendo no mundo subterrâneo, mas oferece poucos detalhes a respeito. Muitos judeus passaram a acreditar que o destino de uma pessoa depende, em última instância, de sua conduta na vida. Alguns afirmaram que os justos continuam vivendo no Paraíso, enquanto os maus vão para um lugar de tormentos chamado Geena (*Guehinom*, em hebraico, traduzido como "inferno"). Outros focam no julgamento final da era messiânica, quando os mortos ressuscitarão. Ambas as ideias continuam presentes na crença judaica, e tanto a era messiânica quanto a vida após a morte são chamadas, geralmente, de "mundo vindouro".

O messianismo judaico atual

Dentro do judaísmo ortodoxo, a promessa da redenção messiânica continua sendo uma ideia central. Muitos líderes afirmam que se os judeus, como grupo, aceitarem Deus e obedecerem a seus mandamentos, é possível apressar a chegada do Messias. No entanto, a ideia de um Messias redentor tinha mais apelo no período de opressão do povo. Hoje, com a relativa liberdade dos judeus no mundo, o senso de urgência pela salvação diminuiu. O movimento reformista, em especial, rejeitou as ideias de um rei messiânico, a volta dos judeus à terra natal e a reconstrução do templo, embora aspectos dessas crenças tenham sido reavaliados ao longo do tempo. A única característica do messianismo que permaneceu central em todas as ramificações do judaísmo é a crença de que a humanidade – sobretudo o povo judeu – tem a capacidade de criar um futuro melhor por meio de ações corretas. ■

O rei Messias, filho de homem, chegará no futuro e restaurará o antigo reinado de Davi.
Moisés Maimônides

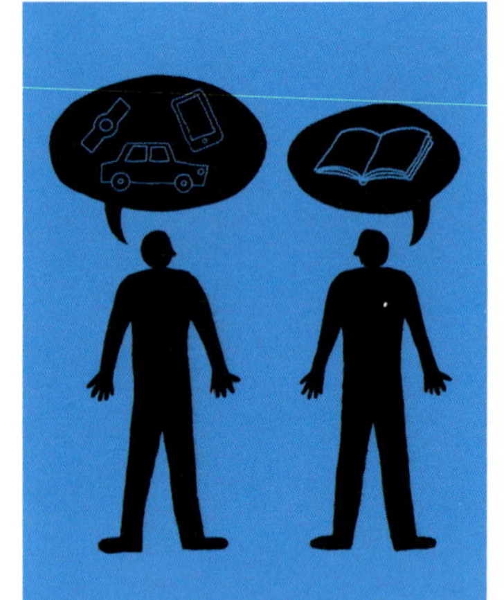

AS LEIS RELIGIOSAS PODEM SER APLICADAS NO DIA A DIA

ESCREVENDO A LEI ORAL

EM CONTEXTO

PRINCIPAL TEXTO
O Talmud

QUANDO E ONDE
Séculos II-V d.C., Palestina e Babilônia

ANTES
140 a.C.-70 d.C. Os fariseus acreditam numa lei oral.

Século II d.C. Rebeliões contra o Império Romano causam a destruição de muitas *yeshivot* (lugares dedicados ao estudo da Torá). Rabinos registram a lei oral por escrito.

DEPOIS
Século XI d.C. Rabi Shlomo ben Itzhak (Rashi) escreve comentários sobre o Talmud, que se tornam padrão nas edições publicadas.

c. 1170-1180 O filósofo judeu Maimônides escreve o Mishnê Torá, um trabalho de revisão das leis mencionadas na Torá.

Cada página do Talmud contém **o texto da Mishná** – a versão escrita da lei oral.

↓

O texto da Mishná é explicado e discutido na **Guemará**.

↓

Os textos da Mishná e da Guemará são **acompanhados por outros textos** e comentários, de um período posterior.

↓

O texto do Talmud está em forma de **discussão**.

↓

Seus argumentos guiam o leitor ao **núcleo da verdade**.

De acordo com a tradição judaica, Deus entregou a Moisés um conjunto de leis e ensinamentos, que ele transmitiu ao povo de Israel (pp. 168-175). Muitos desses ensinamentos estão nos cinco primeiros livros da Bíblia hebraica, a Torá, mas alguns judeus acreditam que Moisés recebeu ensinamentos adicionais (transmitidos oralmente aos líderes da comunidade e, depois, de geração em geração), a chamada "lei oral", com detalhes e interpretações das leis bíblicas.

A partir do século II d.C., os rabis ("estudiosos" ou "mestres") começaram a registrar a lei oral, produzindo um enorme corpo de literatura. Muitos desses escritos estão reunidos num conjunto de livros chamado Talmud, que para os judeus praticantes é o texto mais importante depois da Bíblia.

Parte da importância da lei oral deve-se ao fato de que as leis bíblicas costumam ser ambíguas. Por exemplo, a Bíblia proíbe o trabalho no Shabat, mas não explica que tipo de trabalho. O Talmud resolve essa ambiguidade especificando 39 tipos de

Veja também: A aliança de Deus com Israel 168-175 ▪ O judaísmo progressista 190-195 ▪ O caminho para uma vida harmoniosa 272-275

O principal propósito do Talmud é registrar as tradições judaicas conforme análise dos maiores estudiosos das gerações passadas e incentivar novos alunos a encontrar as próprias verdades.

atividades proibidas (entre elas construir, cozinhar e escrever).

Além do registro das leis transmitidas a Moisés, o Talmud inclui longas discussões entre os rabis referentes à interpretação. Essas discussões também são consideradas parte da lei oral, porque havia permissão para interpretar as leis.

Os primeiros escritos, a Mishná, contêm as leis, e a Guemará consiste em discussões sobre essas leis. O Talmud, portanto, pode ser lido como uma série de conversas entre os sábios.

Aceitação do Talmud

O conceito de uma lei oral não foi aceito universalmente pelos judeus. Antes do Talmud, a doutrina da lei oral era promulgada por um grupo de judeus chamados fariseus. Dois outros grupos, porém, os caraítas e os saduceus, rejeitaram essa doutrina. Os caraítas surgiram por volta do século VIII em Bagdá e, ao contrário dos saduceus, ainda existem. Com tradições próprias para interpretar a Bíblia, o grupo não acredita em nenhum outro ensinamento além dos que constam do texto bíblico. Outras vertentes do judaísmo, porém, aceitam o Talmud como um texto sagrado, e os judeus ortodoxos atribuem sua origem à lei oral entregue a Moisés por Deus. Os judeus modernos, de um modo geral, não levam essa ideia à risca, considerando o Talmud como parte de uma tradição viva de preservação e interpretação das leis judaicas para cada geração que incentiva o debate teológico. ■

Versões do Talmud

Um trabalho coletivo de milhares de rabis ao longo de centenas de anos, o Talmud é organizado em seis ordens, abordando diferentes aspectos das leis e das tradições, e cada ordem é dividida em tratados e capítulos. Existem duas versões do Talmud: o Talmud de Jerusalém, compilado no século IV d.C. na terra de Israel, e o Talmud da Babilônia, compilado em c. 500 d.C. na Babilônia (atual Iraque). Embora haja muitas similaridades entre as duas versões, o Talmud da Babilônia, com mais de 6 mil páginas, é considerado a versão mais confiável, sendo utilizado por um grande número de estudiosos do judaísmo. O Talmud de Jerusalém jamais foi terminado, devido à perseguição dos judeus em Israel e, portanto, é mais curto e mais enigmático do que o Talmud da Babilônia.

Moisés recebeu a Torá no monte Sinai e a transmitiu a Josué; Josué, aos anciãos; os anciãos, aos profetas; e os profetas transmitiram-na aos homens da Grande Assembleia.
Ética dos Pais

DEUS É INCORPÓREO, INDIVISÍVEL E ÚNICO

DEFININDO O INDEFINÍVEL

EM CONTEXTO

PRINCIPAL PENSADOR
Moisés Maimônides

QUANDO E ONDE
Século XII, África do Norte

ANTES
30 a.C.-50 d.C. O filósofo judeu Fílon descreve o Deus da Bíblia em termos filosóficos gregos, sem atributos aristotélicos.

933 d.C. Rabi Saadia Gaon apresenta diversos argumentos a favor da unidade de Deus em *O livro das crenças e opiniões*.

DEPOIS
Século XIII O Zohar, um livro do misticismo judaico, propõe a ideia de um Deus infinito e único, manifestado na criação e em dez "emanações luminosas".

c. 1730 No livro *O caminho de Deus*, Rabi Moshe Chaim Luzzato afirma que Deus abrange todas as perfeições, mas essas perfeições constituem um único atributo essencial.

Desde os tempos bíblicos, uma característica central do judaísmo é a crença em um só Deus. No entanto, a ideia de que Deus é "um" pode ser entendida de várias maneiras: Deus pode ser o maior de diversos seres divinos ou Deus pode ser um único ser composto de diversos elementos distintos. Na Idade Média, uma série de filósofos judeus na esfera de influência muçulmana procurou demonstrar que a unicidade de Deus propriamente dita excluía todas essas possibilidades.

Moisés Maimônides foi um filósofo bastante influente dessa escola, explicando o princípio judaico do monoteísmo com base na doutrina

Deus **não possui atributos físicos ou mentais** descritíveis, uma vez que nada existe além de sua unicidade.

Deus é **onipotente**, porque não há nada que não esteja sob seu controle.

A **unidade e a natureza** de Deus estão acima de nossa compreensão.

Deus é **infinito**, porque não há como imaginar limites para sua presença e seu poder.

Deus é **eterno**, porque não há como conceber um tempo em que ele não existia.

Veja também: Da monolatria ao monoteísmo 176-177 ▪ Misticismo e cabala 186-187 ▪ A unidade da divindade é necessária 280-281

filosófica grega clássica de que Deus é "simples", ou seja, não é composto por partes ou propriedades.

A unicidade de Deus, de acordo com Maimônides, é diferente da unicidade de qualquer outro ser. Deus é uma entidade singular, indivisível, além da capacidade de compreensão e descrição humana, não comportando, portanto, atributos específicos.

Deus não pode ser categorizado

Segundo Maimônides, Deus não é "um de uma espécie" – ele não é membro de um grupo de seres com determinadas características em comum. Três homens, por exemplo, são indivíduos diferentes, mas pertencem à categoria masculina. Deus, em contrapartida, não tem atributos e, portanto, não pode ser categorizado, mesmo entre seres divinos.

A unicidade de Deus também difere da unicidade divisível do corpo. Ou seja, Deus não é como um objeto físico, capaz de ser decomposto em partes. Maimônides, porém, foi mais longe, afirmando que Deus é também intelectualmente indivisível. Deus não comporta nenhum atributo (conforme definido por Aristóteles), pois consistiria, então, em uma essência e seus atributos. Por exemplo: se Deus fosse "eterno", haveria, na verdade, dois deuses: Deus e sua eternidade.

A crença de Maimônides de que Deus não possui atributos é produto de uma escola de pensamento chamada "teologia negativa". Segundo essa escola, Deus não pode ser descrito de maneira precisa com afirmações. Devido às limitações da linguagem humana, podemos descrever Deus como "eterno", mas na verdade só podemos afirmar que Deus não é não eterno, isto é, sua essência está além de nossa compreensão. Maimônides incluiu a doutrina da unicidade de Deus nos treze princípios essenciais do judaísmo, que também abordam questões como o tempo de existência de Deus e sustentam que a Torá vem direto da boca de Deus. Muitos consideram esses princípios como a base da religião judaica. ■

Deus não é duas ou mais entidades, e sim uma entidade única, de uma unicidade ainda mais singular do que qualquer unidade na criação.
Maimônides

De acordo com Maimônides, Deus existe antes de tudo e é o criador de todas as coisas. Sua existência independe de qualquer coisa, mas tudo depende dele para existir.

Moisés Maimônides

Moisés Maimônides (também conhecido como Rambam) nasceu em 1135 em Córdoba, Espanha, numa família judaica. Sua infância foi rica em influências de outras culturas: ele foi educado em hebraico e árabe, e seu pai, um juiz rabínico, ensinou-lhe a lei judaica no contexto da Espanha islâmica. Sua família fugiu da Espanha no início da dinastia berbere em 1148 e viveu como nômade por dez anos, até se estabelecer em Fez (atual Marrocos) e depois no Cairo. Maimônides começou a trabalhar como médico devido aos problemas financeiros da família e acabou conhecendo o rei, por conta de sua habilidade. Atuou também como juiz rabínico, mas não quis receber por esse ofício, pois julgava errado. Maimônides recebeu o título de chefe da comunidade judaica do Cairo em 1191. Após sua morte, em 1204, seu túmulo tornou-se ponto de visita de peregrinos judeus.

Obras-chave

1168 *Comentários sobre a Mishná.*
1168-1178 *Mishnê Torá.*
1190 *Guia dos perplexos.*

DEUS E A HUMANIDADE ESTÃO EM EXÍLIO CÓSMICO

MISTICISMO E CABALA

EM CONTEXTO

PRINCIPAL FIGURA
Isaac Luria

QUANDO E ONDE
Século XVI, Palestina

ANTES
A partir de 1200 a.C. Os zoroastristas acreditam que todo ato de conduta moral correta realizado pelos seres humanos ajuda na luta cósmica do bem contra o mal.

Séculos X-XV d.C. O misticismo cristão ganha força na Europa na Idade Média.

DEPOIS
Século XVIII Na Europa, ao mesmo tempo que a haskalá ("iluminismo judaico") despreza o misticismo, Israel ben Eliezer funda o judaísmo hassídico na Ucrânia, baseado nos ensinamentos de cabala de Isaac Luria.

Década de 1980 Em Los Angeles, o Kabbalah Centre atrai celebridades com os ensinamentos derivados da tradição mística judaica.

Os textos do judaísmo incluem, além da Bíblia hebraica (p. 171) e do Talmud (um compêndio de interpretações rabínicas), um corpo de conhecimento místico conhecido como cabala. Originalmente uma tradição oral, essa sabedoria foi reunida no Zohar ("esplendor divino") no final do século XIII, na Espanha. O Zohar e suas ideias cabalísticas adquiriram um significado especial para os judeus exilados – sobretudo os estudiosos de Safed, na Palestina –, que foram expulsos da península Ibérica (atual região de Espanha, Portugal e Andorra) na década de 1490. Entre eles estava o mestre Isaac Luria, que interpretou o Zohar dando uma descrição única da criação, vinculada à experiência dos judeus no exílio. Luria explicou também os conceitos de bem e mal e o caminho para a redenção.

Homens judeus em rezas penitenciais, *selichot*, em Jerusalém. De acordo com a cabala, a observância dos preceitos ajudará a tirar o povo do exílio e trazer a redenção.

Na interpretação de Luria, antes da criação existia somente Deus. De modo a gerar espaço para a criação do mundo, Deus contraiu-se ou retirou-se (*tzimtzum*), como forma de exílio voluntário para possibilitar a criação. Uma luz divina preencheu o espaço criado numa estrutura de dez *sefirot* – emanações dos atributos divinos de Deus. Adam Kadmon ("o homem primordial") formou receptores para conter as *sefirot*, mas os receptores eram frágeis demais para suportar a luz divina. Os três superiores foram danificados e os sete inferiores, totalmente destruídos, dispersando a luz. Essa destruição dos receptores (conhecida como *shevirat hakelim* ou *shevirah*) prejudicou o processo da criação e dividiu o universo em elementos que contribuem para a criação e em elementos que resistem: bem e mal e os mundos superior e inferior.

Esse dano pode ser reparado, explica Luria, separando as "faíscas sagradas" de luz divina, às quais as forças do mal do mundo inferior se aderem, e elevando-as à sua fonte no mundo

Veja também: A promessa de uma nova era 178-181 ▪ O homem como manifestação de Deus 188 ▪ O sufismo e a tradição mística 282-283

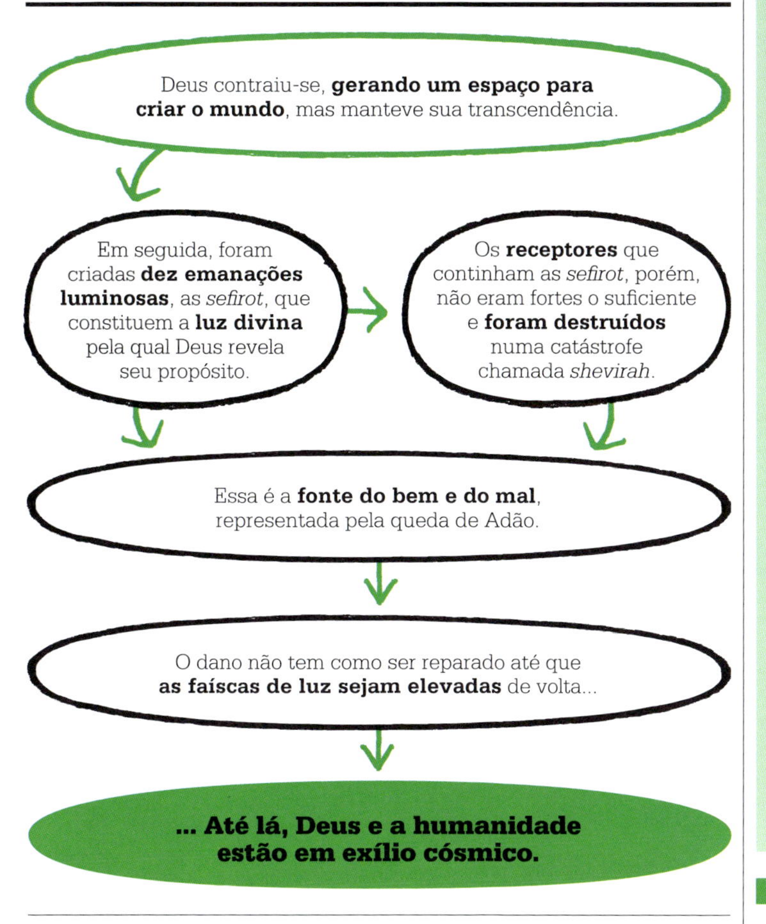

superior, num processo chamado *tikun olam* – correção do mundo. A responsabilidade disso está nas mãos do povo judeu, que resgata uma faísca de luz toda vez que obedece a um preceito sagrado e perde uma faísca para o mal universal toda vez que comete um pecado. A redenção só poderá acontecer quando todas as faíscas divinas forem reunidas no mundo do bem. Até lá, a humanidade viverá em exílio cósmico.

Deus contraiu-se, **gerando um espaço para criar o mundo**, mas manteve sua transcendência.
Em seguida, foram criadas **dez emanações luminosas**, as *sefirot*, que constituem a **luz divina** pela qual Deus revela seu propósito.
Os **receptores** que continham as *sefirot*, porém, não eram fortes o suficiente e **foram destruídos** numa catástrofe chamada *shevirah*.
Essa é a **fonte do bem e do mal**, representada pela queda de Adão.
O dano não tem como ser reparado até que **as faíscas de luz sejam elevadas** de volta...
... Até lá, Deus e a humanidade estão em exílio cósmico.

Embora Luria não tenha deixado um registro de sua interpretação da cabala, seus ensinamentos esotéricos foram preservados por seus discípulos. Após sua morte, suas ideias espalharam-se rapidamente por toda a Europa. Por conta da natureza abrangente da cabala luriânica, o estudo cabalístico tornou-se um dos esteios do pensamento judaico, servindo de base para o movimento hassídico do século XVIII, que enfatizava, sobretudo, o relacionamento místico com Deus. ■

Isaac Luria

Isaac ben Shlomo Luria Ashkenazi nasceu em 1534, na cidade de Jerusalém. Após a perda do pai alemão na infância, Isaac mudou-se com a mãe para a casa do tio, no Egito. Lá, estudou literatura rabínica e lei judaica com alguns dos maiores estudiosos da época, entre eles Rabi Bezalel Ashkenazi. Luria casou-se aos quinze anos, mas não interrompeu seus estudos. Seis anos mais tarde, isolou-se numa ilha do Nilo para estudar o Zohar e os antigos cabalistas. Mal tinha contato com as pessoas e só falava em hebraico. Durante esse período, tinha conversas com o falecido profeta Elias, que lhe disse para se mudar para Safed, um centro de estudo cabalístico na Palestina de domínio otomano.

Estudando com Moshe Cordovero, Luria ficou conhecido por seus ensinamentos de cabala, sendo chamado por seus discípulos de ARI, que significa "leão", das iniciais em hebraico de "sagrado Rabi Yitzhak". ARI morreu em Safed em 1572.

A Torá é oculta e só se revela para quem alcançou o nível dos justos.
Talmud, Hagigah

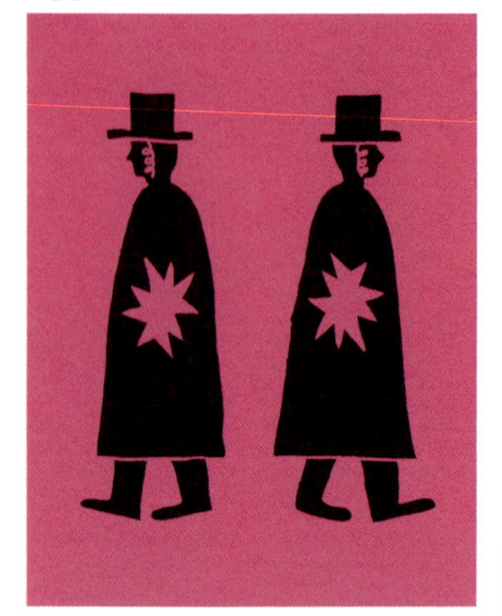

A FAÍSCA DIVINA ESTÁ PRESENTE EM TODO MUNDO

O HOMEM COMO MANIFESTAÇÃO DE DEUS

EM CONTEXTO

PRINCIPAL FIGURA
Israel ben Eliezer

QUANDO E ONDE
Década de 1740, Ucrânia

ANTES
Século XVI Isaac Luria e outros mestres reavivam o interesse pelos elementos místicos da cabala.

DEPOIS
Século XIX O hassidismo ganha adeptos em reação à intelectualização e à secularização do judaísmo.

1917 A Revolução Bolchevique na Rússia põe fim a muitas comunidades hassídicas.

Década de 1930 Com a ascensão do nazismo, judeus da Alemanha, Europa Oriental e Rússia fogem para os EUA. Todas as comunidades hassídicas da Europa são destruídas durante a Segunda Guerra Mundial.

1948 Fundação do Estado de Israel. Muitos judeus hassídicos expatriados vão morar lá.

O judaísmo hassídico, fundado por Israel ben Eliezer (conhecido como Baal Shem Tov ou Besht) na década de 1740, caracteriza-se pelo entusiasmo e por rituais de alegria em massa, realizados por um líder espiritual (*tzadik*). Um de seus principais ensinamentos é que todo mundo possui uma faísca divina dentro de si. Hoje, o hassidismo representa uma das mais importantes ramificações do judaísmo ultraortodoxo.

O movimento hassídico surgiu nas comunidades judaicas da Europa Central e Oriental no século XVIII. Essas comunidades, de modo geral, eram pequenas e isoladas, e seu estilo de vida diferia muito do dos judeus das cidades. Na época, a filosofia judaica havia adquirido um caráter mais intelectual, e a teologia, um mais legalista. Esse desenvolvimento entrou em conflito com as necessidades dos habitantes de pequenos povoados, principalmente em áreas com o sul da Polônia.

Para manter a coesão nessas comunidades, sobretudo em face da perseguição pelos cossacos (povo eslavo do Leste), líderes religiosos viajavam oferecendo aos seguidores não apenas orientação, mas também a oportunidade de participar mais ativamente das observâncias religiosas. Em locais onde as pessoas não tinham acesso a ensinamentos rabínicos, líderes carismáticos como Baal Shem Tov ensinaram que a Torá não era privilégio dos rabis. O aprendizado espiritual estava disponível para todos: as "faíscas sagradas" – uma manifestação da luz divina –, conforme descrito na tradição mística da cabala luriânica, podem ser encontradas dentro de cada um de nós. ■

Homens hassídicos dançam em cerimônia de casamento. Seu vestuário distinto, baseado em antigos estilos do Leste Europeu, os mantém separados de outras ramificações do judaísmo.

Veja também: Misticismo e cabala 186-187 ▪ Experiência mística no cristianismo 238 ▪ O sufismo e a tradição mística 282-283

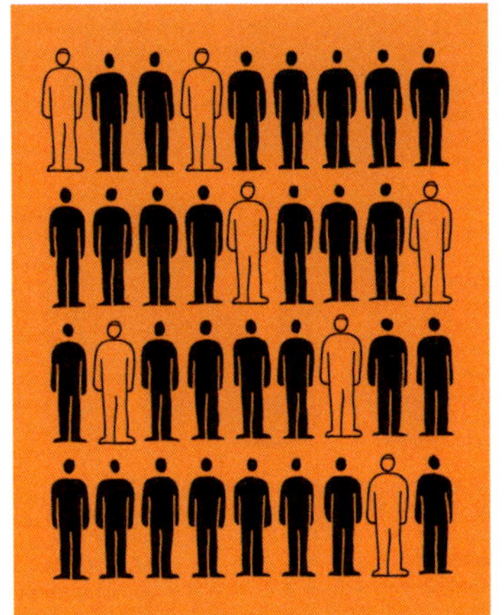

O JUDAÍSMO É UMA RELIGIÃO, NÃO UMA NACIONALIDADE

RELIGIÃO E ESTADO

EM CONTEXTO

PRINCIPAL FIGURA
Moisés Mendelssohn

QUANDO E ONDE
Final do século XVIII, Alemanha

ANTES
135 d.C. Os romanos expulsam os judeus da terra de Israel.

DEPOIS
Décadas de 1770-1880 Haskalá ou "iluminismo judaico": os judeus, principalmente na Europa Ocidental, tornam-se cada vez mais integrados à sociedade que adotaram.

1791 A emancipação dos judeus na França durante a Revolução Francesa é seguida pela emancipação na Holanda e mais tarde pelos países conquistados por Napoleão.

1896 Theodor Herzl publica *O Estado judeu* e dá início ao movimento sionista moderno.

Século XIX O judaísmo reformista é inspirado pela haskalá.

1948 Fundação do Estado de Israel.

Na esteira do iluminismo na Europa, o movimento haskalá, ou "iluminismo judaico", foi inspirado pelo trabalho do filósofo judeu alemão Moisés Mendelssohn, que acreditava que a perseguição dos judeus devia-se, em grande parte, ao isolamento do próprio povo na sociedade.

Sua crítica à separação dos judeus e gentios (não judeus) também levantou a questão da identidade judaica. Segundo Mendelssohn, o judaísmo devia ser tratado como qualquer outra religião numa sociedade tolerante e pluralista, e seus seguidores deveriam ter direito à liberdade de consciência como cidadãos do país onde viviam. Por outro lado, ser judeu não deveria significar pertencer a uma nação ou povo isolado.

No livro *Jerusalém: ou sobre poder religioso e judaísmo* (1783), Mendelssohn defendia não só a emancipação dos judeus, mas afirmava que eles deveriam "sair dos guetos" e desempenhar uma função mais ativa na vida cultural secular. O filósofo promoveu a ideia de os judeus aprenderem a língua local – como ele tinha feito – para se integrarem melhor às comunidades não judaicas, e publicou sua própria tradução da Torá para o alemão.

Embora Mendelssohn fosse um judeu ortodoxo, suas ideias e o movimento haskalá serviram de base para o judaísmo reformista do século XIX. ■

O Estado tem poder físico e o utiliza quando necessário. O poder da religião são o amor e a bondade.
Moisés Mendelssohn

Veja também: A aliança de Deus com Israel 168-175 ▪ O judaísmo progressista 190-195 ▪ As origens do sionismo político moderno 196-197

APRENDA COM O PASSADO, VIVA NO PRESENTE E TRABALHE PELO FUTURO

O JUDAÍSMO PROGRESSISTA

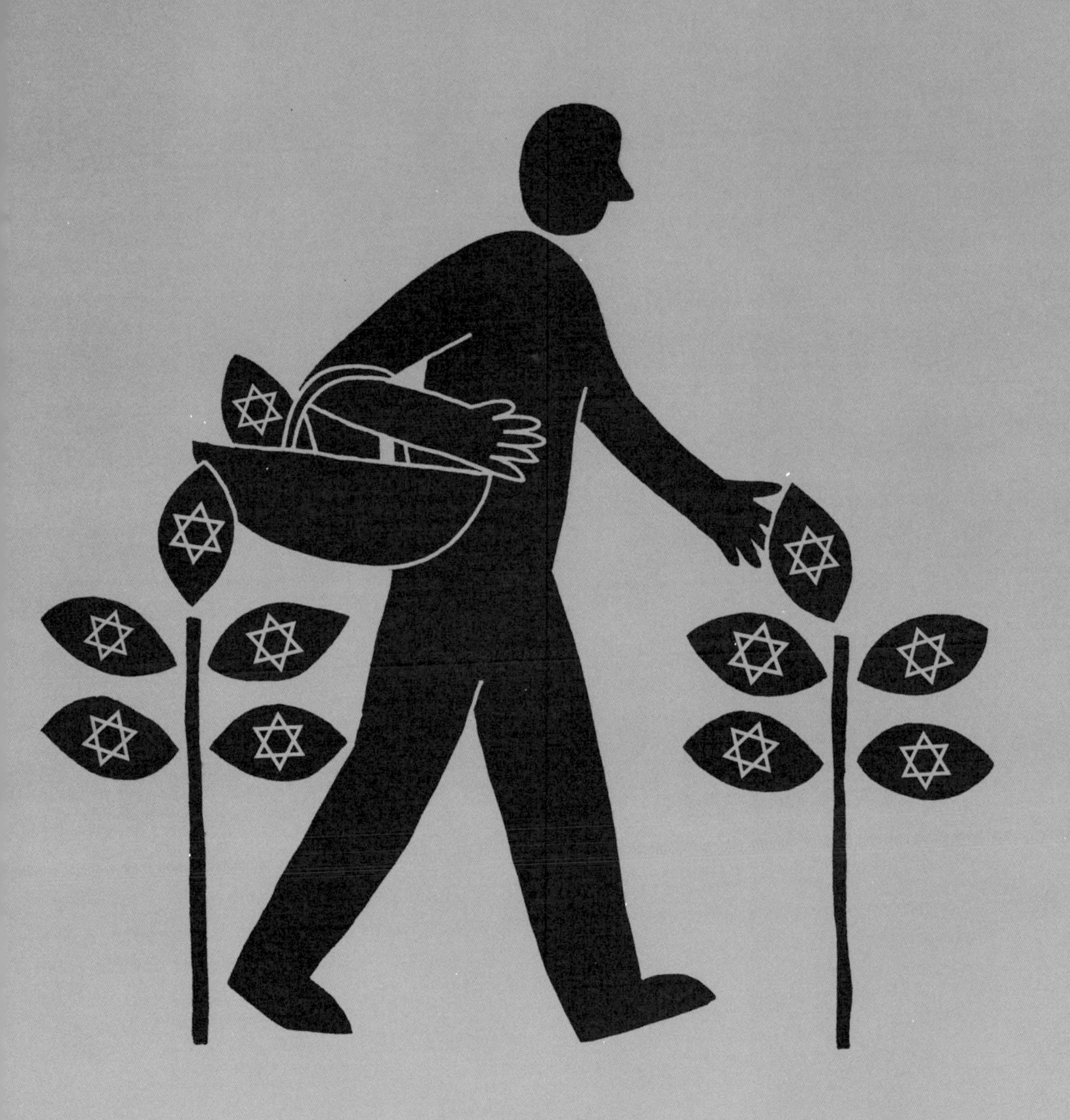

EM CONTEXTO

PRINCIPAL MOVIMENTO
Judaísmo progressista

QUANDO E ONDE
Século XIX, Europa e EUA

ANTES
Século XIX O Iluminismo alemão oferece aos judeus a possibilidade de educação secular e participação na sociedade.

DEPOIS
1840 Fundação da West London Synagogue.

1872 A academia reformista Hochschule für die Wissenschaft des Judentums é estabelecida em Berlim.

1885 O judaísmo reformista ganha força nos EUA. A plataforma Pittsburgh define os princípios da reforma.

Século XX Sinagogas e organizações progressistas são estabelecidas no mundo inteiro.

A emancipação judaica na Europa começou na Alemanha no século XVIII. Anteriormente, os judeus viviam restritos em guetos, sem permissão para entrar em universidades ou no mercado de trabalho. Graças ao Iluminismo europeu, passaram a ter direitos de cidadão. Os judeus que falavam iídiche aprenderam alemão e integraram-se ao mundo moderno, sentindo a liberdade da individualidade. Muitos judeus começaram a procurar educação secular – em vez de tradição judaica – como forma de alcançar seu potencial. O judaísmo progressista, que se iniciou com o movimento reformista na Alemanha, foi uma resposta a essas mudanças, à modernidade e à nova condição de liberdade do povo judeu.

As primeiras e mais notáveis reformas aconteceram em Berlim e Hamburgo e estavam relacionadas ao serviço na sinagoga: a prédica seria dada em alemão, e os homens não precisavam mais sentar separados das mulheres. Em um nível mais radical, o impacto do estudo bíblico moderno levou alguns judeus a questionar a autoridade dos textos bíblicos e das tradições que os mantiveram tanto tempo isolados da sociedade. A autoridade dos rabis clássicos era uma função datada e também foi questionada.

O Talmud está escrito com base na ideologia de sua época, e em relação a essa época ele está certo. Eu me baseio na ideologia de minha época, e nesta época eu estou certo.
Reformistas extremos na Alemanhã do século XIX

Alguns, diante dessa nova visão e das oportunidades decorrentes da novidade, abandonaram o judaísmo em prol do nacionalismo secular. Outros procuraram modernizar o judaísmo à luz do estudo histórico e acadêmico da religião (*Wissenschaft des Judentums*). O ritmo da mudança foi rápido demais para algumas pessoas, e diversos grupos separaram-se da comunidade, talvez

Abraham Geiger

Abraham Geiger nasceu em Frankfurt am Main, Alemanha, em 1810. Estudou os clássicos judaicos e alemães e aprendeu árabe para escrever a dissertação "O que Maomé aproveitou do judaísmo?". Defensor convicto do *Wissenschaft des Judentums*, o estudo acadêmico do judaísmo, Geiger decidiu extrair a essência espiritual e ética da religião judaica por meio de um ensino inovador. O teólogo alemão procurou modernizar o judaísmo como um todo, em vez de criar um movimento isolado, rejeitando práticas que já não possuíam respaldo histórico. Quando foi nomeado segundo rabino em Breslau, no ano de 1838, teve de disputar a autoridade com o rabino tradicionalista da época. Ambos eram rabinos oficiais da comunidade, mas com o tempo cada um voltou-se para sua própria facção. Mais tarde, Geiger atuou como rabino em Frankfurt e Berlim, além de ministrar aulas na nova academia reformista por dois anos, vindo a falecer em 1874.

Obra-chave

1857 *O texto original e traduções da Bíblia.*

Veja também: A promessa de uma nova era 178-181 ▪ As origens do sionismo político moderno 196-197 ▪ A Reforma Protestante 230-237 ▪ O revivalismo islâmico 286-290 ▪ A compatibilidade da fé 291

para seguirem um rabino mais ortodoxo.

Questionando a teologia

A inovação tecnológica acarretou uma reforma litúrgica e a publicação de um novo livro de rezas reformista em Hamburgo no ano de 1818. Estudiosos e rabinos, como Abraham Geiger, começaram a questionar as principais premissas teológicas da época. Geiger reconheceu os precedentes históricos para modificar a tradição judaica perante a novas condições e sugeriu que algumas observâncias fossem alteradas, para torná-las compatíveis com o estilo de vida moderno.

Parte da teologia tradicional do judaísmo também foi abandonada. Os reformistas alemães já não se sentiam à vontade rezando para um Messias humano que viria para conduzir o povo de volta à terra de Israel, reconstruir o templo e restaurar o culto sacrificial dos sacerdotes. A noção de Messias foi substituída pelo ideal da era messiânica – uma era de paz para todas as nações do planeta – que todo judeu se esforçaria para criar. Havia ainda uma visão mais ousada: a de que os judeus não estavam mais no exílio, sendo capazes de cumprir seu destino religioso como cidadãos de uma nação moderna.

Mas o sonho durou pouco. Para muitos, a integração social significou conversão ao cristianismo, e o Holocausto da Alemanha nazista, junto com a Segunda Guerra Mundial, demarcou os limites da esperança de uma sociedade iluminada.

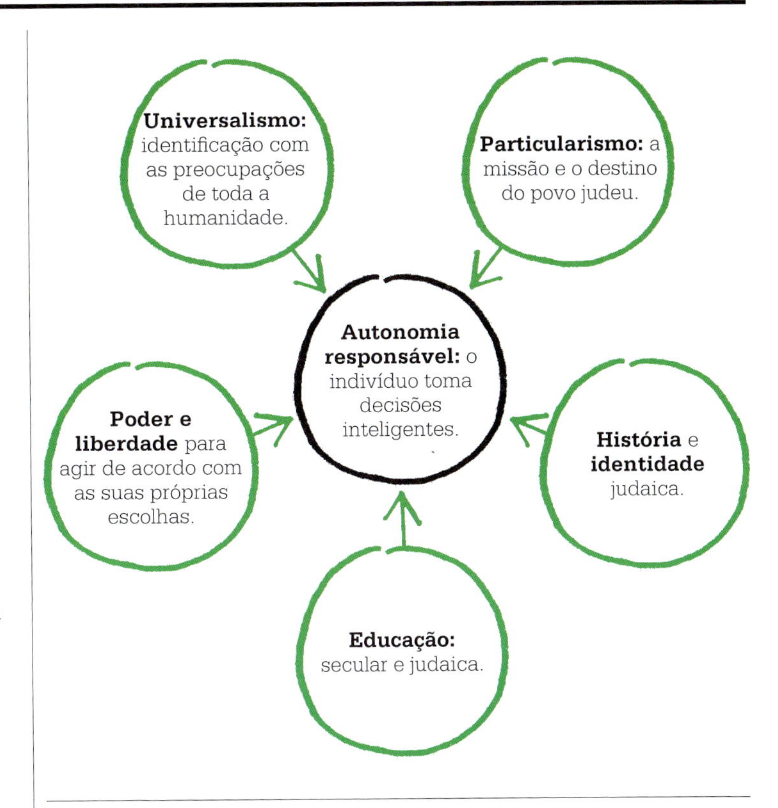

Uma minoria sempre é obrigada a pensar. Essa é a bênção de fazer parte da minoria.
Leo Baeck, rabino progressista

Autonomia religiosa

Há uma tensão no judaísmo progressista, como em outras vertentes religiosas, entre fazer parte de uma nação e uma comunidade (universalismo) e ter um destino único (particularismo). A diferença para os judeus progressistas é o foco na autonomia – a liberdade de determinar como será sua vida dentro do judaísmo. Segundo o judaísmo progressista, para exercer uma autonomia responsável é necessário fazer escolhas com base na ética, na educação judaica e no compromisso com o povo judeu, reverenciando o passado e » comprometendo-se com o futuro. As teologias judaicas continuam desenvolvendo-se. Embora o monoteísmo ainda seja um princípio central da religião, no judaísmo progressista a ideia de um Deus "autoritário" é substituída pela de um relacionamento com Deus, no qual os judeus podem exercitar sua liberdade individual. As *mitzvot*, ou preceitos, são expressões desse relacionamento.

O conceito de monismo

Outro grupo de pensadores progressistas acredita que Deus é uma parte inseparável do ser, em vez de uma divindade externa. Alguns incorporaram a visão dos místicos judeus, que veem a criação como algo que acontece dentro de Deus, o que significa que tudo *é* Deus. O monoteísmo, ou a crença em um só deus, dá lugar ao monismo, sistema segundo o qual existe apenas uma única unidade, e essa unidade *é* Deus. Devido a essas transformações teológicas dentro do judaísmo progressista, o papel do indivíduo e dos preceitos não pode mais ser visto como algo fixo. Além da nova relação estabelecida entre o indivíduo, Deus e os preceitos, os judeus do movimento progressista também revisaram as interpretações da Bíblia hebraica, passando a considerá-la como um conjunto de textos de diferentes períodos históricos – um registro escrito do encontro humano com Deus, não o registro das palavras diretas de Deus. Como as intenções de Deus não estão vinculadas a um momento específico, a revelação pode ser considerada contínua.

De modo similar, o judaísmo progressista reconhece a influência da história e da mão humana no desenvolvimento da lei judaica (*halachá*), que se baseia nos preceitos bíblicos e nos veredictos dos rabinos clássicos. A *halachá* sofreu transformações tanto no judaísmo progressista quanto no judaísmo ortodoxo. Uma vertente progressista considera que a *halachá* está em constante processo de adaptação para responder às questões éticas e práticas do mundo judaico contemporâneo. Essa visão leva em conta os desenvolvimentos científicos modernos, como as pesquisas com células-tronco, e é fortemente orientada pela ética atual, abordando temas como cuidados no final da vida. Outros progressistas descrevem um judaísmo pós-*halachá*, associado mais com a visão dos antigos profetas hebreus e com um judaísmo profético orientado pela ética.

Os **judeus ortodoxos acreditam** que a Torá foi entregue por Deus a Moisés no monte Sinai. Os judeus progressistas acreditam que a Torá foi escrita por seres humanos com inspiração divina, devendo ser tratada como tal.

Rituais e observâncias

Abordagens modernas à prática de rituais também refletem a ideia de uma constante evolução do judaísmo, estipulando que a autoridade divina não se restringe à Torá. O Shabat, por exemplo, é considerado um dia sagrado de descanso, diferente dos dias de trabalho da semana. Os judeus progressistas respeitam o Shabat e acendem velas na sexta--feira à noite, embora nem todos façam isso antes do pôr do sol, se estiver anoitecendo muito cedo. Os progressistas também rejeitam a proibição de dirigir para a sinagoga no Shabat.

Leis referentes à alimentação

Em questões de *kashrut* (lei dietética), alguns judeus progressistas não respeitam nenhuma regra, afirmando que são preceitos ultrapassados, enquanto outros evitam comer carnes proibidas na Torá, mas não dão importância a proibições rabínicas relacionadas à mistura de carne com leite e aos utensílios utilizados na preparação dos alimentos. Alguns consideram a disciplina de *kashrut* como uma forma de consciência ao comer, estendendo a prática ao consumo de produtos orgânicos, por exemplo. Outros optam pelo vegetarianismo

Comunidades progressistas comemoram o *bat mitzvah*. Segundo a tradição, as mulheres são proibidas de participar de serviços religiosos.

como uma dieta "válida" (significado da palavra *kasher* em hebraico), que seria, portanto, uma forma progressista de manter a observância.

Liturgia para o mundo de hoje

Historicamente, a liturgia judaica foi ficando mais longa no decorrer dos séculos, com a inclusão de novas rezas. Os serviços progressistas mantêm a mesma estrutura e as principais rezas, mas elimina algumas repetições. As rezas, e suas traduções, refletem conceitos que não estão em consonância com as crenças progressistas, como a ressurreição dos mortos, a reconstrução do templo e o sacrifício de animais. Grande parte das liturgias progressistas evita a linguagem feudal e a diferenciação de sexo, tanto para Deus quanto para a comunidade, referindo-se, por exemplo, ao "Eterno" em vez de o "Senhor", e incluindo as matriarcas bíblicas ao lado dos patriarcas. Novas composições litúrgicas às vezes são adicionadas, como um poema ou rezas de cunho inter-religioso, e um trecho curto da Torá costuma ser lido. Em muitas congregações, os serviços são realizados em hebraico, e na língua vernácula, geralmente acompanhados de música. Os judeus progressistas observam as festividades apresentadas na Torá da mesma forma que os judeus que moram em Israel, ao contrário dos judeus ortodoxos e conservadores da diáspora, que comemoram um dia a mais, conforme o costume fora de Israel antes da instituição do calendário hebraico, em 358 d.C.

Em comunidades progressistas, homens e mulheres gozam dos mesmos direitos de liderança (incluindo a ordenação rabínica) e vida ritualística, seja em casa ou na sinagoga. As meninas, portanto, celebram a idade adulta aos treze anos no *bat mitzvah* exatamente como os meninos, lendo a Torá e até liderando a reza da congregação.

O judaísmo progressista atual

Os ideais centrais do judaísmo reformista alemão lançaram raízes e promoveram o crescimento de muitas comunidades progressistas, presentes na maioria dos países do mundo atualmente. No Reino Unido, surgiram o judaísmo reformista e o judaísmo liberal, e, com a emigração dos judeus alemães para os Estados Unidos, o movimento reformista nesse país deu origem a outros grupos progressistas, como o judaísmo reconstrucionista e o judaísmo conservador, modernos em termos teológicos, mas tradicionais em termos práticos. Podemos encontrar outras formas de judaísmo progressista no mundo inteiro, inclusive em Israel, onde a religião tende a tomar uma forma mais tradicional do que nos países da diáspora.

Um novo interesse mundial nos ensinamentos judaicos de todos os âmbitos religiosos tem levado as pessoas a se dedicarem ao estudo de textos clássicos em hebraico por seu valor espiritual, literário e ético. Os seguidores do judaísmo atual baseiam-se em fontes religiosas e seculares diversas, dificultando o compromisso exclusivo com algum movimento judaico específico. ■

O passado possui um voto, mas não um veto.

Dr. Mordecai M. Kaplan, teólogo progressista

SE VOCÊ QUISER, NÃO SERÁ UM SONHO

AS ORIGENS DO SIONISMO POLÍTICO MODERNO

EM CONTEXTO

PRINCIPAL FIGURA
Theodor Herzl

QUANDO E ONDE
1896, Áustria-Hungria

ANTES
586 a.C. O rei Nabucodonosor da Babilônia destrói o templo de Jerusalém e leva os judeus ao exílio. A partir de 538 a.C., os judeus começam a voltar para a terra de Israel, de acordo com o decreto do imperador persa Ciro, o Grande.

70 d.C. Os romanos destroem o segundo templo. Os judeus são exilados novamente.

635 O califado islâmico conquista a Palestina. Em 1516, o Império Otomano assume o controle da região.

DEPOIS
1882-1948 Os judeus da diáspora emigram em massa para a terra de Israel.

1948 Fundação do Estado de Israel.

A solução para a "questão judaica" não é a assimilação, mas a **criação de um Estado nacional judeu**.

Para isso, é necessário a **intercessão** da comunidade internacional.

Desde que foram para o exílio, os judeus sonhavam em **voltar para Sion**, a terra de Israel.

Se houver um número suficiente de judeus com esse desejo, **ele pode ser realizado**.

Se você quiser, não será um sonho.

Desde que foram expulsos de sua terra natal por babilônios e romanos, muitos judeus da diáspora sonharam em voltar para Eretz Yisrael, a terra de Israel, também conhecida como Sion, devido ao monte Sion, em Jerusalém. Somente no século XIX, porém, essa esperança foi consolidada em um movimento político, o sionismo, cujo objetivo era estabelecer um Estado judaico na Palestina.

Durante a haskalá, ou "iluminismo judaico", os pensadores judeus inspirados por Moisés Mendelssohn (p. 189) incentivaram o povo judeu a integrar-se à cultura do

Veja também: A aliança de Deus com Israel 168-175 ▪ Religião e Estado 189 ▪ Ras Tafari é nosso salvador 314-315

A meu ver, a questão judaica não é social nem religiosa, mas nacional.
Theodor Herzl

país adotado como forma de superar a perseguição sofrida. Em grande parte da Europa Ocidental e dos Estados Unidos, a emancipação permitiu que os judeus de classe média, principalmente, se integrassem à sociedade.

Um desses judeus, o jornalista e escritor Theodor Herzl, acreditava piamente na integração judaica, até sofrer discriminação antissemita na França, um país dito liberal. Herzl chegou à conclusão de que a criação de guetos e o antissemitismo eram inevitáveis. Os judeus costumavam ser atraídos para lugares onde não sofriam perseguição, mas, após emigrarem em massa para esses locais, passavam a ser discriminados. Mesmo nos lugares onde tentavam integrar-se à comunidade local e comportar-se como cidadãos leais, os judeus eram tratados como estranhos, sendo levados ao isolamento. A solução para o problema, segundo Herzl, não estava na integração, mas na segregação do povo judeu. O antissemitismo não tinha como ser derrotado ou erradicado, mas podia ser evitado com a criação de um Estado judaico.

Uma terra judaica

No livro *O Estado judeu*, publicado em 1896 e descrito pelo autor como uma "proposta de uma solução moderna para a questão judaica", Herzl apresenta argumentos para a criação de uma terra judaica. A escolha óbvia era a terra de Israel, na época uma parte da Palestina de domínio otomano. Essa proposta marcou o início do sionismo moderno como movimento político, em vez de uma aspiração teológica. No ano seguinte, 1897, Herzl organizou uma conferência internacional, o Primeiro Congresso Sionista, onde ficou claro que existia o desejo político por um Estado judaico, faltando apenas que um número suficiente de judeus exercesse pressão na comunidade internacional em prol de sua fundação. Uma frase de seu livro *Altneuland* ("Velha terra nova") passou a ser usada como lema do sionismo: "Se você quiser, não será um sonho". ■

A bandeira de Israel, adotada em 1948, remonta ao Primeiro Congresso Sionista e baseia-se no *talit* (manto de rezas branco com listras azuis nas bordas) e na estrela de Davi.

Theodor Herzl

Theodor Herzl nasceu em 1860 em Pest, região da atual Budapeste. Aos dezoito anos, mudou-se com a família para Viena, onde estudou direito. Em 1839, após uma breve carreira legal, foi morar em Paris. Na França, trabalhou como correspondente do *Neue Freie Presse* (nova imprensa livre) e como dramaturgo.

Depois de cobrir o caso Dreyfus na década de 1890, em que um oficial judeu foi acusado de traição pelas forças militares, Herzl concluiu que a criação de uma pátria judaica em Sion, a terra de Israel, era providencial. O jornalista apresentou seus argumentos em *O Estado judeu* e escreveu um romance, *Altneuland*, baseado em seu livro. Herzl trabalhou incansavelmente para promover os ideais do sionismo: organizou o primeiro congresso sionista na Basileia, Suíça, em 1897, e foi presidente da Organização Mundial Sionista até falecer, em 1904. Em 1949, seus restos mortais foram levados de Viena para Jerusalém, onde foram enterrados de novo.

Obras-chave

1896 *O Estado judeu.*
1902 *Altneuland.*

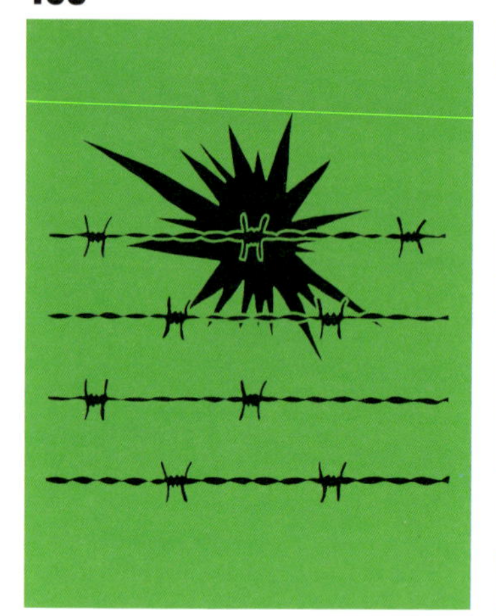

ONDE ESTAVA DEUS DURANTE O HOLOCAUSTO?

UM DESAFIO À ALIANÇA

EM CONTEXTO

PRINCIPAL MOVIMENTO
Teologia do Holocausto

QUANDO E ONDE
Meados do século xx, Europa

ANTES
1516 A República de Veneza estabelece o gueto, modelo para os guetos de isolamento das comunidades judaicas de toda a Europa.

Década de 1850 O antissemitismo na Europa assume um caráter mais racista e secular.

Década de 1880 Início de uma série de pogroms – violentos ataques organizados contra os judeus – na Rússia.

Década de 1930 Hitler torna-se chanceler alemão e dá início a uma campanha de maus-tratos e genocídio de judeus.

DEPOIS
1945 Os judeus são libertados dos campos de concentração no fim da Segunda Guerra Mundial e realocados, muitos nos EUA e depois no recém-formado Estado de Israel.

Desde que foram expulsos de Israel pelo romanos em 70 d.C., os judeus enfrentaram exílio e perseguição. No entanto, o Holocausto, ou Shoah ("catástrofe") – o genocídio de cerca de 6 milhões de judeus, ou dois terços da população judaica de Europa –, foi um acontecimento de horror inaudito que testou a fé do povo judeu em sua aliança com Deus. A atrocidade levantou uma questão: o Holocausto foi obra de Deus ou ele se afastou e deixou que acontecesse? A teologia judaica teve dificuldade de encontrar uma resposta, e muitos judeus perderam a fé, acreditando que Deus havia abandonado seu povo.

O maior teste de todos

Diferentes grupos de judeus apresentaram interpretações distintas do Holocausto. Alguns o compararam às perseguições já sofridas, só que em outra escala, definindo o acontecimento como um exemplo extremo de sofrimento no mundo, um teste de fé e um momento de afirmação da sobrevivência. Outros o consideraram um castigo pelo pecado de ter abandonado os preceitos e a Deus, que respondeu ausentando-se temporariamente do mundo. Outro grupo diz ainda que o Holocausto não tem nenhuma relação com Deus, constituindo um exemplo do livre-arbítrio e da falibilidade humana, talvez explicável, em termos cabalísticos, como um estágio do *tzimtzum*, ou contração de Deus.

Desde então, surgiu um novo campo de "Teologia do Holocausto", em que os estudiosos analisam todas as possíveis respostas e reavaliam a aliança à luz da calamidade. ■

Jamais esquecerei aqueles momentos que aniquilaram meu Deus e minha alma.
Elie Wiesel

Veja também: A aliança de Deus com Israel 168-175 ▪ Misticismo e cabala 186-187 ▪ As origens do sionismo político moderno 196-197

AS MULHERES PODEM SER RABINAS

A ALIANÇA E A DIVISÃO POR SEXO

EM CONTEXTO

PRINCIPAL MOVIMENTO
Feminismo no judaísmo

QUANDO E ONDE
Final do século XX, EUA e Europa

ANTES
Século XIX Surge o movimento reformista no judaísmo e com ele a questão de as mulheres assumirem um papel completo na aliança.

1893 Fundação do Conselho Nacional de Mulheres Judias após o Congresso Mundial de Religiões em Chicago.

1912 Fundação da Hadassah, Organização das Mulheres Sionistas dos EUA.

1922 A ideia de ordenar mulheres rabinas é discutida na Conferência Central de Rabinos Americanos, mas não se chega a nenhum acordo.

1935 Ordenação da primeira mulher rabina, Regina Jonas, em Berlim, Alemanha.

De modo paradoxal, embora a identidade judaica seja tradicionalmente transmitida pela mãe (p. 175), as mulheres foram excluídas da prática do judaísmo em grande parte de sua história. Até o século XIX, a ideia de uma mulher ler a Torá perante a congregação, por exemplo, ou liderar a reza como *chazan* (cantor litúrgico), era considerada heresia. A possibilidade de uma mulher ser rabina era inconcebível.

Com a fundação do judaísmo reformista, porém, e sobretudo no movimento reconstrucionista, a função da mulher na aliança tornou-se um assunto de importância cada vez maior. A primeira mulher rabina assumiu o posto no movimento reformista alemão, em 1935. Nos Estados Unidos, Reino Unido e outros lugares da Europa, a pressão por mudanças intensificou-se com o crescimento do feminismo na década de 1970. O movimento reformista americano ordenou sua primeira rabina em 1972 e uma *chazan* três anos depois. Na esteira dessas transformações, outras ramificações do judaísmo deram início a reformas também, permitindo que as mulheres participassem dos rituais e adotando o *bat mitzvah* (o equivalente feminino ao *bar mitzvah*). Na década de 1980, as mulheres finalmente passaram a ser admitidas nas escolas rabínicas. Hoje, somente o judaísmo ortodoxo se opõe à ordenação de mulheres como rabinas, mas em todas as vertentes do judaísmo as mulheres desempenham um papel cada vez mais ativo, ou até de líderes, na sinagoga. ■

A festividade de *chanuká* é celebrada aqui por Barbara Aiello, a primeira mulher rabina da Itália. O acesso à educação religiosa transformou o papel das mulheres no judaísmo.

Veja também: A aliança de Deus com Israel 168-175 ■ Escrevendo a lei oral 182-183 ■ O judaísmo progressista 190-195

CRISTIA

A PARTIR DO SÉCULO I d.C.

NISMO

Jesus nasce na Judeia romana. Os cristãos acreditam que ele é o Filho de Deus, nascido da Virgem Maria.

c. 4 a.C.

Jesus é crucificado pelas autoridades romanas da Judeia. Os cristãos acreditam que ele ressuscitou três dias depois e ascendeu aos céus.

c. 30-36 d.C.

O imperador romano Constantino publica o edito de Milão, permitindo que a **fé cristã seja livremente praticada**.

313 d.C.

O cristianismo torna-se a **religião oficial do Império Romano**. Entre os convertidos está Agostinho de Hipona.

380 d.C.

c. 26 d.C.

Jesus é batizado por João Batista e dá início a seu ministério.

c. 44-68 d.C.

Todos os apóstolos, com exceção de João, são **martirizados**.

325 d.C.

O **Credo de Niceia** é estabelecido no Concílio de Niceia e, mais tarde, ratificado como o credo universal da Igreja cristã.

1054

O **Grande Cisma** divide o cristianismo em duas vertentes: a ocidental (católica romana) e a oriental (ortodoxa).

O nome "cristianismo" vem do grego *khristós*, uma tradução da palavra hebraica para "messias" ou "o ungido". Esse foi o título dado a Jesus por um grupo de judeus que o consideraram o Messias – o salvador profetizado no Tanach, a Bíblia hebraica – e o filho de Deus em forma humana. Os cristãos acreditam que a chegada de Jesus na Terra anuncia uma "nova aliança" ou Novo Testamento com Deus, posterior às alianças do Antigo Testamento entre Deus e o povo judeu.

As principais crenças do cristianismo baseiam-se na vida e nos ensinamentos de Jesus, registrados por seus seguidores durante o século I d.C. no Evangelho (palavra que significa "boa-nova") e nas epístolas (ou cartas) do Novo Testamento.

Os cristãos dão muita importância à história da crucificação, ressurreição e ascensão de Jesus. Jesus sofreu, morreu e foi sepultado, ressuscitando para salvar aqueles que acreditavam nele e ascendendo aos céus para governar o mundo ao lado de Deus Pai.

Implícita nessa crença está a ideia de que Jesus era, como filho de Deus, uma encarnação de Deus, meio humano, meio divino, e não simplesmente um profeta. Essa ideia levou ao conceito de Trindade: um único Deus que existe em três formas distintas – o Pai, o Filho e o Espírito Santo.

A vida de Jesus também serve de base para os rituais do cristianismo. Os mais importantes são os sacramentos. Os principais sacramentos são o batismo e a eucaristia – comunhão com pão e vinho, conforme instruído por Jesus na Última Ceia. Os outros sacramentos, seguidos pelo maior número de cristãos, são: confirmação (ou crisma), ordens sagradas (ordenação de ministros), penitência, unção dos enfermos, matrimônio e reconciliação (ou penitência) – embora nem todos sejam aceitos por todas as vertentes cristãs.

Da perseguição à adoção

Desde seu início na Judeia romana até atingir o status de religião com o maior número de seguidores no mundo, o cristianismo moldou a cultura de grande parte da civilização ocidental. Os primeiros cristãos foram perseguidos tanto por autoridades judaicas quanto pelo Império Romano, e muitos foram mortos. Mesmo assim, a religião resistiu, sob a liderança da

1095-1291

A Igreja católica empreende as **Cruzadas**, uma série de guerras religiosas, para livrar Jerusalém da ocupação muçulmana.

1274

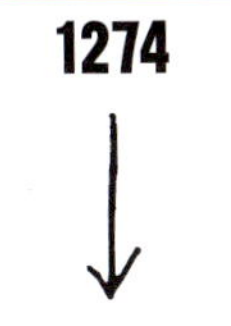

Tomás de Aquino publica *Summa theologica*, que se torna a base do dogma oficial católico.

1305

Um **papado rival** é estabelecido em Avignon, França.

1478

A Inquisição espanhola, a mais conhecida das inquisições instituídas para suprimir a heresia, é fundada pelo rei Fernando e pela rainha Isabel.

1517

Martinho Lutero inicia a Reforma Protestante na Alemanha com a publicação de 95 teses criticando abusos clericais.

1562-1598

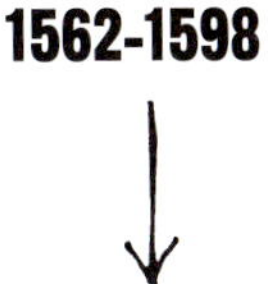

Católicos e protestantes travam guerra na França (a Guerra Santa).

SÉCULOS XVII-XVIII

John Wesley funda o movimento metodista, e surgem outras igrejas protestantes na Europa.

1925

John Scopes é condenado pelo ensino da teoria evolucionária contra a criação bíblica.

primeira Igreja. Gradualmente, o cristianismo passou a ser tolerado pelos líderes romanos e, após o Concílio de Niceia, no qual se instituiu um credo cristão universal, foi adotado como a religião oficial do Império Romano em 380 d.C.

A partir desse momento, o cristianismo tornou-se uma força poderosa na vida política e cultural da Europa e do Oriente Médio. Sua influência espalhou-se rapidamente, produzindo pensadores como Agostinho de Hipona, convertido ao cristianismo, que integrou ideias filosóficas gregas à doutrina. Com o declínio e a queda do Império Romano, o poder na Europa passou para as mãos dos papas, que eram considerados os sucessores naturais dos apóstolos e dos primeiros bispos. No século XI, uma divergência na Igreja quanto à autoridade papal – o Grande Cisma – dividiu o cristianismo em duas ramificações: a Igreja Católica Romana Ocidental e a Igreja Ortodoxa Oriental. O cristianismo também enfrentou um desafio relativo ao Império Islâmico a partir do século VIII e, nos séculos XII e XIII, empreendeu as Cruzadas para expulsar os muçulmanos da Terra Santa e reconquistar Jerusalém.

O poder da Igreja

A Igreja católica manteve sua influência na Europa, e seu dogma dominou o aprendizado e a cultura durante toda a Idade Média. Ideias filosóficas e científicas eram vistas como heréticas, e até o grande Tomás de Aquino foi condenado, primeiro pelo pensamento aristotélico em relação à teologia cristã. Somente séculos após sua morte é que sua visão foi adotada como dogma oficial do catolicismo.

A Renascença dos séculos XIV e XV trouxe um novo desafio para a autoridade da Igreja: o humanismo e o início de uma Era Dourada científica. A retomada do interesse no ensino clássico incitou críticas à Igreja católica, e a Reforma Protestante foi desencadeada pela publicação das 95 teses de Martinho Lutero em 1517. O protestantismo começou a ganhar força no norte da Europa, abrindo caminho para novas ramificações cristãs. Dos quase 2,2 bilhões de cristãos existentes hoje no mundo inteiro (aproximadamente um terço da população mundial), mais da metade é católico, cerca de um terço é reformado e o resto é ortodoxo. ■

JESUS É O INÍCIO DO FIM

A MENSAGEM DE JESUS PARA O MUNDO

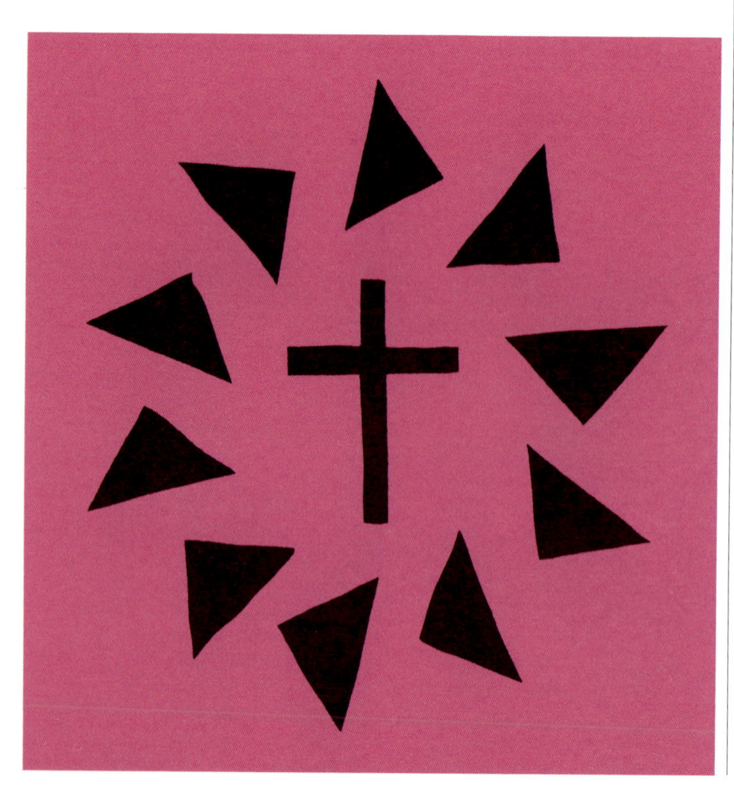

EM CONTEXTO

PRINCIPAL FIGURA
Jesus de Nazaré

QUANDO E ONDE
4 a.C.-30 d.C., Judeia

ANTES
c. 700 a.C. O profeta judeu Isaías prevê a futura soberania de Deus.

Século VI a.C. Durante o exílio dos israelitas na Babilônia, o profeta Daniel tem uma visão sobre o fim da opressão dos reinos terrestres.

c. 450 a.C. A chegada do "Dia do Senhor" é um tema central para os profetas judeus.

DEPOIS
Século I d.C. Os primeiros cristãos levam a mensagem de Jesus para todo o Império Romano.

Século XX O reino de Deus torna-se um tema central na teologia e ética do cristianismo.

Em 63 a.C. o general romano Pompeu conquistou Jerusalém, pondo fim a um século de autogoverno na Judeia e transformando a região em um Estado de domínio romano. Roma foi a última de uma longa lista de forças invasoras durante quinhentos anos, incluindo Babilônia, Pérsia, Grécia, Egito e Síria. Essa repetida perda de soberania abalou o orgulho nacional e causou grande consternação religiosa, desafiando a visão judaica de povo escolhido por Deus.

Os principais textos religiosos judaicos (como a obra profética de Isaías) apontavam para uma época em que o Deus de Israel seria reconhecido como o governante do

Veja também: A promessa de uma nova era 178-181 ▪ A identidade divina de Jesus 208 ▪ Adentrando a fé 224-227 ▪ À espera do Dia do Julgamento 312-313

Existe **falta de justiça e paz** nos reinos governados pelos humanos.

Deus **prometeu fazer jus à nossa esperança** de justiça e paz **no final dos tempos**, num reino dominado por Ele.

Jesus ensinou pelo exemplo a experiência de **perdão, paz e justiça** que Deus prometeu.

O **ministério de Jesus**, portanto, marca o início do reino de Deus: o **início do fim**.

mundo, instaurando um sistema de paz e justiça para todos por meio de seu representante, o Messias (que significa "ungido"). Seria o auge da história mundial, segundo a profecia: o fim da era antiga e o início da era de Deus. A ocupação romana, porém, ameaçou esse sonho.

O anúncio de um novo mundo

Por volta do final da década de 20 d.C., um rabi judeu chamado Jesus deu início a um breve, mas extraordinário ministério em toda a terra de Israel, ocupada pelos romanos. A principal mensagem de Jesus era que o tão esperado reino de Deus estava chegando. Algumas »

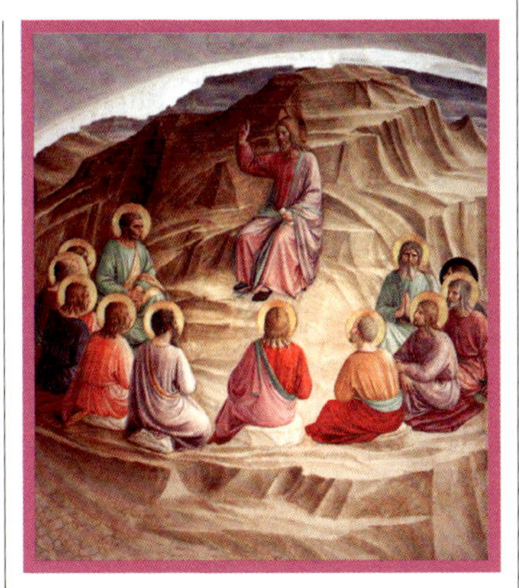

Pregando para os discípulos, Jesus transmitiu a principal mensagem de seu ministério: a aguardada chegada do reino de Deus havia se tornado realidade.

Jesus de Nazaré

Jesus nasceu em Belém, na província romana da Judeia, por volta de 4 a.C. Os cristãos afirmam que a mãe de Jesus, Maria, era uma virgem. Pouco se sabe a respeito dos primeiros anos de vida de Jesus, mas o mais provável é que ele tenha estudado as escrituras e a religião judaica. Dizem que ele foi carpinteiro como o pai, vivendo e trabalhando em Nazaré.

Por volta dos trinta anos, Jesus embarcou num ministério de ensino e cura na região onde vivia. De acordo com o Evangelho, ele atraía multidões com suas histórias cativantes, ensino radical e extraordinários milagres, mas dedicou atenção especial a doze seguidores, ou discípulos. Sua mensagem sobre o reino de Deus, contudo, não tardou em ser censurada pelas autoridades. Jesus foi traído por Judas, um de seus discípulos, preso e condenado à morte com base em acusações forjadas. Segundo relatos, três dias depois da crucificação de Jesus, seu túmulo foi encontrado vazio. Jesus havia ressuscitado, aparecendo para os discípulos.

Os milagres de Jesus, como a cura dos cegos, confirmaram que, assim como ele caminhava entre os pobres e os excluídos, Deus convidava todo mundo, independentemente de status, a seu reino.

pessoas, ao ouvir essa mensagem, julgaram que ele pretendia montar um exército para expulsar os romanos. Mas o objetivo de Jesus não era a independência política de Israel, e sim libertar o mundo inteiro do mal. De acordo com um conjunto de ensinamentos de Jesus conhecido como o Sermão da Montanha (conforme o Evangelho de São Mateus, no Novo Testamento), Jesus anunciou que o reino de Deus havia chegado para dominar os céus e a Terra e que, sob esse novo reinado, os valores distorcidos dos reinos humanos seriam derrubados. O reino de Deus, disse Jesus, não pertencia aos gananciosos, seguros de si e guerreiros, mas ao pobres, humildes e pacificadores.

Todos são bem-vindos

A mensagem de Jesus manifestava-se, segundo a tradição cristã, em sua ações. Séculos antes, o profeta judeu Isaías havia previsto que, quando o reino de Deus chegasse, incríveis milagres de cura aconteceriam: os cegos seriam capazes de enxergar, e os surdos, de ouvir que Deus agora era o rei; os aleijados pulariam de alegria. Os relatos bíblicos sobre o ministério de Jesus são cheios de histórias de cura como essas. Além disso, Jesus anunciou que não haveria mais nenhuma barreira para entrar no reino de Deus. Até aquela época, os judeus consideravam os não judeus como seres aquém da salvação, assim também quem não cumpria as leis divinas (os "pecadores"), mas Jesus afirmou que até essas pessoas seriam bem-vindas no reino dos céus. Para demonstrar o perdão aos pecadores, Jesus compartilhou refeições – uma das atividades mais íntimas e significativas da tradição judaica – com os excluídos sociais e os renegados religiosos. No futuro, Deus prepararia um banquete, ao qual pessoas do mundo inteiro seriam convidadas.

Mas as pessoas ficaram confusas: o reino de Deus não era para ser o auge da história? Por que, então, o mundo não terminava com o anúncio de Jesus? A resposta de Jesus foi que o reino de Deus não chegaria de uma vez, como a maioria das pessoas esperava. Em uma de suas muitas parábolas (histórias utilizadas para transmitir sua mensagem), Jesus compara o reino de Deus ao fermento na massa. Em outra, faz alusão a sementes plantadas no solo. Tanto o fermento quanto as sementes demoram um tempo para produzir resultados, crescendo quase imperceptivelmente, mas produzem resultados.

Uma nova religião

Jesus convidou aqueles que o escutavam a aceitar o reino de Deus e seus valores, afirmando que o reino dos céus havia chegado e continuaria a expandir-se sempre que as pessoas decidissem viver de acordo com a vontade de Deus, aceitando seus valores e vivenciando a cura e o perdão. Jesus reconheceu também que haveria um momento futuro em que Deus triunfaria sobre todos os outros reinos, marcando o fim da atual ordem mundial. Quando esse dia de julgamento chegasse, seria tarde demais para fazer parte do novo mundo de Deus. A mensagem era de urgência. As pessoas

Bem-aventurados os pobres de espírito, pois deles é o reino dos céus.
Jesus (Mateus 5,3)

Como o fim pode ter um início? Jesus disse que a substituição final de nosso mundo presente pelo reino de Deus seria retardada, dando às pessoas tempo para assegurar um lugar nesse reino. Bastava acreditar nele.

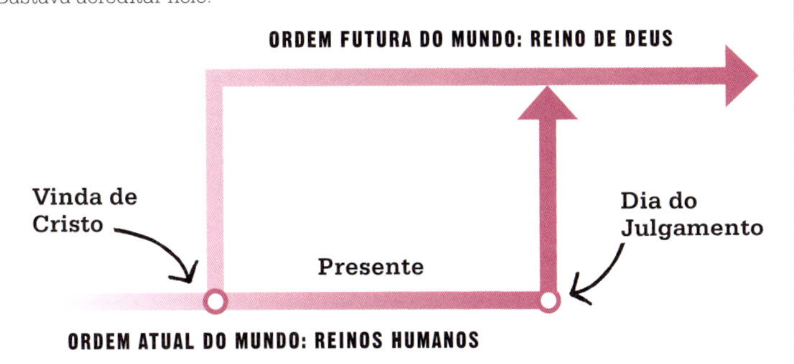

Cumpriu-se o tempo e o Reino de Deus está próximo. Arrependei-vos e crede no Evangelho.
Jesus (Marcos 1,15)

precisavam tomar logo uma decisão. Longe de ser um sonho distante, o fim já havia começado.

A ideia de que a vinda de Jesus representava o "início do fim" causou a separação entre o cristianismo e suas raízes judaicas. Os primeiros seguidores de Jesus afirmaram que não precisavam mais esperar para descobrir quem era o Messias, porque Jesus era esse Messias: o escolhido de Deus para trazer o reino dos céus à Terra. Seus adversários, porém, rejeitaram a ideia e decidiram silenciá-lo, matando-o. Os seguidores de Jesus não desistiram de suas crenças, mesmo após a morte de seu mestre. Aliás, passaram a acreditar mais ainda nele – afirmando que Deus frustrou os inimigos fazendo Jesus ressuscitar. Formava-se uma religião nova dentro do catálogo de religiões – uma fé liderada por uma figura capaz de dominar a morte.

Desde os primeiros dias, o cristianismo foi definido pela convicção de que o ministério de Jesus constituía o início do fim. Uma das principais orações do cristianismo, o pai-nosso, ensinada pelo próprio Jesus, diz: "Venha a nós o Vosso reino, seja feita a Vossa vontade, assim na Terra como no céu". Nessa oração, os cristãos estão pedindo pela vinda do reino de Deus à Terra logo, mesmo que eles tenham de esperar pela chegada completa do reino no fim da história atual do mundo.

O reino de Deus hoje

Ao longo da história, a Igreja cristã chegou a interpretar o "reino de Deus" ou "reino dos céus" como um plano puramente espiritual, sem relação direta com o mundo físico. No início do século XX, todavia, estudiosos do Novo Testamento voltam a abordar o ministério de Jesus no contexto judaico, e desde então a mensagem sobre o reino de Deus tem tido um lugar de destaque na teologia cristã. Com o foco nas circunstâncias inerentes à mensagem original de Jesus, as implicações políticas e econômicas da chegada do reino dos céus tornaram-se mais claras. Os cristãos acreditam agora que o reino está presente sempre que a realidade atual e seus valores são transformados pela soberania de Deus, uma crença que inspirou muitos cristãos a promover movimentos de mudança social. Exemplos: Martin Luther King e a luta pelos direitos civis nos Estados Unidos, Gustavo Gutiérrez e a libertação dos pobres na América do Sul, Desmond Tutu e o fim do apartheid na África do Sul.

O fim de tudo

A ideia de que o ministério de Jesus marca "o início do fim" é conhecida na teologia pelo termo "escatologia inaugurada". A própria palavra "escatologia" vem do grego. Significa "último estudo" e refere-se à doutrina sobre o fim de tudo o que existe – o fim do mundo. Para os cristãos, a mensagem de Jesus referente ao reino de Deus dá ao cristianismo uma escatologia inaugurada: o fim de tudo foi inaugurado (iniciado, mas não concluído) por sua mensagem. O fato de que a presença do reino de Deus hoje na vida dos cristãos possa ser chamada apenas de "o início do fim" é um indicativo de que os seguidores do cristianismo ainda esperam uma ação final e definitiva de Deus. ■

DEUS NOS ENVIOU SEU FILHO

A IDENTIDADE DIVINA DE JESUS

EM CONTEXTO

PRINCIPAIS SEGUIDORES
Primeiros cristãos

QUANDO E ONDE
Século I d.C., comunidades nos arredores do Mediterrâneo

ANTES
A partir de c. 500 a.C. As escrituras judaicas usam o termo "filho de Deus" para descrever o representante humano de Deus.

c. 30 d.C. Jesus é preso e acusado de blasfêmia pelas autoridades judaicas por ter declarado que era o filho de Deus. É enviado para julgamento por Pôncio Pilatos, sob acusação de sedição e é condenado à morte.

DEPOIS
325 d.C. O Credo de Niceia estabelece que Jesus é o Filho divino de Deus, utilizando a expressão "da mesma substância do Pai".

451 d.C. O Credo da Calcedônia afirma que Jesus é perfeito "quanto à divindade e quanto à humanidade".

Muitos reis e imperadores antigos afirmavam que haviam sido adotados pelos deuses, o que lhes dava legitimidade divina para governar. Quando morriam, alguns, como Júlio César, eram elevados à categoria de deus (num processo conhecido como apoteose) e reverenciados.

No Evangelho, Jesus chama Deus de "pai" muitas vezes, possibilitando diversas interpretações, desde a mais genérica – a de que Deus, como criador, é o "Pai" de toda a humanidade – até a mais literal, passando por interpretações simbólicas. Os cristãos acreditam na interpretação literal, ressaltando os milagres extraordinários descritos no Evangelho e, sobretudo, a ressurreição de Jesus, uma prova de sua singularidade nos planos de Deus.

Tu és o Cristo, o filho do Deus vivo.
Mateus 16,15

Deus tornou-se humano

Os primeiros cristãos também afirmaram que a divindade de Jesus era diferente da de outros soberanos. Jesus não foi adotado por Deus em recompensa à obediência. Ao contrário, foi sempre o Filho de Deus, mesmo antes de nascer, possuindo, portanto, a natureza divina de seu Criador durante toda a sua vida humana.

Essa ideia, conhecida como encarnação, tornou-se um ponto central do cristianismo. É o contrário da apoteose. No caso da encarnação, o Filho de Deus assumiu forma humana na figura de Jesus. Deus enviou seu Filho divino ao mundo para trazer o reino dos céus à Terra. ■

Veja também: Crenças para novas sociedades 56-57 ▪ A promessa de uma nova era 178-181 ▪ A Santíssima Trindade 212-219 ▪ O Profeta e as origens do islamismo 252-253

O SANGUE DOS MÁRTIRES É A SEMENTE DA IGREJA

MORRENDO PELA MENSAGEM

EM CONTEXTO

PRINCIPAL ACONTECIMENTO
Perseguição dos primeiros cristãos

QUANDO E ONDE
c. 64-313 d.C., Império Romano

ANTES
c. 30 d.C. Jesus é crucificado, após pedir aos seguidores que esperassem por perseguição.

Século I d.C. Em resposta à opressão das autoridades romanas em Jerusalém, o cristianismo se torna um movimento secreto. Os cristãos deixam a cidade e espalham-se pelo Império.

DEPOIS
Século III Um grupo cristão dissidente opõe-se à readmissão na Igreja daqueles que renunciaram à fé para evitar a perseguição.

Século XVI Facções católicas e protestantes na Europa perseguem-se entre si, afirmando que seu sofrimento é a prova de sua lealdade.

No dia 9 de março de 203 d.C., duas jovens mães – uma nobre chamada Perpétua e sua escrava, Felicidade – foram levadas ao anfiteatro de Cartago com outros cristãos, onde foram açoitadas, maltratadas por bestas selvagens e executadas. A história dessas duas mártires foi registrada em *A paixão de Perpétua e Felicidade*, para inspirar outros cristãos a permanecer comprometidos com sua fé, mesmo diante de ameaças de perseguição e morte.

Os primeiros mártires morreram voluntariamente, acreditando que seu exemplo ajudaria a "semear" a mensagem do cristianismo nas pessoas.

A morte traz a vida

O teólogo Tertuliano, escrevendo em Cartago na época, desenvolveu uma teoria cristã do martírio, observando que "o sangue dos cristãos é a semente". Os imperadores romanos planejaram perseguições para impedir os cidadãos de adotar uma religião que colocava a autoridade de Jesus acima da do Estado. No entanto, conforme atesta Tertuliano, em vez de representar um obstáculo para o crescimento do cristianismo, as perseguições ajudaram em sua disseminação. O fato de os cristãos preferirem morrer a renunciar à crença de que Jesus era o legítimo soberano designado por Deus intrigou e atraiu os mais céticos.

Essa interpretação do martírio contribuiu para o crescimento do cristianismo ao longo de toda a história, pois dava aos cristãos a confiança de que mesmo a mais violenta oposição à sua mensagem não era um sinal de fracasso, mas a semente do sucesso. ■

Veja também: A aliança de Deus com Israel 168-175 ▪ Religião e Estado 189 ▪ A Reforma Protestante 230-237 ▪ O revivalismo islâmico 286-290

O CORPO PODE MORRER, MAS A ALMA CONTINUA VIVENDO

IMORTALIDADE NO CRISTIANISMO

EM CONTEXTO

PRINCIPAL FIGURA
Orígenes

QUANDO E ONDE
Século III d.C., Egito e Palestina

ANTES
Século IV a.C. O filósofo grego Platão populariza o ensinamento socrático de que a morte constitui a separação entre alma imortal e corpo mortal.

c. 30 d.C. Na época da morte de Jesus, o pensamento judaico é dividido: os fariseus acreditam na ressurreição física, enquanto os saduceus rejeitam qualquer forma de vida após a morte.

DEPOIS
Século XIII *A divina comédia* de Dante sintetiza a visão medieval da jornada da alma após a morte.

1513 O V Concílio de Latrão da Igreja declara a imortalidade da alma como uma crença cristã ortodoxa.

Deus **não muda**.

↓

A relação de Deus com os humanos, portanto, não mudará.

↓

O corpo humano morre, de modo que a relação de Deus não pode ser com o corpo.

↓

Os humanos devem ter **almas imortais**, para que sua relação com Deus continue.

↓

O corpo pode morrer, mas a alma continua vivendo.

O que acontece quando morremos? Continuamos a existir de alguma forma ou nosso ser se desintegra totalmente como nosso corpo? Muitos pensadores da antiguidade abordaram essas questões. O Império Romano foi influenciado pelo pensamento grego, e as ideias de Platão sobre o assunto ganharam força nos séculos anteriores ao nascimento, morte e ressurreição de Jesus.

Platão tinha uma visão dualista, acreditando que a vida humana podia ser dividida em duas partes: o corpo físico, em constante transformação e fadado à morte, e a alma pensante, eterna.

No século III d.C., o teólogo Orígenes de Alexandria explicou elementos do cristianismo usando termos da filosofia grega. Em especial, adaptou o pensamento platônico para uma teoria cristã sobre a alma que atravessou os séculos.

Só a alma importa

Como Platão, Orígenes acreditava que as almas são imortais, embora o corpo humano não seja. Para Orígenes, contudo, a imortalidade da alma é uma implicação direta da natureza

Veja também: Disciplina física e mental 112-113 ▪ O homem como manifestação de Deus 188 ▪ A recompensa final para os justos 279

De acordo com Orígenes, a alma é a parte de nós que volta para Deus depois da morte. Os artistas acharam difícil retratar isso sem dar à alma e a Deus uma aparência humana. Este painel do século XVI mostra São Paulo e a Trindade.

imutável de Deus. Como Deus não muda, sua relação com os humanos não termina quando o corpo se desintegra. Portanto, tem de haver uma parte no ser humano que não morre, e essa parte é a alma. Platonista típico, Orígenes dizia que a alma é muito mais importante do que o corpo, que nos distrai da vida espiritual.

Céu e inferno

O pensamento de Orígenes definiu a visão cristã de salvação a partir de sua época. Ao contrário dos platonistas, os escritores da Bíblia hebraica não separavam a alma do corpo. Se existisse realmente a possibilidade de vida após a morte, o corpo teria que ressuscitar para acompanhar a alma. A ressurreição física de Jesus mostrou que isso era possível para quem acreditava nele. Depois de Orígenes, no entanto, a ressurreição do corpo tornou-se um assunto secundário. O foco do pensamento cristão passou a ser o estado da alma antes da morte e seu destino após deixar este mundo. As almas que haviam rejeitado Deus estariam espiritualmente mortas e seriam condenadas a passar a eternidade no inferno. As almas que haviam aceitado a mensagem de Jesus ascenderiam aos céus, num estado de perfeição.

Uma visão moderna

Pensadores cristãos da atualidade dizem que Orígenes se baseou demais no platonismo. Um movimento cada vez maior na teologia cristã rejeita o dualismo (a separação do corpo e da alma), afirmando que a vida da alma após a morte só é possível se Deus também ressuscitar o corpo. Outra crença muito difundida hoje é a da "imortalidade condicional": só alcançará a imortalidade quem acreditar em Jesus. ■

A alma, tendo substância e vida própria, ao deixar o mundo será recompensada de acordo com seus feitos.
Orígenes

Orígenes

Orígenes nasceu em Alexandria, norte da África, numa família cristã, por volta de 185 d.C. Quando tinha dezessete anos, seu pai foi martirizado e ele dedicou-se a uma vida de estudos, tornando-se um respeitado pensador dentro e fora da Igreja. O bispo de Alexandria nomeou-o diretor da escola catequética, para instruir novos convertidos ao cristianismo antes do batismo. Após uma divergência com o bispo, Orígenes mudou-se para Cesareia, Palestina, onde escreveu, entre outros textos, oito volumes em defesa do cristianismo, que estava sendo atacado pelo filósofo Celso.

Por volta de 250 d.C., Orígenes foi torturado pelas autoridades romanas, que queriam que ele renunciasse à sua fé. Ele recusou-se e foi libertado. Faleceu poucos anos depois, em 254 d.C., provavelmente por causa de perseguições.

Obras-chave

c. 220 *De Principiis* (*Primeiros princípios*): a primeira tradução sistemática da teologia cristã.
248 *Os princípios*; *Comentários*; *Contra Celso*.

DEUS É TRÊS E DEUS É UM

A SANTÍSSIMA TRINDADE

EM CONTEXTO

PRINCIPAL TEXTO
O Credo de Niceia

QUANDO E ONDE
Século IV d.C., Niceia e Constantinopla

ANTES
500 a.C. Uma das rezas diárias do judaísmo é o Shemá, que afirma que Deus é um (monoteísmo).

Século I d.C. Os cristãos cultuam Jesus e o Espírito Santo com o Deus de Israel.

c. 200 d.C. Tertuliano explica a Trindade como "três manifestações de uma mesma substância".

DEPOIS
c. 400 d.C. *A Trindade* (*De Trinitate*), de Santo Agostinho, apresenta uma analogia da Trindade baseada em três elementos da vida humana: mente, conhecimento e amor.

Século XX A "teologia trinitária", iniciando com a doutrina da Trindade, ganha notoriedade com o teólogo Karl Barth.

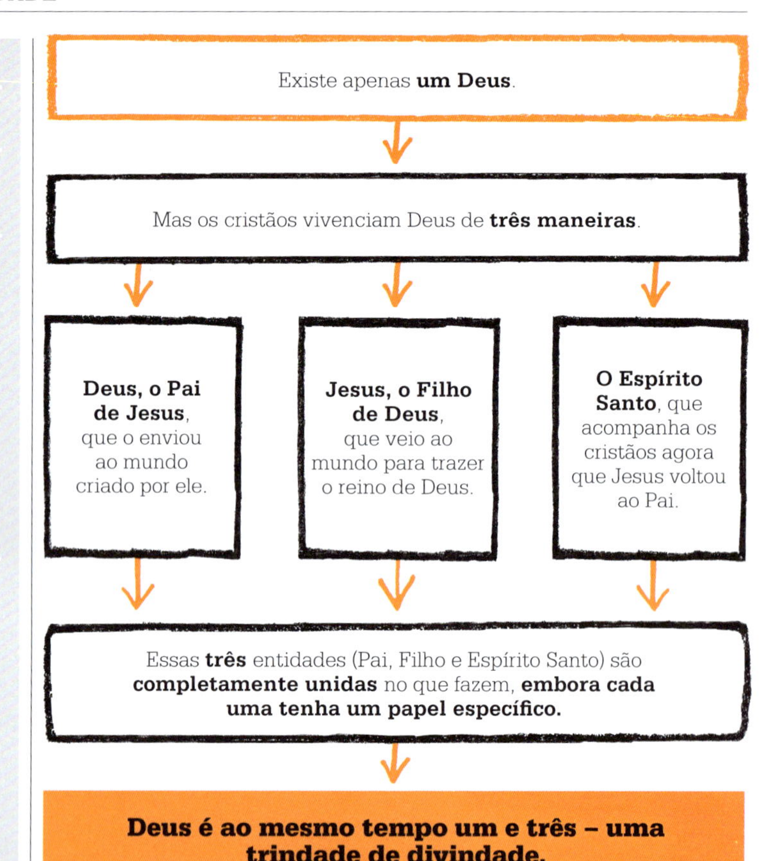

Num teste de matemática, 1 + 1 + 1 = 3, mas numa prova de teologia, não. Um dos mais conhecidos enigmas da religião cristã é a equação para descrever Deus: 1 + 1 + 1 = 1, não 3. Grandes teólogos cristãos tiveram dificuldade para explicar como um único Deus pode ser, ao mesmo tempo, três entidades distintas (o Pai, o Filho e o Espírito Santo). No entanto, essa ideia, conhecida como a doutrina da Trindade, é um conceito central na teologia do cristianismo, diferenciando-o de todas as outras religiões.

Uma forma padronizada de falar sobre Deus, a doutrina da Trindade foi articulada por líderes da antiga Igreja, cerca de trezentos anos após a morte de Jesus, em resposta à grande difusão de ideias cristãs no Império Romano.

A raiz judaica

As raízes do cristianismo estão no judaísmo – a religião de nascimento de Jesus, da qual ele afirmava ser o Messias. Assim como o judaísmo, o cristianismo é uma religião monoteísta. Os cristãos, da mesma forma que os judeus, acreditam em apenas um Deus. Como, então, eles podem afirmar que são monoteístas se reverenciam Jesus como Deus e o Deus que Jesus chamava de Pai? E qual a relação disso com o Espírito Santo, que Jesus prometeu enviar para que Deus se fizesse presente entre os cristãos? Como o Espírito Santo também é considerado Deus, isso quer dizer que os cristãos são "triteístas" em vez de monoteístas? A doutrina da Trindade é uma tentativa de responder a essas perguntas ardilosas, afirmando que só existe um Deus em três formas distintas.

Veja também: Da monolatria ao monoteísmo 176-177 ▪ A identidade divina de Jesus 208 ▪ A unidade da divindade é necessária 280-281

A Trindade retratada como Filho, Pai e pomba – inspirada no batismo de Jesus, quando "o Espírito Santo desceu como pomba e pousou nele" – neste afresco do século XVII.

O que Jesus ensinou

Conforme registrado pelos autores do Evangelho, Jesus se referia a Deus como Pai. A implicação desse ensinamento é clara: Jesus era o Filho de Deus, possuindo sua mesma divindade. Jesus também falou de seu relacionamento com o Espírito Santo: "[...] o Espírito Santo, que o Pai enviará em meu nome, lhes ensinará todas as coisas e lhes fará lembrar tudo o que eu lhes disse" (João 14,26). Além disso, aludiu à divindade das três manifestações de Deus na Grande Comissão da Galileia, onde ordenou a seus seguidores: "[...] façam discípulos de todas as nações, batizando-os em nome do Pai e do Filho e do Espírito Santo" (Mateus 28,19). Em conformidade com esses ensinamentos, os primeiros cristãos passaram a reverenciar Jesus. Afinal, ele havia possibilitado que todos fizessem parte da família divina (um privilégio reservado anteriormente só aos judeus), perdoando a antiga revolta contra Deus e garantindo que todos fossem incluídos quando Deus trouxesse paz e justiça ao mundo. Jesus disse e fez coisas que só Deus era capaz de dizer e fazer. Como deu a entender durante toda a sua vida, Jesus era Deus.

Parecido, mas não igual

A doutrina da Trindade surgiu em resposta a uma série de outras visões que os antigos cristãos julgaram erradas ou "heréticas". Uma dessas visões foi o arianismo – a teologia de Ário (c. 250-336 d.C.), líder cristão »

Cremos em um só Deus, Pai, Todo-Poderoso..., em um só Senhor Jesus Cristo, o unigênito Filho de Deus..., e no Espírito Santo, Senhor e vivificador...

Credo de Niceia

O Credo de Niceia

No início do século IV d.C., o cristianismo já havia se espalhado por todo o Império Romano. Com um apelo tão amplo, tornava-se cada vez mais difícil estabelecer uma compreensão única da religião. O imperador Constantino, ciente dos problemas que essas diferenças causavam, resolveu convocar os bispos de todo o império para um concílio em Niceia, em 325 d.C. A ideia era encontrar um consenso para a fé cristã – sobretudo, a natureza da Trindade –, que fosse aceitável para todos os cristãos. Esse credo seria lido nas igrejas e ajudaria a salvar os cristãos das crenças heréticas, principalmente as arianas (veja p. 216). Em 381 d.C., o imperador Teodósio organizou outro concílio, dessa vez em Constantinopla. O credo de 325 d.C. foi explicado e ampliado, resultando no "Credo de Niceia", que é recitado até hoje nas igrejas do mundo inteiro.

Santo Atanásio de Alexandria, lembrado pela defesa teológica convicta do trinitarianismo contra os ensinamentos do arianismo, teve papel central na elaboração do Credo de Niceia.

de Alexandria, Egito – tão fortemente calcado no monoteísmo que negava a divindade do Filho e, portanto, do Espírito Santo. Para Ário, somente o Pai era realmente Deus. Embora o Filho devesse ser honrado por ter grande proximidade com o Pai, ele era apenas seu representante e não possuía a mesma divindade.

Essa visão condizia com alguns aspectos do pensamento cristão da época: uma das principais características de Deus é que ele era incriado – sua existência não tinha início nem fim. Os arianos alegavam que, como os seres humanos precisam nascer, o Filho de Deus não podia possuir todos os atributos de Deus porque, como Filho, precisou nascer. "Havia uma época em que o Filho de Deus não existia. Deus existia sem o Filho", afirmavam os seguidores de Ário. Segundo essa lógica, somente o Pai era realmente Deus. Uma das palavras utilizadas para descrever o Filho era *homoiousios*, termo em grego que significa "de natureza parecida". O Filho era parecido com o Pai, mas não era igual.

Os arianos preservaram o monoteísmo, mas à custa do Filho e do Espírito Santo, uma visão potencialmente desastrosa para o cristianismo, uma vez que a base do pensamento cristão era que Deus havia salvado a humanidade por meio da vida, morte e ressurreição de seu Filho, Jesus. Se o Filho de Deus não era Deus, como os cristãos poderiam afirmar que Deus realmente perdoaria seus pecados e os aceitaria no reino dos céus?

No Concílio de Niceia, em 325 d.C., o arianismo foi condenado, junto com seu principal pressuposto, que descrevia o Filho como *homoiousios* em relação ao Pai. O termo atribuído a Jesus passou a ser *homoousios*, "de mesma natureza". Esse detalhe fez toda a diferença. Ficou estabelecido que o Filho possui a mesma divindade do Pai. Desse modo, sua vida também não tinha início – Deus sempre foi Pai e Filho, junto com o Espírito Santo.

Manifestações, não máscaras

Uma segunda visão considerada herética pelos defensores da Trindade foi a de Sabélio, presbítero cristão do século III, e seus seguidores, em Roma. Ao contrário dos arianos, os sabelianos acreditavam que o Filho e o Espírito Santo eram realmente Deus. Eles resolveram a questão de Deus ser um e três ao mesmo tempo afirmando que o Pai, o Filho e o Espírito Santo são três "modos" de um Deus único. Essa ideia ficou conhecida como modalismo.

"Pai", "Filho" e "Espírito Santo" podem ser vistos como máscaras disponíveis ao ator numa peça. O ator é um só, mas pode representar três papéis, utilizando máscaras diferentes. A princípio, essa era uma boa forma de descrever a experiência de Deus para os cristãos: às vezes Deus se manifesta como o Pai, às vezes como o Filho e às vezes como o Espírito Santo.

No entanto, se os cristãos algum dia encontrassem três máscaras de Deus, como poderiam garantir que haviam encontrado Deus? Afinal, as pessoas podem usar máscaras para esconder sua verdadeira identidade. E se Deus usasse máscaras para fingir ser algo que Ele não é? Por conta disso, os teólogos cristãos, em vez de falarem de máscaras ou modos, começaram a utilizar o termo grego *hypostasis*, traduzido para o latim como *personae*, ou pessoas: Deus são três hipóstases de uma única *ousia* (palavra em grego para "essência" – em latim, *substantia*), ou seja, três manifestações de uma mesma substância. Para descrever a magnitude de Deus dentro desse raciocínio teológico, termos

Deus é dividido sem divisão, por assim dizer, e unido na divisão. É um em três, e os três são um.
Gregório de Nazianzo

Cada ato de Deus que se estende à criação origina-se do Pai, manifesta-se pelo Filho e é concluído pelo Espírito Santo.
Gregório de Nissa

humanos passaram a ser utilizados. Os teólogos mais destacados nessa área foram os patriarcas da Capadócia: Basílio de Cesareia, Gregório de Nazianzo e Gregório de Nissa (irmão mais novo de Basílio), que viveram no final do século IV d.C. Eles explicaram a diferença entre *ousia* e *hypostasis* ("substância" e "pessoas") com um exemplo: *ousia* é a humanidade como um todo, enquanto *hypostasis* é o indivíduo isoladamente. Toda pessoa faz parte da humanidade, mas possui características únicas que a definem. Para descrever a humanidade de modo adequado, deveríamos dizer "Constituímos uma única sociedade formada por bilhões de pessoas" e listar todas as pessoas que já viveram, estão vivendo ou viverão.

Nessa definição, as manifestações da Trindade possuem uma divindade em comum, da mesma forma que as pessoas compartilham o atributo de fazer parte da humanidade. São apenas três manifestações de uma única substância divina – o Pai, o Filho e o Espírito Santo.

Valendo-se da linguagem das hipóstases ou pessoas, os pensadores cristãos conseguiram contornar os problemas de Sabélio e do modalismo, afirmando que Pai, Filho e Espírito Santo não eram três máscaras usadas por um misterioso ator divino e que não havia um ser humano ideal à espreita em algum lugar por trás de todos os que já viveram. Pai, Filho e Espírito Santo são três manifestações de um único Deus.

Entendendo a Trindade

Por que é importante para os cristãos que seja um único Deus manifestado de três maneiras, em vez de três deuses separados? A resposta óbvia é que, se a Trindade fosse entendida como três deuses separados, os cristãos não poderiam afirmar que o Deus da história de Jesus Cristo era o mesmo que criou o mundo ou que rege o mundo hoje.

A ideia de uma Trindade garante a coesão do relacionamento de Deus com o mundo. Tradicionalmente, o Pai é aquele que criou no mundo, o Filho é aquele que veio para salvá-lo, e o Espírito Santo é aquele que o transforma no lugar desejado por Deus. É importante que esses três aspectos sejam vistos como um único Deus trabalhando de três formas diferentes para atingir o mesmo objetivo – compartilhar seu amor com o mundo –, não três deuses distintos, cada um com um objetivo diferente. Agostinho (p. 221) explicou que é esse amor que unifica a Trindade. »

A Trindade consiste em três diferentes manifestações de Deus não intercambiáveis, mas com a mesma substância divina, e essa substância está presente apenas nessas três entidades.

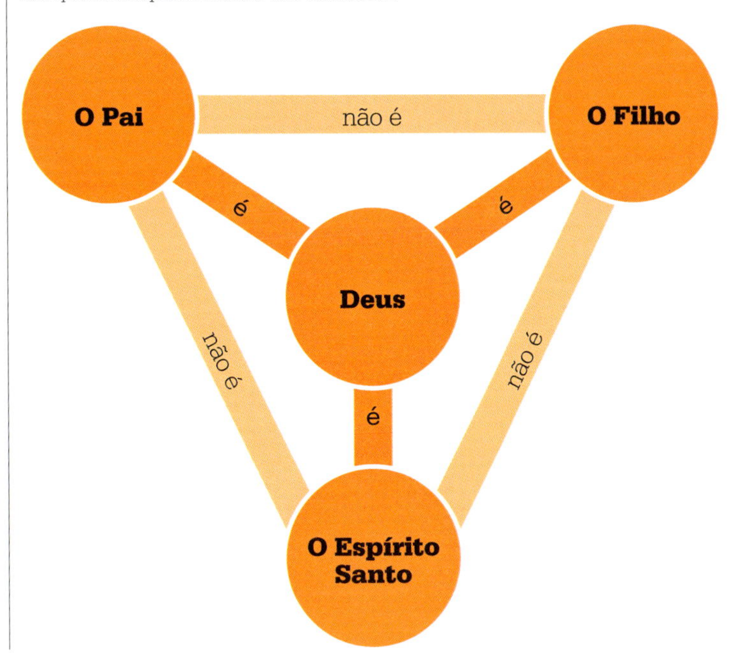

Pétalas de rosas vermelhas no Panteão de Roma, marcando o fim da Missa Pentecostal, que celebra o Dia de Pentecostes, em que o Espírito Santo desceu sobre os discípulos.

Metáforas da Trindade

Ao longo dos séculos, muitas pessoas tentaram encontrar metáforas para a Trindade com o intuito de explicar como três podem ser um e como um pode ser três. Por exemplo, são Patrício – missionário do século V que levou o cristianismo para a Irlanda – usou a imagem de um trevo de três folhas. Outros utilizaram a analogia da comunicação: o Pai é o que fala, o Filho é a palavra dita, e o Espírito Santo é o fôlego para falar. O mais influente teólogo cristão do século XX, sem dúvida, foi o pastor e professor suíço Karl Barth (1886-1968). Barth criou um guia bastante útil para o pensamento trinitário, adotado por grande parte dos teólogos contemporâneos. Qualquer coisa que for dita sobre o Deus cristão deve ser dita três vezes, como três versões diferentes (e complementares) de uma mesma história. Essa repetição, diz Barth, reflete a verdadeira essência de Deus – tudo o que Deus faz, Ele faz como Pai, Filho e Espírito Santo.

Princípio norteador

A doutrina da Trindade é considerada o aspecto mais obscuro e complexo da teologia cristã. Não obstante, os cristãos mantêm essa doutrina, pois acreditam que ela reflete uma característica vital de Deus. Assim como no debate entre arianos e sabelianos no século IV d.C., a ideia da Trindade é essencial para o cristianismo ortodoxo. Grupos como as testemunhas de Jeová e os unitaristas, com visões conflitantes sobre o assunto, geralmente não são considerados cristãos pela Igreja romana.

Um desenvolvimento interessante nos últimos tempos foi a ideia da "Trindade social", na qual a cooperação entre as três manifestações da Trindade é vista como um modelo para a sociedade humana. Deus só pode ser Deus se as relações entre Pai, Filho e Espírito Santo forem mantidas. Da mesma forma, os seres humanos, criados à imagem de Deus, só

Por serem três, Pai, Filho e Espírito Santo constituem três agentes de um Deus único.
Robert Jenson

podem ser verdadeiramente humanos se mantiverem relacionamentos significativos com Deus e os outros.

A Trindade e o Espírito Santo

O Espírito Santo, muitas vezes, parece ser o aspecto menos importante da Trindade, talvez porque as discussões do século IV d.C. girassem em torno da relação entre Jesus, Filho de Deus, e Deus, o Pai, relegando o Espírito Santo a segundo plano. Pode ser também porque o Espírito Santo, dos três aspectos, é o mais difícil de compreender.

De acordo com o Evangelho de João, Jesus disse a seus seguidores que enviaria o Espírito de Deus quando os deixasse e ascendesse ao reino dos céus. Como esse Espírito transformaria a vida dos seguidores de Deus, que passariam a ter a vida sagrada que Deus desejava para eles, o Espírito de Deus passou a ser chamado de Espírito Santo.

Embora os cristãos de diferentes vertentes compreendam o Espírito Santo de maneiras distintas, o movimento pentecostal do século XX ajudou bastante em sua divulgação. O movimento tem esse nome devido ao dia de Pentecostes, no qual Jesus enviou o Espírito Santo a seus discípulos. Está escrito que nesse dia o Espírito Santo apareceu como línguas de fogo sobre os discípulos e os preencheu, possibilitando que eles pregassem em idiomas anteriormente desconhecidos para eles.

A ideia do poder transformador do Espírito Santo é fundamental para os cristãos pentecostais. Eles acreditam que os seguidores podem ser arrebatados pelo Espírito Santo, exatamente como aconteceu com os discípulos de Jesus. Essa experiência pessoal é chamada de "batismo pelo Espírito Santo", e os fiéis buscam ativamente essa renovação espiritual além da vida cristã normal.

O nome do Pai, do Filho e do Espírito Santo significa que Deus é único, mas se manifesta de três maneiras...
Karl Barth

Cristianismo carismático

Desde a década de 1960, o movimento carismático introduziu o entusiasmo pentecostal pelo Espírito Santo em outras vertentes do cristianismo. A palavra "carismático" vem do grego *charismata*, que significa "dom da graça" e se refere aos dons espirituais que provam a existência do Espírito Santo entre os cristãos, incluindo o dom da cura, da profecia e de falar em outras línguas.

O papel proeminente do Espírito Santo nos movimentos pentecostal e carismático incentivou a Igreja a refletir sobre sua compreensão de todos os três aspectos da Trindade, para não excluir inadvertidamente um ou mais deles. A ideia da Trindade continua vital como sempre, demonstrando como os cristãos falam do Deus em que acreditam. ■

Dons do Espírito Santo

A Igreja cristã reconhece muitos dons espirituais. Para os cristãos, esses dons são dádivas de Deus concedidas à Igreja para ajudá-la a fazer o trabalho do reino dos céus no mundo. Os dons servem para três propósitos principais: ministério, motivação e manifestação.

Segundo os cristãos, o Espírito Santo possibilita que algumas pessoas desempenhem um papel especial na igreja. Esses dons de ministério incluem a dedicação integral à missão de pastor ou evangelista. Dons de motivação são dons práticos que ajudam no trabalho da igreja: profecia, ensino, caridade, liderança e misericórdia, entre outros.

Às vezes, o Espírito Santo manifesta-se de maneira específica, como em idiomas (falar uma língua desconhecida para louvar a Deus), cura e outros milagres. Esses dons são chamados de manifestações, que mostram o Espírito Santo em ação.

A Bíblia diz que o Espírito Santo ajuda a produzir bons frutos na vida dos cristãos: "amor, alegria, paz, paciência, amabilidade, bondade, fidelidade, mansidão e domínio próprio" (Gálatas 5,22-23).

A GRAÇA DE DEUS NUNCA FALHA

AGOSTINHO E O LIVRE-ARBÍTRIO

EM CONTEXTO

PRINCIPAL FIGURA
Agostinho de Hipona

QUANDO E ONDE
354-430 d.C., atual Argélia

ANTES
A partir de c. 1000 a.C. Os judeus consideram-se o povo escolhido por Deus devido à sua graça, não por virtude de sua bondade inerente.

c. 30 d.C. Jesus ensina os discípulos sobre a graça: "Vocês não me escolheram. Eu escolhi vocês".

DEPOIS
418 d.C. O ensinamento de Agostinho sobre a graça é aceito pela Igreja, e Pelágio é condenado como herege no Concílio de Cartago.

Século xvi Calvino desenvolve o pensamento de Agostinho em sua doutrina da predestinação, que se torna um elemento central da teologia da Reforma Protestante.

Nós escolhemos Deus ou é Deus que nos escolhe? Eis a pergunta que os pensadores do cristianismo se fazem desde os primeiros dias da Igreja. O conceito filosófico em questão aqui é o do livre-arbítrio, no contexto da crença cristã. O brilhante teólogo Agostinho conseguiu explicar a relação entre a escolha de Deus e a humana.

A controvérsia pelagiana

A chegada do monge celta Pelágio ao norte da África no início do século v instigou Agostinho a um debate sobre livre-arbítrio. A controvérsia, originalmente, referia-se ao batismo

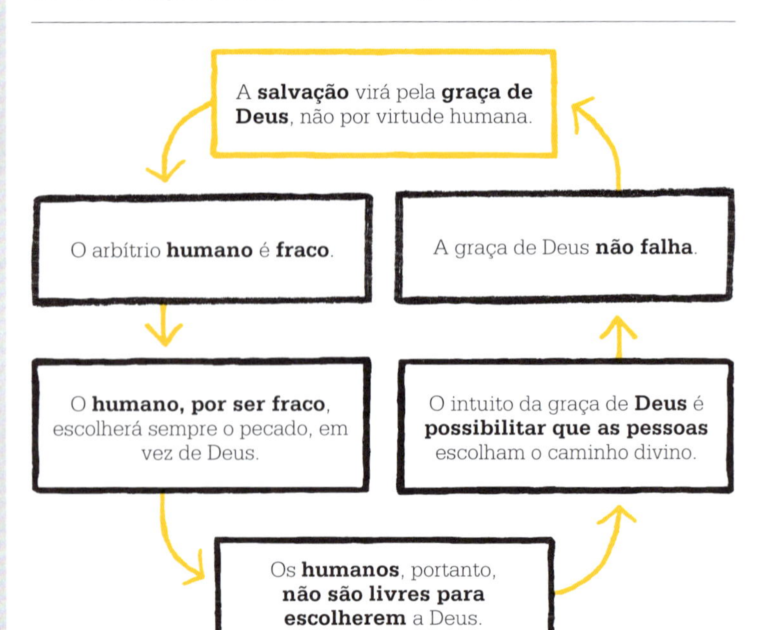

Veja também: A aliança de Deus com Israel 168-175 ▪ O poder da reza 246-247 ▪ A luta no caminho de Deus 278

No batismo de crianças, os cristãos acreditam que as manchas do pecado são lavadas. Segundo Pelágio, como as crianças não desenvolveram o livre-arbítrio, elas não têm como pecar.

de crianças. Pelágio dizia que as crianças não precisavam ser batizadas para lavar as manchas do pecado, como se acreditava na época. O pecado, segundo Pelágio, era resultado do livre-arbítrio humano, e como as crianças ainda não haviam desenvolvido o livre-arbítrio, elas não pecavam. Além disso, se escolhessem o caminho de Deus quando tivessem livre-arbítrio, nem precisariam ser batizadas.

Agostinho discordou de quase tudo o que Pelágio disse, afirmando, com base na experiência e na lógica, que é impossível escolhermos o caminho de Deus por vontade própria. Desde o nascimento, temos a tendência natural de escolher o que está errado – uma ideia que ficou conhecida como o "pecado original". Segundo Agostinho, para escolher Deus, precisamos da ajuda de Deus, e por isso o batismo é tão importante. Deus decidiu nos dar sua graça redentora. Como Deus é onipotente, tudo o que ele faz é perfeito. Os seres humanos que receberem a graças de Deus terão liberdade para escolher Deus, em detrimento do pecado. A visão de Agostinho era bastante equilibrada: a escolha de Deus não substitui a escolha humana, mas a possibilita.

Predestinação

O conceito de Agostinho, que ficou conhecido como a "doutrina da predestinação", foi adotado por reformistas protestantes, entre eles João Calvino. Em algumas declarações extremas sobre predestinação, a ideia de que a graça de Deus não falha é defendida à custa da liberdade humana, reduzindo nossas decisões a atos irrelevantes, uma vez que Deus já decidiu o que acontecerá. Eis o chamado "paradoxo do livre-arbítrio". Muitos afirmam que a predestinação priva os seres humanos do livre-arbítrio. A ideia da graça de Deus de Agostinho é uma forma de manter o equilíbrio entre a escolha de Deus e a escolha humana. ■

Deus estende sua misericórdia à humanidade não porque já o conhecemos, mas para que possamos conhecê-lo.
Agostinho de Hipona

Agostinho de Hipona

Aurélio Agostinho nasceu em 354 d.C. em Tagaste, norte da África. Foi criado no cristianismo pela mãe devota, mas renunciou à fé na juventude e levou uma vida dissoluta por vários anos. Após estudar filosofia grega em Cartago, abraçou o maniqueísmo, uma religião persa, mas retornou ao cristianismo por causa dos sermões do bispo Ambrósio de Milão e do exemplo do eremita do deserto Antônio (p. 223).

Agostinho foi batizado na Páscoa, em 387, e em 396 foi nomeado bispo de Hipona. Pregou e escreveu prolificamente sobre controvérsias teológicas até sua morte, em 430. Agostinho é considerado um dos maiores pensadores cristãos, e seus ensinamentos continuam a influenciar o pensamento cristão em todo o mundo ocidental. Reconhecido como santo pela Igreja católica e pela Igreja anglicana, recebeu o importantíssimo título de Doutor da Igreja, no século XIII.

Obras-chave

397-400 d.C. *Confissões.*
413-427 d.C. *A Cidade de Deus.*

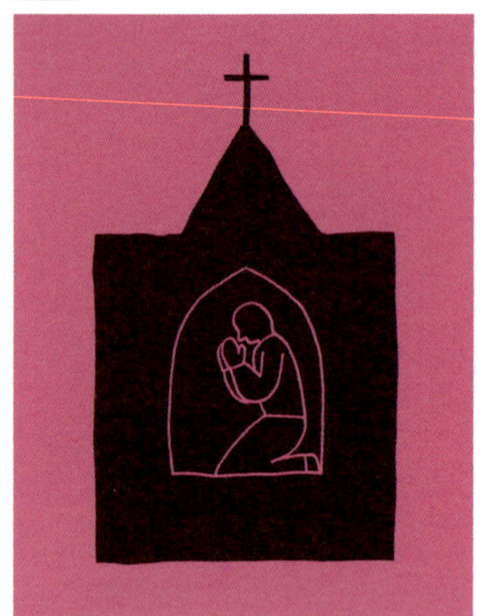

NO MUNDO, MAS NÃO DO MUNDO

SERVINDO A DEUS EM NOME DOS OUTROS

EM CONTEXTO

PRINCIPAL MOVIMENTO
Monasticismo

QUANDO E ONDE
A partir do século III d.C., Mediterrâneo

ANTES
Século II a.C.-I d.C. Dentro do judaísmo, os essênios ascéticos reúnem-se em comunidades "monacais" para viver uma vida de pureza e abstinência.

DEPOIS
529 d.C. São Bento estabelece uma comunidade monástica na Itália. Em 817, sua *Regra* torna-se o principal compêndio de preceitos para os monges da Europa Ocidental.

Século XI São Francisco e santa Clara fundam a Ordem Franciscana e a Ordem de Santa Clara.

Século XVI Mosteiros considerados ricos demais, suspeitos de corrupção, são fechados durante a Reforma Protestante na Europa.

Os cristãos vivem **no mundo**.

O mundo é cheio de **coisas que distraem de Deus**.

Retirando-se do mundo, monges e freiras podem focar numa **vida espiritual**.

Sem distrações, eles podem **rezar** pelo **mundo à sua volta** e tentar melhorá-lo.

Monasticismo significa estar no mundo, mas não ser do mundo.

Hoje em dia, os mosteiros são vistos como relíquias de um mundo passado, mas na época em que começaram a surgir (início do período medieval, após o colapso do Império Romano no século V), tinham papel de destaque na sociedade. Numa Europa que adentrava a chamada pejorativamente de "Idade das Trevas" do ponto de vista cultural, os mosteiros tornaram-se grandes canais de aprendizado e inovação. Essas poderosas instituições refletiam uma ideia central do cristianismo: a de que alguns indivíduos podem se afastar das demandas da vida comum para focar numa vida espiritual em nome dos outros e de si mesmos. Um importante aspecto do monasticismo sempre foi o de rezar para as pessoas do mundo inteiro.

Das cavernas para os claustros

As raízes do monasticismo encontram-se na história de "pais e mães" que viveram no deserto egípcio a partir do século III d.C. Esses primeiros monges e freiras decidiram se retirar do mundo para viver uma vida simples de devoção e preces. Levaram as palavras de Jesus a sério – "Pois, que adianta ao homem ganhar o mundo inteiro e perder a sua alma?" – e tornaram-se ascetas, abrindo

Veja também: O ascetismo conduz à libertação espiritual 68-71 ▪ Níveis mais elevados de ensinamento 101 ▪ O propósito dos votos monásticos 145 ▪ Imortalidade no cristianismo 210-211 ▪ A Reforma Protestante 230-237

No século III d.C., um dos primeiros eremitas do deserto, santo Antônio, atraiu milhares de seguidores, que se estabeleceram em cavernas em torno dele. Este mosteiro foi construído anos depois no local, no Egito.

mão dos bens materiais e do casamento para focar na vida espiritual. O mundo era um lugar de muitas tentações, capaz de desviar os seres humanos do caminho de Deus. Como antídoto para a agitação do dia a dia, os ascetas procuravam orar em tranquilidade, em estado contemplativo. Está escrito: "Assim como é impossível para um homem ver seu rosto em águas turbulentas, também é impossível encontrar a Deus se a mente não estiver livre de pensamentos".

Com a expansão do monasticismo para a Europa, as cavernas do deserto foram substituídas por construções especiais, que ficaram conhecidas como mosteiros. Muitos mosteiros foram construídos em torno de claustros, um pátio interno usado para meditação. Embora os mosteiros tenham mudado para ambientes mais populosos, a ideia de retirar-se do mundo para dedicar-se à vida espiritual persistiu.

Uma vida dedicada aos outros

Os mosteiros não eram apenas refúgios espirituais do mundo externo. Como nessa época a maioria dos cristãos eram camponeses, com longas jornadas de trabalho para sobreviver, monges e freiras rezavam em nome deles. Grupos monásticos como o dos beneditinos (fundado no século VI) e o dos cistercienses (século XII) ofereciam, além de preces, caridade e hospitalidade.

Ao longo de toda a Idade Média, os mosteiros serviram como centros de educação, transmitindo o conhecimento de preciosos manuscritos. De acordo com o ideal monástico, retirar-se do mundo dava a monges e monjas tempo e energia para servir aos outros, em nome de Deus. ■

Na Igreja cristã oriental há somente uma ordem monástica, que segue as instruções da vida monástica escritas por são Basílio.

O monasticismo oriental

Enquanto o monasticismo europeu ocidental é conhecido por suas construções comunais, muitos mosteiros orientais seguem uma antiga tradição de monges e monjas vivendo em relativo isolamento uns dos outros, inspirada em santo Antônio. Outra antiga tradição monástica oriental extrema foi a praticada pelos estilitas, como são Simeão, que viveu no cimo de uma coluna de pedra, jejuando, rezando e pregando. Embora os mosteiros orientais possuam práticas ligeiramente diferentes, eles ainda cultuam a ideia de separação do mundo para viver uma vida espiritual, dedicada aos outros. Um dos lugares mais sagrados do monasticismo oriental é o monte Atos, na Grécia, a Montanha Sagrada, que abriga algumas das construções monásticas mais antigas do mundo. Essa península isolada é completamente autônoma e separada do mundo. Mulheres não têm permissão de acesso à ilha.

NÃO EXISTE SALVAÇÃO FORA DA IGREJA

ADENTRANDO A FÉ

EM CONTEXTO

PRINCIPAL MOVIMENTO
O IV Concílio de Latrão

QUANDO E ONDE
1215 d.C., Roma

ANTES
Século I d.C. Formam-se as primeiras comunidades cristãs.

313 d.C. O imperador romano Constantino publica o edito de Milão, permitindo que a fé cristã seja livremente praticada.

1054 O Grande Cisma divide o cristianismo em duas vertentes: a ocidental (católica romana) e a oriental (ortodoxa).

DEPOIS
1545-1563 O Concílio de Trento reafirma os sete sacramentos contra a visão protestante de dois.

Séculos XX-XXI O movimento ecumênico afirma que todos os cristãos, de qualquer denominação, fazem parte de uma Igreja global.

É possível haver um cristão que não seja também membro da Igreja? Muitas pessoas hoje responderiam que sim, alegando que Jesus não ofereceu aos discípulos instruções para construir uma instituição religiosa. Outros afirmariam que para ser cristão basta acreditar em Jesus, sem precisar pertencer à Igreja.

Apesar desses argumentos, fazer parte da Igreja foi um elemento essencial do cristianismo ao longo de quase toda a sua história. A princípio, nos primeiros anos após a morte e ressurreição de Jesus, as cerimônias cristãs eram simplesmente uma adaptação das reuniões religiosas das sinagogas

Veja também: A aliança de Deus com Israel 168-175 ▪ Religião e Estado 189 ▪ As profissões de fé 262-269 ▪ À espera do Dia do Julgamento 312-313

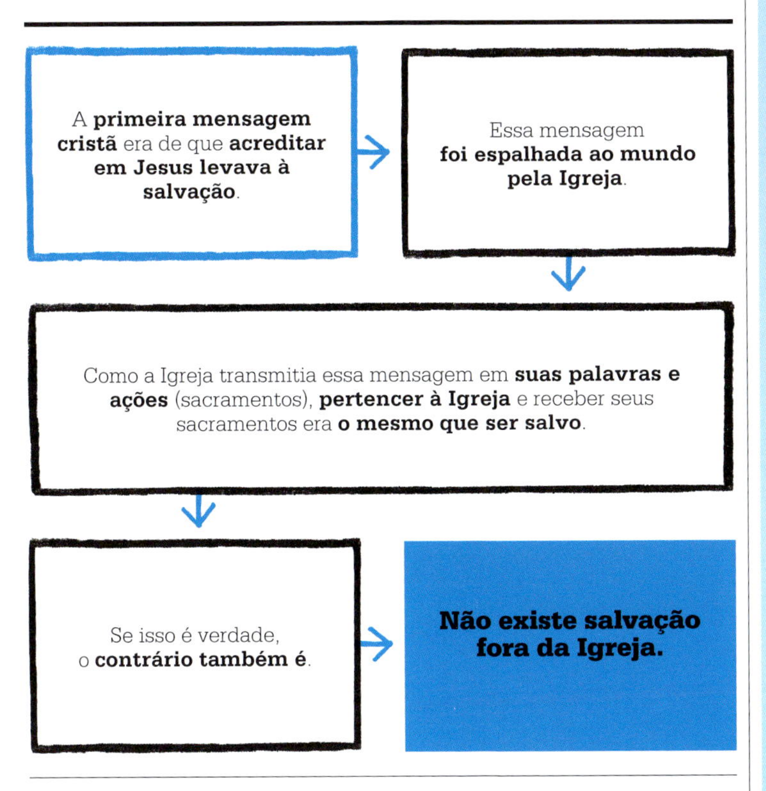

judaicas, de onde vinha grande parte de seu público. Como os judeus, os cristãos também se reuniam para rezar, cantar, comer juntos e ler as escrituras. No cristianismo, as escrituras compreendiam a Bíblia hebraica, que ficou conhecida como Antigo Testamento, e um novo conjunto de documentos sobre Jesus e sua importância, conhecido como Novo Testamento.

A **primeira mensagem cristã** era de que **acreditar em Jesus levava à salvação**.
Essa mensagem **foi espalhada ao mundo pela Igreja**.
Como a Igreja transmitia essa mensagem em **suas palavras e ações** (sacramentos), **pertencer à Igreja** e receber seus sacramentos era **o mesmo que ser salvo**.
Se isso é verdade, o **contrário também é**.
Não existe salvação fora da Igreja.

Com a propagação da mensagem cristã no mundo não judaico, as cerimônias cristãs desenvolveram uma identidade própria, sendo chamadas de *ecclesia*, palavra em grego para "convocação". O termo aludia à ideia de que Deus havia convocado o grupo para transmitir a mensagem de Jesus ao mundo.

Igreja matriz

Em meados do século III d.C., o teólogo Cipriano já havia estabelecido que pertencer à Igreja não era um elemento negociável e opcional do cristianismo. Nessa época, os cristãos eram duramente perseguidos pelas autoridades romanas. Alguns tiveram que renunciar à fé para salvar a vida. Os líderes da Igreja, então, ficaram sem saber o que fazer com essas pessoas, se as aceitavam de volta no caso de arrependimento ou se as excluíam, deixando que elas formassem »

O inferno cristão

Ao longo de toda a história do cristianismo, ideias de inferno simbolizaram a ameaça de exclusão da salvação de Deus. Nos ensinamentos de Jesus, a palavra usada para inferno, Geena, refere-se a um lugar real fora dos muros de Jerusalém, o vale do Filho de Hinom. Acredita-se que ali eram realizados sacrifícios de crianças no fogo, e o lugar foi considerado amaldiçoado. Essa história deu origem à conhecida imagem do inferno como um lugar de fogo permanente.

Durante a Idade Média, os horrores do inferno tornaram-se um tema recorrente na arte religiosa, lembrando às pessoas da necessidade de permanecer na Igreja católica se quisessem escapar da ameaça de tormento eterno.

Mais recentemente, pensadores cristãos afirmaram que Jesus, ao falar de inferno, não se referia a um lugar real, onde os pecadores seriam punidos para sempre. "Inferno" era apenas o nome para a existência sem Deus. Como Deus é o criador da vida, sua ausência significa ausência de vida, ou morte eterna.

comunidades isoladas. Cipriano foi inflexível, afirmando que a Igreja deveria perdoá-las e aceitá-las de volta, uma vez que, segundo seu entendimento, só poderia existir uma única Igreja e a salvação fora do âmbito eclesiástico era impossível. O teólogo comparou a Igreja com a arca de Noé do Antigo Testamento, dizendo que as únicas pessoas que se salvariam do julgamento de Deus seriam as que estivessem ligadas à Igreja, assim como as únicas pessoas que se salvaram do dilúvio na história de Noé foram as que entraram na arca.

Na época de Cipriano, a Igreja já possuía uma estrutura definida. Diáconos e padres lideravam congregações locais, enquanto bispos e arcebispos eram responsáveis por áreas maiores. Devido à importância política e econômica de Roma nesse período, o bispo de Roma passou a ser visto, gradativamente, como o líder de toda a Igreja, tornando-se o único bispo com o título de "papa" ("pai", em grego) no século VI.

O poder papal cresceu durante o período medieval. Embora, a princípio, a primazia do papa fosse considerada uma forma prática de assegurar a unidade da Igreja, no início do século XI líderes eclesiásticos de língua grega do Oriente começaram a sentir que estavam sendo injustamente dominados pelo papa de língua latina do Ocidente. Em 1054, ocorreu o Grande Cisma. A Igreja cindiu-se em duas vertentes, oriental e ocidental, mencionando diferenças doutrinais, assim como a questão da autoridade papal. O papa de Roma, contudo, ainda se considerava o líder soberano da Igreja, e no IV Concílio de Latrão, realizado em 1215, o papa Inocêncio III reafirmou sua autoridade sobre os poderosos bispos da Igreja oriental de Constantinopla, Antióquia, Alexandria e Jerusalém.

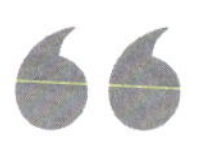

Deus não pode ser seu Pai se a Igreja não for sua Mãe.
Cipriano, *A unidade da Igreja*

Na Europa Ocidental, a Igreja Católica Romana, presidida pelo papa, foi considerada a única verdadeira família de cristãos fiéis até o fim da Idade Média. O predomínio da Igreja Católica Romana na vida medieval fortaleceu a ideia de que era impossível encontrar salvação fora da Igreja.

Os sete sacramentos da Igreja Católica Romana marcam diferentes estágios da vida cristã. Celebrar os sacramentos demonstra afiliação à Igreja. Pertencer à Igreja, segundo os católicos, é necessário para a salvação.

Sete sacramentos

Embora a Igreja tivesse desenvolvido um enorme poder político e econômico no período medieval, sua maior força era a espiritual. Uma das principais funções da Igreja era dar visibilidade à união entre Deus e seu povo. Como o relacionamento cristão com Deus parecia intangível por natureza, tornou-se mais conveniente avaliar a fé cristã pelo estado do relacionamento de um indivíduo com a Igreja.

Dentro da Igreja, ritos especiais eram realizados para demarcar diferentes estágios da vida cristã. Conhecidos como sacramentos, esses ritos consistiam em ações físicas com significado espiritual.

Há apenas uma Igreja universal dos fiéis, fora da qual absolutamente ninguém é salvo.
IV Concílio de Latrão

Originalmente, a Igreja celebrava apenas dois sacramentos – batismo e eucaristia –, segundo o exemplo e o ensinamento do próprio Jesus. Durante a Idade Média, porém, o número de sacramentos chegou a sete, todos com o consentimento da Igreja católica. Eis os sacramentos: batismo (o momento em que a pessoa entra na Igreja e seus pecados são lavados); confirmação (o momento em que a pessoa recebe a dádiva do Espírito Santo de Deus para ajudá-la a ter uma vida cristã); a eucaristia (uma celebração do perdão alcançado pela morte e ressurreição de Jesus); penitência (as ações especificadas por um presbítero para a pessoa reconciliar-se com Deus após confessar seus pecados); extrema-unção, ou unção dos enfermos (unção, consolo e garantia de perdão aos moribundos); e ordens sagradas (quando uma pessoa decide passar a vida servindo a Deus dentro da Igreja). O último dos sete ritos é o matrimônio, que foi considerado um sacramento pois se acreditava que o relacionamento entre marido e mulher refletia o relacionamento entre Deus e seu povo.

Receber os sacramentos era uma indicação clara de que a pessoa pertencia à Igreja católica e, portanto, seria salva por Deus. A Igreja, então, desenvolveu uma legislação para orientar padres e fiéis na correta utilização dos sacramentos. Os sacramentos eram considerados tão importantes que o clero estava proibido de tirar algum proveito de suas atividades. No IV Concílio de Latrão, ficou estabelecido que todos os cristãos deveriam receber a eucaristia pelo menos uma vez por ano (na Páscoa), além de confessar os pecados e fazer penitência no mínimo uma vez por ano também. As orações dos padres no leito de morte dos moribundos eram consideradas tão essenciais que os médicos tinham que chamar um padre antes de fazer seu trabalho. A legislação eclesiástica assegurava que a Igreja oferecesse os sacramentos de forma gratuita e regular, e seus membros recebessem o que era oferecido.

Evitando denominações

Assim como outros concílios eclesiásticos, o IV Concílio de Latrão reafirmou a ideia de que rejeitar os sacramentos da Igreja católica equivalia a expulsar a si mesmo da Igreja e perder a salvação oferecida em nome de Deus. Se a Igreja era vista como a "mãe" dos fiéis, quem não fosse "filho" da Igreja não poderia ser salvo.

As pessoas que, além de rejeitar os sacramentos, levavam os outros a rejeitá-los, seriam condenadas de forma mais dura. Como se acreditava que os papas da Igreja Romana haviam herdado e transmitiam os ensinamentos de Pedro – um dos discípulos mais próximos de Jesus, considerado o primeiro papa –, aquele que rejeitasse os ensinamentos do papa estava rejeitando os ensinamentos de Jesus. Hereges impenitentes (acreditando em tudo, menos nos ensinamentos da Igreja católica) recebiam o castigo da excomunhão, sendo banidos da Igreja e proibidos de receber sacramentos até mudarem de ideia. Se morressem antes de se arrependerem das heresias, perderiam a salvação de Deus e teriam que enfrentar os horrores do inferno.

No final da Idade Média, o monopólio da salvação pela Igreja católica se viu ameaçado pela Reforma Protestante (pp. 230-237). Nenhuma instituição cristã isolada poderia mais afirmar que não havia salvação fora de seu âmbito. No entanto, a ideia de que não há salvação fora da Igreja cristã persistiu em muitos grupos cristãos. ■

São Pedro, discípulo próximo de Jesus, martirizado em Roma, é a origem da prerrogativa papal. Como os papas teriam herdado sua autoridade, rejeitar a palavra dos papas é rejeitar Jesus.

ESTE É MEU CORPO, ESTE É MEU SANGUE

O MISTÉRIO DA EUCARISTIA

EM CONTEXTO

PRINCIPAL FIGURA
Tomás de Aquino

QUANDO E ONDE
1225-1274, Europa

ANTES
A partir de 300 a.C. Os judeus passam a tomar vinho na refeição de *Pessach* (Páscoa), além do consumo de pão ázimo.

Século I d.C. São Paulo escreve instruções para os primeiros cristãos, referentes à celebração da última ceia de Jesus com os discípulos.

1215 d.C. O IV Concílio de Latrão define a eucaristia como um dos sete sacramentos essenciais na fé católica.

DEPOIS
Século XVI Os reformadores protestantes rejeitam o conceito de transubstanciação, focando num entendimento mais simbólico das palavras de Jesus.

No **sacramento** da eucaristia, os cristãos têm a experiência da **"verdadeira presença" de Jesus**.

Mas os elementos da eucaristia são **o pão e o vinho, não carne e sangue**.

Aristóteles diferencia **"substância"** de **"acidentes"** (a forma ou atributos de algo).

Os **"acidentes"** do pão e do vinho **não mudam**.

Portanto, a "substância" do pão e do vinho é que **se converte em corpo e sangue de Jesus**.

Eis o mistério da eucaristia.

Antes de ser preso e crucificado, Jesus fez uma refeição de Páscoa com seus discípulos, na qual compartilhou pão e vinho, dizendo: "Este é meu corpo, este é meu sangue". Desde então, esse ritual é celebrado pelos cristãos num ato de devoção conhecido como Eucaristia, Sagrada Comunhão ou Santa Ceia. Com o passar dos séculos, porém, as palavras de Jesus tornaram-se um assunto de grande controvérsia. Em que sentido o pão e o vinho transformam-se no corpo e sangue de Jesus?

No século XIII, o grande teólogo medieval Tomás de Aquino desenvolveu a teoria da transubstanciação para esclarecer ensinamentos prévios sobre a eucaristia, baseando-se na filosofia de Aristóteles, redescoberta pouco

Veja também: Crenças para novas sociedades 56-57 ▪ Adentrando a fé 224-227 ▪ A Reforma Protestante 230-237

A presença do verdadeiro corpo de Cristo e do verdadeiro sangue de Cristo neste sacramento não pode ser detectada pelos sentidos nem pelo entendimento, mas só pela fé.
Tomás de Aquino

tempo antes. O ensinamento de Aquino passou a ser a doutrina oficial da Igreja Católica Romana.

O propósito do ensinamento de Aquino era explicar como a "verdadeira presença" de Jesus poderia ser encontrada nos elementos do pão e do vinho. Isso foi importante porque os cristãos acreditam que a eucaristia é um sacramento, ou seja, um ato sagrado capaz de manifestar uma verdade religiosa (p. 226). Se Jesus não estivesse presente quando o pão e o vinho fossem compartilhados, o sacramento perdia o sentido.

Quando o pão não é pão?

De acordo com Aristóteles, "substância" é a identidade única de um objeto ou pessoa – o que caracteriza uma mesa, por exemplo. "Acidentes" são os atributos da substância e podem mudar sem alterar sua identidade – uma mesa pode ser de madeira e azul, mas se fosse de metal e rosa, continuaria sendo uma mesa.

Aquino desenvolveu essa ideia afirmando que a substância ou essência de um objeto ou pessoa (como Jesus) podia ser encontrada nos acidentes ou atributos de outros objetos (como o pão e o vinho). Além disso, um objeto também poderia ser convertido em outro, de modo que, quando um padre abençoava o pão e o vinho, a substância do pão e do vinho era convertida na substância do corpo e sangue de Jesus (daí o termo transubstanciação – "transformação de uma substância em outra"). Como os acidentes ou atributos do pão e do vinho continuavam a existir, a "verdadeira presença" de Jesus nesses elementos podia ser imaginada, mas não vista fisicamente. ▪

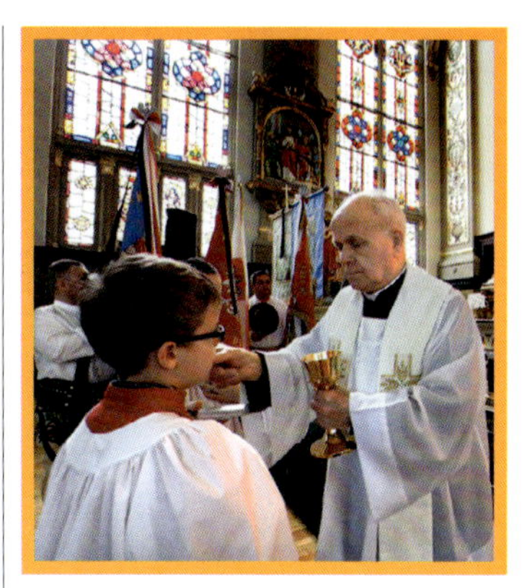

A Sagrada Comunhão é fundamental na religião de quase todos os cristãos. Os católicos romanos e os ortodoxos acreditam na transubstanciação. Outros a consideram um ato mais simbólico.

Tomás de Aquino

Tomás de Aquino é considerado o maior teólogo do movimento escolástico medieval, uma nova forma de enxergar a religião cristã com rigor acadêmico. Aquino nasceu numa família de nobres em Roccasecca, perto de Nápoles, em 1225. Na universidade de Nápoles, Aquino integrou a recém-formada Ordem dos Pregadores (mais tarde conhecida como Ordem Dominicana). Continuou seus estudos em Paris e Colônia, tornando-se um professor altamente reconhecido na Igreja católica. Sua maior contribuição para o cristianismo foi o uso da filosofia grega, sobretudo a obra de Aristóteles, para explicar e defender a teologia cristã. Conhecido como "tomismo", seu sistema teológico tornou-se o padrão do pensamento católico por vários séculos. Aquino morreu aos 49 anos em 1274, durante uma viagem ao Concílio de Lyon.

Obras-chave

c. 1260 *Suma contra os gentios*.
c. 1265-1274 *Suma teológica*.

A PALAVRA DE DEUS NÃO PRECISA DE INTERMEDIÁRIOS

A REFORMA PROTESTANTE

EM CONTEXTO

PRINCIPAL MOVIMENTO
A Reforma

QUANDO E ONDE
Século XVI, Europa Ocidental

ANTES
1382 John Wycliffe publica a primeira grande tradução da Bíblia para o inglês.

1516 O pensador humanista cristão Erasmo publica uma nova edição do Novo Testamento grego, incluindo sua tradução para o latim.

DEPOIS
1545-1563 Concílio de Trento. Como representantes da Igreja católica, o grupo condena o movimento protestante.

1563 Publicação do *Catecismo de Heidelberg*, uma declaração de fé para calvinistas e luteranos. Torna-se um influente catecismo da Reforma.

A Igreja Católica Romana foi uma instituição formidável no final da Idade Média. De seu palácio em Roma, o papa controlava não só a vida religiosa da Europa, mas também a economia e a política do continente. A Igreja era uma grande proprietária de terras, e, pelo sistema feudal, muitos camponeses deviam a casa, a sobrevivência e o cuidado de sua alma à Igreja. Por outro lado, era importante para os nobres e governantes manter boas relações com a Igreja, obedecendo a suas leis, dando o dízimo e pagando taxas.

Nas primeiras décadas do século XVI, porém, uma revolução espiritual e social diminuiu o poder da Igreja católica, inaugurando um novo capítulo na história do cristianismo na Europa. Essa revolução, conhecida hoje como Reforma Protestante, baseava-se na ideia de que Deus podia ser reverenciado diretamente, sem a necessidade de uma hierarquia de sacerdotes autorizados para atuar como intermediários. Os reformadores submeteram os ensinamentos e tradições da Igreja à autoridade das escrituras, afirmando que a salvação só poderia ser alcançada pela fé pessoal, não pela obediência aos decretos eclesiásticos.

Renascença na Europa

No século XVI, a Europa já havia começado a se desvencilhar das antigas ideias da vida medieval. Os horizontes do mundo conhecido expandiam-se rapidamente. Exploradores espanhóis, portugueses e franceses empreenderam suas próprias expedições, seguindo o exemplo de Cristóvão Colombo, que descobrira a América em 1492. As áreas de transporte e comércio ganharam força, com os avanços da atividade marinha, e descobriu-se um novo caminho para a Índia, contornando o continente africano.

Na Europa, o sistema feudal foi abandonado em prol de novos reinos e cidades-Estado controlados por governantes, cujo interesse era melhorar a vida econômica de sua região. Na vida cultural, artistas, filósofos e cientistas redescobriam o aprendizado clássico do passado, num movimento conhecido como Renascença. Em suma, um novo mundo se apresentava, e a Igreja,

A Bíblia foi escrita na **linguagem comum** da época (o Antigo Testamento, em hebraico, e o Novo Testamento, em grego).

Os primeiros cristãos foram incentivados a **estudar as escrituras** para chegar a suas próprias conclusões sobre a fé cristã.

Com a **Bíblia em latim** na Idade Média, **a maioria das pessoas não tinha como chegar a suas próprias conclusões** sobre o que estava escrito.

Com a tradução da Bíblia para a linguagem vernácula, **todo mundo pôde ler e entender** a palavra de Deus por conta própria.

A palavra de Deus não precisa de intermediários.

Veja também: O poder do xamã 26-31 ▪ A busca pessoal pela verdade 144 ▪ Agostinho e o livre-arbítrio 220-221 ▪ Experiência mística no cristianismo 238

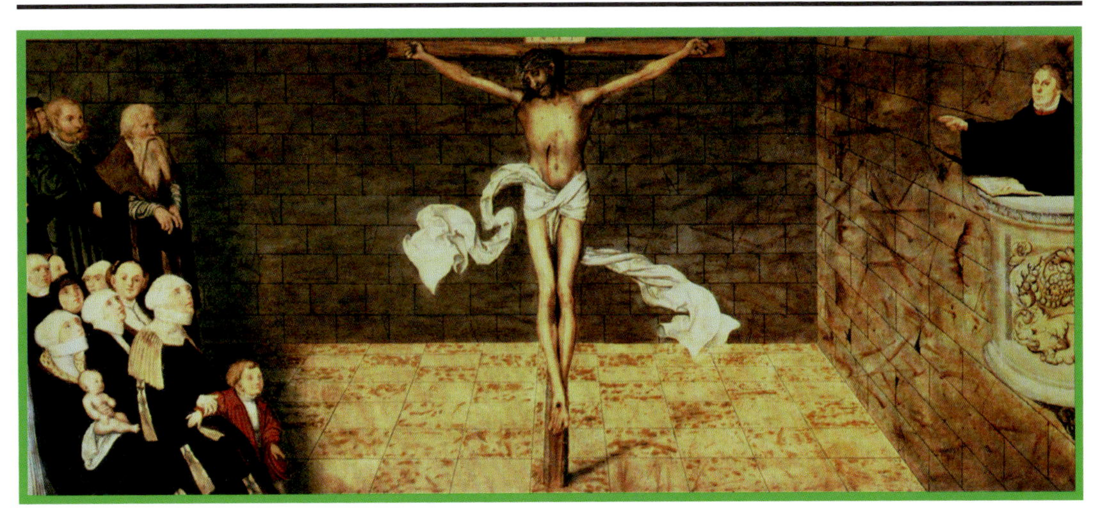

Martinho Lutero prega do púlpito nesta pintura da Igreja de Santa Maria, em Wittenberg. A presença de Cristo crucificado é um símbolo do relacionamento direto com Deus.

com suas tradições e estruturas antiquadas, parecia ter um papel menos importante nesse mundo.

Uma ideia equivocada de Deus

Os serviços litúrgicos da Igreja na Idade Média eram realizados em latim, uma língua que a maioria das pessoas não entendia. A versão oficial da Bíblia – uma tradução do original em hebraico e grego feita no século IV por são Jerônimo, conhecida como Vulgata ("de uso comum") – também era em latim. Por conseguinte, a maioria dos fiéis da Igreja dependia dos padres para entender os fundamentos do cristianismo. Os padres, por sua vez, com grande poder sobre a mente dos fiéis, defendiam as tradições da Igreja católica, em vez de voltar aos textos originais.

Embora tal realidade conferisse certa coerência aos ensinamentos católicos na Europa, também apresentava perigos óbvios. Por exemplo: como as pessoas nas igrejas poderiam ter certeza de que os padres estavam ensinando o que constava da Bíblia? Como verificar se o que ouviam era verdade?

Conflito com Roma

A Reforma começou porque um monge alemão, Martinho Lutero, acreditava que as pessoas estavam sendo enganadas – às vezes, inconscientemente – pelos padres e líderes da Igreja católica da época.

Lutero irritou-se com a pregação do dominicano Johann Tetzel, que havia chegado ao povoado de Wittenberg, Saxônia, onde Lutero atuava como pároco e professor universitário. Tetzel vinha em missão de arrecadar fundos para a Igreja: em Roma, o papa Leão X precisava de dinheiro para construir uma grande igreja, a Basílica de São Pedro; e, mais perto de casa, o cardeal alemão Albrecht precisava pagar um empréstimo feito para custear sua posição. Tetzel havia sido autorizado a vender certificados, chamados de "indulgências", que supostamente livrariam as pessoas do sofrimento no purgatório após a morte pelos pecados cometidos. A concessão de indulgências já era uma prática comum na Igreja católica havia muitos séculos, mas Lutero ficou estarrecido com as estratégias de venda de »

Um cristão é um senhor livre de tudo, a ninguém sujeito. O cristão é um servo dedicado a tudo, a todos sujeito.
Martinho Lutero

O **papa Júlio II** aparece nesta pintura instruindo Bramante, Michelangelo e Rafael a começar o trabalho no Vaticano e na Basílica de São Pedro.

Tetzel: assustar as pessoas com imagens terríveis de parentes falecidos sofrendo no purgatório. "Quando a moeda no cofre cai, uma alma do purgatório sai", lembrava Tetzel, e muitos dos paroquianos de Lutero resolveram pagar pelas indulgências, na esperança de comprar a salvação.

Lutero chegou à conclusão, pelos estudos da Bíblia e sobretudo do Livro de Romanos do Novo Testamento, de que a salvação era um presente de Deus para aqueles que tinham fé, não algo a ser comprado. O monge alemão registrou suas objeções à venda das indulgências em 95 teses, que enviou para seu bispo, o príncipe de Mainz, e afixou na porta da igreja em Wittenberg. Uma cópia das teses acabou sendo publicada, tornando-se um best-seller da noite para o dia.

A questão não se resumia à arrecadação de fundos para a construção de uma basílica e ao custeio dos gastos do arcebispo. Lutero questionou também a autoridade dentro da Igreja católica. Em 1520, o papa Leão X publicou um documento em resposta, explicando que Lutero deturpava os ensinamentos da Igreja e que ele e seus seguidores eram considerados hereges. Lutero foi convidado a se retratar, mas recusou-se, queimando sua cópia do documento do papa.

Autoridade das escrituras

O que Lutero queria dizer era claro: embora o papa fosse o líder da Igreja, ele não era a autoridade máxima em termos de fé. A autoridade máxima era a palavra de Deus, conforme registrada na Bíblia, as chamadas "Escrituras Sagradas". Segundo Lutero, os cristãos não precisavam das tradições e dos ensinamentos da Igreja para chegar a Deus e à salvação. Ao contrário, podiam ignorar essas tradições humanas, geralmente imprecisas, e descobrir a verdade diretamente na Bíblia – princípio que ficou conhecido como *sola Scriptura*, "somente as Escrituras". Os reformadores acreditavam que as pessoas não precisavam de "intermediários" para interpretar o significado das escrituras. Qualquer um podia ler a Bíblia e compreender o caminho da salvação de Deus, que, para Lutero, não envolvia indulgências, papas e muitas das outras práticas da Igreja católica.

O movimento de Lutero de rejeitar a tradição e voltar às fontes bíblicas originais encontrou terreno fértil no início do século XVI. O movimento humanista (não confundir com o humanismo moderno secular) já procurava retomar o aprendizado clássico que havia sido esquecido na Idade das Trevas. Humanistas cristãos como Erasmo de Roterdã (1466-1536) incentivavam seus alunos a estudar os idiomas originais da Bíblia (hebraico, no caso do Antigo Testamento, e grego, no caso do Novo Testamento) e os escritos dos primeiros cristãos, os

Estão errados os que pregam indulgências e afirmam que uma pessoa será absolvida e salva de todo castigo mediante indulgência do papa.

Martinho Lutero

Lutero foi enviado ao mundo pelo gênio da discórdia. Não há um lugar sequer imune à sua presença. Todos admitem que as corrupções da Igreja exigiam medidas drásticas.
Erasmo

patriarcas da Igreja. A Reforma conclamava todos a ler a Bíblia por conta própria.

Uma revolução impressa

Apesar de o envolvimento direto com as escrituras ser um pilar da Reforma Protestante, havia ainda um grande obstáculo a ser vencido: muitas pessoas eram analfabetas, e, mesmo que soubessem ler, a Bíblia era em latim e estava disponível apenas para alguns poucos privilegiados, pois cada exemplar tinha que ser escrito à mão. Iniciativas de traduzir a Bíblia para o vernáculo haviam sido duramente repreendidas pela Igreja católica. Em 1382, John Wycliffe chegara a traduzir a Bíblia para o inglês, mas essa versão não estava disponível para todos.

Na época de Lutero, porém, a prensa tipográfica, uma invenção de Johannes Gutenberg em Mainz, no ano de 1440, havia revolucionado o processo de publicação. Lutero aproveitou a nova tecnologia e traduziu a Bíblia para o alemão coloquial, publicando o Novo Testamento em 1522 e a Bíblia inteira em 1534. Graças à linguagem coloquial de Lutero e ao custo relativamente baixo da Bíblia impressa, os cristãos de toda a Alemanha logo puderam ler as escrituras por conta própria. Em pouco tempo, foram publicadas traduções da Bíblia para o francês e para o inglês, o que ajudou a disseminar as ideias reformistas pelo continente. Além da Bíblia, os prelos da Europa começaram a imprimir centenas de panfletos e livros escritos pelos reformadores, material vorazmente consumido por pessoas ávidas de novas ideias.

Protesto e cisma

A princípio, Lutero e seus seguidores queriam apenas criar uma reforma dentro da Igreja católica, daí o nome "reformadores". Todavia, numa série de reuniões eclesiásticas conhecidas como "dietas" (semelhantes a sessões de um parlamento), ficou claro que a Igreja católica não aceitaria as exigências dos reformadores, que incluíam independência do papa, liturgias realizadas no idioma local, em vez de em latim, e casamento para o clero. A esperança de uma reforma na Igreja católica deu seu último suspiro na Dieta de Speyer, em 1529.

Os seguidores de Lutero escreveram uma "carta de protesto", opondo-se à autoridade da Igreja. A partir desse momento, receberam o nome de "protestantes", pela rejeição à autoridade eclesiástica em favor da confiança na interpretação pessoal da Bíblia.

Apoio político

O movimento protestante foi respaldado por diversos príncipes alemães, que tiraram proveito da revolta religiosa de Lutero para assegurar a independência política de seus Estados. A primeira medida foi suprimir a fé católica e a influência da Igreja em seu território, segundo o lema *Cuius regio eius*

Martinho Lutero

Martinho Lutero nasceu na Alemanha, em 1483. Abandonou a escola de direito para se tornar monge, após quase ser fulminado por um raio numa tempestade. Em 1508 passou a lecionar na Universidade de Wittenberg, onde também era sacerdote. Os estudos de Lutero conduziram-no à doutrina da justificação pela fé: Deus declara justos os cristãos em virtude apenas de sua fé, não por nenhuma "bondade" que eles tenham feito ou possam vir a fazer (no caso das indulgências, que possam vir a comprar). Pela oposição à autoridade papal, Lutero tornou-se um homem procurado, mas se recusou a abjurar. Passou o resto da vida pregando e escrevendo. No ano de sua morte, 1546, a Igreja luterana já estava bem estabelecida.

Obras-chave

1520 *Apelo à classe dominante alemã*, em nome da reforma da Igreja.
1534 *Bíblia luterana* (tradução do Antigo e Novo Testamentos).

religio ("Um reino, uma religião"). » Em outras palavras, os príncipes escolhiam a Igreja para o povo.

Uma vez estabelecido, o princípio protestante mudou definitivamente o cenário político e religioso da Europa, dando a outros governantes a estrutura necessária para livrar seu reino do domínio do papa. A Reforma Anglicana, por exemplo, começou quando o rei Henrique VIII, antigo adversário dos reformadores, resolveu contornar a autoridade do papa para divorciar-se de sua esposa, Catarina de Aragão, e casar-se com Ana Bolena.

O protestantismo deu origem a uma série de ramificações na Igreja, chamadas de denominações. Como a Igreja católica havia sido a única Igreja da Europa por vários séculos, a Reforma Protestante produziu todo um conjunto de novas denominações. Embora os protestantes concordassem na questão de que a autoridade da Igreja Católica Romana devia ser rejeitada, eles não conseguiram chegar a um consenso quanto a um sistema de pensamento unificado. Conflitos entre alguns movimentos protestantes às vezes eram tão violentos quanto a disputa entre protestantes e católicos.

Proliferação protestante

Três grandes vertentes protestantes surgem nesse período turbulento: os luteranos, que seguiam as ideias de Martinho Lutero; os presbiterianos, influenciados pelo trabalho de João Calvino (veja na página ao lado); e os anglicanos, protestantes moderados da Inglaterra, que mantiveram muitos aspectos do catolicismo rejeitados pelos outros movimentos.

... as escrituras, reunindo as impressões de Deus até então confusas em nossa mente, dissipada a escuridão, mostram-nos em diáfana clareza o Deus verdadeiro.
João Calvino

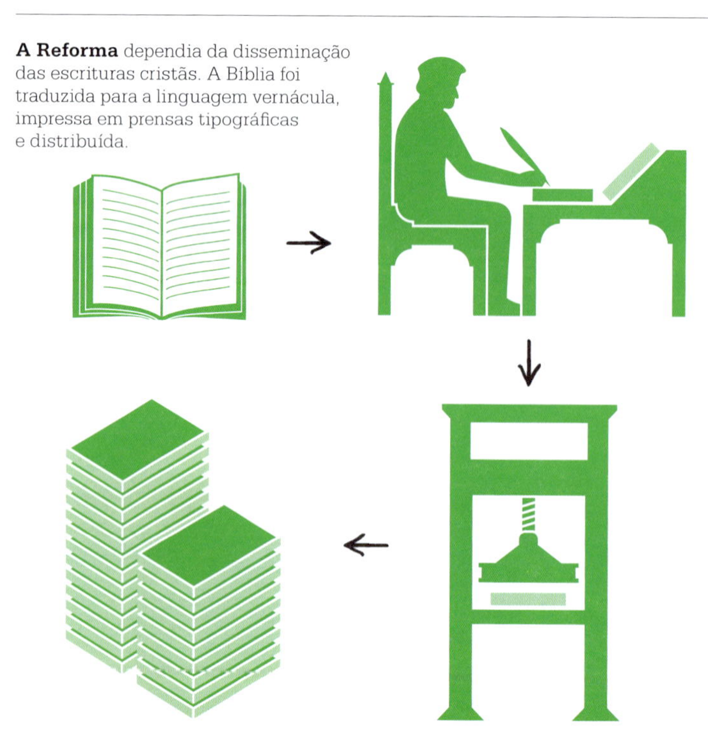

A Reforma dependia da disseminação das escrituras cristãs. A Bíblia foi traduzida para a linguagem vernácula, impressa em prensas tipográficas e distribuída.

A Contrarreforma

Em certo sentido, os católicos tinham razão em querer controlar os meios de comunicação com seu rebanho. Sem o controle da autoridade papal, a Igreja perdeu a unidade de pensamento. Numa tentativa de deter o descontentamento em relação a corrupção/atitudes mundanas e recuperar "almas perdidas" do protestantismo, a Igreja católica empreendeu a Contrarreforma, também conhecida como Reforma Católica. Em 1545, líderes católicos reuniram-se na cidade italiana de Trento, visando restabelecer a superioridade da Igreja católica, em oposição à ascensão protestante. No final do Concílio de Trento, que durou dezoito anos, as doutrinas católicas tradicionais foram reconfirmadas, mas introduziram-se reformas quanto às práticas eclesiásticas inaceitáveis que desencadearam a Reforma.

Um *Índice de livros proibidos* foi publicado, com uma lista de 583 textos heréticos, entre eles a maioria das traduções da Bíblia e toda a obra de Erasmo, Lutero e Calvino (o *Índice* foi abolido em 1966). Iniciou-se um programa de construção de igrejas,

As igrejas construídas no norte da Europa para congregações protestantes, como esta igreja luterana em Vik, Islândia, costumam ser simples, sem nenhum adorno.

com o propósito de erguer templos para abrigar milhares de fiéis. As igrejas, pela primeira vez, teriam um projeto acústico para os sermões vernaculares. Inácio de Loyola, ex-soldado e filho de um nobre espanhol, fundou a Companhia de Jesus, uma ordem de missionários também conhecida como jesuítas – indivíduos dispostos a ir aonde fosse necessário para disseminar o catolicismo. A Igreja também se valeu de um processo chamado Inquisição para reafirmar sua autoridade, perseguindo pessoas acusadas de heresia e utilizando métodos brutais para extrair a confissão dos acusados.

Fim da Idade das Trevas

A Contrarreforma teve algum sucesso na Itália, na Espanha e na França, mas poucas mudanças foram feitas na estrutura do catolicismo em outros países, e o movimento não conseguiu conter o avanço protestante. A partir dessa época, a Europa abrigou uma grande variedade de igrejas, que disputavam o coração e a mente dos cristãos. Embora os católicos pudessem alegar tradição, a ideia do protestantismo parecia mais atraente para o espírito da época. Um dos lemas da Reforma Protestante era: *post tenebras lux*, "após a escuridão, a luz". Depois da chamada Idade das Trevas, o protestantismo prometia retirar o ranço do catolicismo medieval e oferecer um novo mundo de ideias, com base no conceito de que ler e ouvir a Bíblia num idioma que a pessoa conseguisse entender daria lugar a um relacionamento com Deus sem a interferência de padres, papas e indulgências. ■

João Calvino

Nascido no norte da França em 1509, João Calvino entrou em contato com o humanismo cristão na Universidade de Bourges, onde se dedicou ao estudo teológico. Durante esse período, vivenciou uma conversão religiosa que o fez romper com a Igreja Católica Romana e aderir ao movimento protestante. Obrigado a fugir da França, Calvino atuou como pastor em Genebra, Suíça, de 1536 a 1538, depois em Estrasburgo, até 1541, retornando para Genebra, onde permaneceu até sua morte, em 1564.
Calvino falou sobre a iniquidade do ser humano e a incapacidade de conhecer a Deus sem o estudo das escrituras. Enfatizou a soberania divina, afirmando que Deus era livre para conceder a dádiva da salvação a quem bem entendesse. Os seguidores de Calvino, chamados de calvinistas, construíram igrejas no mundo inteiro – chamadas presbiterianas, do grego *presbyteros* (ancião).

Obra-chave

1536 *As institutas da religião cristã* (primeira edição latina).

DEUS ESTÁ ESCONDIDO NO CORAÇÃO

EXPERIÊNCIA MÍSTICA NO CRISTIANISMO

EM CONTEXTO

PRINCIPAL FIGURA
Teresa de Ávila

QUANDO E ONDE
Século XVI, Espanha

ANTES
A partir do século III d.C. Monges e freiras optam por uma vida de solidão no deserto para escapar das distrações mundanas e focar somente em Deus.

c. 1373 A mística inglesa Juliana de Norwich apresenta suas visões em *Sixteen revelations of divine love*.

Século XVI Uma nova ênfase na comunhão pessoal com Deus, em vez de rituais, conduz à Reforma Protestante.

DEPOIS
1593 Teresa de Ávila e o místico espanhol João da Cruz, importante figura na Contrarreforma, estabelecem a Ordem das Carmelitas Descalças, uma forma mais contemplativa da ordem monástica.

Desde os primeiros dias do cristianismo, os cristãos acreditam que, graças a Jesus, podem ter uma relação direta com Deus. Alguns cristãos, contudo, tinham dificuldade de participar dos cultos na igreja, julgando-os ritualísticos demais. No final da Idade Média, surgiu a busca por uma experiência mais pessoal com Deus, em reação à devoção formalizada. Essa busca ficou conhecida como misticismo cristão. Em vez de recitar as orações padrão, os cristãos místicos defendiam a contemplação silenciosa de Deus, que muitas vezes levava a experiências magníficas do amor divino. O misticismo foi adotado por muitos cristãos porque não requeria padres nem livros de reza para guiar o indivíduo, apenas a comunhão pessoal.

A jornada interior

O livro *O castelo interior*, um dos clássicos da experiência mística, escrito pela freira carmelita espanhola Teresa de Ávila (1515--1582), narra a jornada da alma cristã por seis moradas dentro de um castelo, até chegar à morada mais recôndita, habitada por Deus. Cada morada representa um nível mais íntimo de reza até que a alma atinja a meta de uma vida de perfeita união com Deus, que Teresa chamou de "casamento espiritual". ■

Numa Igreja dominada pelos homens, algumas das principais figuras místicas foram mulheres, como Teresa de Ávila (à esquerda), Catarina de Siena (1347-1380) e Juliana de Norwich (c. 1342-1416).

Veja também: O ascetismo conduz à libertação espiritual 68-71 ▪ O homem como manifestação de Deus 188 ▪ O sufismo e a tradição mística 282-283

O CORPO PRECISA DE SALVAÇÃO COMO A ALMA

SANTIDADE SOCIAL E EVANGELICALISMO

EM CONTEXTO

PRINCIPAL FIGURA
John Wesley

QUANDO E ONDE
Século XVIII, Reino Unido

ANTES
Século I d.C. Jesus prega em encontros ao ar livre, acessíveis a todo mundo. A mensagem é alimentar os famintos, vestir os que estão nus e cuidar dos enfermos.

Final do século XVII O movimento pietista na Europa continental defende a vivência prática do cristianismo.

DEPOIS
Século XIX Nos EUA, os metodistas wesleyanos e os metodistas livres são ativos no movimento abolicionista.

1865 O pregador metodista William Booth funda o Exército de Salvação, com a missão de salvar corpo e alma.

A Revolução Industrial representou um novo desafio para o cristianismo. Embora alguns poucos gozassem de uma riqueza sem precedentes, milhares viviam em estado de extrema pobreza, enfrentando problemas de saúde e terríveis condições de trabalho. Na Grã-Bretanha, os irmãos John e Charles Wesley, ambos clérigos anglicanos, responderam à necessidade de mudanças na sociedade com uma mensagem de "santidade social", que John descreveu como uma religião não somente interna e privada, mas publicamente engajada nas questões sociais do momento.

A mensagem cristã

Em maio de 1738, os irmãos Wesley, profundamente tocados pela leitura da obra de Martinho Lutero, chegaram a um novo entendimento quanto à necessidade da religião para a salvação. A experiência teve um profundo impacto em seu ministério e fez que eles se juntassem a um número cada vez maior de "evangelistas" – indivíduos que levavam a mensagem cristã para além dos limites da igreja, pregando em mercados, em campos e em casas. Os evangelistas acreditavam no poder de transformação pessoal e social do cristianismo, sendo responsáveis por importantes movimentos, como a abolição do comércio de escravos, sindicatos e o programa de educação gratuita para os filhos de trabalhadores. Os seguidores de Wesley ficaram conhecidos como metodistas, pela maneira prática e metódica da religião de se dedicar às necessidades dos outros. ■

Com salvação eu quis dizer não apenas escapar do inferno ou ir para o céu, mas libertar-se do pecado agora.
John Wesley

Veja também: Vivendo em harmonia 38 ▪ O império da bondade e da compaixão 146-147 ▪ O código de conduta do sikhismo 296-301

OS AVANÇOS DA CIÊNCIA NÃO INVALIDAM A BÍBLIA

O DESAFIO DA MODERNIDADE

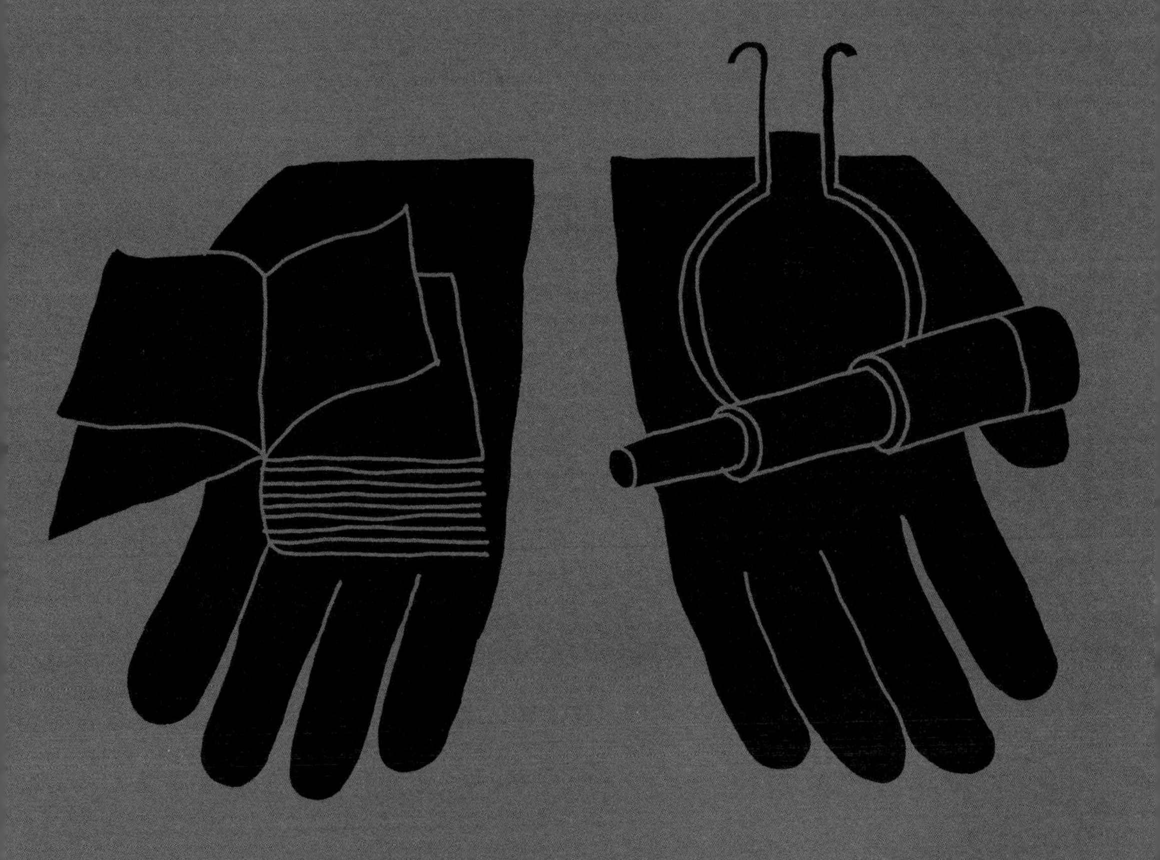

EM CONTEXTO

PRINCIPAL MOVIMENTO
Liberalismo protestante

QUANDO E ONDE
Século XIX, Europa/EUA

ANTES
A partir do final do século XVII Desenvolvimento do pietismo dentro da Igreja luterana.

A partir da década de 1780 A filosofia de Immanuel Kant aborda o conceito de razão.

Década de 1790 O movimento romântico ganha influência na Europa como alternativa ao Iluminismo.

DEPOIS
1859 A publicação de *A origem das espécies* de Charles Darwin gera tensão entre uma visão conservadora da Bíblia e a ciência.

1919 O comentário do teólogo Karl Barth da Carta aos Romanos marca o fim do liberalismo e o início da neo-ortodoxia.

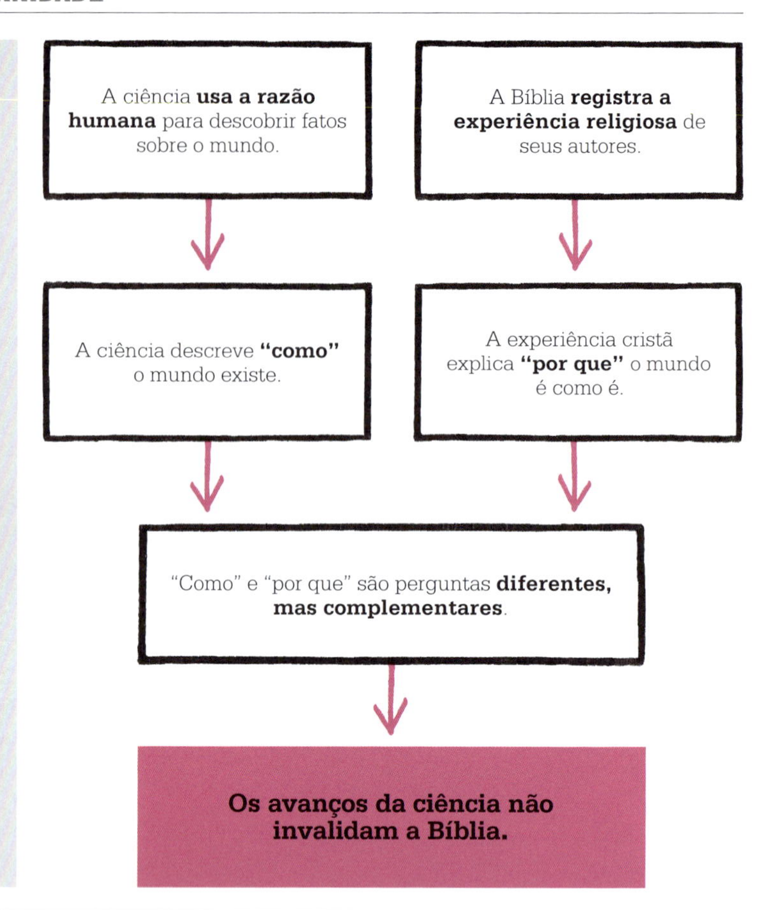

A ideia de que a Terra gira em torno do Sol, e não o contrário, é aceita atualmente como fato. Mas no início do século XVII, essa teoria, publicada pelo astrônomo polonês Copérnico em 1543, contradizia os ensinamentos da Igreja católica, gerando uma polêmica que envolveu os maiores cientistas da época, entre eles Galileu Galilei, matemático italiano considerado herege por apoiar as ideias de Copérnico.

As visões da Igreja e de Galileu diferiam por causa das diferentes formas de se chegar à "verdade". De acordo com a Igreja, a verdade era revelada por Deus, apoiada em evidências na Bíblia de que a Terra era o centro do universo. A ciência, por outro lado, valia-se de observações experimentais – Galileu foi o primeiro a usar o telescópio na astronomia – para desenvolver teorias sobre o funcionamento do mundo. Até grande parte do período medieval, esses dois métodos conviveram pacificamente lado a lado.

No século XIII, por exemplo, o teólogo medieval Tomás de Aquino (p. 229) incentivou a exploração sistemática do mundo natural. Segundo Aquino, uma compreensão mais profunda da criação levaria a um melhor entendimento do Criador.

Esse respeito mútuo era concebível enquanto os resultados do pensamento científico coincidissem com o conceito de "revelação divina" (a verdade transmitida por Deus aos seres humanos por meio das Escrituras), mas deixou de existir quando os dois sistemas de pensamento chegaram a conclusões diferentes.

Veja também: A Reforma Protestante 230-237 ▪ A compatibilidade da fé 291 ▪ Ciência judaica 333 ▪ Igreja de Cristo (Cientista) 337

Embora a Igreja católica e a Igreja protestante garantissem a autenticidade da fé na revelação divina, os resultados da experimentação e da razão pareciam muito mais confiáveis. Perguntas complexas começaram a ser feitas, abalando as fundações da crença cristã em todo o mundo ocidental. No final do século XVIII, a Igreja estava em risco de perder o apoio popular, com um número cada vez maior de pessoas duvidando da racionalidade e da relevância do cristianismo. Em resposta, os pensadores cristãos tiveram que articular uma forma completamente nova de explicar como a religião e a ciência, a fé e a razão podiam coexistir.

Dos fatos aos sentimentos

Essa nova era do cristianismo foi anunciada pelo teólogo alemão Friedrich Schleiermacher (veja à direita). Trabalhando como capelão num hospital de Berlim, ele entrou em contato com o romantismo, um movimento cultural resultante da reação ao racionalismo frio do Iluminismo. Os românticos enfatizaram a importância de sentimentos e emoções numa época em que as ideias e as realizações no mundo eram valorizadas unicamente por sua credibilidade e praticidade científica. Schleiermacher percebeu que, enquanto o cristianismo fosse avaliado de acordo com os mesmos critérios do conhecimento científico, a crença seria considerada irracional. Em vez de tentar provar a verdade do cristianismo como teoria científica (a exemplo de muitos de seus antecessores), Schleiermacher resolveu levar a crença ao plano dos sentimentos, conforme o modelo romântico. O »

O romantismo colocava a emoção acima da razão, os sentimentos acima do intelecto. O movimento encontrou expressão na arte, literatura e filosofia do início do século XIX.

Friedrich Schleiermacher

Friedrich Schleiermacher nasceu no ano de 1768 em Breslau (na época, Silésia prussiana), filho de um sacerdote reformado. Foi educado segunda a tradição morávia, uma estrita seita pietista, antes de ingressar na Universidade de Halle, mais liberal, para estudar teologia e filosofia (com foco no trabalho de Kant). Quando se mudou para Berlim em 1796, foi apresentado a figuras centrais do movimento romântico. Schleiermacher tornou-se professor de teologia na Universidade de Berlim em 1810. Em 1834, ano de sua morte, sua reinterpretação radical da doutrina dera origem a uma forma completamente nova de teologia, conhecida como liberalismo teológico, grande força intelectual na Europa e nos Estados Unidos por um século.

Obras-chave

1799 *Sobre a religião*, a obra mais radical de Schleiermacher sobre teologia.
1821-1822 *A fé cristã*, o grande trabalho de teologia sistemática de Schleiermacher.

Friedrich Schleiermacher identificou a verdadeira religião com um tipo específico de "sentimento", diferente do conhecimento e da ação, constituindo um fim em si. Conhecimento, ação e sentimento são planos diferentes, porém relacionados.

Sentimento
Conhecimento
Ação

teólogo afirmou que a ciência e a fé não eram forças rivais, mas complementares, pois as duas focavam em diferentes aspectos da vida humana.

A redefinição da religião

A ideia mais significativa de Schleiermacher foi a redefinição da natureza da religião. Em seu primeiro livro importante sobre o assunto, *Sobre a religião* (1799), ele apresenta três planos da vida humana: conhecimento, ação e sentimento. Embora os três planos estejam interconectados, eles não devem ser confundidos. De acordo com Schleiermacher, o conhecimento pertence à ciência, a ação pertence à ética, e o sentimento, à religião. Schleiermacher acreditava que o problema do cristianismo é que ele havia focado demais no conhecimento e na ação, e pouco no sentimento. Por isso, corria o risco de ser solapado pelo racionalismo do mundo moderno. Por um lado, a razão científica opunha-se a algumas crenças fundamentais do cristianismo, como os milagres e a ressurreição de Jesus. Por outro, Kant e outros filósofos afirmavam que a moralidade baseava-se em princípios universais, não no conteúdo da Bíblia. O desafio da ciência e da filosofia ao cristianismo, no entanto, não abalou Schleiermacher. Ao contrário, serviu como oportunidade de retomar o que ele considerava estar na essência da religião cristã: "o gosto do infinito". Em seu livro *A fé cristã* (1821-1822), Schleiermacher reinterpreta sistematicamente a teologia do cristianismo como uma descrição da experiência cristã. Por exemplo: de acordo com Schleiermacher, uma declaração como "Deus existe" não é uma afirmação sobre a existência de Deus, mas a descrição do sentimento de que dependemos de algo maior do que nós mesmos.

Um registro da experiência

Em meados do século XIX, diversos estudiosos, quase todos radicados na Alemanha, utilizavam uma forma de análise dos textos bíblicos conhecida como "criticismo histórico", que consistia em estudar as fontes originais da Bíblia para reinterpretar seu conteúdo dentro de um contexto histórico. Ao focar no modo como a Bíblia foi escrita e compilada – um conjunto de documentos humanos –, essa análise parecia despojar o texto sagrado de suas origens sobrenaturais (a crença da autoria divina). Consequentemente, muita gente passou a descrer na Bíblia como a palavra de Deus.

A visão de Friedrich Schleiermacher, no entanto, ajudou

A essência da piedade é a consciência de ser absolutamente dependente, ou, o que é o mesmo, de estar em relação com Deus.

Friedrich Schleiermacher

a salvar a Bíblia da suposta irrelevância. Segundo Schleiermacher, como a religião está vinculada sobretudo à experiência, a Bíblia é um objeto extremamente importante enquanto material de registro da experiência religiosa, servindo como guia definitivo da vivência cristã, uma vez que os cristãos poderiam comparar seus sentimentos de dependência de Deus com os sentimentos descritos no texto sagrado.

Essa abordagem da Bíblia ficou conhecida como a visão "liberal", em contraposição à visão mais "conservadora", que afirmava – a despeito do criticismo histórico – que a Bíblia continha fatos sobre Deus, não apenas sobre a experiência humana. A tensão entre essas duas visões permeia o protestantismo desde então.

Consequências imprevistas

Schleiermacher desenvolveu sua ideia de experiência religiosa para impedir que o cristianismo fosse relegado à história, enquanto a ciência definia o caminho do futuro. Ao atribuir a religião e a ciência a diferentes esferas da vida humana (a religião ao sentimento e a ciência ao conhecimento), Schleiermacher conseguiu fazer com que as duas disciplinas coexistissem.

No entanto, embora muitos cristãos tenham aceitado a tese de Schleiermacher como a solução para o conflito entre ciência e religião, outros criticaram a postura de relegar o cristianismo à esfera dos "sentimentos", identificando ainda uma consequência inesperada: o cristianismo não poderia continuar gozando de autoridade no âmbito público se fosse associado a sentimentos, uma vez que sentimentos são atributos pessoais. Essa visão divergia da mensagem original da fé cristã referente à chegada do reino de Deus no mundo todo (não apenas na esfera das experiências religiosas), indicando um importante papel social.

As doutrinas cristãs são registros das emoções religiosas do cristianismo expostas em discursos.
Friedrich Schleiermacher

Tomando uma posição

No século xx, o movimento liberal foi duramente criticado por uma nova geração de estudiosos, entre eles o teólogo suíço Karl Barth. Barth dizia-se bastante consternado com o fato de que os professores de teologia liberal não tomaram uma posição contra o nazismo alemão da década de 1930; ele afirmou que tal fato se deu porque a teologia de Schleiermacher acabou ganhando um espaço de muita influência dentro da Igreja. Segundo o teólogo suíço, a experiência cristã pessoal poderia facilmente cair na indiferença às necessidades do mundo externo.

Barth dizia que para o cristianismo ter sucesso contra alguns dos abusos da ciência e do conhecimento – como o genocídio, a corrida armamentista e o armamento nuclear – no mundo moderno, a teologia cristã teria de se basear não apenas em sentimentos pessoais.

Sacerdotes carregam um símbolo de paz, indicando oposição às armas nucleares. Críticos do liberalismo teológico diziam que a ênfase nos sentimentos pessoais promovia a indiferença em relação a importantes questões mundiais.

Atualmente, os pensadores cristãos ainda enfrentam o desafio de explicar como as pessoas podem acreditar no que a Bíblia diz sobre Deus, quando o que ela diz sobre o mundo é tão facilmente questionado pelo pensamento científico. Muitos cristãos responderiam com uma versão modificada do argumento de Schleiermacher. A Bíblia fala da mesma realidade descrita pela ciência, história, política e outras ciências sociais, mas aborda questão diferentes. Em vez de "Como o mundo veio a existir?", a questão de interesse bíblico é: "Por que o mundo veio a existir?". Ciência e fé – as perguntas de "como" e "por quê" – não invalidam uma à outra, mas se complementam, ajudando os cristãos a terem uma visão mais abrangente do universo que Galileu observou em seu telescópio. ■

PODEMOS INFLUENCIAR DEUS

O PODER DA REZA

EM CONTEXTO

PRINCIPAIS MOVIMENTOS
Teologia do processo e teísmo aberto

QUANDO E ONDE
Final do século XX, EUA e Europa

ANTES
A partir da Pré-História Muitos sistemas de crenças primitivos utilizam rezas e rituais para conseguir favores de forças ou seres sobrenaturais.

1º milênio a.C. A Bíblia conta que Deus respondeu à reza de Moisés para não destruir os israelitas depois do episódio do bezerro de ouro.

DEPOIS
Década de 1960 A Teologia da Libertação na América do Sul concentra-se na justiça social e econômica, afirmando que Deus responde sobretudo às rezas dos pobres e oprimidos.

Desde os primórdios, o judaísmo e o cristianismo debateram-se com questões complexas sobre a natureza de Deus e sua relação com a humanidade. Para alguns, Deus é um ser vingativo, que julgará as pessoas no final dos tempos, além de decidir se responde ou não a nossas rezas. Para outros, Deus é uma presença onisciente que definiu o curso da história e tem motivos para tudo o que acontece, de modo que cada detalhe do futuro já foi planejado com antecedência. Nessa visão, Deus não responde aos pedidos de ajuda dos humanos porque tem absoluto conhecimento do resultado de qualquer situação.

A importância da reza

Para compreender a função da reza na religião cristã, é fundamental compreender a relação entre Deus e tudo o que acontece. Se Deus já conhece passado, presente e futuro, rezar – comunicar-se com Deus por meio de louvação, pedidos,

Deus conhece tudo o que existe.

Como o **futuro** ainda não aconteceu, ele **não existe**.

O futuro, portanto, está **aberto a mudanças**.

Podemos **influenciar** o futuro **com nossas rezas e ações** no presente.

Veja também: A batalha entre o bem e o mal 60-65 ▪ Adivinhando o futuro 79 ▪ Devoção por meio do *puja* 114-115 ▪ A mensagem de Jesus para o mundo 204-207 ▪ Agostinho e o livre-arbítrio 220-221

Deus está tão envolvido com o mundo que existe uma relação de reciprocidade entre os dois. Deus é influenciado pelo que acontece.
W. Pittenger

Teólogos da esperança

A rejeição dos conceitos teológicos tradicionais como a presciência, a imutabilidade e impassibilidade de Deus, não se restringiu a nenhuma escola teológica específica no século xx. As ideias receberam diversos nomes, entre eles teologia do processo, teologia da abertura de Deus e teísmo aberto. No final do século xx, surgiu um grupo de teólogos denominados "teólogos da esperança" – Jürgen Moltmann e Wolfhart Pannenberg na Alemanha e Robert Jenson nos Estados Unidos, entre outros. Um de seus principais argumentos era que, como o futuro não existe ainda, nem mesmo para Deus, a característica essencial do cristianismo é a esperança.

pensamentos, meditações ou alguma outra forma espontânea de devoção – é irrelevante. Dizer a Deus o que ele já sabe não surtirá muito efeito em termos de mudança no futuro. No entanto, se o futuro não tiver sido predeterminado por Deus e for realmente aberto, a reza se torna uma parte essencial de sua construção.

Dentro da mente de Deus

Embora a teologia cristã tradicional considere Deus como uma entidade onisciente com total conhecimento de passado, presente e futuro, alguns teólogos do século xx passaram a rejeitar a ideia de "presciência" (conhecimento do futuro). Se Deus soubesse o que acontecerá, o futuro seria uma verdade absoluta e não teríamos liberdade de escolha. Além disso, a presciência comprometeria a bondade essencial de Deus, pois mesmo com conhecimento prévio do mal ele não estaria fazendo nada para evitá-lo – como no caso da criação do mundo, em que Deus já saberia que os humanos pecariam.

O futuro é aberto

A visão cristã clássica da presciência de Deus baseia-se na crença de que Deus existe fora dos limites do tempo, de modo que o que é futuro para os seres humanos (algo inexistente e desconhecido) é passado para Deus (algo existente e conhecido). Essa visão, porém, está mais relacionada com a filosofia grega do que com o verdadeiro pensamento cristão. A Bíblia descreve Deus como uma presença que acompanha ativamente seu povo, Ele não é apenas um observador externo e atemporal. Além disso, os cristãos acreditam que a vinda de Jesus como ser humano é uma clara indicação de que Deus não está fora do tempo ou da realidade da vida humana na Terra, uma vez que Ele teve uma vida humana também, com todas as suas limitações. Consequentemente, se o futuro ainda não existe, nem para os seres humanos nem para Deus, o futuro está totalmente aberto. Dentro dessa perspectiva, Deus não é um espectador distante, mas um participante ativo do processo histórico, uma presença que escuta rezas e pedidos, respondendo às necessidades dos seres humanos e caminhando a seu lado na jornada ao longo da vida. ■

O mau uso das armas de guerra, como as bombas nucleares, indica a capacidade humana de fazer o mal – tanto no futuro quanto no passado. Será que Deus sabe disso e resolveu não fazer nada?

ISLAM

A PARTIR DE 610 d

SMO

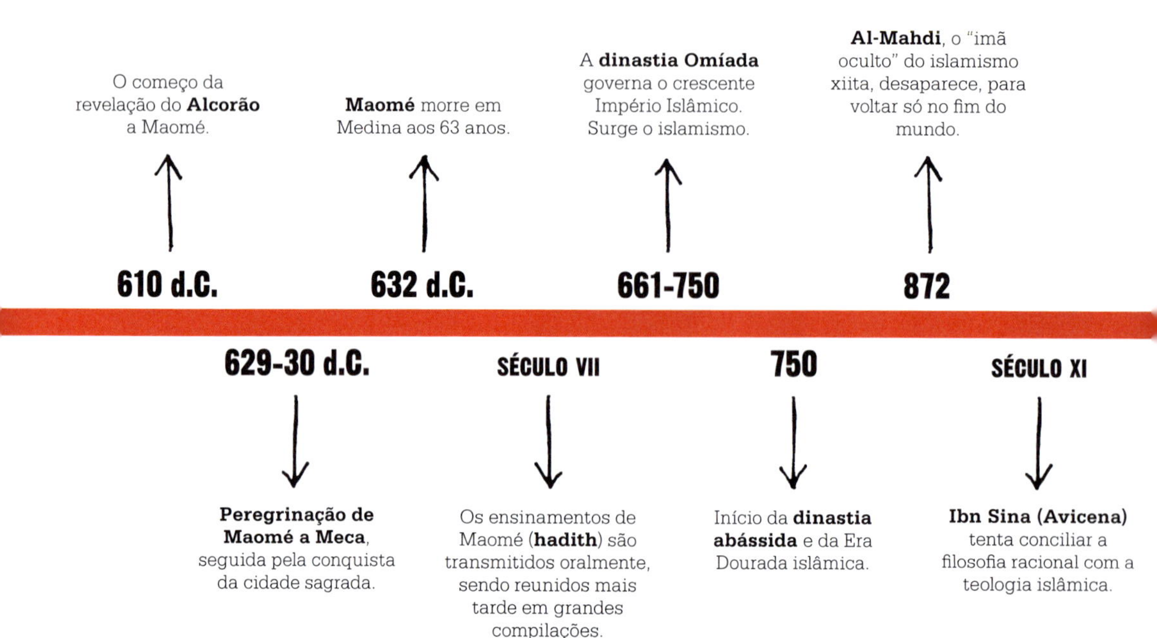

Embora tenha sido fundado no século VII, o islamismo é visto por seus seguidores como uma religião milenar, que sempre existiu como a religião pretendida por Deus. Junto com o judaísmo e o cristianismo, é uma religião abraâmica, remontando a Ibrahim (Abraão), o primeiro profeta de uma grande linhagem enviada para revelar a religião – linhagem que inclui Musa (Moisés) e Isa (Jesus). Segundo os muçulmanos, o último profeta dessa linhagem é Maomé, que recebeu as revelações contidas no Alcorão (ou Corão) e estabeleceu o islamismo como ele é conhecido hoje em dia.

O islamismo é uma religião fortemente monoteísta, enfatizando a unicidade de um Deus incomparável, Alá ("o Deus", em árabe), e o dever das pessoas de servi-lo. De acordo com o islamismo, a vida humana é um presente de Deus, e a forma como a vivemos será avaliada no Dia do Julgamento. As profissões de fé centrais estão sintetizadas nos "Cinco pilares do islamismo". A prática religiosa acontece em mesquitas – centros de rezas e ensino que também servem como foco para a vida social da comunidade.

O último profeta

A revelação de Maomé é considerada a revelação definitiva de Deus. Memorizada pelos seguidores mais próximos de Maomé, foi escrita na forma do Alcorão – a escritura sagrada do islamismo e a palavra máxima e inquestionável de Deus. Além do Alcorão, existe outro livro também atribuído a Maomé, o Hadith. As escrituras deram origem a uma rica tradição de interpretação erudita. Do julgamento dos teólogos nos livros sagrados e da análise da vida do profeta Maomé, surgiu um sistema de leis e códigos morais conhecido como *sharia*, que determina o código civil de muitos países islâmicos.

Desde suas origens, o islamismo teve forte relação com a vida civil e política do povo. O próprio Maomé era um grande líder político, além de religioso e notável pensador. Por pregarem o monoteísmo, ele e seus seguidores foram obrigados a fugir de Meca para Medina (um evento que os muçulmanos chamam de hégira, celebrado anualmente), onde Maomé estabeleceu a primeira cidade-Estado islâmica, sendo o líder espiritual, político e militar da região. Mais tarde, Maomé conduziu o povo de volta a Meca, conquistando a cidade e definindo as bases de um império para unir as diversas tribos da Arábia. Um século depois de sua morte em 632, o

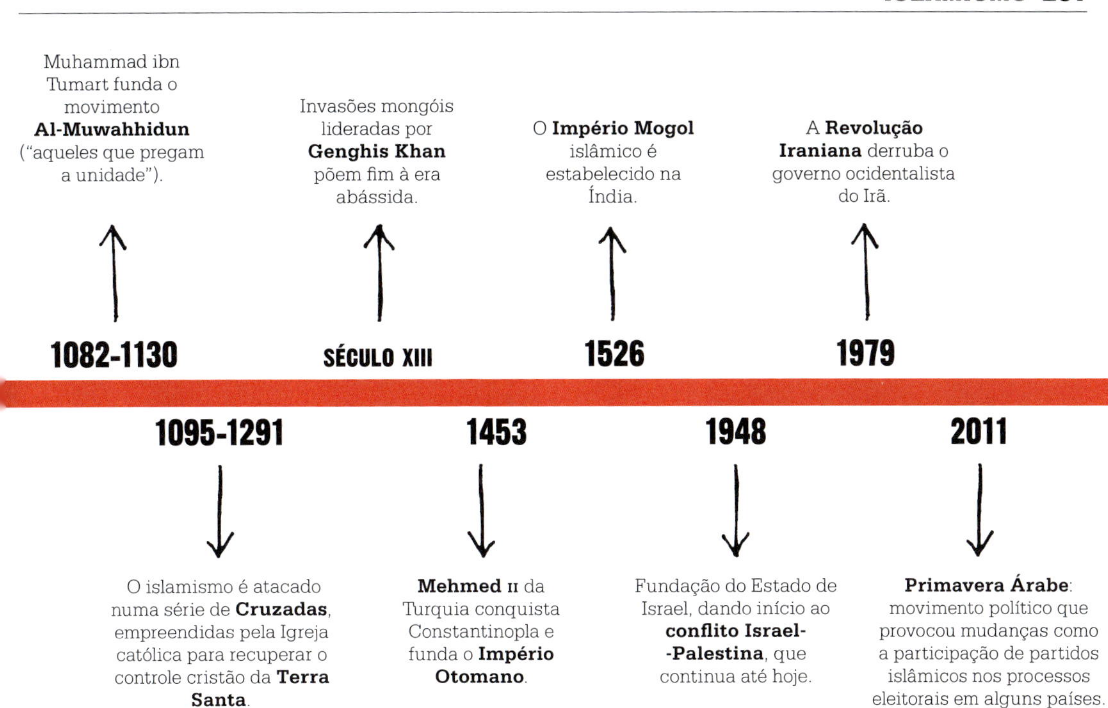

Império Islâmico havia se expandido para o norte da África e para a Ásia. Apesar da controvérsia em relação a quem deveria ser o sucessor de Maomé, que causou a divisão entre o islamismo sunita e o islamismo xiita, o califado islâmico – o Estado político e religioso muçulmano, governado por um califa – tem grande unidade política e poder.

A Era Dourada islâmica

Em pouco tempo, o Império Islâmico ocupava uma área maior do que a da Europa cristã. No entanto, ao contrário do cristianismo, que considerava o pensamento científico como uma ameaça a seus dogmas, o islamismo não via incompatibilidade entre sua teologia e a filosofia ou ciência. Cidades como Bagdá e Damasco tornaram-se centros de pesquisa e aprendizado científico. A literatura e a poesia islâmica também ganharam importância, junto com as artes decorativas, entre elas a caligrafia.

O Império Islâmico acabou fragmentando-se, mas o islamismo continua sendo uma das maiores religiões do mundo, praticada por cerca de 25% da população mundial. Aproximadamente três quartos dos adeptos são sunitas e um quarto é xiita. Em mais ou menos cinquenta países, a maioria da população é muçulmana. Vários desses países, entre eles Arábia Saudita, Afeganistão, Paquistão e Irã, são considerados Estados islâmicos, com base nas leis da religião. Um grande número de outros países, sobretudo no Oriente Médio, tem o islamismo como religião oficial. Outras nações ainda têm governos seculares, mas população predominantemente islâmica. A Indonésia é o país com o maior número de muçulmanos, seguido do Paquistão, Índia e Bangladesh.

Cerca de 25% dos muçulmanos vivem no Oriente Médio e no norte da África, e atualmente existem comunidades muçulmanas em quase todos os países do mundo.

O islamismo entrou em conflito ideológico e político com o mundo cristão a partir das Cruzadas e depois da colonização ocidental. Tensões recentes deram origem a uma interpretação radical da *jihad* ("esforço de conversão") por parte de alguns muçulmanos fundamentalistas, que consideraram um dever religioso defender sua fé a qualquer custo. O islamismo, contudo, é uma religião essencialmente pacífica, e a maioria dos muçulmanos identifica-se mais com os princípios de compaixão do credo. ■

MAOMÉ É O ÚLTIMO MENSAGEIRO DE DEUS

O PROFETA E AS ORIGENS DO ISLAMISMO

EM CONTEXTO

PRINCIPAL FIGURA
Maomé

QUANDO E ONDE
570-632 d.C., Arábia

ANTES
c. 2000-1500 a.C. Na Bíblia hebraica, Deus faz uma aliança com o patriarca Abraão (em árabe, Ibrahim). O islamismo o reconhecerá como um dos primeiros profetas.

c. Séculos XIV–XIII a.C. Na tradição judaica, cristã e muçulmana, Moisés, líder dos israelitas, recebe os mandamentos de Deus no monte Sinai.

Século I d.C. Jesus, mais tarde reconhecido pelos muçulmanos como profeta, prevê a chegada de um último profeta ou mensageiro de Deus.

DEPOIS
Século XIX Na Índia, Mirza Ghulam Ahmad afirma ser um profeta com uma nova mensagem de reforma para o islã.

Deus **revelou** Sua palavra a Moisés e Jesus.

↓

A humanidade **interpretou de modo incorreto** a mensagem das revelações.

↓

Deus, então, **transmite Sua palavra** diretamente a Maomé.

↓

A **mensagem pura do islamismo** é Sua mensagem final para a humanidade.

↓

Maomé é o último mensageiro de Deus.

De acordo com a tradição islâmica, por volta de 582 d.C., Bahira, um eremita cristão que vivia no deserto sírio, avistou um menino que passava com uma caravana e, após conversar com ele, chegou à conclusão de que ele tinha o dom da profecia. O menino estava destinado a ser grande, previu Bahira, e deveria ser bem cuidado.

O menino da história era Maomé (Muhammad ibn Abdallah), que se tornou o profeta do islamismo e, segundo os muçulmanos, o último mensageiro de Deus. Isso significa que houve mensageiros enviados por Deus (em árabe, Alá) antes de Maomé, como Musa (Moisés) e Isa (Jesus). Para Musa, Deus revelou a Taurat, ou Torá, para guiar os judeus. Para Isa, Deus deu o Injil, uma escritura perdida traduzida como "Evangelho", mas que não se assemelha em nada com a forma dos quatros livros canônicos do cristianismo.

Os muçulmanos consideram os judeus e os cristãos como "Pessoas do Livro", porque, como eles próprios, são monoteístas e possuem uma escritura sagrada revelada por Deus. De certa

Veja também: A aliança de Deus com Israel 168-175 ■ A mensagem de Jesus para o mundo 204-207 ■ As origens da comunidade ahmadi 284-285

Maomé... é o mensageiro de Deus e o último dos profetas.
Alcorão 33,40

maneira, os muçulmanos valorizam as revelações feitas por Deus aos mensageiros anteriores de Maomé, mas também acreditam que essas revelações foram corrompidas. Os judeus introduziram elementos na Torá que não vieram direto de Deus. Da mesma forma, os seguidores de Jesus interpretaram equivocadamente suas mensagens e distorceram o Evangelho, deturpando as intenções originais de Deus. Segundo o islamismo, portanto, as escrituras judaicas e cristãs atuais já não representam a revelação pura de Deus.

A palavra incorrupta de Deus

Para corrigir a distorção, Deus enviou sua palavra uma última vez, na forma do Alcorão, a Maomé – seu último mensageiro. O islamismo, portanto, não é visto pelos muçulmanos como uma nova religião com um novo livro sagrado. Ao contrário, é considerado a revelação original de Deus, pura e única, que suplanta as revelações feitas a Moisés e Jesus, corrompidas mais tarde por seus seguidores. Além disso, o islamismo marca o fim das revelações. Maomé é o "selo da profecia", o último dos mensageiros especiais de Deus.

No início do século VII, Maomé assumiu a autoridade de um profeta, cuja missão era pregar em louvação ao único Deus verdadeiro. Muitos judeus, cristãos e politeístas de Meca acreditaram em sua mensagem. Por conta das perseguições a essa incipiente comunidade de muçulmanos, Maomé abandonou Meca e foi para Medina, onde a comunidade muçulmana cresceu.

Devido à importância de Maomé no islamismo, os muçulmanos sempre olharam para suas palavras e suas ações como modelo para a vida muçulmana. Grande parte de seus ensinamentos e vivência está registrada na Suna, um compêndio das frases de Maomé (hadith) e de suas ações (suna), que serve como base para os muçulmanos em busca de orientação. ■

Agora na Arábia Saudita, Meca é a cidade mais sagrada do islamismo, por ser o local de nascimento de Maomé. Aqui, a Grande Mesquita, o coração da cidade.

Muhammad ibn Abdallah

Nascido perto de Meca por volta de 570, Muhammad ibn Abdallah foi criado pelo tio, Abu Talib. O jovem Maomé, acompanhando o tio em suas caravanas de caixeiro-viajante, conheceu pessoas de diversas culturas e religiões, ganhando a reputação de sábio e confiável.

Quando tinha cerca de vinte anos, Maomé foi contratado por uma viúva rica, Khadija, para administrar seu negócio. Ela também trabalhava em caravanas. Mais tarde, Khadija pediu Maomé em casamento, e os dois se casaram. Após a morte da esposa, Maomé voltou a se casar, e reza a lenda que ele teve treze esposas ou concubinas.

Maomé costumava retirar-se da vida familiar e profissional para ir a uma caverna no deserto, onde meditava. Em 610, durante uma escura noite de meditação, o anjo Jibril (Gabriel) apareceu para Maomé envolto em luz e fez a primeira de muitas revelações que acabariam compondo o Alcorão, o livro sagrado do islamismo. A vida de Maomé como profeta durou 22 anos. Maomé morreu no ano de 632, em Medina.

O ALCORÃO FOI ENVIADO DO CÉU

DEUS REVELA SUA PALAVRA E SUA VONTADE

EM CONTEXTO

PRINCIPAL TEXTO
O Alcorão

QUANDO E ONDE
610-632 d.C., Arábia

ANTES
c. 2000-1500 a.C. Os muçulmanos acreditam que Moisés recebeu a Torá no monte Sinai.

Séculos x-ix a.C. Dawud (o rei Davi de Israel) recebe o Zabur, um segundo livro sagrado, de Deus. Provavelmente o livro bíblico de Salmos.

Século i d.C. Na tradição islâmica, Deus concede um livro de revelação e verdade sobre Jesus.

DEPOIS
c. Século vii d.C. Os companheiros do Profeta produzem o primeiro texto corânico.

Séculos viii-ix d.C. O estudioso al-Shafi'i consagra o Alcorão como a principal referência para a *sharia*, ou lei islâmica.

De acordo com a religião islâmica, Deus revelou sua vontade à humanidade por meio da natureza, da história e, acima de tudo, de sua palavra. A natureza, ou criação de Deus, é um sinal de sua existência. Na história, a ascensão e queda de impérios são sinais da soberania divina. O mais importante, porém, é que a vontade de Deus é revelada em sua palavra e transmitida por seus mensageiros.

Segundo o islamismo, a palavra e a vontade de Deus estão contidas no Alcorão, o livro revelado ao profeta Maomé, o escolhido por Deus para ser seu último mensageiro (pp. 252-253). O Alcorão é composto por *ayats* – versículos, ou "sinais", que revelam ao mundo o que Deus deseja e ordena. Outro nome do Alcorão é *al-Tanzil*, que significa "enviado de cima". Para os muçulmanos, o Alcorão é a palavra literal de Deus, que foi enviada do céu para a humanidade.

Lê, em nome do teu Senhor, que criou, que criou o homem a partir de um coágulo de sangue. Lê!
Surata 96,1-5

A recitação

Segundo a tradição islâmica, Maomé passou muitos dias meditando numa caverna no monte Hira, com vista para Meca. Uma noite, o anjo Jibril (nome árabe para Gabriel) apareceu para ele na caverna, convocando-o à profecia e ordenando que ele *recitasse* (p. 253). O que aconteceu em seguida foi a primeira revelação do Alcorão, que foi sendo revelado a Maomé em intervalos de tempo ao longo de um grande período, para que ele fosse capaz de recitá-lo aos outros (*qur'an*, corão, em árabe, significa "recitação"). As revelações, muitas das quais Maomé recebeu em estado de transe, começaram em 610 d.C. e duraram 22 anos. No início, Maomé memorizava as revelações e as transmitia oralmente para seus seguidores, que também as decoravam. Com o tempo, as

A palavra de Deus
... é transmitida pelo anjo Jibril a Maomé...
... e transcrita por seus seguidores em forma de livro como...
O Alcorão
... que mantém uma conexão milagrosa com seu protótipo divino...
... e portanto continua sendo a perfeita expressão da...

Veja também: A aliança de Deus com Israel 168-175 ▪ O Profeta e as origens do islamismo 252-253 ▪ As profissões de fé 262-269 ▪ O caminho para uma vida harmoniosa 272-275

O anjo Jibril aparece para Maomé e faz a primeira revelação. Aqui, de acordo com a tradição islâmica, uma figura sem rosto representa o Profeta.

revelações passaram a ser escritas, às vezes pelos secretários de Maomé, outras vezes por seus discípulos. Partes do Alcorão foram encontradas em ossos de animal, couro, pedras, folhas de palmeira e pergaminhos.

A versão padronizada do Alcorão em livro foi compilada em meados do século VII, logo após a morte de Maomé. Os muçulmanos acreditam que essa compilação e a ordenação dos 114 capítulos e 6 mil versículos que a compõem foram inspiradas por Deus.

Muitas seções do Alcorão correspondem a partes da Bíblia hebraica e do Novo Testamento cristão. No entanto, de acordo com a visão muçulmana, esses livros sagrados foram corrompidos (pp. 252-253). O Alcorão seria, portanto, uma revisão e uma ampliação daquelas primeiras revelações.

A ordem das suratas

Os capítulos (suratas) e versículos que compõem o Alcorão não estão organizados em ordem cronológica ou por assunto, mas de acordo com seu tamanho. Os maiores capítulos encontram-se no início, e os menores, no final. De um modo geral, os capítulos abrangem uma grande variedade de assuntos, oferecendo orientação sobre devoção, política, casamento, vida familiar, cuidado com os necessitados e até questões de higiene, assuntos de interesse comunitário e economia.

Numa tentativa de classificar e datar os capítulos do Alcorão, estudiosos atuais criaram um sistema para identificá-los. Nesse método de classificação, as revelações feitas a Maomé supostamente no início de sua missão profética em Meca são conhecidas como os capítulos de Meca. As primeiras dessas revelações de Meca são bastante rítmicas e ricas em imagística. Muitas começam com juramentos. Por exemplo, o capítulo 95 do Alcorão começa da seguinte maneira: "Pelo figo e pela oliva, pelo monte Sinai e por esta metrópole segura".

Capítulos de Meca posteriores são mais serenos e contêm diversos exemplos da verdade da mensagem »

É um Alcorão que dividimos em partes, para que o recites paulatinamente aos humanos. E o revelamos por etapas.
Surata 17,106

de Deus extraídos da natureza e da história. Esses capítulos são mais formais que outros e abordam questões doutrinais. Deus costuma ser chamado nesses capítulos de "o Misericordioso".

As revelações feitas a Maomé no período em que ele vivia na cidade de Medina são classificadas pelos estudiosos como os capítulos de Medina. Esses capítulos são bem diferentes dos de Meca, porque, nesse momento, Maomé já não estava liderando um grupo incipiente de seguidores. Ele havia se tornado o chefe de uma enorme comunidade independente de muçulmanos.

Como resultado, os capítulos de Medina caracterizam-se menos por temas de doutrina e provas dos sinais de Deus e mais por questões legais e sociais, definindo como as regras deviam ser aplicadas para regular a vida dentro da crescente comunidade muçulmana.

Por exemplo, o capítulo 24 do Alcorão diz que os muçulmanos devem trazer quatro testemunhas para uma acusação de adultério – uma importante salvaguarda para as mulheres numa sociedade em que o mero fato de um homem e uma mulher sem grau de parentesco andarem juntos já é considerado suspeito. O depoimento daqueles que não apresentam as testemunhas necessárias deve ser descartado, e essas pessoas, severamente castigadas, conforme esse capítulo do Alcorão.

É impossível que este Alcorão tenha sido elaborado por alguém que não seja Deus.
Surata 10,37

O Alcorão não tem uma ordem narrativa ou cronológica. Qualquer ponto do texto oferecerá ao leitor a reconfirmação da vontade de Deus. O livro é dividido em suratas (capítulos), cujos nomes referem-se a uma história, um tema ou uma verdade contida nele.

Memorização e recitação

Estudiosos atuais acrescentaram uma série de capítulos e versículos ao Alcorão para facilitar a busca de determinados trechos. Para os muçulmanos, entretanto, os capítulos são reconhecidos por palavras específicas que aparecem dentro do texto. Por exemplo, o segundo capítulo do Alcorão, o mais longo de todo o livro, é conhecido como "A vaca". Recebeu esse nome pela história de uma vaca que relutou em ser sacrificada pelos israelitas. Segundo o relato, a carne do animal sacrificado servia para ressuscitar vítimas de assassinato, para que elas pudessem identificar o assassino.

Os muçulmanos raramente se referem a versículos individuais pelo número, preferindo citar o início do trecho em questão. Essa forma de referência, evidentemente, requer não só grande familiaridade com o texto, mas também uma ótima capacidade de memorização. Muitos muçulmanos memorizam grandes trechos do Alcorão, e alguns sabem o livro inteiro de cor.

Saber o Alcorão de cor traz grande prestígio e bênçãos. Os muçulmanos

A prática de **ler, escrever e recitar** trechos do Alcorão é essencial na educação islâmica e continua fazendo parte da vida adulta dos muçulmanos.

que conseguem realizar essa façanha são conhecidos como *hafiz*, ou "guardiões", do Alcorão. Um *hafiz* mantém vivo o livro sagrado de Deus e é comumente chamado de xeque, um título de grande respeito. Esses muçulmanos acabam se tornando recitadores do Alcorão, uma função exercida durante as rezas diárias e outros rituais e cerimônias importantes. A recitação do Alcorão é um evento tão valorizado que os auditórios costumam lotar.

O Alcorão tem um lugar preeminente no islamismo e no plano de Deus para o mundo, sendo considerado o milagre divino trazido pelo profeta Maomé – o único milagre, aliás, porque Maomé não realizava milagres. Os muçulmanos acreditam que o Alcorão baseia-se num protótipo celestial, um livro escrito em árabe que está com Deus no céu. Isso significa que, embora o Alcorão tenha sido entregue a Maomé na forma de recitações orais, e só mais tarde registrado por escrito, o livro físico é considerado sagrado.

Respeito pelo Alcorão

A crença muçulmana de que a escritura sagrada islâmica existe no céu faz com que o manuseio da versão material seja uma questão de grande cuidado e delicadeza. Existem diversas diretrizes sobre como os muçulmanos devem tratar o livro sagrado. O Alcorão, e sobretudo o texto em árabe, nunca deve ser deixado no chão ou num lugar sujo. Quando colocado junto a outros livros, deve estar sempre em cima. Quando posto numa estante, deve ocupar a prateleira mais alta, sem nada abaixo ou acima dele.

Além disso, antes de pegar no Alcorão, os muçulmanos devem lavar-se para estar ritualmente limpos, como na hora de cultuar a Deus. O livro sagrado deve ser carregado com todo o cuidado, e por esse motivo ele costuma ser levado dentro de uma bolsa, para evitar qualquer estrago. Se cair no chão sem querer, deve ser honrado, às »

O Alcorão e a Bíblia

Leitores do Alcorão, da Bíblia hebraica e da Bíblia cristã encontrarão muitos personagens e histórias em comum nos três livros. As palavras do Alcorão apresentam grande similaridade com os textos judaico e cristão, mas o texto corânico oferece algumas correções aqui e ali. No Alcorão, por exemplo, Adão e Hawwa (Eva) são perdoados por Deus antes de deixarem o Paraíso, porque eles imploraram pela misericórdia divina – não são expulsos e amaldiçoados como na Bíblia. Jesus (um profeta, não uma figura divina) aparece algumas vezes, mas não tanto quanto sua mãe, Maria, tratada no Alcorão com grande ternura. Num milagre não relatado na Bíblia, o menino Jesus, de seu berço, defende a mãe quando difamadores a acusam de fornicação.

... recite fervorosamente o Alcorão.
Surata 73,4

Exemplares impressos e encadernados do Alcorão são verificados meticulosamente antes de serem distribuídos – aqui, por uma equipe de seiscentas pessoas, na fábrica de impressão do rei Fahd, na Arábia Saudita.

vezes com um beijo, e recolocado num lugar seguro. Alguns muçulmanos fazem uma doação de caridade nesses casos.

O respeito sagrado ao Alcorão também é demonstrado em relação a antigos exemplares desgastados pelo tempo, que não podem ser jogados fora e devem ser enterrados em local apropriado. Alguns muçulmanos queimam os exemplares que já não dá para usar.

As regras para descartar textos sagrados valem também para qualquer papel, joia, decoração ou outro objeto no qual os versículos do Alcorão tenham sido escritos. Por esse motivo, algumas regiões de maioria muçulmana oferecem "lixeiras" especiais para que esse material possa ser coletado e descartado de maneira adequada.

Grande parte das regras de respeito aplica-se não só ao texto escrito, mas também à recitação do Alcorão. Como o Alcorão é considerado a palavra literal de Deus, é como se ela estivesse viva ao ser pronunciada. Por isso, muitos muçulmanos cobrem a cabeça nas rezas em voz alta ou até mesmo durante o estudo pessoal do texto sagrado.

O papel da linguagem

Devido à crença de que o protótipo celestial do Alcorão está escrito em árabe, essa língua é considerada o idioma sagrado do islamismo e também a linguagem de Deus. Os muçulmanos sentem, portanto, que o Alcorão perde o status de revelação divina quando é traduzido para outros idiomas. Por conseguinte, as traduções do Alcorão costumam vir acompanhadas do texto original em árabe, mas até esses textos são considerados interpretações ou traduções do original. Não há como compará-los com o Alcorão original em árabe.

Como o árabe do Alcorão é considerado uma língua divina, outros aspectos da vida e do pensamento muçulmano giram em torno do idioma. Por exemplo, muçulmanos do mundo inteiro decoram o Alcorão e as rezas em árabe, mesmo que não entendam o que estão dizendo.

Talvez a questão mais importante seja que o texto do Alcorão em árabe, por ser sagrado, apresenta certas características em comum com seu autor, Deus. O Alcorão é, portanto, perfeito, eterno, incriado e imutável. Segundo essa doutrina, conhecida como *i'jaz al-Qur'an* (a "miraculosidade" ou "inimitabilidade" do Alcorão), a linguagem, a forma literária e as ideias reveladas no Alcorão são irreproduzíveis, e não há empreendimento humano capaz de se igualar a elas. Tudo em relação ao Alcorão, desde a construção gramatical e o som das palavras, até suas profecias, é considerado miraculoso e inigualável. De acordo com os muçulmanos, qualquer tentativa de se igualar ao Alcorão ou superá-lo fracassará.

Outro aspecto da natureza miraculosa do Alcorão é a repetição de temas básicos. Qualquer seção do Alcorão apresentará, em essência, a mesma mensagem. Esse estilo formalista e quase abreviado é desafiador para não muçulmanos e pessoas familiarizadas com a estrutura narrativa de outras escrituras sagradas. Para os muçulmanos, contudo, o estilo do Alcorão é uma prova irrefutável de sua incomparável beleza.

Além de ser o livro mais sagrado do islamismo, o Alcorão é considerado por muçulmanos e até por muitos não muçulmanos como a obra-prima da literatura árabe. Assim, é estudado por sua prosa poética tanto quanto é usado para orientação divina.

Nós revelamos a Mensagem e somos o Seu Preservador.
Surata 15,9

... orientação para a humanidade e vidência de orientação e Discernimento.
Surata 2,185

Mas o respeito e a valorização referentes ao Alcorão não se limitam a sua mensagem ou recitação. A própria escrita em árabe tem um valor visual, desempenhando um papel central na arte islâmica.

A arte do islã

Motivada pelo desejo de evitar qualquer forma de idolatria, a tradição muçulmana proibiu ilustrações figurativas no Alcorão. No entanto, imagens abstratas são permitidas, e a própria escrita árabe acabou se tornando uma elevada forma de arte. O Alcorão foi escrito com linda caligrafia, muitas vezes utilizando-se tintas coloridas e preciosas folhas de ouro.

Como resultado da proibição de retratar animais ou figuras humanas, os artistas desenvolveram o estilo arabesco islâmico, uma forma de decoração artística que se caracteriza pelo entrelaçamento de linhas retas ou curvas, ramagens, flores etc. Essas ilustrações – que aparecem em mosaicos no Alcorão e dentro de mesquitas – também possuem uma importante mensagem espiritual: o infinito emaranhado de formas e padrões, aparentemente sem início nem fim, assemelha-se à infinidade de Alá. ■

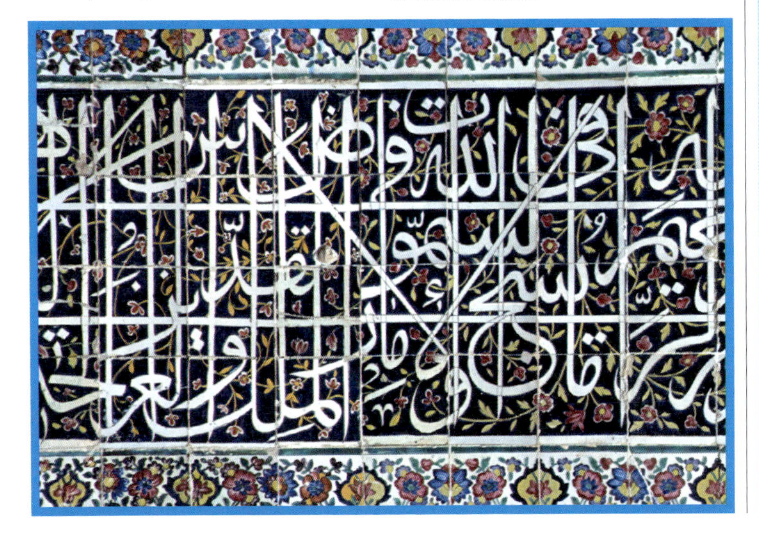

O islamismo não permite a arte figurativa religiosa. Os artistas valem-se, portanto, da beleza da caligrafia e dos padrões geométricos, que refletem a ordem e a harmonia advindas de Alá.

Os transcritores do Alcorão

A fim de salvaguardar a integridade do Alcorão, Zayd ibn Thabit, um dos companheiros mais próximos do Profeta, formou um grupo de escribas para registrar por escrito as revelações de Maomé. Zayd e seu grupo acabaram produzindo um manuscrito completo do Alcorão. Estudiosos que sabiam de cor as revelações conferiram o texto, para evitar erros, e a versão final foi apresentada para Hafsah, uma das esposas de Maomé.

Como o árabe é escrito sem vogais, a pronúncia correta do texto depende da familiaridade do leitor com a linguagem. Quando surgiam discrepâncias, o dialeto dos quraish, a tribo de Maomé, prevalecia. Mesmo assim, havia variações no texto corânico escrito. Por conseguinte, Uthman ibn Affan, um dos companheiros de Maomé, supervisionou a produção de uma versão oficial em meados do século VII. O Alcorão como se conhece hoje é, em grande parte, resultado dessa compilação.

OS CINCO PILARES DO ISLAMISMO

AS PROFISSÕES DE FÉ

EM CONTEXTO

PRINCIPAL FONTE
Hadith (ensinamentos) de Maomé

QUANDO E ONDE
Início do século VII, Arábia

ANTES
A partir de 1000 a.C. A Torá, depois o Talmud, estabeleceu as regras da vida judaica segundo a aliança de Deus com Israel.

Século I d.C. O cristianismo incorpora as alianças judaicas, sobretudo os Dez Mandamentos.

610 d.C. O profeta Maomé começa a receber a revelação do Alcorão.

DEPOIS
680 d.C. O islamismo xiita introduz novos "pilares" de orientação religiosa.

Século VIII d.C. Surgimento de escolas de leis islâmicas, com interpretações adicionais cujo intuito era orientar a vida e a prática do islamismo.

Shahada
Profissão de fé
→ Pela qual afirmamos que não existe nenhum outro Deus além de Alá e que **Maomé** é o **mensageiro de Alá**.

Salat
Oração
→ Pela qual **reverenciamos** Deus, proclamando sua grandeza.

Zakat
Caridade
→ Pela qual reverenciamos Deus, **reconhecendo sua soberania** e cuidando dos necessitados.

Sawm
Jejum
→ Pelo qual **nos purificamos** ante Deus em sua grande misericórdia.

Hajj
Peregrinação a Meca
→ Pelo qual **abraçamos a unidade** da comunidade islâmica e nos aproximamos de Deus.

De acordo com a tradição narrada por Abdallah ibn 'Umar ibn al-Khattab, um dos companheiros de Maomé, o Profeta sintetizou o islamismo dizendo que a religião baseia-se em cinco princípios: "Testemunhar que não há nenhum outro Deus além de Alá e que Maomé é seu mensageiro; orar cinco vezes ao dia; fazer caridade; fazer a peregrinação a Meca; e observar o jejum durante o mês de Ramadã".

Conhecidas como *'ibadat* (atos de devoção) e geralmente chamadas de "pilares do islamismo", essas cinco práticas representam a essência da religião, e todas as ramificações do islamismo as aceitam e realizam.

A profissão de fé

Embora não representem a totalidade do islamismo como religião, os pilares servem como uma espécie de resumo das obrigações mínimas a serem realizadas pelos muçulmanos. Sua simplicidade e objetividade são intencionais, pois os muçulmanos devem seguir a Deus sem o peso das estipulações religiosas. Como está escrito no Alcorão: "[Deus] não vos impôs dificuldade alguma na religião". Com isso em mente, o primeiro pilar, crença central do islamismo, é simplesmente reconhecer a singularidade do único e verdadeiro Deus e de seu mensageiro Maomé. Essa profissão de fé, conhecida como *shahada* (testemunho), é o único caminho para um indivíduo se tornar muçulmano. A *shahada* é sussurrada no ouvido de um muçulmano no momento de seu nascimento e de sua morte. Além disso, é oferecida como testemunho ao longo do dia, durante as orações. Apesar de sucinta, a *shahada* é composta de duas partes significativas. Na

Veja também: O peso da observância 50 ▪ O ascetismo conduz à libertação espiritual 68-71 ▪ Da monolatria ao monoteísmo 176-177 ▪ Escrevendo a lei oral 182-183 ▪ O surgimento do islã xiita 270-271

A *shahada* é sussurrada no ouvido de um muçulmano no momento de seu nascimento. Outra tradição árabe, ainda muito praticada, é passar mel no lábio do bebê.

primeira parte, os muçulmanos prestam testemunho da unicidade absoluta de Deus, o que confirma uma das crenças centrais do islamismo (*tawhid*, ou singularidade divina), mas também serve como lembrete de que o politeísmo (crença em mais de um deus) e a adoração a qualquer entidade além de Deus constituem o maior pecado da religião.

A segunda parte da *shahada* lembra que Maomé não é apenas um profeta de Deus, mas seu mensageiro especial, acima de qualquer outro profeta anterior a ele. Maomé é aclamado também como o profeta final.

Compromisso com as orações

O segundo pilar do islamismo é a *salat* (oração). Embora os muçulmanos façam rezas e pedidos pessoais, as principais orações do islamismo são prescritas, bastante formais e reguladas, representando uma oportunidade de devoção a Deus.

Não há Deus além de Alá, e Maomé é o mensageiro de Alá.
Shahada

Os muçulmanos devem rezar cinco vezes por dia: ao amanhecer, ao meio-dia, à tarde, no pôr do sol e à noite. Antigamente, e até hoje em alguns lugares, o líder das orações, ou muezim, subia no minarete (torre alta do lado de fora da mesquita) e convocava os muçulmanos para as rezas, entoando a *shahada* e convidando as pessoas à mesquita. Hoje em dia, os muezins anunciam a hora das orações com microfone e alto falante. Às vezes, utiliza-se uma gravação. Os muçulmanos, de um modo geral, reúnem-se para rezar nas mesquitas, mas quando isso não é possível, as orações podem ser realizadas em qualquer lugar, sozinho ou em grupo.

As orações são precedidas por rituais de purificação, uma prática tão importante no islamismo que Maomé teria dito que ela equivalia à "metade da religião". Nas cinco rezas diárias, os muçulmanos começam lavando as mãos, a boca e as narinas, depois o rosto inteiro »

Abdallah ibn 'Umar

Abdallah ibn 'Umar ibn al-Khattab era o filho mais velho de 'Umar I, o segundo líder da comunidade muçulmana após a morte de Maomé. Ibn 'Umar nasceu no início do século VII e foi convertido ao islamismo junto com seu pai. Como era companheiro próximo de Maomé, esteve ao lado do Profeta em diversas batalhas, sendo estimado por sua nobreza e abnegação.
Ibn 'Umar é conhecido como um dos personagens mais confiáveis da história do islã. Devido à sua proximidade com Maomé e outras importantes figuras do islamismo, possuía grande conhecimento dos acontecimentos do período. 'Umar serviu também como fonte fidedigna de muitos hadiths (ensinamentos) de Maomé. Aos 84 anos, ele fez uma peregrinação a Meca, vindo a falecer em 693.

e os antebraços, passando a mão molhada pela cabeça e limpando pés e tornozelos. O número de vezes que cada parte do corpo é limpa varia de acordo com a vertente islâmica. Depois de ritualmente limpos, os muçulmanos recitam suas orações voltados para Meca, a cidade sagrada do islã. Nas mesquitas, essa direção é marcada por um nicho decorado conhecido como *mihrab*. Fora da mesquita, os muçulmanos encontram a direção exata de Meca utilizando bússolas ou até mesmo aplicativos eletrônicos. Quem reza fora da mesquita costuma fazê-lo sobre um tapete especial de orações, significando que a reza está sendo realizada em local limpo.

As orações começam com a declaração "Deus é soberano", e depois os muçulmanos recitam uma série de orações determinadas que incluem, entre outros trechos, o capítulo de abertura do Alcorão: "Em Nome de Deus Clemente Misericordioso. Louvado seja Deus, Senhor do Universo. O Clemente Misericordioso. Soberano do Dia do Juízo Final. A Ti adoramos e a Ti pedimos ajuda. Guia-nos à senda reta. À senda dos que agraciaste, não a dos abominados, nem a dos extraviados". A profissão de fé é repetida e, em seguida, é dito: "Possam a paz, a misericórdia e a bênção de Deus recair sobre ti". Essas orações são feitas em árabe e acompanhadas de genuflexões, prostrações e movimentos com as mãos.

Para os observadores de fora, os rituais da oração islâmica podem parecer complexos e rígidos demais. Para os muçulmanos, porém, os hábitos de purificação ritualística e orações prescritas permitem que eles se dediquem a Deus livremente, sem o peso do interesse próprio. Quando estão juntos rezando, os muçulmanos são lembrados da grandeza de Deus, sabendo que seus companheiros no mundo inteiro estão cultuando a Deus da mesma maneira.

Deus é soberano. Não há outro Deus além de Alá, e Maomé é o mensageiro de Deus. Depressa à oração. Depressa ao sucesso. Deus é soberano.
Convocação para a oração

A importância da caridade

O terceiro pilar do islamismo é a *zakat* (caridade). Uma preocupação central do Alcorão é o cuidado com os pobres, marginalizados e menos favorecidos. Consequentemente, os muçulmanos devem cuidar do bem-estar social e econômico de sua comunidade, não somente com atos de caridade, mas também com o pagamento de uma taxa de contribuição. Um muçulmano adulto em condições de fazê-lo deve oferecer uma porcentagem de tudo o que arrecadou. Essa porcentagem costuma ser de 2,5%, segundo definido pela Suna, por exemplo, "um quarto de um décimo" de prata. Em alguns casos, a doação pode chegar a 20% da produção agrícola ou industrial.

De um modo geral, a caridade é um ato voluntário, mas em alguns países é regulamentada pelo governo. Nesses casos, o indivíduo recebe um boleto para pagar a taxa ou pode deixar a contribuição em caixas específicas nas mesquitas ou em outros lugares.

Além de ser considerada um ato de devoção a Deus, a caridade, segundo a tradição islâmica, não pertence ao indivíduo. Se tudo o que os muçulmanos recebem vem como

A convocação para a oração é feita no minarete pelo muezim, que também anuncia o horário das rezas.

Justos são aqueles...
que dão a *zakat*.
Surata 2,177

resultado das bênçãos de Deus, o mais natural é doar parte dessas bênçãos para aqueles que receberam menos. A caridade, portanto, não é vista como uma boa ação no islamismo, mas um dever com aqueles que merecem e precisam de ajuda. De acordo com o Alcorão, o propósito da caridade é ajudar os pobres, órfãos, viúvas e endividados, além de causas que visem ao fim da escravidão e à disseminação do islamismo.

Observância de Ramadã

O quarto pilar do islamismo é o *sawm* (jejum), sobretudo o jejum de Ramadã, o nono mês do calendário lunar islâmico. Na penúltima noite desse mês de jejum é celebrado o momento em que Maomé recebeu a primeira revelação do Alcorão por intermédio do anjo Jibril. Muçulmanos devotos rezam a noite inteira, com a esperança de que suas orações sejam ouvidas. Em geral, no mês de Ramadã, todos os muçulmanos fisicamente capazes abstêm-se de comida, bebida e relações sexuais durante o dia. O momento é usado para purificação e reflexão sobre o caminho espiritual. O indivíduo deve avaliar as ações erradas que realizou, lembrar-se da misericórdia divina e contemplar as necessidades da comunidade.

Todos os dias antes de amanhecer, as famílias se reúnem para uma pequena refeição, que deve sustentá-las ao longo do dia. À noite, depois de escurecer, visitam-se e realizam uma grande refeição, que geralmente inclui comidas especiais, como tâmara. Segundo a tradição, Maomé quebrava o jejum com esse fruto.

Muitos muçulmanos vão à sua mesquita local para a reza da noite durante o mês de Ramadã e fazem uma oração especial recitada apenas no mês de jejum. Alguns muçulmanos aproveitam o Ramadã para realizar atos especiais de devoção, como recitar o Alcorão inteiro.

O Ramadã termina com uma celebração obrigatória, uma »

A direção de Meca em qualquer lugar é determinada utilizando o método do "Grande Círculo"– em outras palavras, a rota mais curta (passando por um dos polos, se necessário). Esse cálculo foi uma preocupação dos cientistas muçulmanos durante a Era Dourada do aprendizado islâmico, entre os séculos VIII e XIII.

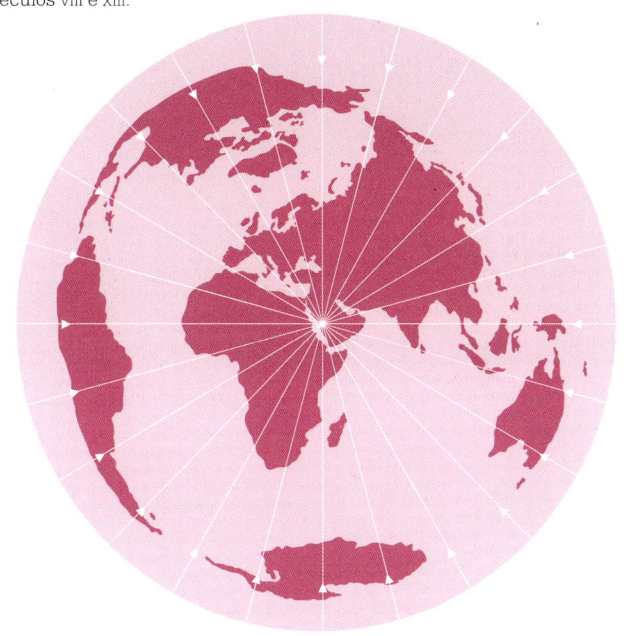

A direção de Meca, ou *qibla*, costuma ser indicada em edifícios públicos no mundo muçulmano para fins de oração.

A *hilal*, ou lua crescente, que aparece depois da lua nova, anuncia o início e o fim do mês de jejum de Ramadã, embora esse período também possa ser estipulado por cálculos.

festividade de grande alegria conhecida como "Eid al-Fitr", que marca o fim do mês de jejum. As famílias vão à casa umas das outras para comer juntas e trocar presentes. As lojas costumam ficar fechadas em parte da celebração, que chega a durar vários dias.

Peregrinação a Meca

O quinto pilar do islamismo é o *hajj*: peregrinação à sagrada cidade de Meca, na Arábia Saudita. Todo muçulmano adulto com condições físicas e financeiras de realizar a viagem deve ir a Meca pelo menos uma vez na vida. Muitas agências de viagem até oferecem pacotes especiais para assegurar uma experiência memorável a indivíduos ou grupos. Quando os peregrinos chegam perto da cidade, costumam gritar: "Estou aqui, Deus, estou aqui!". O foco da peregrinação é a Caaba, a estrutura em forma de cubo que fica no centro da Grande Mesquita de Meca. De acordo com a tradição, a Caaba foi originalmente construída por Ibrahim (Abraão, em árabe) e seu filho Ismail (Ismael) para guardar uma pedra negra recebida do anjo Jibril (Gabriel). A pedra simboliza a aliança de Deus com Ismail. Em tempos pré-islâmicos, a Caaba também era um local de peregrinação para seguidores de religiões politeístas. Naquela época, a Caaba continha diversos santuários para diferentes deuses tribais, mas, sob orientação de Maomé, esses santuários foram desfeitos e o local foi restaurado como um símbolo de devoção a um único Deus, Alá.

Antes de chegar à Caaba, os peregrinos muçulmanos devem purificar-se. Os homens vestem manto branco e cortam o cabelo. Alguns raspam a cabeça. Algumas mulheres também vestem manto branco, mas muitas preferem usar roupas simples, de acordo com a tradição de seu país de origem. Nesse estado de pureza, homens e mulheres abstêm-se de ter relações sexuais, usar joias ou perfume, tomar banho, discutir ou fazer qualquer coisa que possa afetar esse estado. Em essência, todos vestidos de branco representam não só a pureza, mas a união e a igualdade entre todos os seres humanos. Por um lado, não deve existir hierarquia e desunião no *hajj*, cujo foco é a total devoção a Deus. Por outro, a grande variedade das vestimentas das peregrinas reflete a diversidade da comunidade

... comei e bebei até a alvorada, quando podereis distinguir o fio branco do fio negro. Retornai, então, ao jejum, até o anoitecer.
Surata 2,187

Aquele que realiza o *hajj* com o intuito de agradar a Deus... retornará dele livre do pecado, como no dia em que nasceu.
Hadith Sahih Bukhari 26,596

Estou aqui, Deus,
estou aqui!
Oração peregrina ao chegar a Meca

Peregrinação permitida

Só muçulmanos podem entrar na cidade sagrada de Meca, e, de acordo com o islamismo sunita, bastante conservador, que é praticado na Arábia Saudita, a Caaba é o único destino permitido para peregrinação. Nessa forma ortodoxa de islamismo, conhecida como *wahhabismo*, a veneração de locais históricos, túmulos e construções associadas à história islâmica é fortemente desencorajada, pois poderia levar à adoração de outras coisas além de Deus – o pecado da idolatria, ou *shirk*. Como não existe o conceito de local "sagrado", muitas antigas construções de Meca foram demolidas para abrir caminho para o desenvolvimento, dando à cidade uma aparência quase totalmente moderna. Nem todas as formas de islamismo seguem essa interpretação da *shirk* – no sufismo, por exemplo, os túmulos dos santos e eruditos têm grande importância.

muçulmana global, unida na peregrinação à Grande Mesquita.

Ritos de Meca

Dentro da Grande Mesquita, os peregrinos realizam o *tawaf*, dando sete voltas em sentido anti-horário ao redor da Caaba. Eles tentam se aproximar ao máximo da estrutura e, se possível, beijar ou tocar a pedra negra exposta em um dos cantos da Caaba. Nos sete dias seguintes, os peregrinos rezam na Grande Mesquita e participam de cerimônias. Por exemplo, beber água do poço de Zanzam dentro da mesquita. De acordo com a tradição muçulmana, esse poço foi criado milagrosamente por Deus para sustentar o recém-nascido Ismail no deserto com sua mãe Hajar (Agar, em árabe). Alguns peregrinos correm entre as duas colinas de Safa e Marwa, em referência à busca de água de Hajar. Outro rito comum é viajar para Mina e o monte Arafat, onde os muçulmanos rezam para Deus, pedindo perdão pelos pecados de toda a comunidade. De lá, os peregrinos retornam a Meca, à Grande Mesquita, para um *tawaf* de despedida.

A peregrinação termina com uma festividade em homenagem a Ibrahim e sua obediência a Deus. Mesmo os muçulmanos que não fizeram a peregrinação celebram essa festividade, que dura três dias. O que sobra do banquete é distribuído aos pobres e necessitados.

Quem viaja a Meca honra a lealdade de Ibrahim num ato simbólico de apedrejamento do diabo, jogando pedras em três pilares que representam o diabo. Muitos peregrinos terminam a peregrinação visitando a cidade de Medina e a mesquita onde o profeta Maomé está enterrado.

Aliviando o peso

Os cinco pilares do islamismo representam a religião muçulmana como um todo, refletindo a "carga leve" de Deus sobre seus seguidores. No entanto, apesar da simplicidade do islamismo, diversas dificuldades práticas podem ser encontradas por quem quiser seguir o que foi estipulado. E se não for possível descobrir a direção da reza? E se um muçulmano não conseguir jejuar em um dos dias de Ramadã? Deus oferece uma solução simples para obstáculos como esses: "Tanto o levante como o poente pertencem a Deus, e, aonde quer que vos dirijais, notareis Seu Rosto, porque Deus é Munificente, Sapientíssimo".

O ponto principal para os muçulmanos é dirigir-se a Deus em devoção da melhor maneira possível, até chegar o momento em que eles poderão reverenciá-lo apenas como seus companheiros de fé. ■

A Caaba em Meca é uma construção quadrada de pedra que antecede o islã por muitos séculos. A Grande Mesquita foi construída em volta.

O IMÃ É O LÍDER ESCOLHIDO POR DEUS

O SURGIMENTO DO ISLÃ XIITA

EM CONTEXTO

PRINCIPAL FIGURA
'Ali ibn Abi Talib

QUANDO E ONDE
c. 632-661, Arábia

ANTES
A partir de 1500 a.C. Segundo a Bíblia hebraica, Abraão e seus sucessores foram escolhidos por Deus para liderar os israelitas.

Século I d.C. Após sua morte, Jesus passa a ser chamado de Jesus Cristo, o Messias. Sua mãe, Maria, torna-se uma importante figura devocional.

c. 610 d.C. No islamismo, Maomé é escolhido por Deus para receber a revelação do Alcorão.

DEPOIS
c. 1500 A dinastia safávida persa converte a população do islamismo sunita ao islamismo xiita, e o Irã desenvolve-se como o grande baluarte do xiismo, enquanto a Arábia continua predominantemente sunita.

Quando o profeta Maomé, fundador do Islamismo, morreu em 632, a autoridade islâmica já havia sido estabelecida em toda a península arábica, por meio de operações e conquistas militares. No entanto, como os dois filhos homens de Maomé faleceram durante a infância, a comunidade muçulmana ficou dividida sobre quem deveria sucedê-lo.

Segundo a tradição islâmica, Maomé possuía o direito divino de governar, mas tal prerrogativa terminava com sua morte. A maioria dos muçulmanos acreditava que um pequeno grupo conhecido como os "Companheiros do Profeta" era o mais indicado para assumir a liderança, pois eram os indivíduos mais próximos de Maomé e os compiladores do Alcorão. Nomearam Abu Bakr, um dos

Quem deve ser o **sucessor do profeta Maomé**?

Muitos seguidores acreditam que devem **eleger um líder** de acordo com a Suna – os ensinamentos de Maomé.

O islamismo sunita, portanto, é liderado por um **indivíduo escolhido por consenso**.

O partido Shi'a 'Ali acredita que Deus indicou uma **linhagem de sucessores legítimos** dentro da família do Profeta.

O islamismo xiita, portanto, é liderado por um **imã escolhido por Deus**.

Veja também: Deus revela sua palavra e sua vontade 254-261 ▪ A luta no caminho de Deus 278 ▪ As origens da comunidade ahmadi 284-285

O primeiro imã, 'Ali ibn Abi Talib, e seus filhos eram membros da família do Profeta, e por isso considerados como tendo o conhecimento divino.

melhores amigos do Profeta, como o sucessor. Abu Bakr foi sucedido por mais dois companheiros, Omar e Otman, que se tornaram califas do território islâmico, sendo considerados sábios líderes e "os melhores muçulmanos". Seus seguidores acreditavam que escolher um líder pelo consenso da comunidade era o que mais condizia com as ideias da Suna e os ensinamentos de Maomé. Portanto, os apoiadores de Abu Bakr e seus dois sucessores ficaram conhecidos como muçulmanos sunitas.

Uma opção alternativa

Um grupo minoritário de muçulmanos discordou da nomeação de Abu Bakr, dizendo que o líder justo deveria ter sido um parente próximo de Maomé, de preferência um membro do grupo conhecido no Alcorão como a família do Profeta. Essa minoria de muçulmanos alegava que Maomé havia indicado um sucessor: seu genro e primo 'Ali ibn Abi Talib, porque Maomé honrara publicamente sua capacidade de liderar a comunidade. O nome "xiita" vem do árabe, *Shi'a 'Ali*, "partido de 'Ali", a quem os xiitas veem como o legítimo herdeiro do Profeta.

'Ali acabou sendo nomeado líder de toda a comunidade muçulmana em 656, após a morte de Otman, mas, quando 'Ali morreu, os muçulmanos se dividiram de novo. Os xiitas apoiavam o filho de Ali como sucessor, enquanto os sunitas apoiavam a eleição de Muawiyah I, um poderoso governante da Síria. Até hoje, os xiitas constituem um grupo minoritário dentro da comunidade muçulmana, dedicado a 'Ali e seus sucessores. Esses descendentes de Maomé, conhecidos como imãs, têm total autoridade religiosa – seu conhecimento é considerado divino e infalível. A maior vertente do islã xiita, cujo imã está atualmente ausente (veja à direita), é liderado por representantes, ou *marjas* – por exemplo, o aiatolá Khomeini, do Irã.

Desde as controvérsias referentes à questão da liderança muçulmana, o islamismo xiita é considerado um movimento dentro do islamismo, não um sistema de crenças isolado. O movimento, entretanto, possui diretrizes próprias. Aos cinco pilares do islamismo, os xiitas acrescentaram mais cinco: fazer doações para o benefício da comunidade, fazer o bem, proibir o mal (crenças sustentadas por muitos não xiitas), além de mais dois exclusivos do islamismo xiita – amar a família do Profeta e afastar-se de quem não professa o mesmo. ■

Mais divisões no islã xiita

A sucessão de 'Ali, o primeiro imã do islã xiita, foi marcada por outras divisões, resultantes de desavenças a esse respeito. Conflitos após a morte do quarto e do sexto imã levaram à formação de dois grupos: os xiitas dos cinco imãs, ou "zaiditas", e os xiitas dos sete imãs, ou "ismaelitas".

Os xiitas dos sete imãs dividiram-se novamente em relação à legitimidade divina do sucessor. A maior ramificação é conhecida como ismaelismo nizari, atualmente liderada por Aga Khan.

Os xiitas dos doze imãs, ou "duodecimâmicos", constituem o maior grupo isolado dentro do islamismo xiita. Eles acreditam que seu último imã, o menino Muhammad al-Qa'im, de seis anos, não morreu, mas foi para um plano invisível da realidade em 874, e que ele voltará como a figura messiânica conhecida como o imã Al-Mahdi. Seu ressurgimento indicará o início da última luta pelo bem, que, no islamismo, marca o fim do mundo.

Deus só deseja afastar de vós a abominação, ó membros da Casa, bem como purificar-vos integralmente.
Surata 33,33

DEUS NOS GUIA COM A *SHARIA*

O CAMINHO PARA UMA VIDA HARMONIOSA

EM CONTEXTO

PRINCIPAL FIGURA
Abu 'Abdallah Muhammad ibn Idris al-Shafi'i

QUANDO E ONDE
767-820 d.C., Arábia

ANTES
1500 a.C. A Torá registra os Dez Mandamentos, leis religiosas e éticas que Deus entregou a Moisés.

Século VII d.C. O profeta Maomé recebe a revelação do Alcorão. Seus ensinamentos e ações são transmitidos por seus seguidores.

DEPOIS
c. Século XIV Ibn Taymiyyah, estudioso islâmico, emite uma *fatwa* contra os mongóis por não basearem suas leis na *sharia*.

1997 Fundação do Conselho Europeu de Fatwa e Pesquisa para ajudar os muçulmanos europeus a interpretar a *sharia*.

No pensamento islâmico, submeter-se à orientação de Deus (islã significa "submissão") é a marca de um verdadeiro muçulmano. Para ajudar as pessoas a viver a vida de forma que lhes seja agradável, Deus ofereceu um caminho conhecido como *sharia*, cuja tradução literal é "estrada para o poço". No contexto dos desertos da Arábia, um caminho que conduz a um poço é um grande tesouro. Do mesmo modo, a *sharia* (a lei de Deus) é o caminho para uma vida harmoniosa. Em essência, a *sharia* é um sistema de ética e jurisprudência (*fiqh*) com o propósito de governar a humanidade e orientar nossas ações.

Como um sistema precisa de fontes confiáveis, no início os muçulmanos se

Veja também: Vivendo em harmonia 38 ▪ A sabedoria do homem superior 72-77 ▪ A busca pessoal pela verdade 144 ▪ Escrevendo a lei oral 182-183 ▪ Deus revela sua palavra e sua vontade 254-261

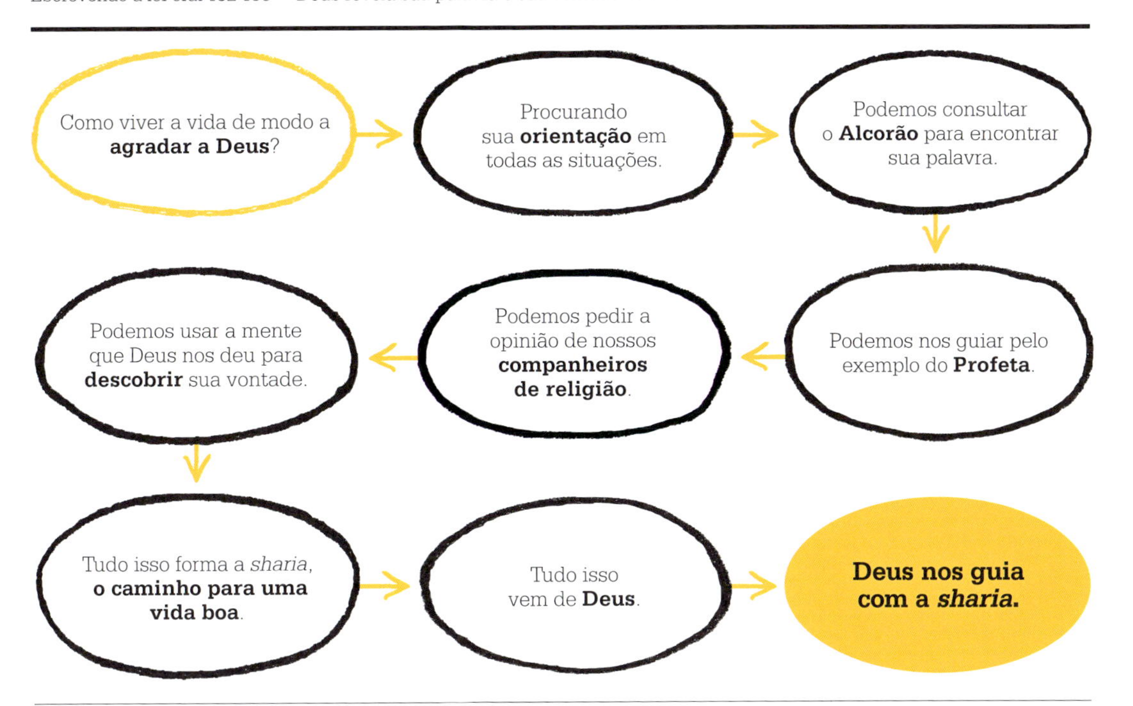

basearam nas revelações de Maomé (o Alcorão) em sua vida (Suna) para obter direcionamento. Com sua morte, no entanto, essa orientação deixou de existir, e a delicada questão de como aplicar as revelações existentes à vida diária das diversas culturas da comunidade muçulmana tornou-se premente. Apesar do surgimento de juízes islâmicos capazes de julgar assuntos de interesse público e privado, havia a necessidade de uma *sharia* mais uniforme e definida.

Como viver a vida de modo a **agradar a Deus**?
Procurando sua **orientação** em todas as situações.
Podemos consultar o **Alcorão** para encontrar sua palavra.
Podemos nos guiar pelo exemplo do **Profeta**.
Podemos pedir a opinião de nossos **companheiros de religião**.
Podemos usar a mente que Deus nos deu para **descobrir** sua vontade.
Tudo isso forma a *sharia*, **o caminho para uma vida boa**.
Tudo isso vem de **Deus**.
Deus nos guia com a *sharia*.

A definição da lei islâmica

Eruditos ávidos por padronizar a jurisprudência islâmica começaram a surgir em muitas comunidades muçulmanas, provocando desavenças quanto à melhor maneira de aplicar a lei. Seu escopo deveria restringir-se aos ensinamentos do Alcorão e da Suna, ou os juristas poderiam incorporar análises e conclusões próprias?

No século VIII, os muçulmanos tinham visões bastante díspares em relação à aplicação da *sharia*. O estudioso Abu 'Abdallah Muhammad ibn Idris al-Shafi'i, considerado por muitos o pai da jurisprudência islâmica, destacou-se apresentando uma visão unificadora das questões legais da época. De acordo com al-Shafi'i, há quatro fontes de lei: o Alcorão, a Suna, o consenso da comunidade (*ijma*) e o processo de analogia dedutiva (*qiyas*).

Considerado a palavra literal de Deus, o Alcorão é a principal fonte para os princípios e valores islâmicos. Em diversos trechos, o texto aborda objetivamente assuntos como assassinato, exploração dos pobres, usura, roubo e adultério, condenando »

"A estrada para o poço" – a tradução literal de *sharia* – é um conceito com o qual os muçulmanos se identificam bastante, devido ao clima implacável do deserto.

esses atos. Em outras passagens, o Alcorão é escrito para coibir determinados comportamentos. Por exemplo, as primeiras revelações sobre "bebidas inebriantes" dão a entender que, embora possa haver algum benefício no álcool, ele também está relacionado ao pecado (2,129). Revelações posteriores proíbem que se reze em estado de embriaguez (4,43), e a última condena abertamente o consumo de "coisas ilícitas" (5,93). O Alcorão também orienta os muçulmanos em assuntos de interesse pessoal e comunitário. Por exemplo, apesar de não proibir explicitamente a escravidão, o texto fornece orientação sobre como tratar os escravos. Questões matrimoniais como poligamia, dote e direitos de herança para as mulheres também são abordadas.

Estipulações como essas estão explícitas no Alcorão, oferecendo clara orientação. No entanto, embora o Alcorão trate das questões de moralidade e obrigações cívicas de forma semelhante, grande parte dos assuntos de interesse legal tende a ser genérica. Nesses casos, o exemplo de Maomé que consta da Suna complementa o material do Alcorão. Apesar de não substituir a autoridade do Alcorão, os exemplos da Suna são aceitos como palavra oficial, devido à crença de que Maomé possuía inspiração divina. Al-Shafi'i aprimorou o uso da Suna em questões legais restringindo a utilização do termo Suna a Maomé. Dessa forma, eliminava-se a possibilidade de qualquer confusão nos costumes locais, intensificando-se a autoridade das tradições proféticas. O que aconteceu é que o número de compilações com os ensinamentos e as ações de Maomé aumentou bastante, gerando a necessidade de processos mais rigorosos de validação. Resultado: só as tradições legítimas de Maomé – isto é, aquelas que façam parte de uma linhagem oficial e não contradigam o Alcorão – podem ser aplicadas a assuntos legais.

Interpretação legal

Mesmo com as definições de al-Shafi'i, poderiam aparecer situações que não estavam previstas no Alcorão ou na Suna. Sem Maomé para oferecer orientação referente a questões legais, a interpretação da lei passou a ter um papel crucial na jurisprudência islâmica. Al-Shafi'i decidiu oficializar as interpretações resultantes do consenso da comunidade muçulmana. Inicialmente, foi uma forma prática de solucionar problemas não previstos no Alcorão e na Suna. Valeria a opinião da maioria. Com o tempo, porém, "a comunidade" passou a ser definida, em termos legais, como um corpo coletivo

Já vos chegou de Deus uma Luz e um Livro lúcido, pelo qual Deus conduzirá aos caminhos da salvação aqueles que procurarem Sua complacência...
Surata 5,15-16

de especialistas jurídicos e autoridades religiosas cujas decisões seriam tomadas em nome da sociedade muçulmana como um todo. Restavam ainda algumas situaçõ que não tinham como ser resolvidas com base em nenhum texto e nenhum consens Os juristas, então, utilizavam o próprio julgamento para arbitrar novas questões legais. Essa prática ficou conhecida como *ijtihad*, "esforço de reflexão", e foi incorpora ao arbítrio pessoal dos juízes. Al-Shafi'i limitou o papel da reflexão pessoal no *ijtiha* ao uso da analogia dedutiva, que consistia em encontrar situações análogas no Alcorã e na Suna para criar novas normas. Por exemplo, o Alcorão proíbe que se façam compras ou vendas durante a convocação para as orações de sexta-feira. Os muçulmanos devem abandonar os negócio para rezar (62,9-10). Que outras atividades podem ser realizadas durante a convocaçã para as orações? Uma pessoa pode marcar um casamento para esse horário? O Alcorã não aborda essa questão, mas a analogia dedutiva pode contribuir para uma conclusão legal. Se o objetivo do Alcorão é desencorajar atividades que impediriam os

Estudiosos muçulmanos e líderes religiosos são consultados em relação a questões cujas fontes originais não são tão explícitas.

A analogia dedutiva pode ser usada para determinar o comportamento aceitável. O Alcorão não faz menção a drogas, mas proíbe o álcool. Pode-se deduzir, portanto, que outras substâncias inebriantes são proibidas também.

muçulmanos de rezar, é possível deduzir que a restrição dos negócios deve se estender a outras áreas, incluindo o matrimônio. Em vez de deixar os especialistas livres para expressarem suas opiniões sobre assuntos como esse, al-Shafi'i decidiu fundamentar a reflexão criativa nas fontes consagradas do islamismo, o Alcorão e a Suna.

Escolas da lei

Embora a contribuição de al-Shafi'i para as quatro fontes de lei – o Alcorão, a Suna, o consenso da comunidade e o processo de analogia dedutiva – tenha ajudado muito na unificação da *sharia*, diferentes escolas jurídicas utilizam essas fontes de formas distintas. A partir do século XIII, quatro escolas predominaram no islamismo sunita, a maior ramificação da religião muçulmana. Cada escola tem o nome do indivíduo que definiu suas principais diretrizes: Shafi'i, Hanbali, Hanafi e Maliki. As escolas Shafi'i e Hanbali baseiam-se nas evidências das fontes ao interpretar a lei, enquanto as escolas Hanafi e Maliki incentivam também a analogia dedutiva.

Outras escolas jurídicas desenvolveram-se no islamismo xiita. Devido à importância do imã para esses muçulmanos, as escolas do xiismo dão ênfase às tradições de 'Ali e dos imãs. Segundo os xiitas, o primo de Maomé, 'Ali, é o primeiro imã – um ponto em que xiitas e sunitas discordam. Os xiitas costumam priorizar o arbítrio do imã, o líder supremo e maior autoridade do campo jurídico, em detrimento do consenso comunitário e da analogia dedutiva.

As escolas jurídicas continuam existindo na sociedade muçulmana. Em regiões de maioria muçulmana, especialistas em leis religiosas arbitram questões legais em tribunais de justiça e emitem *fatwas* (decisões judiciais). Os juízes, por sua vez, reforçam a lei e ajudam a mantê-la. Os muçulmanos com questões mais práticas também podem pedir conselhos legais. Em sociedades não muçulmanas, especialistas locais oferecem orientação à comunidade, e em alguns lugares os muçulmanos contam com serviços de atendimento por telefone de centros internacionais. Embora ainda esteja em discussão qual a melhor forma de obter orientação jurídica, a *sharia* continua sendo, para muitos, um caminho direto para a melhor vida que Deus pode dar a seus seguidores. ■

Abu 'Abdallah Muhammad ibn Idris al-Shafi'i

Devido à grande quantidade de lendas a respeito da vida de al-Shafi'i, pouco se sabe sobre seus primeiros anos, mas, de acordo com antigos relatos, ele nasceu em Gaza, no ano de 767. Quando ainda era jovem, sua família mudou-se para Meca, onde ele estudou o Hadith (palavras e ações de Maomé) e leis. Dizem que al-Shafi'i memorizou o Alcorão aos dez anos. Depois de um tempo, ele mudou-se para Medina, onde estudou direito com Malik ibn Anas, fundador da escola de leis islâmicas Maliki. Ministrou aulas em Bagdá, estabelecendo-se, por fim, no Egito. Em seu trabalho como professor, al-Shafi'i ficou conhecido como o pai da lei islâmica, contribuindo para a definição do pensamento legal islâmico. Al-Shafi'i morreu em 820 e foi enterrado em al-Fustat (Cairo).

Obra-chave

Século IX *Tratado sobre os fundamentos da lei islâmica.*

Minha comunidade jamais concordará num erro.
Hadith de Maomé

PODEMOS PENSAR SOBRE DEUS, MAS NÃO TEMOS COMO COMPREENDÊ-LO

ESPECULAÇÃO TEOLÓGICA NO ISLAMISMO

EM CONTEXTO

PRINCIPAL FIGURA
Abu al-Hasan al-Ash'ari

QUANDO E ONDE
Século x, Arábia

ANTES
c. 990 d.C. O filósofo sírio Abu al-'Ala al-Ma'arri usa o racionalismo para rejeitar o dogma religioso, considerando suas afirmações como "impossíveis".

DEPOIS
Século xi Ibn Sina (conhecido no Ocidente como Avicena) tenta conciliar a filosofia racional com a teologia islâmica.

Século xi Al-Ghazali escreve *A incoerência dos filósofos*, sobre o uso da filosofia na teologia islâmica.

Século xii Ibn Rushd (conhecido no Ocidente como Averróis) publica uma resposta ao trabalho de Al-Ghazali: *A incoerência da "incoerência"*.

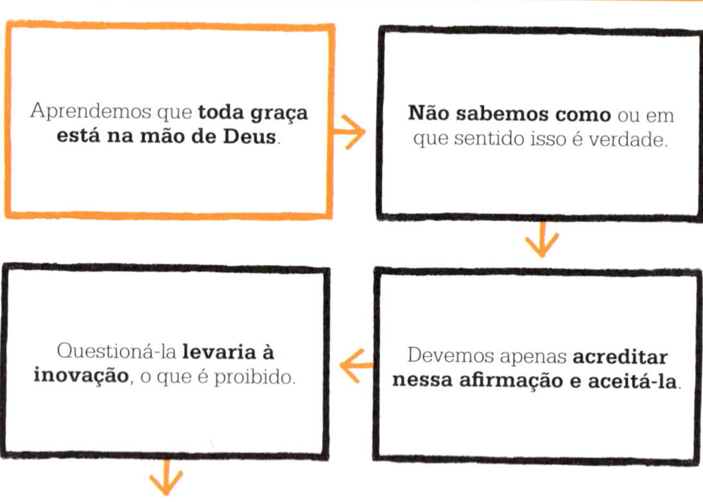

O islamismo ensina que Deus é transcendente e está acima da compreensão humana. Embora isso não impeça que os muçulmanos pensem a respeito de Deus, eles não devem ter a expectativa de compreender sua natureza ou suas ações. Essa foi a conclusão de Abu al-Hasan al-Ash'ari no século x, quando o islamismo entrou numa controvérsia provocada pela especulação filosófica sobre a natureza de Deus.

No século viii, os califas (chefes políticos e religiosos do Estado muçulmano) da dinastia abássida incentivaram o desenvolvimento do aprendizado e das artes no mundo

Veja também: Definindo o indefinível 184-185 ▪ O caminho para uma vida harmoniosa 272-275 ▪ A unidade da divindade é necessária 280-281

Deus... é diferente de qualquer coisa que possa ser imaginada.
'Ali al-Ash'ari

islâmico, e as obras de filósofos gregos, como Aristóteles, foram traduzidas e disponibilizadas para os teólogos muçulmanos. Alguns desses estudiosos aplicaram essa "nova" forma grega de pensar ao conteúdo do Alcorão, formando um grupo, os mutazilitas, que se tornaram uma grande força na teologia islâmica do século IX.

Pensadores radicais

Os mutazilitas foram inspirados pela ideia de que os métodos da filosofia grega poderiam ser utilizados para dirimir aparentes contradições do Alcorão. O Alcorão diz que Deus é uno, indivisível, e, portanto, não pode ter um corpo fragmentado como o dos seres humanos. No entanto, alguns trechos do livro sagrado fazem referência, por exemplo, às mãos e aos olhos de Deus. Descrições literais como essas podem levar ao antropomorfismo (atribuição de características humanas a Deus) e à comparação de Deus com os seres que Ele criou, um grande pecado. Os mutazilitas afirmaram que essas referências eram metafóricas. Uma referência às mãos de Deus, por exemplo, pode ser interpretada como um sinal de sua força. O passo seguinte foi aplicar a lógica grega a outras questões teológicas, como o livre-arbítrio, a predestinação e a própria natureza do Alcorão – se ele sempre existiu ou foi criado por Deus em algum momento.

Não demorou muito, porém, para que as abrangentes especulações dos mutazilitas começassem a ser censuradas, e a opinião pública voltou-se contra eles. A especulação teológica e filosófica sobre Deus é permitida e até importante para o pensamento islâmico, mas procurar respostas para perguntas não abordadas especificamente no Alcorão ou por Maomé é, de acordo com o islamismo, não só desnecessário, como um pecado – *bid'ah*, o pecado da inovação.

Um pensador mutazilita, al-Ash'ari, recusou-se a reduzir as descrições de Deus do Alcorão a metáforas, mas também não desejava antropomorfizá-lo. Al-Ash'ari afirmava que Deus podia ser descrito como tendo mãos e que os muçulmanos é que não eram capazes de compreender como isso é possível. Al-Ash'ari e seu grupo de seguidores, conhecidos como asharitas, deixaram as palavras do Alcorão intactas, mas também não interferiram no pensamento teológico sobre Deus, evitando falar sobre Ele em termos humanos, uma vez que Deus está acima da compreensão humana. ■

Os estudiosos islâmicos têm liberdade para pensar em Deus e refletir sobre sua essência e ações, mas jamais devem esperar compreender sua natureza e seus desígnios.

Abu al-Hasan al-Ash'ari

Abu al-Hasan al-Ash'ari nasceu por volta de 873 d.C. em Basra, atual Iraque. Responsável por grande parte do desenvolvimento da *kalam* (especulação teológica sobre a natureza divina), foi professor de muitos dos maiores pensadores islâmicos. Como resultado de seu pensamento e do trabalho de seus discípulos, a teologia asharita tornou-se a principal escola de teologia para os muçulmanos ortodoxos. Al--Ash'ari foi um teólogo mutazilita até os quarenta anos, quando abandonou grande parte de sua antiga crença. Alguns dizem que isso aconteceu por causa de uma desavença teológica com seu professor. Outros afirmam que al-Ash'ari chegou à conclusão de que havia contradições entre o islamismo e a teologia mutazilita. Al-Ash'ari morreu em 935.

Obras-chave

Séculos IX-X *Opiniões teológicas dos muçulmanos*; *O esclarecimento das bases da religião.*

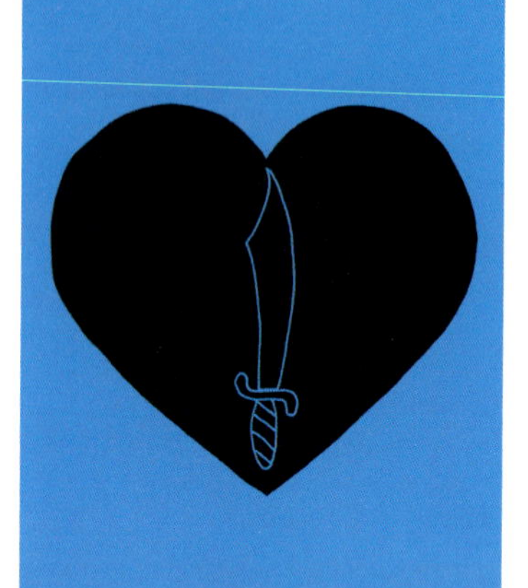

A *JIHAD* É NOSSO DEVER RELIGIOSO

A LUTA NO CAMINHO DE DEUS

EM CONTEXTO

PRINCIPAL FIGURA
Shams al-A'imma al-Sarakhsi

QUANDO E ONDE
Século XI, Pérsia

ANTES
Século VII d.C. Os exércitos de Maomé conquistam e unem grande parte da Arábia, sob a bandeira do islã.

Século VIII O islamismo se expande para a Espanha e para a Pérsia.

Século VIII O jurista Abu Hanifa declara que o islã permite a guerra apenas como medida de defesa.

DEPOIS
Século XII Ibn Rushd (Averróis), filósofo islâmico, divide a *jihad* em quatro categorias: *jihad* pelo coração, *jihad* pela língua, *jihad* pela mão e *jihad* pela espada.

1964 O ativista egípcio Sayyid Qutb defende a *jihad* como a missão de fazer com que o islamismo prevaleça no mundo inteiro.

A despeito da orientação do Alcorão, de Maomé e da *sharia*, manter o foco em Deus e a disciplina cotidiana é um desafio para os muçulmanos. A desobediência é uma tentação constante, e o diabo está sempre à espreita. Os muçulmanos, portanto, precisam estar sempre na luta para permanecer junto a Deus e longe do mal. Essa "luta" é conhecida como *jihad*.

Para a maioria dos muçulmanos, o termo *jihad* tem duas acepções: "*jihad* maior", a mais comum, refere-se à constante militância contra o pecado, incluindo o arrependimento, a busca da misericórdia divina, o distanciamento das tentações e o desejo de justiça para os outros; "*jihad* menor", embora seja menos comum para os muçulmanos, é a acepção mais conhecida no mundo. Refere-se ao uso da força, às vezes militar, contra aqueles que fazem o mal.

No século XI, um dos maiores juristas do islã, Shams al-A'imma al-Sarakhsi, descreveu a *jihad* menor como um processo de quatro estágios. No primeiro estágio, a *jihad* em relação aos outros deve ser pacífica e passiva. No segundo estágio, o islã deve ser defendido com argumentos pacíficos. No terceiro estágio, os seguidores têm permissão para defender a comunidade muçulmana contra injustiças. No quarto estágio, os muçulmanos são convocados ao conflito armado, segundo diretrizes legais específicas e orientações do Alcorão, quando a religião islâmica estiver sob ameaça. ■

Até os alunos mais jovens aprendem a importância de lutar para ser um bom muçulmano ao defender a religião, buscar a misericórdia divina, evitar as tentações e procurar a justiça para os outros.

Veja também: Agostinho e o livre-arbítrio 220-221 ▪ O caminho para uma vida harmoniosa 272-275 ▪ O revivalismo islâmico 286-290

O MUNDO É UMA ETAPA DA JORNADA A DEUS

A RECOMPENSA FINAL PARA OS JUSTOS

EM CONTEXTO

PRINCIPAL FIGURA
Abu Hamid Muhammad al-Ghazali

QUANDO E ONDE
1058-1111, Pérsia

ANTES
500 a.C. A Bíblia hebraica descreve o primeiro período de existência da humanidade num jardim celestial.

Século I d.C. Jesus anuncia a chegada do "reino de Deus" na Terra.

A partir de 874 Os muçulmanos xiitas acreditam que o "imã oculto" voltará no futuro, prenunciando o fim dos dias.

1014-1015 O filósofo muçulmano Ibn Sina (Avicena) escreve sua principal obra sobre escatologia, *Al-Adhawiyya*.

DEPOIS
1190 O filósofo muçulmano Ibn Rushd (Averróis) fala sobre o Dia do Julgamento em *Discurso decisivo sobre a harmonia entre a religião e a filosofia*.

De acordo com o Alcorão, o fim do mundo será acompanhado pelo Dia do Julgamento, momento em que o destino de cada pessoa será determinado por escalas de justiça. Aqueles cujas boas ações superarem as más ações seguirão para o *jannah* (paraíso), retratado no islamismo como um jardim sublime. Aqueles cujas más ações superarem as boas ações serão relegados aos terríveis tormentos de *jahannam* (inferno).

Essa ideia de julgamento divino opõe-se às diversas descrições da misericórdia e clemência de Deus presentes no Alcorão. Aliás, os muçulmanos diferenciam-se dos não muçulmanos por serem aqueles que esperam pela misericórdia divina. Eles também esperam ter um encontro com Deus no Dia do Juízo Final, conforme consta do Alcorão, e receber sua clemência.

Esperança e paraíso

O teólogo muçulmano Abu Hamid Muhammad al-Ghazali concentrou-se na relação entre os conceitos islâmicos de esperança e o paraíso no livro *The book of fear and hope*. Al-Ghazali afirma que aqueles que realmente temem a Deus correrão em sua direção, implorando misericórdia. O pensador compara o desejo de um encontro com Deus ao processo de plantação. O fazendeiro planta uma semente, rega-a todos os dias, arranca as ervas daninhas e espera ansiosamente pelo momento da colheita. Da mesma forma, os muçulmanos que acreditam em Deus obedecem seus mandamentos e buscam a moralidade, podendo esperar por compaixão divina e recompensas do paraíso. ■

Nada além do domínio da esperança conduzirá à proximidade do Misericordioso e à alegria dos Jardins.
Al-Ghazali

Veja também: Preparação para a vida após a morte 58-59 ▪ A promessa de uma nova era 178-181 ▪ A mensagem de Jesus para o mundo 204-207

DEUS É INIGUALÁVEL

A UNIDADE DA DIVINDADE É NECESSÁRIA

EM CONTEXTO

PRINCIPAL FIGURA
Muhammad ibn Tumart

QUANDO E ONDE
1082-1130, norte da África

ANTES
c. 800-950 d.C. A obra de Aristóteles é traduzida para o árabe.

Século x O estudioso muçulmano al-Farabi discute a Primeira Causa (Deus).

1027 O filósofo persa Ibn Sina (conhecido no Ocidente como Avicena) afirma que a razão requer a existência de Deus.

DEPOIS
c. 1238 Ibn 'Arabi, importante professor sufi, reflete sobre a "unicidade do ser".

1982 O pensador palestino Ismail al-Faruqi escreve *At tawhid (o monoteísmo): suas implicações para o pensamento e a vida.*

1990 Ozay Mehmet diz que o *tawhid* é a base da religião muçulmana e da identidade secular.

O islamismo é uma religião monoteísta, e um de seus princípios fundamentais é o *tawhid* (literalmente, "unicidade") – a doutrina da unidade divina. De acordo com o pensamento muçulmano, existe apenas um Deus, cuja natureza é singular. Ele não é uma trindade, como os cristãos acreditam. A ideia do *tawhid* aparece bastante no Alcorão e constitui a primeira parte do credo central do islã, a *shahada*: "Não há nenhum deus além de Alá". Por outro lado, a doutrina da unidade divina constitui a base do maior pecado do

A razão nos diz que as coisas no mundo (incluindo os seres humanos) são impermanentes e foram **criadas por algo** anterior a elas.

No entanto, **no início** de tudo, tem de haver existido algo **sem nenhuma causa anterior**.

Isso é Deus, o **único criador**.

O único criador não tem início nem fim – **Deus sempre existiu e sempre existirá**.

O criador absoluto é **o único ser** eterno e imutável, constituindo a Primeira Causa de tudo.

Deus é um ser único e **inigualável**.

Veja também: Definindo o indefinível 184-185 ▪ A Santíssima Trindade 212-219 ▪ As profissões de fé 262-269 ▪ Especulação teológica no islamismo 276-277

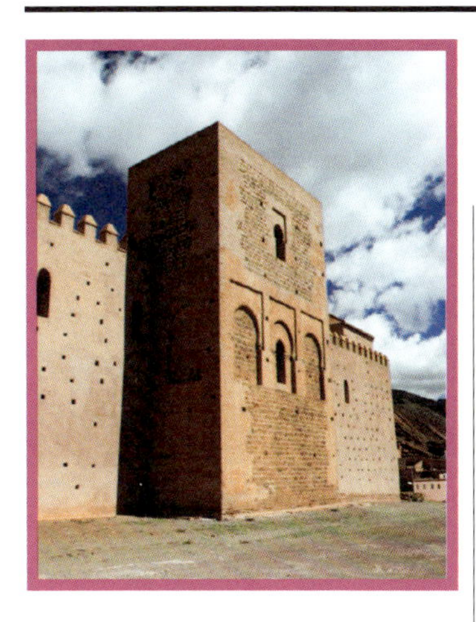

Na Cordilheira do Atlas, no Marrocos, a mesquita de Tin Mal tornou-se o centro espiritual do credo almóada no século XII.

islamismo, um pecado imperdoável: *shirk*, a violação do *tawhid*. A tradução literal de *shirk* é "associação" e refere-se ao pecado de associar Deus com alguma outra entidade. Isso porque tal associação significaria a crença em diversos deuses ou a ideia de que Deus não é perfeito e por isso precisaria de um "associado".

Um credo de unidade

Ao longo da história do islamismo, os muçulmanos refletiram bastante a respeito da ideia de unidade divina. No século XII, essa reflexão deu origem ao movimento cujos seguidores ficaram conhecidos como almóadas, do árabe Al-Muwahhidun ("aqueles que pregam a unidade"). Fundado por Muhammad ibn Tumart, o movimento baseava-se na concepção da unidade divina, exposta na *'aqida* (credo) almóada.

O credo almóada combinava os elementos da *kalam* – especulação teológica sobre a natureza divina – com a interpretação direta do Alcorão e da Suna (os ensinamentos e as ações de Maomé). Uma de suas principais características é que ele estava voltado não só para os eruditos, mas para um público mais amplo, que seria capaz de testar suas afirmações de acordo com a própria lógica e experiência.

Causa e efeito

O credo almóada começa com ensinamentos de Maomé que dão a entender que a unidade divina era para ele a parte mais significativa do islamismo. Em seguida, há a declaração (em grande parte baseada na filosofia aristotélica) de que a razão e a lógica, não a fé, é que determinam a existência de Deus. Ou seja, aqueles dotados de razão podem deduzir se Deus existe ou não.

O credo almóada utiliza o raciocínio dedutivo para defender a unidade divina, baseando cada uma de suas afirmações na primeira declaração. Segundo os almóadas, tudo tem um criador – existe algo por trás da criação de cada coisa no mundo (seja a pessoa que cria uma ferramenta ou uma semente que se transforma em árvore). Os próprios seres humanos são criações de extraordinária complexidade. E se tudo no mundo foi criado por algo, tem de haver algum ser no início dessa cadeia de causa e efeito que não foi criado por nada anterior – a causa inicial de tudo. Esse ser é Deus – único e absoluto (sem início nem fim). Se reconhecermos a existência absoluta de Deus, temos de reconhecer também que nenhum outro deus pode ter seu poder e que, portanto, Deus é único e inigualável. ■

Muhammad ibn Tumart

Muhammad ibn Tumart era berbere, nascido na Cordilheira do Atlas, atual Marrocos, por volta de 1082. Tumart viajou para o Oriente a fim de estudar teologia islâmica e, devido ao fervor religioso, criou um movimento baseado no desejo de reformar o islamismo de acordo com sua visão de unicidade divina.

Em 1118, Ibn Tumart voltou para o Marrocos, onde seu movimento ganhou força, e em 1121 declarou-se *mahdi*, o redentor que restauraria a pureza do islamismo. Tumart morreu em 1130. Após sua morte, seus seguidores dominaram grandes regiões do norte da África e da Espanha.

O movimento de Ibn Tumart desfez-se no século XIII. Nenhum de seus textos foi preservado, mas alguns escritos sobre ele e seus seguidores (incluindo os do credo almóada) estão contidos em *Le livre de Mohammed ibn Toumert* (A vida de Muhammad ibn Tumart).

É pela necessidade da razão que a existência de Deus, bendito seja, é conhecida.

'*Aqida* almóada

ÁRABE, POTE DE ÁGUA E ANJOS: METÁFORAS PARA NÓS MESMOS

O SUFISMO E A TRADIÇÃO MÍSTICA

EM CONTEXTO

PRINCIPAL FIGURA
Jalal al-Din Rumi

QUANDO E ONDE
Século XIII, Pérsia

ANTES
Século VIII Uma antiga poeta sufi, Rabi'a al-'Adawiyya, de Basra, Iraque, funde ascetismo e devoção no desenvolvimento do sufismo.

Século X O mestre persa al-Hallaj declara, em estado de transe: "Eu sou a Verdade". Suas palavras são interpretadas como uma afirmação de que ele é Deus, e ele é executado.

DEPOIS
Século XIII Algumas práticas sufistas, como recitar os nomes de Deus, são incorporadas no judaísmo.

Século XIX Emir 'Abd al-Qadir, um estudioso sufi, lidera a luta contra a invasão francesa da Argélia.

Século XXI Existem mais de cem ordens sufistas.

Se para os muçulmanos a *sharia* é o caminho exterior que conduz à verdadeira devoção de Deus, o misticismo sufista é o caminho interior não só para seguir Deus, mas também para aproximar-se Dele. Nos primeiros estágios do desenvolvimento do islamismo, a simples obediência à vontade divina não era uma doutrina suficientemente estrita para alguns muçulmanos. Em resposta à crescente indulgência da elite muçulmana no poder, muçulmanos insatisfeitos resolveram voltar à pureza e à simplicidade do islamismo da época do profeta Maomé, buscando uma vida ascética e retirando-se do mundo material para ter uma experiência direta e pessoal com Deus. Alguns muçulmanos sufis chegaram a declarar que Deus estava dentro deles.

Reverenciado pelo ascetismo e pela bondade, o túmulo do santo sufi Nizamuddin Awlia é visitado por muçulmanos e não muçulmanos, onde acendem incensos e rezam.

Com o desenvolvimento do sufismo, fundaram-se grupos, ou ordens, em que mestres religiosos ensinavam a doutrina para seus alunos. No centro de muitas dessas ordens residia a crença de que o indivíduo deve renunciar a seu "eu" para habitar totalmente em Deus. Em referência a isso, Jalal al-Din Rumi, um mestre sufi do século XIII, escreveu a história de um árabe pobre e sua gananciosa esposa. Os dois viviam no deserto. Um dia, a mulher insiste que o marido ofereça seu pote cheio de água para Deus, na esperança de que eles receberiam alguma coisa em troca. Mesmo relutante, o marido cede à insistência da esposa e oferece o pote. Em troca, o pote é preenchido com ouro. O "tesouro", porém, não tem muito valor no deserto e, portanto, serve como lembrete de que a busca por riqueza e o interesse próprio desviam do foco correto em Deus. Na mesma parábola,

Veja também: Ritual e repetição 158-159 ▪ Insights zen além das palavras 160-163 ▪ Experiência mística no cristianismo 238

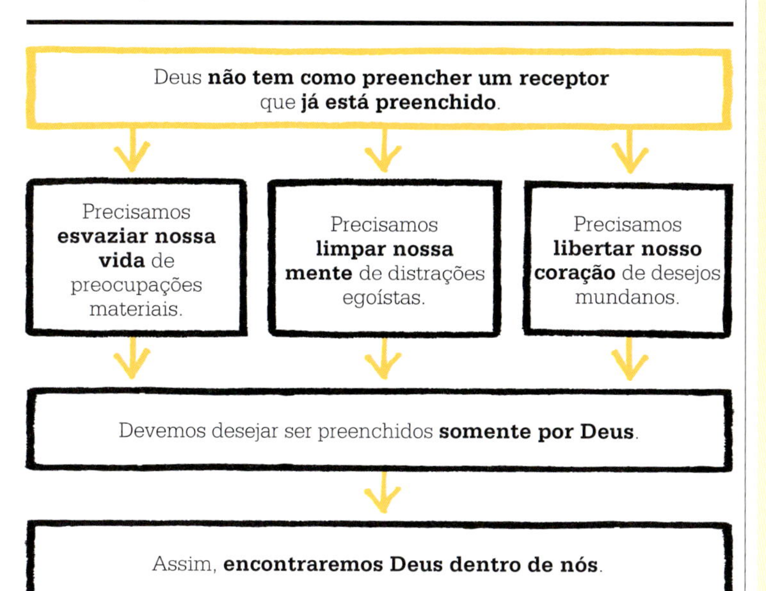

Rumi narra a inveja que os anjos celestiais sentiam de Adão. Eles também abandonaram o foco em Deus. A parábola, para Rumi, é uma descrição da humanidade em geral e da tentação de seguir o "eu". Para os sufis, o foco do indivíduo deve ser negar o "eu" para buscar a experiência de Deus.

A renúncia do mundo material

Segundo o sufismo, para ter uma experiência pessoal com Deus é necessário passar por sucessivas etapas de renúncia, purificação e compreensão. Os sufis, portanto, além de serem ascetas – quebrando os laços com o mundo material por meio de pobreza, jejum, silêncio ou celibato –, dão grande ênfase ao amor devocional a Deus, de um modo geral com experiências religiosas ou estados psicológicos, que incluem a repetição dos nomes de Deus (por exemplo, Deus, o Misericordioso, Deus, o Supremo) e exercícios meditativos de respiração. Esses exercícios ajudam os praticantes do sufismo a se desapegar dos assuntos mundanos e focar mais plenamente em Deus.

Rumi propunha o uso de música e dança para ter uma experiência direta da presença divina. Os dervixes rodopiantes, ordem sufista fundada por seguidores, utilizam o canto e movimentos do corpo para entrar em estado de êxtase e união com Deus. Segundo a tradição, a dança rítmica giratória simboliza o sistema solar, que os dervixes representam girando em torno do líder.

Na visão de muitos muçulmanos, alguns sufis extrapolaram as barreiras da ortodoxia islâmica, e o sufismo foi suprimido a partir do século XVII. Mesmo assim, ainda se encontram ordens sufistas no mundo inteiro, atraindo seguidores muçulmanos e não muçulmanos. ■

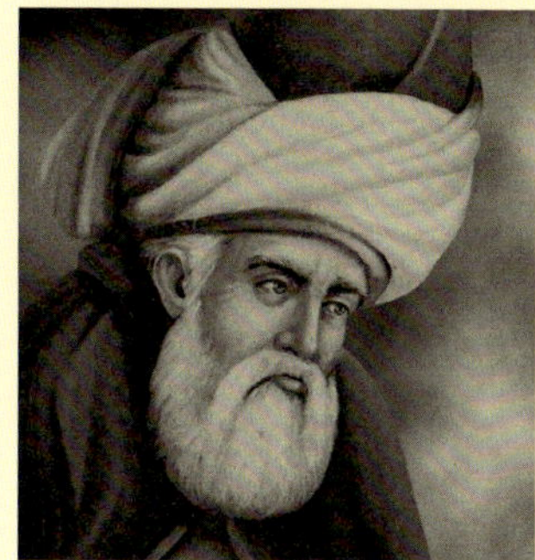

Jalal al-Din Muhammad Rumi

Jalal al-Din Muhammad Rumi nasceu em 1206 em Balkh (no atual Afeganistão). Sua família afirmava descender de Abu Bakr, companheiro do profeta Maomé e seu sucessor. Após viajar com o pai por toda a Pérsia e Arábia, Rumi fixou-se em Konya (centro da Turquia). Lá, Rumi conheceu o mestre sufi Shams-i Tabrizi (de Tabriz). Na época, Rumi era professor de ciências islâmicas, mas o encontro com o mestre sufi teve tanto impacto em sua vida que ele abandonou os estudos para dedicar-se ao misticismo. Seus discípulos fundaram a ordem sufista Mevlevi, sendo conhecidos por muitos como dervixes rodopiantes.
Apesar da fama nos campos da filosofia e do ensino, Rumi é lembrado, sobretudo, pela poesia mística. Morreu em Konya, no ano de 1273.

Obras-chave

1258-1273 *Dísticos espirituais.*
Século XIII *As obras de Shams de Tabriz.*
Século XIII *Nele o que estiver nele.*

UM NOVO PROFETA NO FINAL DOS DIAS

AS ORIGENS DA COMUNIDADE AHMADI

EM CONTEXTO

PRINCIPAL FIGURA
Mirza Ghulam Ahmad

QUANDO E ONDE
Final do século XIX, Índia

ANTES
632 O profeta Maomé, o último profeta do islamismo, morre em Medina.

872 Al-Mahdi, o imã oculto do islamismo xiita, desaparece, supostamente para voltar só no fim dos tempos.

Século XIX O movimento antibritânico de independência indiana ganha força, com elementos de militância.

DEPOIS
1908 Hakim Noor-ud-Din assume a liderança da comunidade ahmadi.

1973 A comunidade ahmadi divide-se em dois grupos: qadiani e lahore.

1983 Uma conferência ahmadi qadiani atrai 200 mil participantes. No ano seguinte, restrições são feitas ao grupo no Paquistão.

Não pode haver **outro profeta depois de Maomé**.

↓

Mas os seguidores do islamismo **perderam a mensagem divina original** que ele trouxe.

↓

Os muçulmanos precisam de uma **nova mensagem** para voltar ao **caminho puro da fé**.

↓

Mirza Ghulam Ahmad, como renovador e profeta menor, **veio trazer essa mensagem**.

Em 1882, Mirza Ghulam Ahmad declarou ser um Profeta menor do islamismo, ou um reformador enviado por Deus. Segundo Ghulam Ahmad, ele tinha vindo para rejuvenesce o islamismo, recuperando sua pureza original. O movimento que se formou a seu redor foi chamado de ahmadi, ou ahmadiyya.

De acordo com o pensamento muçulmano ortodoxo, o profeta Maomé é último profeta do islamismo, e, portanto, qualquer pessoa que afirme ser um profe deve ser denunciada. Mas Ghulam Ahm não afirmou trazer uma nova revelação. A contrário, sua missão era apenas oferece uma nova interpretação do Alcorão, com objetivo de conduzir a comunidade muçulmana de volta a suas raízes. Desse modo, Ghulam Ahmad era comparável a outros profetas menores, que não trouxeram a lei, mas a restauraram: Aarã por exemplo, que, para os muçulmanos, f enviado por Deus para revitalizar a mensagem transmitida a Musa (Moisés). Ghulam Ahmad já havia desenvolvido algumas ideias não ortodoxas. Segundo ele, Isa (Jesus) não morreu na cruz nem fo salvo por Deus na crucificação, para depo ascender ao paraíso, conforme a crença muçulmana. De acordo com sua versão, Jesus desfaleceu, recobrou os sentidos e f para o Afeganistão e para a Caxemira em

Veja também: O Profeta e as origens do islamismo 252-253 ▪ O surgimento do islã xiita 270-271 ▪ A luta no caminho de Deus 278 ▪ O revivalismo islâmico 286-290

A crença qadiani na capacidade de profecia de Ghulam Ahmad é repudiada pelo islamismo ortodoxo, levando a protestos contra o movimento.

busca das tribos perdidas de Israel. Ghulam Ahmad também causou polêmica entre os muçulmanos com sua visão em relação à *jihad*, afirmando que a única forma aceitável de *jihad* era a espiritual, cujo propósito seria disseminar pacificamente a mensagem do islamismo – uma ideia bastante significativa no contexto da Índia no século XIX, onde o número de rebeliões antibritânicas crescia.

Declarações controversas

Com o aumento da quantidade de seguidores, as declarações de Ahmad tornaram-se cada vez mais polêmicas. Ele declarou, por exemplo, que, além de ser o reformador profético do islamismo, era o redentor do islã (figura messiânica conhecida para os muçulmanos como *mahdi*, Messias) – e o sucessor espiritual de Jesus. Para muitos muçulmanos, Ahmad foi longe demais, desrespeitando o lugar de Maomé, e, por esse motivo, Ghulam Ahmad e seus seguidores foram rejeitados por grande parte da comunidade muçulmana.

Mesmo dentro do próprio movimento ahmadi, as declarações de Ghulam Ahmad causaram controvérsia. Após sua morte em 1908, os ahmadis dividiram-se em duas facções: os qadiani, que mantiveram os ensinamentos de Ghulam Ahmad, e uma nova facção, conhecida como ahmadi lahore. A ramificação lahore aceitava Ahmad como renovador da religião islâmica, mas nada além disso. Em sua visão, Ghulam Ahmad não era profeta.

Em 1973, os ahmadis qadiani foram declarados não muçulmanos no Paquistão, e em 1984 foi promulgada uma lei permitindo a punição de qualquer qadiani que afirmasse ser muçulmano, utilizasse a terminologia islâmica ou se referisse a sua religião como islamismo. Foi então que mudaram a sede internacional do movimento para Londres. ▪

Mirza Ghulam Ahmad

Mirza Ghulam Ahmad nasceu em 1835 em Qadian, um povoado perto de Lahore, na Índia. Sua irmã gêmea morreu logo após o nascimento. Numa sociedade onde a maioria das pessoas era analfabeta, Ghulam Ahmad estudou árabe e persa e aprendeu um pouco de medicina com o pai. Na juventude, assumiu uma posição no governo, enquanto dava continuidade aos estudos religiosos.

Ghulam Ahmad anunciou sua missão divina em 1882 e, em 1888, solicitou a seus seguidores que jurassem lealdade a seu movimento. Cerca de quarenta pessoas passaram a segui-lo oficialmente, e em 1889 ele publicou um conjunto de regras para orientar quem o seguia. Ghulam Ahmad viajou por todo o norte da Índia, disseminando sua mensagem e debatendo com líderes islâmicos. Morreu em 1908, deixando a liderança do movimento ahmadi a um companheiro, que mais tarde a passou para o filho mais velho de Ahmad.

Obras-chave

1880-1884 *The arguments of the Ahmadiyya.*
1891 *Victory of Islam.*
1898 *The star of guidance.*

O ISLÃ PRECISA LIVRAR-SE DA INFLUÊNCIA DO OCIDENTE

O REVIVALISMO ISLÂMICO

EM CONTEXTO

PRINCIPAL FIGURA
Sayyid Qutb

QUANDO E ONDE
Século xx, Egito

ANTES
1839-1897 O ativista e escritor Jamal al-Din al-Afghani critica a presença colonial nos países islâmicos.

1849-1905 O estudioso, jurista e reformador egípcio Muhammad 'Abduh condena a influência ocidental.

1882 Forças britânicas ocupam o Egito. A presença e a influência britânicas crescem com o tempo.

DEPOIS
1903-1979 Abul A'la Mawdudi, pensador revivalista, torna-se um dos escritores muçulmanos mais lidos no mundo.

1951 Ayman al-Zawahiri, amigo de Sayyid Qutb, desempenha um importante papel no grupo militante al-Qaeda.

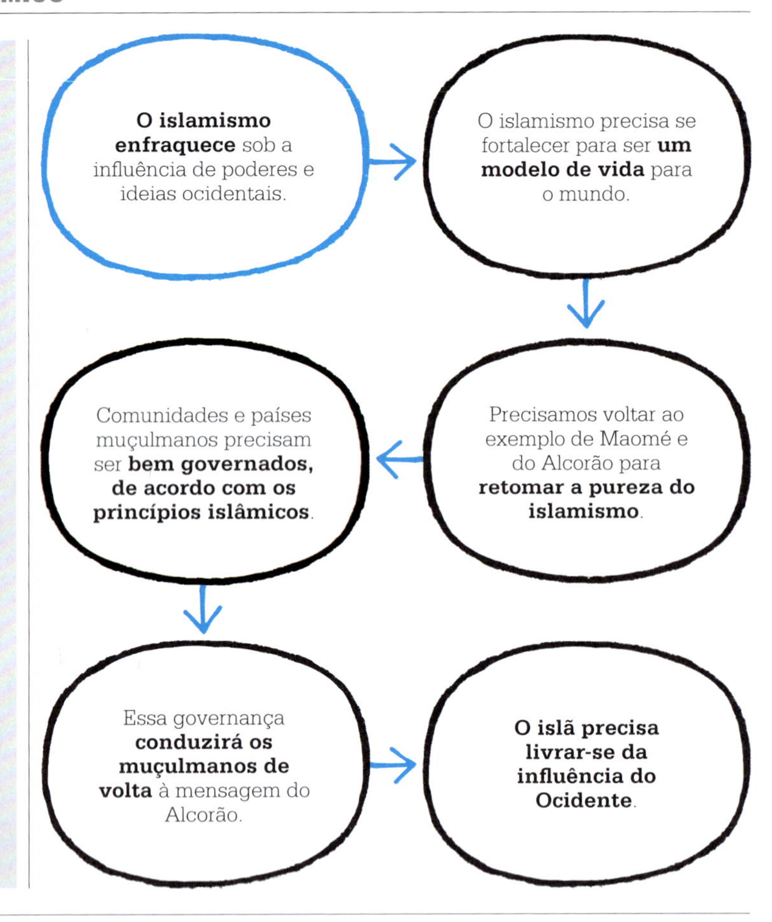

No final do século XVIII, os maiores poderes muçulmanos do mundo estavam em declínio. Os impérios Otomano e Mogol haviam perdido influência política, e as forças do Ocidente começaram a colonizar regiões predominantemente muçulmanas do norte da África e parte da Ásia – a África do Norte francesa, o Oriente Médio e a Índia britânica e a Indonésia holandesa. Alguns muçulmanos receberam bem as mudanças e modernizações resultantes da presença ocidental. Outros, porém, foram forçados a considerar o lugar que a ciência, a tecnologia, a política, a economia e até a moda ocidental ocupava em sua vida. Alguns queriam apenas proteger o islamismo da secularização decorrente da modernização; outros tomaram uma postura antiocidental mais militante, procurando derrubar o governo imperialista; outros ainda aceitavam a influência do Ocidente até certo grau, contanto que se definisse claramente o que era islâmico ou não.

Dentro desse contexto, surgiram diversos pensadores e reformadores islâmicos de grande influência. Embora cada um tivesse uma visão própria, todos tinham consciência da fragilidade da comunidade islâmica global na época, afirmando que grande parte disso se devia à deserção muçulmana do islã. Sua missão, portanto, era revitalizar o papel do islamismo na sociedade muçulmana.

Muitos revivalistas muçulmanos sentiam que a melhor forma de seguir adiante era livrar-se da influência do Ocidente e enfatizar a superioridade da religião islâmica. Para isso, atentaram para a importância da *jihad* (p. 278) na vida religiosa e política do povo. Nesse contexto, a *jihad* tornou-se uma luta revolucionária contra forças não islâmicas, eliminando o mal em

Veja também: Deus revela sua palavra e sua vontade 254-261 ▪ O caminho para uma vida harmoniosa 272-275 ▪ A luta no caminho de Deus 278

Trabalhadores egípcios são revistados por soldados britânicos durante a Crise de Suez, em 1956. A insensibilidade à religião e a falta de cuidado das tropas britânicas incitaram o revivalismo islâmico.

busca do que os revivalistas consideravam justo e honesto. Os revivalistas acreditavam também que os governos imorais deveriam ser substituídos por sistemas islâmicos estabelecidos de acordo com princípios divinos. Na cabeça de muitos revivalistas muçulmanos, um governo baseado no Alcorão e no islamismo possibilitaria um sistema social perfeito, e a melhor maneira de conseguir isso era por meio de uma *jihad* de militância, resistência e revolução.

Ativismo egípcio

Sayyid Qutb, ativista muçulmano egípcio do século xx, foi um dos mais influentes pensadores revivalistas. Segundo Qutb, o Egito estava cada vez mais fraco e corrompido sob o domínio colonial britânico. Desiludido com a experiência ocidental e sua influência cultural, o objetivo de Qutb era livrar seus companheiros muçulmanos da dominação estrangeira e conduzi-los de volta ao islã. Qutb escreveu muitos artigos sobre o Alcorão e suas interpretações, assim como matérias sobre religião e Estado, passando a fazer parte da Irmandade Muçulmana, um grupo formado no Egito na década de 1920 com o propósito de utilizar a religião islâmica como forma de "organizar a vida da família, dos indivíduos, da comunidade e do Estado muçulmano".

Eras de ignorância

As interpretações de Qutb referentes à *jihad* condiziam com a visão do islamismo como uma religião que oferecia um modelo perfeito de vida. Qutb acreditava que os muçulmanos tinham a obrigação de estabelecer padrões morais na Terra, de modo que todos pudessem beneficiar-se desses padrões. A *jihad*, então, tornou-se uma luta contínua contra a descrença e a injustiça, ou o que Qutb chamou de *jahiliyya*. Esse termo foi usado tradicionalmente para descrever a era da ignorância – o período anterior à revelação do Alcorão –, mas Qutb aplicou-o a tudo o que considerava »

Fui para o Ocidente e vi islamismo, mas não vi muçulmanos. Voltei para o Oriente e vi muçulmanos, mas não vi islamismo.
Muhammad 'Abduh

Sayyid Qutb

Sayyid Qutb nasceu em 1906 em Qaha, cidade rural no norte do Cairo. Aos dez anos, já sabia o Alcorão de cor. Teve uma educação britânica na escola local e tornou-se professor. Apaixonado pela cultura ocidental, desenvolveu interesse pela literatura em língua inglesa e estudou administração educacional nos Estados Unidos.

No entanto, a experiência do que chamou de cultura irreligiosa americana e sua opinião sobre as políticas britânicas durante a Segunda Guerra Mundial estragaram sua visão do Ocidente. De volta ao Egito, Qutb juntou-se à Irmandade Muçulmana e começou a escrever sobre questões islâmicas, promovendo a ideologia islâmica em detrimento das influências ocidentais.

Em 1954, Qutb foi preso junto com outros membros da Irmandade Muçulmana por conspiração de assassinato ao presidente do Egito, Gamal Abdel Nasser. Depois de cumprir dez anos de sentença, foi solto e escreveu sua obra mais polêmica, *Milestones*, na qual defendia a recriação do mundo muçulmano baseado nos princípios corânicos, rejeitando qualquer forma de governo que não fosse verdadeiramente islâmica. Qutb foi preso de novo e condenado à morte por conspiração contra o Estado egípcio. Em agosto de 1966, foi executado e enterrado num túmulo sem identificação.

Obras-chave

1949 *Social justice in Islam.*
1954 *In the shade of the Qur'an.*
1964 *Milestones.*

Já acreditamos no liberalismo inglês e em uma relação cordial, mas não acreditamos mais, porque os fatos falam mais alto do que as palavras. Seu liberalismo, vemos claramente, é só para vocês...
Sayyid Qutb

alheio ao islamismo. Para ele, *jahiliyya* não era apenas um período de tempo, mas um estado que se repetia toda vez que a sociedade desviava-se do caminho islâmico.

Governança islâmica

Qutb aplicou o conceito de *jahiliyya* a governos que não considerava propriamente islâmicos. Ele opunha-se fortemente a qualquer sistema de governo baseado na "servidão aos outros", afirmando que tal sistema constituía uma violação da soberania divina. Nessa categoria incluíam-se nações comunistas (por conta do ateísmo imposto pelo Estado), nações politeístas, como a Índia, e Estados cristãos e judaicos. Qutb também afirmou que muitos países muçulmanos viviam num estado de *jahiliyya*, porque aceitavam ideias alheias – sobretudo ocidentais – e tentavam incorporá-las em seu governo, leis e cultura. Para Qutb, a única maneira eficaz de livrar a sociedade do estado de *jahiliyya* era adotando uma forma de vida islâmica, com suas estratégias e crenças superiores para governar a humanidade.

A *jihad* renovada

Seguindo essa linha de raciocínio sobre a *jahiliyya*, Qutb e seus seguidores passaram a promover a adoção da *jihad*. Nesse contexto, a *jihad* seria necessária para cada nova geração de muçulmanos, pelo menos enquanto estivessem sob a

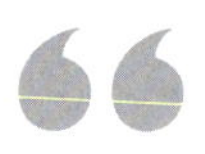

O islamismo é capaz de solucionar nossos problemas básicos; sem dúvida, mais do que qualquer outro sistema que procuremos imitar.
Sayyid Qutb

influência de forças não islâmicas. Isso significava que os estudiosos muçulmanos que interpretaram o Alcorão afirmando que a *jihad* não era mais aplicável ao mundo moderno estavam equivocados. Qutb dizia que a *jihad* deveria ser aplicada da mesma forma que na época da revelação do Alcorão. O objetivo era não só eliminar o poder não muçulmano, mas também livrar o mundo da influência do Ocidente. Os muçulmanos deveriam fazer o que fosse necessário para possibilitar a criação de um sistema de governo puramente islâmico, sem as pressões de forças não islâmicas. Desse modo, Qutb ajudava a definir não apenas a visão de mundo de futuros revivalistas, mas também a visão ocidental do islamismo no final do século XX. ■

Apoiadores de Mohamed Morsi, proeminente membro da Irmandade Muçulmana, celebram sua eleição como presidente do Egito em 2012. A Irmandade Muçulmana continua sendo uma grande força na vida social e política do Egito.

O ISLAMISMO COMO RELIGIÃO MODERNA

A COMPATIBILIDADE DA FÉ

EM CONTEXTO

PRINCIPAL FIGURA
Tariq Ramadan

QUANDO E ONDE
Década de 1960, Suíça

ANTES
711 Os muçulmanos iniciam ataques na península Ibérica.

827 Os muçulmanos conquistam a Sicília e estabelecem um Emirado em 965.

Século xv O Império Otomano islâmico expande-se nos Bálcãs.

DEPOIS
Década de 1960 Início da emigração muçulmana em larga escala da Turquia e norte da África para a Europa.

1979 A Revolução Iraniana causa a derrubada do governo ocidentalista do Irã.

2008 Rowan Williams, o arcebispo de Canterbury, declara que a adoção de aspectos da *sharia* é inevitável no Reino Unido.

Uma das principais questões enfrentadas pelos muçulmanos hoje em dia é incorporar a religião islâmica à vida secular moderna – questão que se torna ainda mais premente quando os muçulmanos se mudam para o Ocidente, trazendo não apenas sua religião, mas as práticas religiosas de um contexto cultural específico. O que acaba acontecendo é uma dissociação entre o que é islâmico e o que é secular, ou ocidental.

A ideia desenvolvida por Tariq Ramadan – estudioso islâmico, cuja família saiu do Egito e exilou-se na Suíça por causa da afiliação de seu pai à Irmandade Muçulmana (p. 289) – é que é possível ser ao mesmo tempo muçulmano e americano ou europeu: religião e cultura nacional são conceitos isolados, e um muçulmano tem o dever não apenas de respeitar as leis do país onde vive, como também "contribuir, onde estiver, para o bem e a igualdade entre os humanos". Ramadan incentiva os muçulmanos a pegar as fontes tradicionais citadas pelos eruditos islâmicos – o Alcorão e a Suna – e interpretar essas escrituras no contexto cultural em que estão inseridos, assumindo responsabilidade por sua religião. O objetivo de Ramadan é ajudar os muçulmanos a contextualizar as questões islâmicas para eles se tornem muçulmanos ocidentais com cultura e religião compatíveis. ■

Tariq Ramadan, grande comunicador e defensor da integração islâmica, orienta os governos europeus sobre relações muçulmanas.

Veja também: Religião e Estado 189 ▪ O judaísmo progressista 190-195 ▪ As profissões de fé 262-269

RELIGIÕ
MODER
A PARTIR DO SÉCU

ES
NAS
O XV

Guru Nanak funda o sikhismo na região do Punjab, Índia, durante uma época de tensão entre os hindus e o Império Mogol muçulmano.

1499

Afirmando ter recebido orientação de Deus e do anjo Moroni, **Joseph Smith Jr.** traduz *O Livro de Mórmon* e funda a Igreja de Jesus Cristo dos Santos dos Últimos Dias, EUA.

1830

Mirza Husayn 'Ali Nuri autoproclama-se mensageiro de Deus, adota o nome Baha'u'llah e funda a fé baha'i na Pérsia.

1863

O comércio ocidental na região do Pacífico dá origem ao chamado **culto à carga** na Melanésia e Nova Guiné.

1885

SÉCULOS XVIII-XIX

Desenvolvimento de **religiões negras** nas comunidades de escravos africanos no Caribe.

SÉCULO XIX

Surgimento de uma série de novas religiões no Japão, entre elas o **Tenrikyo, Oomoto e Kurozumikyo**.

DÉCADA DE 1880

A Sociedade Torre de Vigia, parte do movimento dos estudantes da Bíblia nos EUA, estabelece os fundamentos da religião que se tornaria conhecida como Testemunhas de Jeová.

1926

Após uma revelação do **Ser Supremo**, Ngô Van Chiêu funda a religião **Cao Dai** no Vietnã.

A maioria das grandes religiões do mundo desenvolveu-se a partir de antigas civilizações, cuja base eram as tradições míticas que as precederam. As religiões abraâmicas (islamismo, judaísmo e cristianismo), por exemplo, remontam à época de Noé e o dilúvio, muito antes das civilizações do Oriente Médio, da mesma forma que diversas ramificações do hinduísmo baseiam-se em crenças que antecedem a civilização indiana.

Com a sofisticação do pensamento filosófico e científico ao longo dos milênios, as religiões viram-se diante de uma escolha: adaptar-se às mudanças ou considerar heresia tudo o que fosse novo. Grupos dissidentes, movidos por acontecimentos como a Revolução Industrial na Europa e a exploração e colonização de novas terras, deram origem a uma série de novos movimentos religiosos intransigentes ante a mudança.

Novas religiões

De um modo geral, é difícil determinar se um grupo dissidente é uma ramificação de uma religião mais antiga ou uma religião completamente nova. Os mórmons e as Testemunhas de Jeová, por exemplo, acreditam na divindade de Jesus, mas grande parte de suas crenças se diferencia do cristianismo predominante. O Tenrikyo e outros movimentos religiosos japoneses guardam muitas semelhanças com o budismo e o xintoísmo, da mesma forma que o movimento Hare Krishna e a meditação transcendental derivam obviamente do hinduísmo. O status de "nova" religião depende, em grande parte, de quanto essas religiões são aceitas ou rejeitadas pelas religiões de origem.

Em alguns casos, criaram-se religiões sincréticas – mistura de duas religiões diferentes –, geralmente entre os povos oprimidos ou expulsos de suas terras. Por exemplo, os africanos levados ao Caribe como escravos foram obrigados a adotar a religião de seus senhores, o cristianismo, mas utilizaram essa religião como base para praticar as religiões de sua terra natal, resultando nas religiões negras, como a santeria (também conhecida como regla de ocha ou lucumí), o candomblé, o orixá Xangô e o vodum (ou vudu), dependendo da tribo de origem. No século XX, uma religião jamaicana, o movimento rastafári, desenvolve-se a partir do movimento de consciência negra,

Início do movimento **rastafári** na Jamaica, depois que Ras Tafari tornou-se o imperador Haile Selassie I da Etiópia.

1930

DÉCADA DE 1950

Fundação da **Wicca**, a mais conhecida das religiões neopagãs, na Inglaterra, após revogação do Witchcraft Act.

Baseada nas teorias de **L. Ron Hubbard** sobre Dianética, a cientologia surge como religião nos EUA.

1952

1954

Sun Myung Moon estabelece a Igreja da Unificação na Coreia.

Maharishi Mahesh Yogi funda o movimento de Meditação Transcendental, usando técnicas tradicionais de meditação hindu.

1957

1961

Fundação da **Unitarian Universalist Association** nos EUA, uma religião sem credos nem doutrinas.

A. C. Bhaktivedanta Swami Prabhupada leva a tradição do canto hindu para os EUA, onde funda a ISKCON, o movimento "Hare Krishna".

1965

1992

Na China, **Li Hongzhi** combina as práticas meditativas do qigong com ideias taoistas e budistas no **Falun Dafa**, também chamado de Falun Gong.

criando uma mitologia em torno do imperador Haile Selassie da Etiópia, um país que os rastafáris afirmam ser a Judeia. A influência ocidental na região do Pacífico também contribuiu para o surgimento de novas versões de antigos credos folclóricos, o chamado culto à carga.

Muitas outras religiões novas surgiram vinculadas a lugares específicos. O sikhismo, por exemplo, está associado à região do Punjab, na Índia e no Paquistão. A religião foi fundada como resposta à hostilidade entre hindus e muçulmanos na região e baseia-se num sistema social democrático e pacífico. A Igreja de Jesus Cristo dos Santos dos Últimos Dias, em seu *O Livro de Mórmon*, apresenta um acréscimo específico à Bíblia cristã, com uma mitologia de santos e anjos do povo indígena americano. Outras religiões modernas foram estabelecidas com o propósito de unir todas as religiões, ou pelo menos reconhecer o valor de outras crenças e incorporá-las em seu credo. Essas religiões, entre elas a fé baha'i, o Cao Dai (ou caodaísmo) e o unitário-universalismo, surgiram em áreas do mundo onde coexistiram, ao longo da história, diversas religiões importantes.

A busca espiritual

A busca pela iluminação mística decorrente do movimento hassídico no judaísmo, do sufismo no islã e de algumas denominações do cristianismo ganhou força nos últimos anos. Outros no Ocidente afastaram-se da tradição religiosa: alguns para o passado e religiões neopagãs, como a Wicca, alguns para movimentos orientais, como o Hare Krishna (ISKCON), a meditação transcendental e o Falun Gong. Algumas seitas, sobretudo a cientologia e religiões japonesas modernas, surgiram de crenças livremente baseadas na ciência. Muitas dessas novas religiões foram fundadas por um líder carismático ou profeta que afirmava possuir inspiração divina, sendo relegadas à categoria de "cultos" para a glorificação de seus líderes. Alguns desses credos perderam popularidade com o tempo, mas outros atraíram um grande número de adeptos, passando a ser considerados "novos movimentos religiosos". Antes de desprezá-los, vale lembrar que o cristianismo, inicialmente, foi considerado um "culto" pelos romanos e judeus e que Maomé foi expulso de Meca junto com seu pequeno grupo de seguidores por suas crenças heréticas. ■

PRECISAMOS VIVER COMO SOLDADOS-SANTOS

O CÓDIGO DE CONDUTA DO SIKHISMO

EM CONTEXTO

PRINCIPAL FIGURA
Guru Nanak

QUANDO E ONDE
Séculos XV-XVI, Índia

ANTES
Século VI a.C. O jainismo e o budismo rejeitam o conceito hindu de guerra justa, defendendo a não violência absoluta.

Século VII d.C. O Alcorão contém versos que sugerem que a guerra em defesa da religião e dos fiéis é algo moralmente correto.

DEPOIS
1699 A ordem Khalsa do sikhismo estabelece princípios e condições que justificam o conflito.

Século XVIII Exércitos sikhs travam guerra contra o Império Mogol e o Império Afegão.

1799 O reino sikh do Punjab é estabelecido.

1947 A partição da Índia e do Paquistão divide o Punjab e provoca tensão religiosa.

A religião sikh foi fundada por Guru Nanak, um homem com devoção espiritual desiludido com o hinduísmo da região onde foi criado, perto de Lahore (atual Paquistão), no século XV. O islamismo também teve influência sobre essa área desde o século X, ganhando importância com a expansão do Império Mogol na Índia.

Guru Nanak via a ênfase hinduísta no ritual, na peregrinação e na reverência a profetas e indivíduos sagrados como um obstáculo para o que Ele considerava mais importante – nosso relacionamento com Deus. Embora usasse muitos nomes diferentes para Deus, Nanak reconhecia que ele era uma entidade única, onipresente e transcendente, similar ao conceito de brahman do hinduísmo. Após uma revelação divina aos trinta anos, ele decidiu dedicar a vida à pregação do caminho da salvação, afirmando que a forma como conduzimos nossa vida é uma parte integral da união com Deus e da salvação. Aceitando o título de "guru" (mestre), dado pelos seguidores, Nanak tornou-se o primeiro de uma série de dez gurus sikhs, cujos ensinamentos estão reunidos no livro sagrado do sikhismo, o Adi Granth. Esse livro passou a ser considerado como o 11º e último guru do sikhismo, e é conhecido como Guru Granth Sahib (p. 303). Os seguidores de Nanak ficaram conhecidos como sikhs, palavra em sânscrito que significa aprendiz ou discípulo, sendo guiados na vida por Deus e pelos gurus.

Encontrando Deus numa vida de júbilo

Como os hindus, os sikhs acreditam no ciclo de morte e renascimento, mas têm uma visão diferente do propósito da vida humana. Segundo o sikhismo, o objetivo não é alcançar um lugar no paraíso, pois não existe um destino final de céu ou inferno. Nascer como ser humano é uma oportunidade dada por Deus de tomarmos o caminho da salvação, que se divide em cinco estágios e vai do pecado à libertação do ciclo de morte e renascimento. Os cinco estágios são: transgressão, devoção a Deus, união espiritual com Deus, conquista da glória eterna e libertação do renascimento.

Para tirar o máximo proveito dessa oportunidade, os sikhs seguem um estrito código de conduta com rígidas convenções, estabelecido

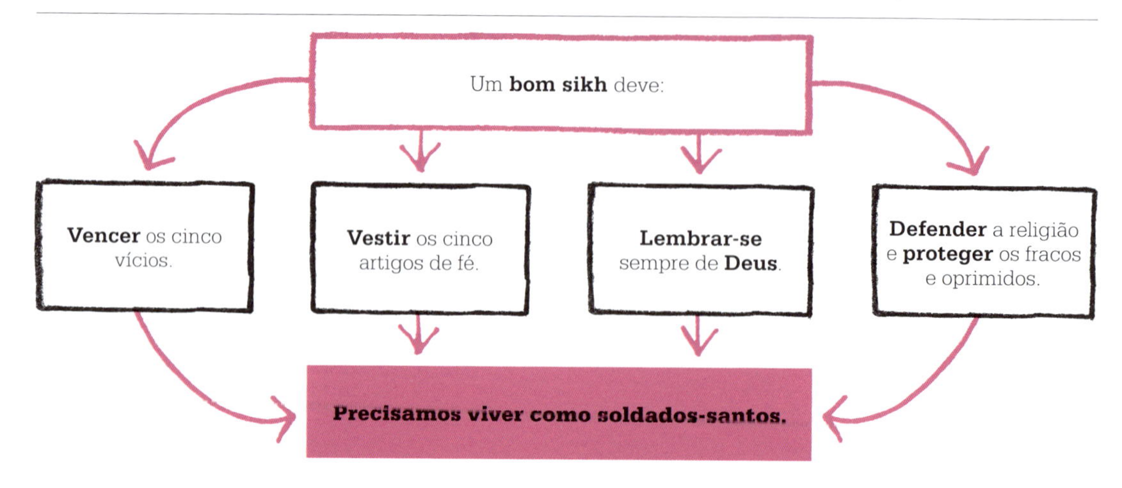

Veja também: Vivendo em harmonia 38 ▪ A batalha entre o bem e o mal 60-65 ▪ Um ato de abnegação 110-111 ▪ Disciplina física e mental 112-113 ▪ A luta no caminho de Deus 278 ▪ Os sistemas de classes e a fé 302-303

A Khalsa pertence a Deus, e a vitória pertence a Ele.
Cumprimento sikh tradicional

A ordem Khalsa foi fundada em resposta à perseguição dos sikhs no Império Mogol. Guru Gobind Singh convocou os sikhs dispostos a dedicar a vida à defesa da religião.

formalmente pelo décimo guru, Guru Gobind Singh, que criou a ordem Khalsa, a comunidade de todos os sikhs batizados na religião, em 1699.

Virtude e coragem

A ideia de justiça social é a essência da ordem Khalsa (o termo significa "puro" ou "livre"). Seus membros são incentivados não só a compartilhar com os outros, mas também a proteger os pobres, fracos e oprimidos – uma parte crucial da filosofia original de Guru Nanak, reforçada no período dos dez gurus, quando os sikhs foram perseguidos pelas autoridades muçulmanas e pelos hindus, que consideravam o sikhismo uma fé herética. A intenção de Guru Gobind ao fundar a Khalsa era estabelecer uma ordem de sikhs que incluísse a dupla virtude do bhakti (espiritualidade ou devoção) e do shakti (força ou poder), concebendo o ideal de *sant-sipahi* ("soldado-santo"), um indivíduo que dedicaria a vida a Deus, como os santos, mas que também atuaria como soldado para defender a religião e combater a injustiça, caso necessário.

A missão dos membros da ordem Khalsa era proteger os fracos e dedicar-se a uma vida de castidade e temperança, livrando-se dos cinco vícios – luxúria (*kaam*), raiva (*krodh*), cobiça (*lobh*), apego emocional (*moh*) e vaidade (*ahankar*) – e lembrando-se de Deus o tempo todo. Guru Gobind Singh criou um estilo de vida apropriado para todos os sikhs ao estabelecer a ordem Khalsa. Além de proibir rituais, peregrinações e práticas supersticiosas, definiu as virtudes necessárias para uma vida dedicada a Deus, como honestidade, simplicidade, monogamia e restrição total de álcool e drogas.

Os membros da ordem Khalsa não precisavam renunciar ao mundo em sua devoção a Deus. Ao contrário, deveriam desempenhar um papel ativo na sociedade, comprometendo-se com a família e a comunidade e demonstrando consciência social, uma das virtudes mais elevadas do sikhismo.

Guru Gobind Singh ressaltou a importância de os sikhs agirem como soldados só em casos de necessidade, no contexto de uma vida santa – deveriam ser santos com atributos de soldado, não soldados com atributos de santo –, e todos os sikhs deveriam seguir o princípio "não há nada a temer". Singh comparou a coragem necessária para se comportar dessa maneira com a coragem de um leão, e sugeriu que os sikhs que fossem batizados na ordem Khalsa adotassem o sobrenome Singh (leão) ou Kaur (leoa).

Cinco artigos de fé

Após o batismo na ordem Khalsa, os sikhs devem usar os cinco » artigos de fé, conhecidos como "os cinco Ks", uma expressão externa de sua condição de soldado-santo. Cada um dos artigos – *kesh* (cabelo sem cortar), *kanga* (pente), *kara* (bracelete), *kachera* (roupa de baixo) e *kirpan* (espada) – tem um profundo significado simbólico, além de ajudar a identificar a vestimenta dos sikhs.

O cabelo é considerado pelos sikhs como uma dádiva de Deus, e o *kesh* (a prática de não cortar o cabelo nem a barba) é visto, em parte, como uma forma de evitar a vaidade. O cabelo, contudo, é também uma representação simbólica do ideal de viver a vida de acordo com os planos de Deus, sem interferências, e, portanto, constitui um importante símbolo externo do código de conduta da Khalsa.

Os sikhs devem manter o cabelo limpo e arrumado, penteando-o duas vezes por dia com a *kanga*, um pente especial usado também para prender o cabelo debaixo do turbante. Essa aparência ordenada é um lembrete constante do dever sikh de ter uma vida virtuosa dedicada a Deus, o que explica por que a *kanga* é considerada um dos cinco artigos de fé.

Um dos aspectos mais chamativos dos homens sikhs, o turbante, na verdade não faz parte dos cinco artigos de fé. Mesmo assim, o turbante tornou-se um item essencial da vestimenta sikh, contribuindo para a identidade e a coesão social dos praticantes do sikhismo. O turbante foi adotado por sugestão de Guru Gobind Singh, que lembrou que todos os gurus haviam usado turbante e que usá-lo, portanto, ajudaria os sikhs a seguir seu exemplo. O principal propósito do turbante, porém, é prender e proteger o cabelo dos homens sikhs.

Provas contra tentação

Tão importante quanto seguir as virtudes positivas é evitar os vícios. A pulseira de aço, conhecida como *kara*, é um símbolo dos votos feitos pelos sikhs durante o batismo, de se afastarem dos cinco vícios. Como é usada no pulso, num lugar visível, serve como lembrete para evitar transgressões. No jainismo, os jainas usam um acessório muito parecido, na forma da emblemática mão para cima (p. 70): uma ajuda para parar e considerar a intenção por trás de cada ação. Do mesmo modo, a *kachera*, uma espécie de short largo feito de algodão usado como roupa de baixo tanto por homens quanto por mulheres, é um artifício utilizado para controlar o desejo sexual, servindo para lembrar que os sikhs devem superar qualquer tipo de desejo em prol de uma vida dedicada à religião.

Deus não aprova a distinção de castas. Ele não criou ninguém superior a ninguém.
Sri Guru Granth Sahib

Defendendo a fé

O aspecto militar do sikhismo é sintetizado na *kirpan*, a espada cerimonial que simboliza coragem e dignidade. A *kirpan* deve ser usada para defender a religião e seus valores morais e para proteger os oprimidos da tirania.

O sikhismo foi, em diversas instâncias, associado com movimentos políticos nacionalistas no Punjab, onde surgiu. A região sofreu bastante com conflitos religiosos, que inevitavelmente envolveram os sikhs. Chegou até a existir um

O turbante sikh é um símbolo importante de fé e dignidade; mantém o cabelo arrumado, diferenciando o homem sikh dos ascetas hindus.

curto Império Sikh, fundado em 1799 e desfeito pelos britânicos em 1849. Após a formação do Akali, movimento de reforma sikh na década de 1920 e do partido político Akali Dal em 1966, houve reivindicações para a criação de um estado sikh autônomo no Punjab, onde violentos incidentes entre sikhs e hindus, além das tensões entre o Paquistão muçulmano e a Índia hindu, continuam até a atualidade. Fora do Punjab, porém, a diáspora sikh, de um modo geral, teve bom resultado de integração.

O código de conduta do sikhismo foi atualizado no *Sikh Rehat Maryada*, em 1950, um guia com orientações referentes à vida pessoal e social, incluindo cerimônias e cultos. No entanto, conforme ensinado anteriormente por Gugu Nanak, a devoção a Deus e a responsabilidade social são elementos muito mais importantes no sikhismo do que rituais e reverências. Tal postura reflete-se na construção do *gurdwara*, que além de ser um templo para orações é também o centro de atividades da comunidade sikh. Os gurus sikhs não recomendam rituais além da oração da manhã, em que os praticantes utilizam o "mul mantra" composto por Guru Nanak para meditarem no nome de Deus. Essa meditação pode ser feita em qualquer lugar, não somente no *gurdwara*, e, como não existe sacerdócio no sikhismo, meditações, leituras e hinos do Guru Granth Sahib podem, ao espírito do igualitarismo sikh, serem realizados por qualquer pessoa. ■

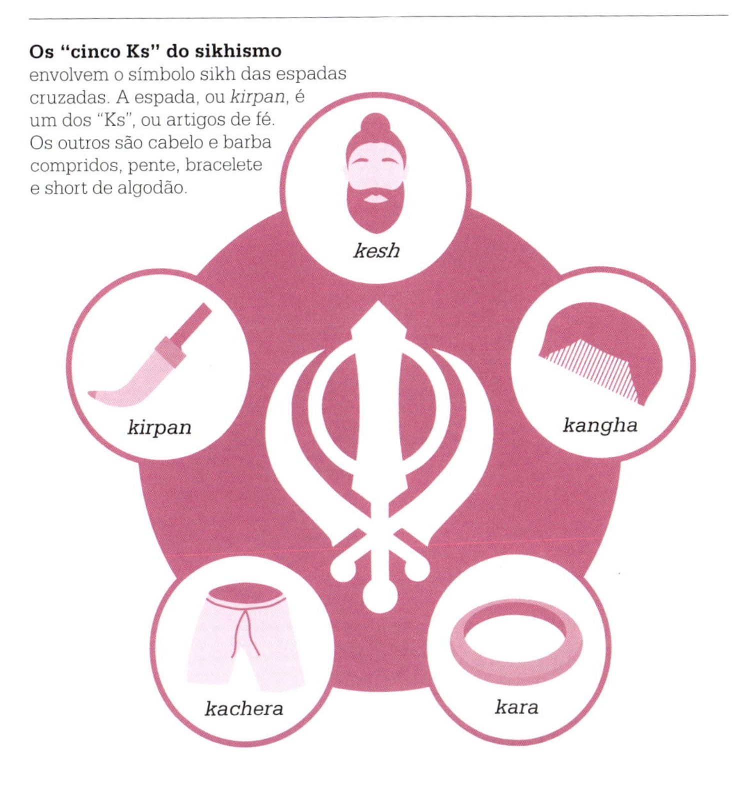

Os "cinco Ks" do sikhismo envolvem o símbolo sikh das espadas cruzadas. A espada, ou *kirpan*, é um dos "Ks", ou artigos de fé. Os outros são cabelo e barba compridos, pente, bracelete e short de algodão.

Guru Nanak

Fundador da religião sikh, Guru Nanak nasceu em 1469 numa família hindu em Talwandi, na região do Punjab, na Índia (atual Nankana Sahib, Paquistão). Com a expansão do Império Mogol ao sul adentrando o subcontinente indiano, a tensão entre hindus e muçulmanos aumentou. Na juventude, Nanak trabalhou como contador, mas sempre foi fascinado por assuntos espirituais. De acordo com a tradição sikh, após uma revelação em que Deus lhe deu uma taça de néctar e o incumbiu da missão de disseminar seu nome, Nanak embarcou numa jornada de 25 anos, viajando e pregando a mensagem divina ao lado de seu discípulo muçulmano, Bhai Mardana. Em cinco longas viagens, ele visitou as principais cidades e centros religiosos da Índia e da Arábia, onde fundou *dharamshalas*, centros de devoção. Nanak recebeu o título de "guru", ou mestre, de seus seguidores. Depois da última viagem, a Bagdá e a Meca, Guru Nanak voltou ao Punjab, onde ficou até sua morte, em 1539.

TODOS PODEM ENTRAR EM NOSSO PORTÃO PARA DEUS

OS SISTEMAS DE CLASSES E A FÉ

EM CONTEXTO

PRINCIPAL FIGURA
Guru Nanak

QUANDO E ONDE
A partir do século XV, Índia

ANTES
A partir de 1700 a.C. As escrituras védicas dividem a sociedade em quatro *varnas*, ou classes, com os brâmanes (sacerdotes) no topo. Essa rígida hierarquia social permeia a sociedade indiana até hoje.

DEPOIS
c. 1870 O sábio indiano Sri Ramakrishna defende a tolerância religiosa, afirmando que todas as religiões podem conduzir a Deus por meio de um elevado estado de consciência.

1936 O filósofo e líder político indiano Mahatma Gandhi propaga o conceito de *sarvadharma samabhava*, a igualdade entre todas as religiões, e condena o sistema de castas da Índia.

O sikhismo é uma das religiões mais igualitárias que existem. Todos são bem-vindos nos *gurdwaras* (templos sikhs), independentemente do credo. Não existem sacerdotes – as decisões são tomadas pela comunidade –, e tanto os homens quanto as mulheres podem ler o livro sagrado sikh. Essa abrangência remonta às origens do sikhismo, quando Guru Nanak (p. 301), após uma revelação divina, anunciou: "Não há hindu nem muçulmano. Que caminho seguir, então? Seguirei o caminho de Deus".

Desiludido com as religiões existentes na Índia naquela época e com as desigualdades sociais que via em todas as religiões, Guru Nanak afirmou que, do ponto de vista de Deus, os rótulos religiosos – como "hindu" ou "muçulmano" – eram irrelevantes. Em vez de nomes, Guru Nanak ofereceu uma alternativa, uma religião abrangente baseada na devoção a Deus, sem necessidade de observar rituais e reverenciar indivíduos sagrados.

Um legado de igualdade

Os ensinamentos de Guru Nanak foram consolidados pelos gurus sikhs subsequentes. O décimo guru, Guru Gobind Singh, estabeleceu a ordem Khalsa – em que a maioria dos sikhs é iniciada (p. 299) –, abrindo-a para todo mundo. De modo controverso para a época, Guru Gobind denunciou o sistema de castas e a discriminação de sexo, abolindo também o sacerdócio, que, segundo ele, havia se corrompido e passado a servir apenas aos próprios interesses – como os vícios que a religião procurava combater. Guru Gobind nomeou guardiões do livro sagrado, o Guru Granth Sahib, em cada templo, permitindo seu acesso a todo mundo, homens e mulheres, no *gurdwara* ou em casa.

Visitantes sikhs e não sikhs são bem-vindos nas refeições comunitárias realizadas nos templos. Todo mundo, de qualquer raça, classe ou sexo, senta no chão para comer, simbolizando a igualdade

Veja também: A consciência de Deus 122-123 ▪ A aliança e a divisão por sexo 199 ▪ O código de conduta do sikhismo 296-301 ▪ O Cao Dai visa unir todas as religiões 316

Guru Gobind Singh **aboliu todas as divisões sociais** na ordem Khalsa, de modo que o sikhismo é aberto para...

... pessoas de **todas as castas e nacionalidades**.

... tanto **homens** quanto **mulheres**.

Os sikhs acreditam que **todas as religiões** que creem em **um só Deus são válidas**...

... e que a salvação **apresentada** no Guru Granth Sahib está **disponível para todos**.

Todos podem entrar em nosso portão para Deus.

Os sikhs não precisam realizar nenhum ritual nem fazer peregrinações, mas devem demonstrar devoção a Deus na vida diária. Não existe nem o preceito de rezar no *gurdwara*. Esses templos servem como "centros sociais" e simbolizam o espírito de comunidade, tão importante no sikhismo. Para os sikhs, todos aqueles que acreditam em um único Deus seguem o mesmo caminho do sikhismo, e sua religião merece respeito. Segundo os sikhs, a religião de cada indivíduo é, em grande parte, resultado da cultura na qual ele foi criado. Hindus, muçulmanos, cristãos e sikhs têm uma inspiração em comum, mas a forma específica que ela assume é determinada pela sociedade. Por esse motivo, os sikhs não tentam converter as pessoas de outras crenças. ▪

O Guru Granth Sahib

O texto central do sikhismo é uma coleção de hinos e versos compilados e escritos pela sucessão de dez gurus sikhs, os líderes da religião, que viveram entre 1469 e 1708. Essa coleção tem 1.430 páginas, ou *angs*, de ensinamentos. A primeira versão do livro, conhecida como Adi Granth, foi compilada pelo quinto guru, Guru Arjan Dev, a partir de ensinamentos e escritos de seus antecessores, sendo utilizada pelos gurus subsequentes. Guru Gobind Singh, o décimo guru, completou o texto e proclamou o próprio livro como seu sucessor, em vez de nomear outro ser humano, chamando a escritura de "a personificação dos gurus" e batizando-a de Guru Granth Sahib. À diferença de seus predecessores, o "11º guru" está disponível para consulta de todos, ocupando uma posição de destaque nos *gurdwaras*, o templo sikh. Originalmente registrado como uma escrita especial, a *gurmukhi*, numa mistura de dialetos conhecida como *sant basha*, o Guru Granth Sahib foi traduzido para diversas línguas.

Todos os seres e as criaturas são Dele; Ele pertence a todos.
Guru Granth Sahib

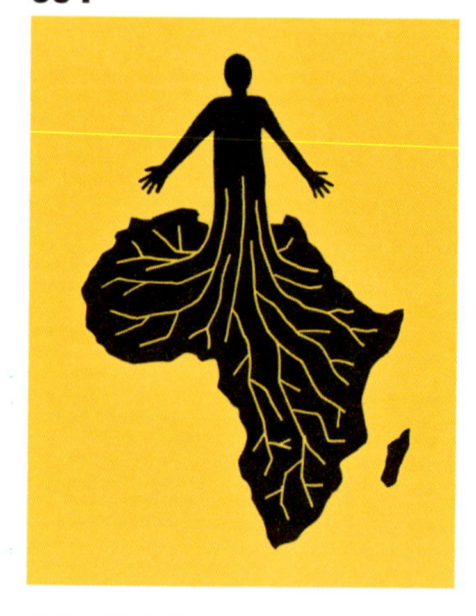

RELIGIÕES AFRO-AMERICANAS

A ÁFRICA MÍTICA, DO PORTÃO PARA DENTRO

EM CONTEXTO

PRINCIPAIS SEGUIDORES
Afrodescendentes e negros na América latina

QUANDO E ONDE
A partir do século XIX
América latina

ANTES
Pré-diáspora
Sistemas de crenças da África ocidental. Mitologias indígenas nativas. Catolicismo europeu.

Contexto colonial
Esforço pela manutenção das práticas negras, então proibidas e reprimidas. Aproximação entre práticas de tradições africanas, católicas e indígenas.

DEPOIS
Primeira metade do séc. XX.
Luta pela manutenção das práticas religiosas em ambiente racista.

Segunda metade do séc. XX até o presente.
Busca da legitimidade dos cultos. Aumento do número de brancos iniciando-se. Práticas vistas como herança cultural. Fim da repressão de Estado.

As religiões afro-americanas são práticas e crenças que se organizaram em toda a América desde o século XIX, e que mantém alguma referência aos antigos sistemas rituais africanos. As etnias africanas vítimas do processo de escravização buscaram reconstruir no Novo Mundo os antigos sistemas de relações sociais e cosmológicas de suas terras natais. Recriando seus territórios sob as novas condições e em constante troca com as crenças e práticas dos nativos americanos e dos colonizadores europeus, nasceram religiões afro-americanas como santeria e lukumi (Cuba), vudu (Haiti), candomblé, batuque, xangô, tambor de mina e umbanda (Brasil), entre outras.

Negros são levados da África para as Américas como escravos...

... **levam junto seus cultos** e **incorporam-no ao cristianismo** de seus senhores, inicialmente para ocultá-los.

Mesmo assim, **mantém seus elementos ancestrais** de comunicação com os deuses, como os oráculos e o transe.

Desse modo, os descendentes de África buscam reconstruir a **África mítica, do portão para dentro de seus terreiros.**

Veja também: O poder do xamã 26-31 ▪ Os espíritos dos mortos continuam vivendo 36-37 ▪ Vivendo no caminho dos deuses 82-85 ▪ Ras Tafari é nosso salvador 314-315

Um altar da santeria geralmente mistura imagens do catolicismo e de crenças tradicionais africanas. Os santos são comparados com os orixás.

O principal ponto comum a estas religiões é o culto de possessão dedicado a entidades denominadas orixás, inquices ou voduns. O sacrifício de animais como oferenda também é difundido. Além disso, também são comuns técnicas oraculares como o jogo de búzios (Brasil) e o oráculo de Ifá (Cuba). Outra característica é a incorporação de elementos do cristianismo, principalmente pela identificação dos deuses africanos aos santos católicos. Esse mecanismo, conhecido como "sincretismo", ajudou seus praticantes a evitarem perseguições e perpetuarem seus ritos. No Brasil, entre inúmeros outros cultos, os mais conhecidos são o candomblé e a umbanda, que são encontrados por todo o território nacional.

Candomblé

Estruturado a partir da reunião de africanos de distintas origens, organiza-se em torno da constituição de famílias de santo cuja figura central é o pai (babalorixá) ou a mãe (yalorixá) de santo, e que compartilham uma mesma energia denominada axé. O axé constitui todas as coisas e fenômenos do mundo. Em cada terreiro ocorre o culto aos orixás, que são ao mesmo tempo ancestrais míticos, forças e elementos da natureza, e também energias que habitam e compõem os corpos dos religiosos iniciados. Há ainda um deus supremo, Olodumaré, criador do mundo, dos orixás e de todas as coisas.

O processo de iniciação no candomblé, mediado pela figura do pai ou mãe de santo, tem a ver com a consolidação e o fortalecimento das relações entre o filho de santo que se inicia e os orixás que o "governam". As práticas rituais e sacrifícios servem para manter estas relações de troca de axé entre o religioso e seus ancestrais. Os iniciados ainda devem cumprir ritos periodicamente para seus orixás.

Umbanda

É composta a partir do candomblé, do espiritismo kardecista, das mitologias indígenas e do catolicismo. Apesar dos esforços contrários, cada tenda apresenta práticas diversas. De modo geral, os umbandistas acreditam na existência de um Deus único chamado Olorum e nos demais orixás, muitas vezes identificados com santos católicos; em guias espirituais (ciganos, pretos--velhos, caboclos, exus, pombagiras, etc.); na reencarnação; na lei de causa e efeito relativa às ações na terra e na evolução espiritual. ■

Repressão e Resistência: ontem e hoje

A história das religiões afro-americanas pode ser narrada como o esforço por dar continuidade no Novo Mundo aos antigos sistemas de relações sociais e cosmológicas vivenciados em África. No Brasil Império, o Catolicismo Romano era a religião oficial e às religiões negras eram permitidos cultos privados, desde que sem nenhuma projeção externa. A Constituição da República Federativa de 1988 instituiu formalmente a liberdade de culto, assegurando a proteção de seus locais de culto e liturgias. A proteção legal, contudo, não interrompeu as repressões, provenientes de muitas frentes. Durante todo o séc. XX e até os dias de hoje, são muitos os casos de templos invadidos por autoridades policiais, por grupos civis ou religiosos intolerantes. Os movimentos sociais de religiosos afro-brasileiros continuam lutando pelo reconhecimento de suas práticas como legítimas manifestações culturais da herança africana no Brasil.

Diminuo-me diante dos mistérios de Exu-Elegbá. Tu és o mensageiro de Olodumaré e o orixá dos ancestrais.

Reza para o orixá Exu

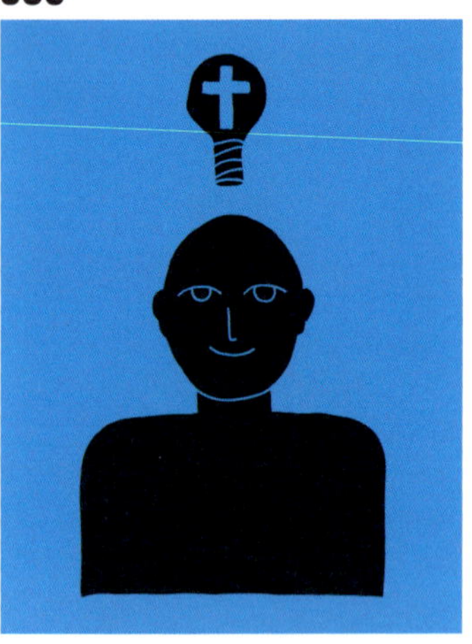

PERGUNTE-SE: O QUE JESUS FARIA?

SEGUINDO O EXEMPLO DE CRISTO

EM CONTEXTO

PRINCIPAIS FIGURAS
Joseph Smith Jr., Brigham Young

QUANDO E ONDE
1830, EUA

ANTES
1790-meados do século XIX O "segundo grande despertar", um movimento de retomada protestante nos Estados Unidos, leva à formação de diversas igrejas adventistas, com base na crença de que a segunda vinda de Jesus estava próxima.

DEPOIS
Final do século XIX Nos Estados Unidos, o movimento dos estudantes da Bíblia defende a retomada dos ensinamentos originais da Igreja católica. Esse movimento dará lugar às Testemunhas de Jeová.

1926 Após uma "nova fase de revelações de Deus", a religião Cao Dai é fundada, com Jesus como um de seus santos.

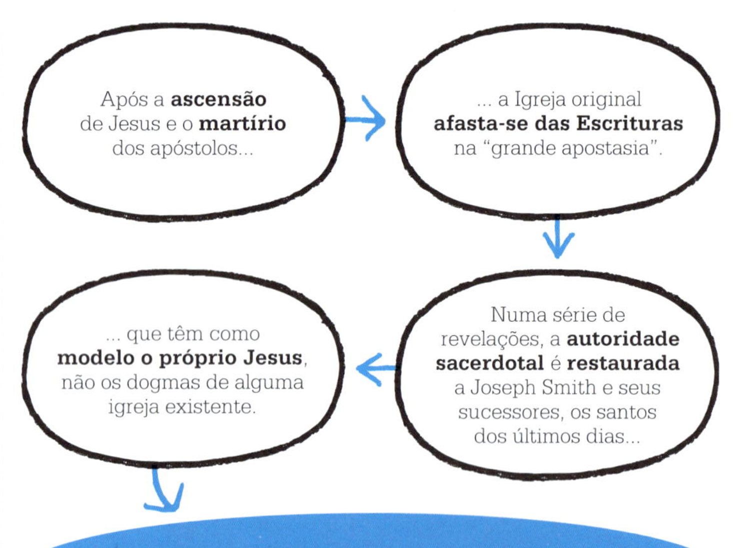

Após a **ascensão** de Jesus e o **martírio** dos apóstolos...
... a Igreja original **afasta-se das Escrituras** na "grande apostasia".
Numa série de revelações, a **autoridade sacerdotal** é **restaurada** a Joseph Smith e seus sucessores, os santos dos últimos dias...
... que têm como **modelo o próprio Jesus**, não os dogmas de alguma igreja existente.
Pergunte-se: "O que Jesus faria?".

Em resposta ao racionalismo do Iluminismo europeu nas colônias americanas do século XVIII, o cristianismo foi retomado nos Estados Unidos no início do século XIX, com a formação de muitos grupos cristãos dissidentes. Esses grupos rejeitaram as tradições da Igreja estabelecida e incorporaram elementos carismáticos da fé – "dons do espírito", como profecia e visões. Houve também um movimento para "restaurar" o cristianismo segundo os princípios do Novo Testamento.

Foi nesse contexto que Joseph Smith Jr. teve a primeira de uma série de visões, em que Deus e Jesus

Veja também: A mensagem de Jesus para o mundo 204-207 ▪ A identidade divina de Jesus 208 ▪ A Santíssima Trindade 212-219 ▪ Deus revela sua palavra e sua vontade 254-261 ▪ À espera do Dia do Julgamento 312-313

O mormonismo é a doutrina pura de Jesus Cristo, da qual não me envergonho.
Joseph Smith

Cristo vinham lhe dizer que ele havia sido escolhido para trazer de volta a verdadeira Igreja. A diferença entre a "Igreja de Cristo" e outros grupos restauracionistas foi explicada quando Smith disse que um anjo o orientara a encontrar e traduzir um texto, *O Livro de Mórmon*, que descrevia como Deus havia levado seus seguidores ao novo mundo. Smith ficou sabendo da "grande apostasia" que ocorreu após a ascensão de Cristo e o martírio dos apóstolos, quando a Igreja cristã original se corrompeu e foi desfeita. Deus conferiu a Smith a autoridade de restabelecer a Igreja cristã.

Profetas da atualidade

Smith e seus sucessores são considerados por seus seguidores como "profetas, videntes ou reveladores" da atualidade, indivíduos que receberam orientação de Deus por meio de revelações de Jesus Cristo. Membros da Igreja de Cristo acreditam que, em vez de seguir a doutrina de alguma Igreja existente, é melhor viver como Cristo lhes ensinou, como "santos dos últimos dias" – um termo adotado por Smith quando estabeleceu a Igreja de Jesus Cristo dos Santos dos Últimos Dias, embora o movimento seja mais conhecido como mormonismo. Além de se basearem nas revelações, os santos dos últimos dias acreditam que devem seguir o exemplo de Jesus. A pergunta mais importante para eles é: "O que Jesus faria?".

Após a morte de Joseph Smith, o movimento dividiu-se em diversas ramificações, com a maioria seguindo Brigham Young (1801-1877), que estabeleceu uma comunidade mórmon em Utah. Esse grupo respeita um rígido código moral, "A Palavra de Sabedoria", evitando álcool, tabaco, café, chá e relações extraconjugais. O casamento é um dos rituais que eles julgam necessários para a salvação. Os primeiros mórmons eram polígamos, mas a poligamia foi abandonada em 1890. ■

Uma família mórmon reza junto na sala de estar durante a "noite familiar". Essas noites são uma tradição mórmon cujo objetivo é reforçar e consolidar os laços familiares.

Joseph Smith Jr.

Filho de arrendatários de terras, Joseph Smith Jr. nasceu em 1805 na região rural de Vermont, mas em 1820 mudou-se com a família para a região ocidental de Nova York, centro de um movimento de retomada protestante conhecido como o "segundo grande despertar". Confuso em relação a que denominação seguir, Smith pediu ajuda aos céus e teve uma visão de Deus e Jesus, que lhe disseram que as Igrejas haviam se afastado das escrituras. Mais tarde, recebeu a visita do anjo Moroni, que lhe contou sobre escrituras gravadas em placas douradas, escritas por antigos habitantes da América. Com inspiração divina, Smith teria encontrado e traduzido as escrituras, publicando *O Livro de Mórmon* em 1830, ano em que também fundou sua Igreja. Perseguido por suas crenças heréticas, Joseph Smith mudou-se diversas vezes, estabelecendo comunidades dos santos dos últimos dias em Ohio e Missouri, antes de finalmente se estabelecer em Nauvoo, Illinois. Smith foi preso por incitar uma revolta em Carthage, Illinois, em 1844, e foi assassinado por uma multidão enfurecida antes de ser julgado.

NÓS O CONHECEREMOS POR MEIO DE SEUS MENSAGEIROS

A REVELAÇÃO DA FÉ BAHA'I

EM CONTEXTO

PRINCIPAL FIGURA
Baha'u'llah (Mirza Husayn 'Ali Nuri)

QUANDO E ONDE
A partir de 1863, Pérsia

ANTES
Século VII Maomé é aclamado como o último profeta de Deus, que veio trazer a mensagem do islamismo. Após sua morte, divergências sobre liderança causam a separação dos muçulmanos em sunitas e xiitas.

1501 Ismail I estabelece a dinastia safávida, governando uma Pérsia unida, cuja religião oficial é o islamismo xiita.

1844 Siyyid 'Ali Muhammad Shirazi afirma ser o *mahdi*, o salvador vaticinado no islamismo xiita. Ele adota o título Bab ("portão") e funda uma nova religião para suceder ao islamismo.

DEPOIS
1921 Em Lahore (atual Paquistão), Mirza Ghulam declara que está trazendo uma nova mensagem de Deus para o islã.

Diferentes religiões foram estabelecidas em diversos lugares e épocas distintas.
Essas religiões foram fundadas por "mensageiros divinos", como Moisés, Buda, Jesus e Maomé.
Cada um desses mensageiros divinos revelou Deus de acordo com a época e o lugar...
... e profetizou a vinda de novos mensageiros.
Baha'u'llah é o mais recente desses mensageiros, revelando verdades religiosas para a sociedade moderna...
... mas depois deles virão outros mensageiros divinos, num processo contínuo e progressivo de revelação.
Nós O conheceremos por meio de seus mensageiros.

Veja também: A promessa de uma nova era 178-181 ▪ O Profeta e as origens do islamismo 252-253 ▪ O surgimento do islã xiita 270-271 ▪ O Cao Dai visa unir todas as religiões 316 ▪ Uma religião aberta a todas as crenças 321

No islamismo xiita, a maioria dos seguidores acredita que o *mahdi*, o descendente de Maomé que virá para restaurar a religião de Deus, é Muhammad al-Mahdi, o "12º imã", que viveu na Terra até 941. Seu retorno para trazer paz e justiça ao mundo é um pilar da ramificação xiita conhecida como "os xiitas dos doze imãs" (p. 271). Essa crença predominou na Pérsia do século XIX, onde o islamismo xiita era a religião oficial havia centenas de anos. Foi na Pérsia, em 1844, que Siyyid 'Ali Muhammad Shirazi (1819-1850) declarou ser o Bab ("portão"), vindo para estabelecer uma religião para a chegada "daquele que Deus manifestará".

As autoridades islâmicas perseguiram seus seguidores, conhecidos como babis, por suas crenças. Entre eles estava Mirza Husayn 'Ali Nuri, que acreditava ser o indivíduo cuja vinda havia sido prevista pelo Bab. 'Ali Nuri adotou o nome Baha'u'llah ("glória de Deus") em 1863, proclamando que era um mensageiro de Deus, o último de uma série de mensageiros, incluindo Moisés, Buda, Jesus e Maomé. Ao longo da história, explicou Baha'u'llah, as religiões foram estabelecidas por esses mensageiros, cada um apresentando a verdade religiosa de acordo com a época e o lugar. Cada mensageiro também profetizou a vinda de outro mensageiro, numa revelação progressiva e contínua da mensagem de Deus.

A natureza da mensagem

Em seus escritos, Baha'u'llah explica que Deus tem dois motivos para enviar esses profetas ao mundo: "O primeiro é libertar os filhos dos homens da escuridão da ignorância e conduzi-los à luz da verdadeira compreensão. O segundo é garantir a paz e a tranquilidade da humanidade e oferecer todos os recursos para que isso se torne possível".

A missão de Baha'u'llah, conforme previsto por profetas anteriores, era trazer uma mensagem relevante para o mundo moderno, uma mensagem de paz mundial, unidade e justiça. Um ponto central de seu ensinamento é o conceito de união religiosa, aceitação de todas as religiões e respeito pelos profetas como mensageiros de Deus. Com essa lição, Baha'u'llah esperava evitar o que havia sido, até o momento, uma fonte de conflitos religiosos, promovendo a unidade dos seres humanos e rejeitando a desigualdade, o preconceito e a opressão. ▪

Todos os povos e nações são uma única família, os filhos de um único Pai, e deveriam tratar uns aos outros como irmãos.
Baha'u'llah

Baha'u'llah

Fundador da fé baha'i, Mirza Husayn 'Ali Nuri, o Baha'u'llah ("glória de Deus"), nasceu em 1817 em Teerã, Pérsia. Baha'u'llah foi criado como muçulmano, mas tornou-se um dos primeiros seguidores do Bab, Siyyid 'Ali Muhammad Shirazi. Na década de 1850, afirmou ser a concretização das profecias do Bab. Foi preso por suas crenças heréticas, expulso para Bagdá e depois para Constantinopla (atual Istambul), onde, em 1863, declarou ser o último mensageiro de Deus na Terra.

A maioria dos babis acreditou em suas declarações, dando origem à fé baha'i. Em 1868, Baha'u'llah entrou em conflito com as autoridades otomanas e foi mandado para uma colônia penal em 'Akka, na Palestina. Aos poucos, foi ganhando liberdade, mas permaneceu em cárcere até sua morte, em 1892. Os seguidores da fé baha'i consideram mais respeitoso retratar Baha'u'llah não como uma imagem, mas como uma versão estilizada de seu nome em árabe, como na foto à esquerda.

VARRENDO A POEIRA DO PECADO

TENRIKYO E A VIDA PLENA

EM CONTEXTO

PRINCIPAL FIGURA
Nakayama Miki

QUANDO E ONDE
A partir de 1838, Japão

ANTES
Século VI O budismo chega ao Japão, trazendo ideias de reencarnação derivadas do hinduísmo.

Século VIII Em resposta à crescente influência budista, as crenças tradicionais japonesas em deuses e espíritos são codificadas no *Kojiki* e *Nihon shoki*, os primeiros textos do xintoísmo.

DEPOIS
Final do século XIX Seguidores do Tenrikyo agarram-se a uma seita budista para evitar perseguição, mas o Tenrikyo é incorporado à religião oficial do Estado, o xintoísmo.

1945 Após a Segunda Guerra Mundial, o xintoísmo deixa de ser a religião oficial, e o Tenrikyo é classificado como uma religião isolada.

O Tenrikyo é uma das chamadas "novas religiões japonesas" do século XIX, consideradas ramificações do xintoísmo. O Tenrikyo foi fundado por uma camponesa, Nakayama Miki, após revelações feitas a ela por Tenri-O-no-Mikoto ("Deus-Parens"), durante um ritual de exorcismo budista em 1838. Miki registrou o conteúdo dessas revelações no Ofudesaki, o texto sagrado do Tenrikyo, e ficou conhecida como Oyassama ("Nossa Mãe") por seus seguidores.

Os seguidores do Tenrikyo acreditam em um Deus único, benevolente, que deseja a felicidade dos seres humanos em sua vida na Terra. Grande parte da prática Tenrikyo é seguir o modelo de uma "vida plena de alegria e felicidade", evitando as tendências negativas. O que outras religiões consideram pecado, o Tenrikyo descreve como "poeira mental", que precisa ser varrida por meio do *hinokishin* – atos de bondade e caridade. Existem oito poeiras que precisam ser limpas para alcançarmos uma vida plena: *oshii* (mesquinhez), *huoshii* (cobiça), *nikui* (ódio), *kawai* (amor-próprio), *urami* (rancor), *haradachi* (raiva), *yoku* (ambição) e *koman* (arrogância). O *hinokishin* também é praticado para agradecer a Tenri-O-no-Mikoto pelo corpo "emprestado", que nos permite reencarnar num ciclo de reencarnação baseado na ideia de *kashimono-karimono* ("coisa emprestada e tomada emprestada"). ■

No mundo todo, Deus é a vassoura para varrer o mais recôndito dos corações.
Ofudesaki

Veja também: Vivendo no caminho dos deuses 82-85 ▪ A saída do ciclo eterno 136-143 ▪ O império da bondade e da compaixão 146 147

ESSES PRESENTES DEVEM TER SIDO ENVIADOS PARA NÓS

O CULTO À CARGA DAS ILHAS DO PACÍFICO

EM CONTEXTO

PRINCIPAIS SEGUIDORES
Habitantes das ilhas do Pacífico

QUANDO E ONDE
Final do século XIX, Pacífico

ANTES
Época pré-colonial Tribos da Melanésia, Micronésia e Nova Guiné têm uma grande variedade de crenças, envolvendo espíritos de ancestrais e divindades.

Década de 1790 Os primeiros missionários cristãos chegam às ilhas do Pacífico.

DEPOIS
1945 O termo "culto à carga" aparece na revista *Pacific Islands Monthly*, sendo popularizado pela antropóloga Lucy Mair.

Década de 1950 Alguns habitantes da ilha de Tanna, em Vanuatu, começam a reverenciar o príncipe Philip, marido da rainha da Inglaterra, Elizabeth II, julgando que ele fosse irmão de John Frum, que "se casou com uma poderosa mulher do exterior".

Devido ao comércio e ao colonialismo ocidental do século XIX, muitos bens de consumo modernos chegaram às ilhas do Pacífico, gerando, apesar dos esforços dos missionários cristãos, um impacto inesperado no sistema de crenças indígenas. Os habitantes das ilhas passaram a acreditar que aquela riqueza material, a "carga" dos comerciantes ocidentais, possuía origem sobrenatural e tinha sido enviada para eles como presente de seus antigos ancestrais, sendo depois confiscada pelo homem branco. Eles desenvolveram a ideia de uma "era dourada" futura, em que a carga lhes seria devolvida, e os ocidentais seriam expulsos de suas terras.

Esse cultos começaram a surgir em partes da Melanésia e da Nova Guiné, proliferando-se na década de 1930 com o desenvolvimento do transporte aéreo. A proliferação dos cultos intensificou-se durante a Segunda Guerra Mundial, devido à utilização das ilhas como base para as forças americana e japonesa, que traziam grandes quantidades de equipamento e provisão. A principal figura da religião, John Frum, reverenciado na ilha de Tanna, em Vanuatu, como um Messias, aparentemente era um soldado americano. Além de desenvolverem cerimônias religiosas especiais imitando treinamentos militares, com bandeiras e uniformes, os seguidores do culto construíram embarcadouros, pistas de aterrissagem e até mesmo modelos de avião em tamanho real para atrair as pessoas que traziam os produtos.

O culto à carga ainda existe em algumas regiões remotas do Pacífico, mas, na maioria dos lugares, foi substituído por alguma outra crença ocidental. ■

Seguidores do culto a John Frum em "treino militar", com modelos de armas para atrair visitantes. Dizem que o nome "John Frum" era, originalmente, "John From" America (John da América).

Veja também: Dando sentido ao mundo 20-23 ▪ Santidade social e evangelicalismo 239 ▪ As raízes africanas da santeria 304-305

O FIM DO MUNDO ESTÁ PRÓXIMO

À ESPERA DO DIA DO JULGAMENTO

EM CONTEXTO

PRINCIPAL FIGURA
Joseph Franklin Rutherford

QUANDO E ONDE
A partir de 1931, EUA e Europa Ocidental

ANTES
Século I d.C. Jesus anuncia a chegada do "reino de Deus". No Livro de Apocalipse, São João descreve o apocalipse que precederá o julgamento final de Deus.

Século XIX De acordo com a visão dispensacionalista dos irmãos de Plymouth em relação aos ensinamentos da Bíblia, todos aqueles que aceitarem Jesus irão para o céu num "arrebatamento" que precederá a atribulação global.

1881 Charles Taze Russell funda o que originalmente ficou conhecido como Sociedade Torre de Vigia. O movimento dos estudantes da Bíblia prevê o advento de Cristo.

As Testemunhas de Jeová surgiram do movimento dos estudantes da Bíblia, nos Estados Unidos da década de 1870. Os seguidores dessa crença veem sua religião como uma volta aos conceitos originais do cristianismo do século I e referem-se a essa antiga interpretação da Bíblia como "a Verdade". O grupo acredita que todas as outras religiões e todas as formas de governo atuais são controladas por Satanás e serão completamente destruídas na guerra de Armagedom. Só os verdadeiros cristãos – as Testemunhas de Jeová – se salvarão.

De acordo com o movimento, a era atual está próxima do fim, tendo entrado em seus "últimos dias" em outubro de 1914. A princípio, acreditava-se que essa era a data do início da guerra de Armagedom, mas agora a ideia aceita é a de que esse é o momento em que Deus, conhecido como Jeová, confiou o reino dos céus a Jesus Cristo, que, então,

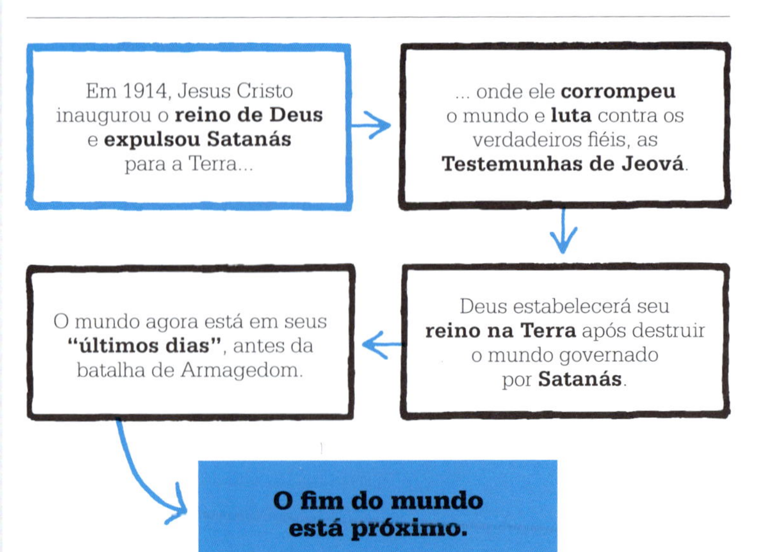

Em 1914, Jesus Cristo inaugurou o **reino de Deus** e **expulsou Satanás** para a Terra...
... onde ele **corrompeu** o mundo e **luta** contra os verdadeiros fiéis, as **Testemunhas de Jeová**.
Deus estabelecerá seu **reino na Terra** após destruir o mundo governado por **Satanás**.
O mundo agora está em seus **"últimos dias"**, antes da batalha de Armagedom.
O fim do mundo está próximo.

Veja também: A batalha entre o bem e o mal 60-65 ▪ O fim do mundo que conhecemos 86-87 ▪ A mensagem de Jesus para o mundo 204-207 ▪ A Santíssima Trindade 212-219 ▪ Adentrando a fé 224-227 ▪ A recompensa final para os justos 279

O Dia do Julgamento está próximo, de acordo com as Testemunhas de Jeová, que acreditam que pessoas de outra religião podem esperar um acerto de contas, conforme retratado por John Martin em *The great day of his wrath*.

expulsou Satanás para a Terra. Durante a fase final, Jesus, ajudado por um "escravo fiel e discreto" no corpo governante das Testemunhas de Jeová, manterá seu domínio invisível sobre o planeta. Para as Testemunhas de Jeová, não haverá uma segunda vinda de Jesus. Ao contrário, em algum momento desconhecido, Jesus começará a guerra contra Satanás, depois da qual Deus nos concederá o reino dos céus, criando um paraíso na Terra durante o reinado milenar de Cristo. As Testemunhas de Jeová acreditam que Cristo é o representante oficial de Deus, e não parte de uma Trindade. Do mesmo modo, o Espírito Santo não faz parte da divindade, mas se manifesta em forças como a gravidade.

Durante o reinado de mil anos de Cristo na Terra – um longo "Dia de Julgamento" –, os mortos ressuscitarão e serão julgados por Jesus, enfrentando um teste final com a libertação de Satanás no mundo. Só os verdadeiros fiéis, um seleto grupo de 144 mil, sobreviverão quando Jesus devolver o domínio do reino a Deus.

Por considerarem as outras religiões (incluindo outros credos cristãos) corrompidas por Satanás, as Testemunhas de Jeová foram rejeitadas pela maioria das religiões. A opinião pública em relação ao grupo também não é boa, devido ao trabalho de evangelização de porta em porta e à venda de suas publicações, *A Sentinela* e *Despertai*, revistas de grande circulação mundial. Mas o repúdio das Testemunhas de Jeová aos governos "corruptos" teve resultados assombrosos. Muitas Testemunhas de Jeová que não lutaram pelos nazistas acabaram em campos de concentração. Em outros lugares, a recusa em participar das guerras dos governos seculares contribuiu para mudanças nas leis de objeção consciencioso, e a recusa em abrir mão de suas crenças deu lugar a muitos processos judiciais, influenciando a legislação de direitos civis em diversos países. ■

Joseph Franklin Rutherford

Nascido na região rural de Missouri, EUA, em 1869, Joseph Rutherford veio de uma família pobre de fazendeiros e foi criado como batista, mas ficou desiludido com a religião depois que saiu de casa. Estudou direito e teve uma carreira jurídica bem-sucedida em Missouri e Nova York. Seu interesse por religião voltou na década de 1890, graças ao trabalho de Charles Taze Russell, fundador do movimento dos estudantes da Bíblia. Rutherford teve um papel ativo na Sociedade Torre de Vigia, tornando-se seu segundo presidente em 1917, após a morte de Russell. A organização passou por grandes mudanças em sua liderança, e as doutrinas das atuais Testemunhas de Jeová foram estabelecidas.

Rutherford continuou sendo presidente da Sociedade, expandindo-a por meio da evangelização de porta em porta (entre outras coisas) até morrer de câncer em 1942.

O Senhor confiou a seu povo o privilégio e a obrigação de transmitir sua mensagem.
Sociedade Torre de Vigia

O LEÃO DE JUDÁ ACORDOU

RAS TAFARI É NOSSO SALVADOR

EM CONTEXTO

PRINCIPAL FIGURA
Haile Selassie

QUANDO E ONDE
A partir da década de 1930, Jamaica

ANTES
Séculos XVIII-XIX As religiões negras ou sincréticas surgem nas comunidades escravas, misturando crenças africanas com o cristianismo, imposto pelos senhores de escravos.

Década de 1920 Escrita em anguillano, a "Bíblia do Homem Negro" identifica os etíopes como o povo escolhido por Deus e Marcus Garvey como um profeta, tornando-se um texto influente no movimento rastafári.

DEPOIS
Meados do século XX Nos EUA, o movimento "Nação do Islã" afirma que W. Fard Muhammad é o Messias previsto no judaísmo e no islamismo. Embora lute pelos direitos dos afro-americanos e dos muçulmanos negros, o movimento se torna extremamente politizado.

Os povos negros da África foram **explorados durante séculos** pelo homem branco da "Babilônia"...

... mas, segundo as profecias, um **salvador** da família de Judá viria de "Sião" (África) para **libertá-los da opressão**.

O salvador surgiu na forma de **Ras Tafari**, o rei escolhido por Deus na Terra...

... que se tornou o **imperador Haile Selassie I da Etiópia**, a terra sagrada do movimento rastafári.

O leão de Judá acordou.

Ao contrário das religiões dos escravos negros no Caribe (pp. 304-305), o movimento rastafári tem pouca relação com as religiões africanas tradicionais, baseando-se, sobretudo, na Bíblia cristã, apesar da ênfase na ligação com a África.

O movimento rastafári (seus seguidores detestam o termo "rastafarianismo", assim como qualquer "ismo") é uma religião e um movimento político e social, que surgiu num período de crescente "africanidade" da população negra do Novo Mundo. O movimento começou no século XIX, mas ganhou força na década de 1920 e 1930, particularmente pelo trabalho do ativista político Marcus Garvey (1887-1940). Garvey teve grande influência em seu país, a Jamaica, que ainda estava sob o domínio britânico na época.

A denúncia da opressão e da exploração tinha a ver com a condição de pobreza de muitos jamaicanos. A grande maioria da população da Jamaica, descendente de escravos africanos, foi obrigada a abandonar suas crenças e tradições e adotar a religião dos

Veja também: A mensagem de Jesus para o mundo 204-207 ▪ Santidade social e evangelicalismo 239 ▪ As raízes africanas da santeria 304-305 ▪ A Nação do Islã 339

A bandeira rastafári, com seu leão imperial, e o músico Damian "Jr Gong" Marley, filho da lenda do reggae, Bob Marley.

senhores de escravo britânicos, o cristianismo protestante. Como resultado, surgiu uma interpretação jamaicana das escrituras cristãs, em vez de uma síntese das duas religiões.

Um salvador em Sião

Inspirados pelo nacionalismo negro e pelo pan-africanismo, alguns jamaicanos afirmaram que a Bíblia foi, em grande parte, modificada pelo homem branco, dentro de sua política de opressão africana. Segundo os jamaicanos, a terra de Sião (do Antigo Testamento) era a África, e um salvador viria para redimir o povo africano da opressão da "Babilônia" – os europeus corruptos. O salvador, de acordo com a profecia, viria da família de Judá. Quando Ras Tafari assumiu o trono da Etiópia com o dinástico título de "Sua Majestade Imperial Haile Selassie I, Leão da Tribo de Judá, Eleito de Deus e Reis dos Reis da Etiópia", a profecia foi considerada cumprida, nascendo o movimento rastafári. A maioria dos rastafáris acredita que a vinda de Haile Selassie é a segunda vinda de Jesus, uma encarnação de seu Deus, Jah, mas alguns o consideram apenas um representante divino na Terra.

O movimento rastafári espalhou-se nos anos pós--Segunda Guerra Mundial, com a imigração dos caribenhos para a Inglaterra e os Estados Unidos, em busca de trabalho. A cultura e a música jamaicanas, sobretudo o reggae, tornaram-se muito populares nesses países durante as décadas de 1960 e 1970, e o movimento rastafári ganhou muitos adeptos na esteira dessa popularidade. ■

Viveremos horas difíceis, até o arco-íris das metas realizadas aparecer no horizonte.
Haile Selassie

Haile Selassie

Tafari Makonnen herdou o título "Ras" ("Duque") como filho da nobreza etíope e tornou-se regente da Etiópia em 1916, substituindo o herdeiro ao trono, Iyasu, cuja relação com o islamismo e a má conduta geral impossibilitaram sua ascensão. Após a morte da imperatriz Zauditu em 1930, Tafari, devoto membro da Igreja Ortodoxa Etíope, foi coroado imperador, recebendo o nome Haile Selassie ("Força da Trindade"). Selassie passou alguns anos exilado na Inglaterra depois da invasão da Etiópia por Mussolini, retornando em 1941, após a liberação britânica. Embora respeitado no mundo inteiro, Selassie foi perdendo popularidade em seu país natal, e em 1974 foi deposto e preso por membros das forças armadas conhecidos como Derg ("comitê"). Muitos familiares seus e membros do governo foram presos ou executados. No ano seguinte, em agosto, foi anunciado que o ex-imperador havia morrido de falência respiratória, embora haja algumas controvérsias quanto à causa de sua morte.

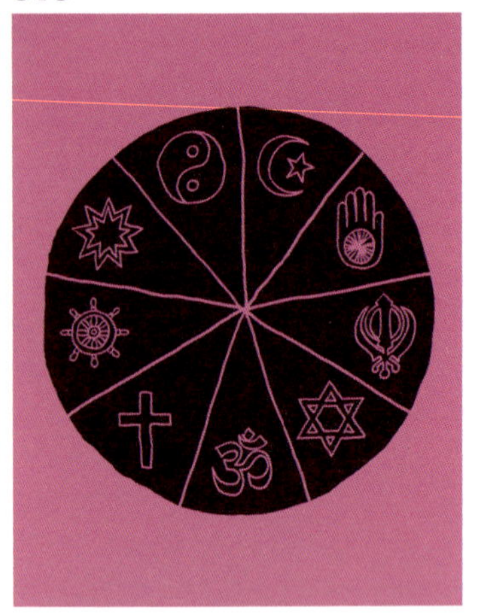

TODAS AS RELIGIÕES SÃO IGUAIS

O CAO DAI VISA UNIR TODAS AS RELIGIÕES

EM CONTEXTO

PRINCIPAL FIGURA
Ngô Van Chiêu

QUANDO E ONDE
A partir de 1926, Vietnã

ANTES
Século VI a.C. Na China, Confúcio ensina uma filosofia de moralidade, respeito, sinceridade e justiça.

Século III a.C. O budismo, fundado na Índia por Siddhartha Gautama, chega à China.

Século I d.C. Jesus, reverenciado como santo no Cao Dai, promete voltar à Terra para completar o propósito de Deus para a humanidade.

Século VI Maomé recebe o Alcorão, afirmando que o texto é uma renovação da mensagem entregue a Moisés e Jesus.

DEPOIS
1975 O regime comunista no Vietnã proíbe o Cao Dai.

1997 O Cao Dai recebe reconhecimento formal das autoridades vietnamitas.

Em 1920, um funcionário público vietnamita, Ngô Van Chiêu, afirmou que fez contato com o Ser Supremo durante uma sessão espírita, e este lhe informou que havia chegado o momento de unir todas as religiões do mundo. Referindo-se a si mesmo como Cao Dai ("Palácio Supremo" ou "Altar"), Deus explicou que, no passado, sua mensagem havia sido revelada pelos profetas em dois períodos de revelação e salvação, dando origem às grandes religiões do mundo. Agora, num terceiro período, Deus havia decidido revelar sua mensagem em sessões espíritas. Ngô Van Chiêu, junto com outros indivíduos que receberam revelações semelhantes, fundou a Dai Dao Tam Ky Pho Do ("religião do terceiro grande período de revelação e salvação"), conhecida como Cao Dai.

Combinando elementos de diversas religiões, sobretudo a filosofia budista e confuciana, o Cao Dai reverencia os profetas das grandes religiões do mundo, além de figuras inusitadas, como Joana d'Arc, Shakespeare, Victor Hugo e Sun Yat-sen. Ao unificar as religiões e eliminar as diferenças religiosas que geram violência, o Cao Dai visa atingir a paz mundial. Apesar dessa ambição, o Cao Dai ficou associado, em meados do século XX, com o movimento nacionalista vietnamita, envolvendo-se na resistência política e militar ao colonialismo francês e, mais tarde, ao comunismo. ■

Por causa da própria multiplicidade das religiões, a humanidade não vive sempre em harmonia. É por isso que eu decidi unir todas as religiões em uma.
Mensagem de Deus a Ngô Van Chiêu

Veja também: A consciência de Deus 122-123 ▪ A mensagem de Jesus 204-207 ▪ As origens da comunidade ahmadi 284-285 ▪ A revelação da fé baha'i 308-309

ESQUECEMOS DE NOSSA VERDADEIRA NATUREZA

PURIFICANDO A MENTE COM A CIENTOLOGIA

EM CONTEXTO

PRINCIPAL FIGURA
L. Ron Hubbard

QUANDO E ONDE
A partir de 1952, EUA

ANTES
1950 L. Ron Hubbard cria a Hubbard Dianetic Research Foundation e publica um artigo sobre dianética na revista de ficção científica *Astounding Science Fiction*, seguido por seu livro *Dianética: a ciência moderna da saúde mental*.

DEPOIS
1982 Fundação de um centro de tecnologia religiosa para supervisionar a tecnologia da cientologia. Alguns consideram o centro contrário aos princípios originais da cientologia e formam um grupo dissidente, chamado "Free Zone".

1933 A cientologia é formalmente reconhecida como religião nos Estados Unidos.

A cientologia como filosofia religiosa surgiu do trabalho do autor de ficção científica L. Ron Hubbard nas décadas de 1930 e 1940 sobre dianética – um sistema de autoajuda baseado em elementos de psicoterapia cuja ênfase é lidar com traumas do passado para alcançar a reabilitação espiritual. Esse processo de orientação psicológica, conhecido como "audição", é a essência da cientologia.

Os seguidores da cientologia acreditam que a verdadeira natureza espiritual do homem encontra-se na *thetan*, a alma eterna que reencarnou diversas vezes e, consequentemente, perdeu sua pureza original. Em sessões individuais de audição, com a ajuda de um "E-meter" (um instrumento para detectar corrente elétrica, criado por Hubbard), os praticantes podem livrar a mente inconsciente de imagens traumáticas e voltar ao estado "limpo" – sua verdadeira identidade espiritual. Avançando por diversos níveis de audição, o indivíduo acaba chegando ao nível de "thetan operante" e redescobre seu potencial original. Hubbard decidiu obter o respaldo de celebridades, e por isso, além do alto custo das sessões de audição e material de estudo, a cientologia foi acusada de ser um culto para fazer dinheiro. Após longos processos judiciais nos Estados Unidos e em outros lugares, a cientologia hoje pode ser praticada como religião "sem fins lucrativos", mas ainda não é reconhecida em muitos países. ■

Sede da cientologia em Berlim, Alemanha, com a cruz de oito pontas, simbolizando as oito "dinâmicas da existência", conforme definido na teologia do movimento.

Veja também: A realidade suprema 102-105 ▪ A saída do ciclo eterno 136-143 ▪ Purgando o pecado na Igreja da Unificação 318

UM MUNDO SEM PECADO GRAÇAS AO CASAMENTO

PURGANDO O PECADO NA IGREJA DA UNIFICAÇÃO

EM CONTEXTO

PRINCIPAL FIGURA
Sun Myung Moon

QUANDO E ONDE
A partir de 1954, Coreia do Sul

ANTES
Século I São Paulo afirma que toda a humanidade herdou o pecado da queda de Adão e o casamento é uma instituição sagrada.

A partir do século II Os antigos Pais da Igreja formulam a doutrina do pecado original, mas discutem a respeito de quem foi responsável, Adão ou Eva.

Século IV São Jerônimo usa o exemplo de Jesus para afirmar que o celibato é a melhor opção para uma verdadeira vida sagrada.

Século VII A ideia de que Maria, mãe de Jesus, foi concebida livre do pecado original ganha força.

Século XVI Martinho Lutero afirma que todos os seres humanos nascem pecaminosos, com exceção de Maria, mãe de Jesus.

A Associação do Espírito Santo para a Unificação do Cristianismo Mundial, conhecida também como Igreja da Unificação ou pelo termo mais pejorativo "moonies", foi fundada por Sun Myung Moon em Seul, Coreia do Sul, em 1954. Sua família confuciana converteu-se ao cristianismo quando Moon tinha dez anos, e, na adolescência, ele teve uma visão de Jesus, que lhe pediu para terminar sua missão de redenção.

Com essa incumbência, Moon estabeleceu a Igreja da Unificação, que ele via como uma denominação cristã baseada na Bíblia e em seu livro, *Princípio divino*, mas com uma interpretação completamente diferente da história da queda que ocasionou o pecado original: Moon acreditava que o relacionamento espiritual de Eva com Satanás antes da relação sexual com Adão fez com que toda a sua progênie nascesse com o defeito do pecado. Jesus veio para corrigir isso, mas foi crucificado antes de conseguir se casar, alcançando, portanto, uma redenção parcial.

Cerimônias de "bênção de casamento", geralmente com centenas de casais, não são casamentos legais, mas, segundo a crença da Igreja da Unificação, poupam os filhos do pecado original.

Filhos sem pecado

O caminho para a redenção da humanidade, dizia Moon, começava com seu próprio casamento com Hak Ja Han em 1960, continuando com os casamentos em massa característicos da Igreja da Unificação e suas principais cerimônias. Os filhos desses casamentos, em que as relações pré-conjugais e extramaritais são proibidas, nasceriam puros, anunciando o advento de um mundo sem pecado. ■

Veja também: A batalha entre o bem e o mal 60-65 ▪ A sabedoria do homem superior 72-77 ▪ Agostinho e o livre-arbítrio 220-221

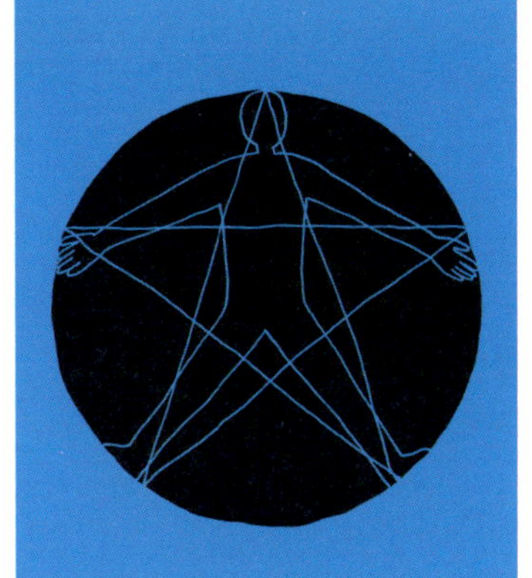

OS ESPÍRITOS DESCANSAM ENTRE VIDAS NA TERRA DO VERÃO

WICCA E O "OUTRO MUNDO"

EM CONTEXTO

PRINCIPAL FIGURA
Gerald Gardner

QUANDO E ONDE
A partir da década de 1950, Reino Unido

ANTES
Era pré-cristã As mitologias céltica e nórdica incluem a ideia de outros mundos, como Asgard, onde está situado o paraíso escandinavo, Valhalla.

Século XIX Espiritualistas e teosofistas cunham o termo "Terra do Verão" para descrever um plano astral em que as almas de virtude descansam em estado de glória.

Década de 1920 A antropóloga Margaret Murray publica um trabalho sobre a perseguição cristã a bruxas ao longo da história, identificando a bruxaria como uma religião pagã separada dos cultos de magia negra.

DEPOIS
Década de 1970 Nos EUA, políticas feministas são incorporadas à Wicca pelos praticantes da tradição diânica.

Provavelmente a mais conhecida das religiões neopagãs do século XX, a Wicca originou-se na Inglaterra, sendo popularizada por um funcionário público aposentado, Gerald Gardner, na década de 1950. Embora Gardner se referisse à religião como bruxaria e a seus adeptos como wica, a versão que ele fundou e as diversas ramificações ou tradições subsequentes são conhecidas hoje como Wicca.

Os seguidores da Wicca centram-se nos princípios de masculino e feminino, conforme personificado pelo Deus Cornífero e a Grande Mãe, e na existência de um "outro mundo" conhecido como Terra do Verão, para onde as almas vão após a morte. Muitas ramificações da Wicca também acreditam em reencarnação e veem a Terra do Verão como um lugar de descanso para as almas entre vidas, onde elas podem examinar a última vida e se preparar para a próxima. Essas almas costumam ser invocadas pelos seguidores da Wicca em cerimônias de magia, semelhantes às do espiritismo, com médiuns e tabuleiros ouija, mas essa prática não é universal. Embora os seguidores da Wicca acreditem em vida após a morte, eles procuram fazer o máximo na vida presente em rituais baseados na natureza, incluindo a celebração das estações e os ritos de passagem, como iniciação, *wiccaning* (similar ao batismo) e casamento ou união sexual.

Por suas semelhanças com o satanismo (o Deus Cornífero, por exemplo), a Wicca é confundida com magia negra, sofrendo preconceito e perseguição, sobretudo nos países cristãos. ■

Não me lembro das minhas vidas passadas. Quem me dera lembrar!
Gerald Gardner

Veja também: O animismo nas sociedades primitivas 24-25 ▪ O homem e o universo 48-49 ▪ O poder da grande deusa 100

PENSAMENTOS NEGATIVOS SÃO APENAS GOTAS NUM OCEANO DE FELICIDADE

ENCONTRANDO A PAZ INTERIOR COM A MEDITAÇÃO

EM CONTEXTO

PRINCIPAL FIGURA
Maharishi Mahesh Yogi

QUANDO E ONDE
A partir de 1958, Europa

ANTES
A partir de 1700 a.C. Encontram-se técnicas de meditação nas antigas práticas védicas da Índia.

A partir do século VI a.C. A meditação é praticada no budismo indiano e no confucionismo chinês.

Século XIX Intelectuais europeus descobrem a filosofia oriental e despertam o interesse pela meditação e pela ioga budista e hindu.

DEPOIS
1967 Os Beatles conhecem Maharishi Mahesh Yogi em Londres e visitam seu ashram na Índia para praticarem MT.

1976 A MT promove o programa "Siddhi", afirmando que os praticantes aprenderão a levitar.

Em 1958, Maharishi Mahesh Yogi viajou para o Ocidente para ensinar Meditação Transcendental (MT), com a intenção original de fundar um movimento de retomada do hinduísmo. Seus métodos baseiam-se nas técnicas hindus de meditação mântrica, com o mesmo objetivo de transcender os limites da consciência física e acessar a força criativa.

Cultivando a paz interior

Na MT, os praticantes meditam sentados por vinte minutos, duas vezes ao dia, utilizando um mantra pessoal. Acredita-se que tal prática melhore o bem-estar físico e psicológico e aumente o potencial para a criatividade, permitindo que o indivíduo vivencie um estado de "comunhão com a fonte da vida" e supere pensamentos negativos, que se tornam meras "gotas num oceano de felicidade".

No começo, os iniciados na MT eram incentivados a agradecer às divindades hindus pelo conhecimento e a estudar os Vedas e o Bhagavad-Gita. Hoje, os proponentes da MT oferecem-na como um método científico de autodesenvolvimento aberto a todos. As técnicas de MT foram adotadas não só por indivíduos, mas também por empresas e consultórios médicos, levantando a questão de se a MT deve ser considerada uma religião ou simplesmente uma forma de terapia baseada em técnicas indianas tradicionais. ■

Maharishi Mahesh Yogi fundou a MT como o "movimento de regeneração espiritual". Hoje, a MT é um movimento internacional, com sede na Holanda.

Veja também: Disciplina física e mental 112-113 ▪ Insights zen além das palavras 160-163 ▪ A cultivação da energia vital no Falun Dafa 323

O QUE É VERDADEIRO PARA MIM É A VERDADE

UMA RELIGIÃO ABERTA A TODAS AS CRENÇAS

EM CONTEXTO

PRINCIPAL MOVIMENTO
Unitário-universalismo

QUANDO E ONDE
A partir de 1961, EUA e Canadá

ANTES
Século VI a.C. Confúcio afirma que a virtude não vem do céu, mas pode ser cultivada no ser.

Século I d.C. Irritando os judeus, que se consideram o "povo escolhido", Jesus afirma que o reino de Deus é aberto para todos aqueles que o aceitarem.

Século XVI No cristianismo protestante, a autoridade de Roma é substituída pelo exame de consciência.

Século XIX A fé baha'i surge como uma das primeiras religiões "universalistas", aberta a todos.

Século XX Fundação do Cao Dai com base no princípio de que todas as religiões são iguais.

A Unitarian Universalist Association (UUA) foi formada em 1961 pela fusão de dois movimentos do século XIX: a Universalist Church of America e a American Unitarian Association. Embora tenha vindo de uma tradição basicamente cristã e alguns membros professem o cristianismo, a UUA visa ser uma "religião sem credos nem doutrinas, que apoia a liberdade de crença individual". Os universalistas reconhecem a necessidade de uma dimensão espiritual e religiosa para a vida e acreditam que podemos aprender com todas as religiões do mundo. A ênfase está na busca humanista por verdade e sentido, não na crença em um ser supremo e na salvação após a morte. Alguns seguidores, aliás, são agnósticos e até mesmo ateus.

Para os seguidores do unitário-universalismo, a experiência, a consciência e a razão pessoal constituem a base da fé religiosa. Opiniões e crenças de todos os indivíduos, portanto, devem ser respeitadas. A noção de respeito permeia a filosofia da UUA e seus "Sete Princípios": o valor e a dignidade inerentes de cada pessoa; justiça, igualdade e compaixão nas relações humanas; a aceitação mútua e o estímulo de crescimento espiritual; uma busca livre e responsável por verdade e sentido; o direito de consciência e o uso do processo democrático dentro das congregações e sociedade em geral; a meta de uma comunidade mundial; e respeito pela rede interdependente de toda a existência. ■

A liberdade da mente é o início de todas as outras liberdades.
Clinton Lee Scott

Veja também: A consciência de Deus 122-123 ▪ O poder da reza 246-247 ▪ A revelação da fé baha'i 308-309 ▪ O Cao Dai visa unir todas as religiões 316

CANTAR HARE KRISHNA LIMPA O CORAÇÃO

DEVOÇÃO AO SENHOR

EM CONTEXTO

PRINCIPAL FIGURA
A. C. Bhaktivedanta Swami Prabhupada

QUANDO E ONDE
A partir da década de 1960, EUA e Europa Ocidental

ANTES
Século IV a.C. Primeiro indício de devoção a Krishna, figura central da epopeia hindu, aparecendo como um avatar do deus Vishnu no *Mahabharata*.

Século VI Desenvolvimento da tradição bhakti (adoração devocional) no hinduísmo.

Século XVI O movimento Gaudiya Vaishnava na Índia considera Krishna como a forma original de Deus – a fonte de Vishnu, e não seu avatar.

1920 Srila Bhaktisiddhanta Sarasvati Thakura Prabhupada funda a Gaudiya Math, uma organização para disseminar a mensagem do movimento Gaudiya Vaishnava pelo mundo.

O movimento Hare Krishna ou ISKCON (International Society for Krishna Consciousness) é conhecido pela prática de cantar o maha mantra. A ISKCON tem suas raízes no movimento Gaudiya Vaishnava do hinduísmo, fundado por Chaitanya Mahaprabhu (1486-1534), no qual os seguidores usam práticas devocionais conhecidas como bhakti para agradar o deus Krishna e desenvolver um relacionamento de amor com ele, que é considerado a suprema personalidade de Deus.

O maha mantra

O mantra é entoado como forma de clarear a mente e limpar o coração. O uso repetido do nome sagrado permite que a "consciência de Krishna" se desenvolva na alma, sem as distrações da consciência física ou sensorial. O canto "Hare Krishna, Hare Krishna, Krishna Krishna, Hare Hare, Hare Rama, Hare Rama, Rama Rama, Hare Hare" está voltado para a energia de Deus (Hare), o "todo atraente" (Krishna) e o "prazer eterno mais elevado" (Rama).

Chaitanya dizia que, usando esse mantra, qualquer pessoa poderia atingir a consciência de Krishna. Na década de 1960, um dos seguidores de Chaitanya, A. C. Bhaktivedanta Swami Prabhupada, viajou para os EUA e fundou a ISKCON. Suas ideias foram bem aceitas dentro da cultura hippie, devido ao novo interesse na espiritualidade do Oriente, e espalharam-se pela Europa, após terem sido popularizadas por celebridades como os Beatles. ■

O Senhor Krishna nos dá tudo o que precisamos para trazer o mundo espiritual para nossa vida.
A. C. Bhaktivedanta Swami Prabhupada

Veja também: Um mundo racional 92-99 ▪ Devoção por meio do *puja* 114-115 ▪ Budas e bodhisattvas 152-157 ▪ Ritual e repetição 158-159

COM O QIGONG ACESSAMOS A ENERGIA CÓSMICA

A CULTIVAÇÃO DA ENERGIA VITAL NO FALUN DAFA

EM CONTEXTO

PRINCIPAL FIGURA
Li Hongzhi

QUANDO E ONDE
A partir de 1992, China

ANTES
c. 2000 a.C. Desenvolvimento de vários exercícios de movimento e respiração para meditação e cura na China, mais tarde conhecidos como qigong.

Século v a.C. Exercícios de qigong são incorporados nas filosofias do taoismo, confucionismo e budismo na China.

Década de 1950 O governo comunista chinês adota técnicas de qigong como parte de um programa secular para melhorar a saúde.

DEPOIS
Década de 1990 Li Hongzhi se muda para os EUA. O Partido Comunista chinês considera o Falun Dafa uma organização herética, enquanto no Ocidente a prática do qigong se populariza.

Na segunda metade do século xx, ressurgiu o interesse pelos exercícios de meditação conhecidos como *qigong* ("cultivação da energia vital") na China. Enquanto as autoridades comunistas viam a prática como uma forma de melhorar a saúde pública, muitos encontraram nela um sentido espiritual. Li Hongzhi era uma dessas pessoas e fundou o movimento Falun Dafa (conhecido popularmente como Falun Gong) no início da década de 1990. Hongzhi defendia a prática do Falun Gong ("prática da roda da lei") não só como um meio de cultivar a energia vital, mas também como uma forma de colocar os praticantes em contato com a energia do universo para elevá-los a níveis mais altos de existência.

O objetivo dos exercícios de qigong é restaurar ou reequilibrar o *qi*, a energia vital, por meio de movimentos controlados, respiração e concentração.

Em seu livro *Girando a roda da lei*, Hongzhi apresenta cinco exercícios principais para cultivar a mente, o corpo e o espírito, explicando que o Falun (a "roda da lei") está situado no abdômen inferior e que sua rotação – em sintonia com a rotação do universo – livra o praticante de influências negativas, permitindo o acesso à energia cósmica. Complementando os exercícios, existe uma filosofia baseada nas virtudes de *zhen-shàn-ren* (verdade, compaixão e tolerância), similar às ideias confucianas, taoistas e budistas, que governa a conduta dos praticantes do Falun Dafa.

Visto por alguns como uma nova religião, mas por outros como uma continuidade da prática tradicional chinesa de cultivar a mente, o corpo e o espírito, o Falun Dafa atraiu muitos seguidores na China, sendo proibido mais tarde por suas conotações religiosas. ■

Veja também: O alinhamento do eu com o tao 66-67 ▪ Disciplina física e mental 112-113 ▪ A saída do ciclo eterno 136-143

DIRETÓR

0

DIRETÓRIO

Apesar da aparente prevalência do ateísmo no Ocidente, o número de pessoas que professam algum tipo de crença religiosa está crescendo. O cristianismo e o islamismo, religiões proselitistas, são praticados hoje por mais da metade da população mundial. Outras crenças, como o hinduísmo, também continuaram a atrair seguidores no século XXI. As religiões crescem pelos mais variados motivos, como as atividades missionárias de seus adeptos, o aumento da população e a necessidade de preencher "lacunas religiosas" decorrentes do declínio de religiões primitivas ou locais. E enquanto muitos africanos deixaram para trás suas tradições e adotaram as crenças cristãs, na Europa a insatisfação com o cristianismo e o interesse pelas ideias do Oriente levaram ao crescimento do budismo e de outras religiões orientais.

AS MAIORES RELIGIÕES DO MUNDO

NOME	FUNDAÇÃO	FUNDADOR	DEUS	SEGUIDORES
Budismo	Nordeste da Índia, c. 520 a.C.	Siddhartha Gautama (Buda)	O budismo theravada é ateístico; o budismo mahayana envolve devoção a Buda e a bodhisattvas	376 milhões
Cao Dai	Vietnã, 1926	Ngô Van Chiêu	Um único Deus e reverência pelos fundadores de outras religiões (incluindo budismo, taoismo e cristianismo)	8 milhões
Cientologia	Califórnia, EUA, 1954	L. Ron Hubbard	Nenhum	Desconhecido
Confucionismo	China, séculos VI-V a.C.	Confúcio	Nenhum, embora Confúcio acreditasse no Grande Supremo, ou tao	5-6 milhões
Cristianismo	Judeia, c. 30 d.C	Jesus Cristo	Um único Deus, na forma da Santíssima Trindade: o Pai, o Filho e o Espírito Santo	2 bilhões
Falun Dafa	China, 1992	Li Hongzhi	Muitos deuses e seres espirituais	10 milhões
Fé baha'i	Teerã, Pérsia, 1863	Baha'u'llah	Um único Deus; revelado por diversas religiões	5-7 milhões
Hinduísmo	Índia, era Pré-Histórica	Indígenas	Muitas divindades, manifestações de uma única realidade suprema	900 milhões

NOME	FUNDAÇÃO	FUNDADOR	DEUS	SEGUIDORES
Igreja da Unificação	Coreia do Sul, 1954	Sun Myung Moon	Deus, o pai celestial de toda a humanidade	3 milhões (número oficial)
Igreja de Cristo (Cientista)	Massachusetts, EUA, 1879	Mary Baker Eddy	Um único Deus; não há Trindade Divina	400 mil
Igreja de Jesus Cristo dos Santos dos Últimos Dias (Mórmons)	Nova York, EUA, 1830	Joseph Smith	Três seres separados: Deus, o Pai; Jesus Cristo, o Filho; e o Espírito Santo	13 milhões
Islamismo	Arábia Saudita, século VII d.C	Maomé, o último profeta	Um único Deus, Alá	1,5 bilhão
Jainismo	Índia, c. 550 a.C.	Mahavira	Não há deuses, mas devoção a alguns seres divinos	4 milhões
Judaísmo	Israel, c. 2000 a.C.	Abraão, Moisés	Um único Deus, YHVH	15 milhões
Movimento rastafári	Jamaica, década de 1930	Haile Selassie I	Um único Deus, Jah, encarnado em Jesus e Haile Selassie	1 milhão
Santeria	Cuba, início do século XIX	Nenhum; religião sincrética	Mais de quatrocentas divindades	3-4 milhões
Sikhismo	Punjab, Índia, 1500 d.C.	Guru Nanak	Um único Deus	23 milhões
Taoismo	China, c. 550 a.C.	Lao Tsé	O tao permeia tudo	20 milhões
Tenrikyo	Japão, 1838	Nakayama Miki	Deus-Parens	1 milhão
Testemunhas de Jeová	EUA, 1872	Charles Taze Russell	Um único Deus	7 milhões
Wicca	Inglaterra, década de 1950, com base em crenças antigas	Gerald Gardner	De um modo geral, dois: o Deus Cornífero e a Grande Mãe	1-3 milhões
Xintoísmo	Japão, era Pré-Histórica	Indígenas	Muitos deuses e espíritos, conhecidos como kamis	3-4 milhões
Zoroastrismo	Pérsia, século VI a.C	Zoroastro	Um único Deus (Ahura Mazda), mas dentro de uma visão dualista	200 mil

RAMIFICAÇÕES DO HINDUÍSMO

Acredita-se que a religião hindu tenha surgido no vale do rio Indo (Paquistão e noroeste da Índia) há mais de 3 mil anos. Atualmente, tem quase 1 bilhão de seguidores, a maioria na Índia. Os hindus reverenciam um único ser supremo, embora a identidade desse ser varie de acordo com a ramificação. Existem quatro denominações principais: vaishnavismo, devotos de Vishnu; shaivismo, devotos de Shiva; shaktismo, devotos de Shakti; e smartismo, devotos de uma divindade a escolher. Essas denominações, assim como outras ramificações do hinduísmo, têm muitas crenças em comum: o texto mais sagrado são os Vedas (pp. 94-99), e o conceito central é a ideia de que nossas ações influenciam nosso futuro, num ciclo infinito de nascimento, morte e renascimento.

VAISHNAVISMO
c. 600 a.C., Índia

A maior seita devocional do hinduísmo, o vaishnavismo foca na devoção a Vishnu como único deus supremo. Vishnu é visto como o preservador do universo, uma figura inigualável em termos de benevolência divina. Segundo o vaishnavismo, Vishnu deu vida ao Criador, Brahma – que vive sentado numa flor de lótus saída do umbigo de Vishnu –, e sustenta e protege tudo o que Brahma cria. Além de ser reverenciado diretamente, Vishnu também é cultuado na forma de seus avatares, Rama e Krishna. Os seguidores do vaishnavismo, ou vaishnavas, priorizam a devoção, em detrimento da doutrina. Seu objetivo final é a libertação do ciclo de nascimento e morte, e a existência na presença de Vishnu.

SHAIVISMO
c. 600 a.C., Índia

Uma das quatros maiores denominações do hinduísmo, o shaivismo acredita que Shiva é o deus supremo. O hinduísmo baseia-se na crença de que as dualidades podem ser conciliadas por uma divindade superior. Os shaivistas (devotos de Shiva) acreditam que Shiva é a melhor representação dessa conciliação de forças opostas, abarcando muitas dualidades, como vida e morte, tempo e eternidade, destruição e criação, e assumindo uma grande variedade de formas. Numa representação popular, Shiva aparece como Nataraja, o senhor da dança. Após destruir o universo, ele dança para recriá-lo, carregando fogo (simbolizando a destruição) e um tambor (o primeiro som a ser feito no início da criação). O shaivismo abrange muitos subgrupos na Índia, Nepal e Sri Lanka, e sua influência chegou até a Indonésia e a Malásia.

SHAKTISMO
Século V d.C., Índia

O shaktismo é uma das principais ramificações devocionais do hinduísmo. De acordo com a crença hindu, Shakti é o poder divino que cria e sustenta a criação. A grande deusa (conhecida como Devi ou Maha Devi) é a personificação de Shakti e costuma ser chamada de Shakti. Aqueles que a reverenciam são conhecidos como shaktas (p. 104). Embora a devoção a deusas na Índia remonte às primeiras civilizações do vale do rio Indo, o shakstismo surgiu como movimento organizado no século V d.C. A deusa da devoção shakti tem muitos nomes e pode assumir diferentes formas (temível, colérica, benigna), mas é sempre uma manifestação do poder e da energia divina. O texto sagrado da religião são os Vedas, os Shakta Agamas e os Puranas. Alguns devotos buscam aproximar-se da deusa por meio da ioga, do *puja* e do tantra (pp. 112-115).

OS DARSHANAS
Séculos II-XIII d.C., Índia

Enquanto os seguidores de seitas teístas, como o vaishnavismo, shaivismo e shaktismo, cultuam divindades, o hinduísmo também abrange seis escolas, ou darshanas, cujo foco é a filosofia, não os deuses. Essas escolas dão ênfase à realidade suprema ou brahman, a grande "essência" que deve ser alcançada para libertar-se da reencarnação. Os darshanas seguem textos sagrados dos primórdios da história indiana, e cada ramificação está relacionada a uma esfera diferente. Os seis darshanas: *samkhya* (cosmologia), *yoga* (natureza humana), *vaisesica* (leis científicas), *niaia* (lógica), *mimansa* (ritual), *vedanta* (metafísica e destino).

SMARTISMO

Século IX, Índia

Uma das quatro maiores seitas do hinduísmo. O nome smartismo vem do sânscrito *smriti*, termo que se refere a um conjunto de textos sagrados hindus. Essa seita hindu ortodoxa baseia-se na filosofia Advaita Vedanta, que propõe a unidade do ser e do brahman, e nos ensinamentos do monge e filósofo Adi Shankara, a quem é atribuída a fundação do movimento na Índia, no século IX. Os adeptos do smartismo seguem as regras de conduta estabelecidas nos antigos textos, conhecidos como sutras, e reverenciam o deus supremo independentemente de sua forma (Shiva, Shakti, Vishnu, Ganesha ou Virya). Por esse motivo, eles são considerados liberais e não sectários.

LINGAYATISMO

Século XII, sul da Índia

O nome lingayatismo vem da linga, emblema do deus Shiva, que os devotos usam em volta do pescoço. O movimento foi estabelecido no sul da Índia pelo mestre e reformista religioso Basava, no século XII. Os lingayats diferenciam-se por cultuarem somente a Shiva. Em sua crença monoteísta, Shiva e o "ser" são a mesma coisa. Eles rejeitam a autoridade dos brâmanes e dos textos sagrados, os Vedas, promovendo a mensagem de igualdade social e reforma. O movimento conta com um grande número de seguidores no sul da Índia.

SWAMINARAYAN SAMPRADAY

Início do século XIX, Índia Ociental

O swaminarayan sampraday foi fundado pelo reformista religioso Swami Narayan no início do século XIX, em resposta a acusações de corrupção em outras seitas hindus. Os rituais, leis, observâncias e rezas da religião baseiam-se na tradição hindu e nos ensinamentos do fundador do movimento. Seguindo esses códigos morais e espirituais no dia a dia, o objetivo é tornar-se um *satsangi* (adepto) perfeito e alcançar, dessa forma, a redenção final. O movimento tem milhões de seguidores no mundo inteiro.

BRAHMOÍSMO

1828, Calcutá, Índia

O brahmoísmo é um movimento de reforma hindu associado à *brahmo samaj* (sociedade divina), fundada por Ram Mohan Roy em Calcutá no ano de 1828 com o objetivo de reinterpretar o hinduísmo no contexto da modernidade.
O brahmoísmo difere do hinduísmo ortodoxo pela devoção a uma única divindade infinita e universal, rejeitando a autoridade dos Vedas (pp. 94-99) e, em alguns casos, a crença em avatares (encarnações das divindades) e no carma (consequências de ações do passado). Um de seus principais elementos é a reforma social. Os seguidores do brahmoísmo são basicamente de Bangladesh e Bengala.

ARYA SAMAJ

1875, Índia

Arya samaj é um movimento moderno de reforma social e religiosa fundado por Swami Dayananda, líder religioso que procurou reconfirmar a autoridade suprema dos antigos textos hindus, os Vedas (pp. 94-99) Dayananda criou uma série de escolas na Índia, no final do século XIX, com o propósito de promover a cultura védica. Projetos similares continuam sendo desenvolvidos hoje em dia, como a criação de universidades e orfanatos e atividades voltadas para a reforma social e diminuição de desigualdades. A seita opõe-se ao sistema de castas, mas foi acusada de intolerância a outras crenças. Os seguidores acreditam nos conceitos de carma e *samsara*, e os rituais estão centrados nos grandes acontecimentos da vida. O movimento é popular no norte e oeste da Índia.

SOCIEDADE SATHYA SAI BABA

1950, Índia

Segundo seus seguidores, Sathyanarayana Raju (nascido em 1926) realizou um grande número de milagres. Aos catorze anos, foi picado por um escorpião e entrou em transe. Ao acordar, afirmou ser a reencarnação do guru Sai Baba de Shirdi e ficou conhecido, a partir de então, como Sathya Sai Baba. Sai Baba ganhou fama na década de 1950 por conta de seus milagres, atraindo milhões de devotos, que se guiam por quatro princípios: verdade, *satya*; dever, *dharma*; paz, *shanti*; e amor divino, *prema*. Ao contrário de muitos hindus, Sai Baba não atribui um *dharma* específico a cada classe social. Todas as classes são iguais.

RAMIFICAÇÕES DO BUDISMO

Seguido atualmente em muitas partes do mundo, o budismo surgiu no norte da Índia há mais de 2.500 anos, com os ensinamentos de Siddhartha Gautama, dentro do hinduísmo, que na época produzia alguns de seus textos mais abstratos e filosóficos, baseando-se em ideias, não divindades e doutrinas. A religião budista tem um único objetivo: orientar o indivíduo para o caminho que conduz à iluminação ou libertação espiritual da vida mundana. O próprio Buda ensinou que qualquer caminho que conduza a esse objetivo é válido. Com a disseminação do budismo, suas crenças foram se adaptando às tradições locais. Hoje, existem diversas formas de budismo, desde a mais ascética até a mais ritualística.

BUDISMO THERAVADA

Século VI a.C., norte da Índia

O budismo theravada e o budismo mahayana são as duas principais formas de budismo. O budismo theravada, a mais antiga ramificação do budismo, é considerado a forma mais próxima do *dhamma* – os ensinamentos originais de Buda. É praticado atualmente na Tailândia, Laos, Camboja e Birmânia. Um dos pontos centrais do budismo theravada é o conceito de *sangha* ou comunidade monástica. Os monges theravadas (e às vezes monjas, embora com menor importância) possuem poucos pertences e vivem em acomodações simples. Seguem o Nobre Caminho Óctuplo e os cinco preceitos (pp. 136-143), viajam pelos povoados e ensinam o *dhamma* e as escrituras do Cânone Páli. A atividade mais importante do budismo theravada é a meditação, que os budistas theravadas praticam para esvaziar a mente e aproximar-se do nirvana (iluminação perfeita). Embora a vida monástica seja o ideal, existe espaço no budismo theravada para pessoas comuns, que desempenham um importante papel no sustento dos monges que decidiram levar uma vida ascética – por exemplo, fornecendo comida em troca de bênçãos e ensinamentos.

BUDISMO MAHAYANA

Séculos III-II a.C., noroeste da Índia

O budismo mahayana, uma das duas principais formas de budismo junto com o budismo theravada, expandiu-se para o leste e hoje é praticado em grandes regiões da Ásia, inclusive China e Coreia. Diferentes dos budistas theravadas, que acreditam que a iluminação total significa um afastamento da existência, os seguidores do budismo mahayana acreditam que Buda permanece eternamente presente neste mundo, conduzindo os outros à iluminação. Nessa tradição, o único propósito da iluminação é ajudar outras pessoas em seu caminho espiritual. Os budistas mahayanas acreditam que as pessoas podem virar budas, reverenciando aqueles que se aproximaram do nirvana – os bodhisattvas (seres iluminados ou seres de sabedoria) – e quem possui, além da compaixão, seis perfeições: generosidade, moralidade, paciência, energia, meditação e sabedoria.

BUDISMO TERRA PURA

Século VII d.C., China

Surgido na China a partir da tradição mahayana, o budismo Terra Pura agora consiste em várias seitas com base na China e no Japão, todas centradas na devoção a Amida (Amitabha), o buda da luz infinita, que controla um paraíso conhecido como Terra Pura. Valendo-se de diversas técnicas espirituais com foco em Amida, os fiéis podem evitar o ciclo de morte e renascimento, indo morar com ele na Terra Pura e alcançando, por fim, a iluminação. O principal texto dessa ramificação do budismo é o Lotus Sutra, escrito no século I, que afirma que a devoção a Amida é o único caminho verdadeiro.

BUDISMO TIBETANO

Século VII, Tibete

O budismo foi introduzido no Tibete por missionários indianos por volta do século VII d.C. Embora derive da tradição mahayana, o budismo tibetano desenvolveu-se de maneira muito diferente do budismo em outros países, com suas próprias ordens de monges e práticas religiosas, incluindo devoção a gurus e o uso de mandalas, ou diagramas simbólicos, como ferramentas de meditação.

Um dos elementos característicos do budismo tibetano é a nomeação de lamas. Esses mestres espirituais são os mais reverenciados de todos os monges, e, segundo a tradição, muitos foram líderes espirituais em vidas passadas. A sucessão se dá por reencarnação. Quando um lama se aproxima da morte, ele dá uma série de pistas relacionadas à identidade de sua próxima encarnação. Seus seguidores, então, empreendem uma busca para encontrar a criança que mais se enquadra na descrição.

BUDISMO TÂNTRICO
Século VII, Índia

O budismo tântrico tem esse nome por causa do texto conhecido como Tantras, uma poderosa ferramenta na busca pela budeidade. O texto descreve como uma pessoa pode alcançar sua "natureza Buda" de maneira mais rápida que em outras formas de budismo. As técnicas envolvidas incluem rituais, meditação, mandalas e até magia. Os Tantras buscam conciliar todos os estados e emoções, reconhecendo que tudo faz parte da natureza Buda essencial de todas as pessoas.

Os budistas tântricos reverenciam muitos budas e bodhisattvas (inclusive Amida, o buda da luz infinita), considerando cada um como uma manifestação da natureza buda. Hoje em dia, existem escolas de budismo tântrico no Tibete, Índia, China, Japão, Nepal, Butão e Mongólia.

ZEN-BUDISMO
Século XII, Japão

A versão chinesa do budismo (ch'an) lançou raízes no Japão no século VI, onde ficou conhecido como zen-budismo. A religião também teve um grande impacto nos países influenciados pela cultura chinesa, como Vietnã, Coreia e Taiwan. O zen-budismo enfatiza a devoção à meditação, a conquista da iluminação, o valor da experiência em detrimento das escrituras e a crença de que os seres humanos são idênticos ao cosmos e possuem atributos em comum com tudo o que existe no universo.

Para seus seguidores, o zen permeia todos os aspectos da vida – o plano físico, intelectual e espiritual. A poesia e a criação de jardins minimalistas são consideradas atividades particularmente expressivas. As escolas mais conhecidas do zen-budismo são o zen rinzai e o zen soto.

BUDISMO DE NITIREN
Século XIII, Japão

O monge japonês Nitiren fundou sua escola de budismo com base na grande fé que ele depositava no poder espiritual supremo do Lotus Sutra, um compilado de ensinamentos budistas datado do século I d.C. Nitiren incentivava seus seguidores a cantarem as palavras do texto: "Busco refúgio no Lotus da maravilhosa lei Sutra". Rejeitando todas as outras formas de budismo, ele acreditava que somente o estudo do Lotus Sutra poderia conduzir à budeidade. Muitas seitas budistas dessa vertente ainda surgem no Japão, e uma série de novos movimentos religiosos baseia-se nos ensinamentos de Nitiren, como, por exemplo, a Soka Gakkai (veja à direita).

SOKA GAKKAI
1937, Japão

Em 1937, dois reformistas japoneses, Tsunesaburo Makiguchi e Josei Toda, fundaram uma sociedade educacional inspirada nos ensinamentos do monge budista japonês Nitiren. Após a morte de Makiguchi em 1944, Toda reestruturou a organização como uma seita religiosa, batizando-a de Soka Gakkai. Como o budismo de Nitiren, a ênfase está no Lotus Sutra e no canto ritualístico das palavras do título. O movimento atraiu cerca de 12 milhões de seguidores no Japão e no mundo inteiro, em parte como resultado de um processo de recrutamento.

COMUNIDADE BUDISTA TRIRATNA
1967, Reino Unido

Anteriormente conhecida como Friends of the Western Buddhist Order (FWBO), a comunidade budista Triratna foi fundada pelo monge budista inglês Sangharakshita. Após estudar na Índia, ele voltou ao Reino Unido para formar o movimento em 1967, com o objetivo de explicar como os ensinamentos básicos do budismo podem ser aplicados na vida atual do mundo ocidental. Os membros são ordenados, mas podem escolher uma vida monástica ou comum. Os seguidores dessa ramificação do budismo comprometem-se com alguns princípios essenciais: o "refúgio triplo" – em Buda, no *dhamma* e no *sangha*; o ideal da budeidade; e a crença em outros ensinamentos da tradição budista, uma combinação de preceitos morais, estudo e devoção. O movimento tem afiliações com grupos na Europa, América do Norte e Australásia.

RAMIFICAÇÕES DO JUDAÍSMO

O judaísmo é a religião dos judeus, datando de 2000 a.C., aproximadamente. É a mais antiga das três religiões monoteístas (judaísmo, cristianismo e islamismo), as três com raízes no Oriente Médio. De acordo com Moisés, o patriarca a quem Deus revelou as tábuas da lei, os judeus são o povo escolhido de Deus, e sua orientação é a Torá. Em grande parte de sua história, os judeus estiveram exilados de sua terra natal. Por conta disso, podemos encontrar seguidores do judaísmo muito além do Estado de Israel, o que explica a existência das diversas ramificações da religião. Os judeus interpretam o judaísmo de diferentes maneiras, com variações em relação à centralidade da Torá e da lei oral, às crenças e às observâncias.

JUDAÍSMO ORTODOXO

c. Século XIII a.C. Canaã

O judaísmo ortodoxo é considerado a continuação da tradição religiosa desenvolvida em Canaã há 3 mil anos e praticada pelos judeus na época de Moisés. Não é um movimento único, mas suas muitas ramificações possuem crenças em comum. Um dos pilares do judaísmo ortodoxo é a crença de que a Torá – os cinco primeiros livros da Bíblia hebraica – contém as palavras literais de Deus e oferece orientação para todos os aspectos da vida. Desde a Idade Média, o judaísmo ortodoxo tem profundas raízes na Europa Central e Oriental. Essas comunidades eram conhecidas como comunidades asquenazes, do nome de um patriarca (Ashkenazi). Os judeus asquenazes foram duramente perseguidos ao longo dos séculos e isolados em guetos, e milhões de judeus ortodoxos da Europa morreram durante o Holocausto. Depois da Segunda Guerra Mundial, muitos judeus foram para os EUA e, mais tarde, para o Estado de Israel, fundado em 1948, onde o judaísmo ortodoxo é a religião oficial. Mais de 50% dos judeus praticantes consideram-se ortodoxos.

JUDAÍSMO SEFARDITA

Século X a.C., Península Ibérica

O nome "judaísmo sefardita" (ou "sefaradi") refere-se aos judeus que viviam na península Ibérica (atual região de Portugal e Espanha) a partir do século X e seus descendentes. A despeito de algumas restrições, os judeus conviveram pacificamente com cristãos e muçulmanos na península Ibérica por séculos. No entanto, após a conquista cristã da Espanha em 1492 e de Portugal em 1497, os sefarditas que resistiram à conversão ao cristianismo foram expulsos por decreto cristão e fugiram para a África do Norte, Itália, França, Inglaterra, Holanda, Império Otomano e até para as Américas. Hoje em dia, existem grandes comunidades sefaradis em Israel, França, México, EUA e Canadá. Grande parte das crenças fundamentais do judaísmo sefardita assemelha-se com as crenças do judaísmo asquenaze ortodoxo, embora haja mais ênfase no misticismo e algumas diferenças de cultura e prática, incluindo questões de linguagem, alimentação, feriados, reza e culto.

JUDAÍSMO HASSÍDICO

c. 1740, Mezhbizh (agora na Ucrânia)

O judaísmo hassídico (da palavra *hassid*, "devoto") é uma ramificação do judaísmo ortodoxo que enfatiza o relacionamento místico com Deus. Os seguidores acreditam que a Torá é feita de palavras que, de certa forma, são reorganizações do nome de Deus, YHVH. Um verdadeiro judeu hassídico isola-se do mundo, medita, reza e estuda a Torá para aproximar-se de Deus. Segundo o hassidismo, Deus é infinito e o centro do universo.

JUDAÍSMO NEO-ORTODOXO

Final do século XIX, Alemanha

O movimento neo-ortodoxo surgiu da perseguição dos judeus no Ocidente no final do século XIX, oferecendo um meio-termo para aqueles que não queriam se isolar completamente em comunidades ortodoxas, mas também não queriam abdicar da religião. Embora focado nos ensinamentos da Torá, o judaísmo neo-ortodoxo procurou adaptar-se às demandas do mundo moderno. Os seguidores dessa ramificação consideram fundamental que os judeus se envolvam com pessoas não judias.

JUDAÍSMO REFORMISTA

1885, Pittsburgh, Pensilvânia, EUA

Popular na Europa Ocidental e na América do Norte, o judaísmo reformista surgiu como uma iniciativa de modernizar a liturgia judaica na Europa do século XIX. Os judeus reformistas acreditam que a Torá foi escrita por diversas pessoas, inspiradas por Deus, mas que não são as palavras literais de Deus. Os reformistas adaptaram as crenças e práticas do judaísmo de acordo com o estilo de vida moderno, sendo, portanto, menos estritos na observância do que os judeus ortodoxos. Por exemplo, os judeus reformistas abandonaram muitas leis de alimentação tradicionais e adotaram novas tradições, como a ordenação de rabinas.

JUDAÍSMO CONSERVADOR

1887, Nova York, EUA

Muitos judeus sentiram que o movimento reformista do final do século XIX foi longe demais na rejeição dos princípios fundamentais da religião e, em 1887, fundaram o Seminário Teológico Judaico para promover uma ramificação do judaísmo que preservasse o conhecimento histórico conforme exemplificado na Bíblia hebraica e no Talmud. Essa forma de judaísmo, hoje conhecida como judaísmo conservador ou masorti, reafirma que a Torá e o Talmud têm, sim, uma origem divina, e que suas leis devem ser obedecidas. Em comparação com os ortodoxos, porém, os rabinos conservadores possuem mais liberdade para interpretar essas leis. Muitas das interpretações dos rabinos conservadores foram rejeitadas pelos judeus ortodoxos, mas o movimento é bastante popular, sobretudo nos EUA.

CIÊNCIA JUDAICA

Década de 1920, Cincinnati, Ohio, EUA

O movimento de ciência judaica foi fundado no início da década de 1920 nos EUA por Alfred G. Moses, Morris Lichtenstein e Tehilla Lichtenstein, em resposta à crescente influência da ciência cristã, desenvolvida por Mary Baker Eddy (p. 337) no final do século XIX. Os seguidores são incentivados a cultivar o contentamento pessoal e uma atitude positiva em relação a si mesmos e aos outros. Deus não é visto como uma figura paternal, mas uma energia ou força que permeia o universo, além de ser a fonte e o restaurador da saúde. Autoajuda, visualizações e rezas afirmativas (com foco em resultados positivos) são elementos centrais do credo, promovendo o bem-estar físico e espiritual. A ciência judaica reconhece a medicina moderna e, ao contrário da ciência cristã, permite o tratamento médico convencional.

JUDAÍSMO RECONSTRUCIONISTA

Década de 1920-década de 1940, Nova York, EUA

O movimento reconstrucionista foi fundado por Mordecai Kaplan, americano nascido na Lituânia, que propôs uma abordagem progressista ao judaísmo, para fazer jus à modernidade. Essa ramificação do judaísmo considera as leis da Torá somente se elas tiverem um propósito definido para o povo judeu ou para a humanidade como um todo. Por conta disso, as leis precisam ser constantemente reinterpretadas. Algumas mudanças realizadas pelo judaísmo reconstrucionista são bastante radicais. Por exemplo, o livro de rezas do Shabat não faz nenhuma menção aos judeus como "o povo escolhido" ou à vinda do Messias. Em vez dessas doutrinas, os reconstrucionistas lutam por um mundo melhor para todos, povoado por pessoas melhores.

JUDAÍSMO HUMANISTA

1963, Michigan, EUA

Rabi Sherwin T. Wine fundou o judaísmo humanista nos EUA na década de 1960 para oferecer aos judeus não religiosos uma alternativa ateística à religião tradicional. Os judeus humanistas dizem que o judaísmo é uma cultura étnica formada pelo povo judeu, sem relação nenhuma com Deus. A filosofia humanística de igualdade da tradição reflete-se em sua edificante celebração da cultura judaica: os rituais ateísticos são abertos para todos, judeus e não judeus, independente de sexo e orientação sexual. A participação em festividades religiosas é considerada importante, embora todas as referências a Deus e passagens religiosas sejam omitidas nos serviços, sendo substituídas por versões reescritas numa perspectiva secular. Os seguidores são incentivados a focar na autodeterminação, na autoajuda e na razão para moldar sua vida, em vez de depender da intervenção divina.

RAMIFICAÇÕES DO CRISTIANISMO

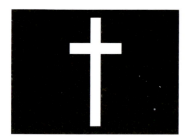

A maior religião do mundo, com mais de 2 bilhões de seguidores, o cristianismo baseia-se nos ensinamentos de Jesus Cristo, registrados no Evangelho – quatro livros do Novo Testamento da Bíblia. O cristianismo é uma religião monoteísta com as mesmas raízes do judaísmo. Os cristãos, contudo, acreditam que Jesus era o Messias previsto no Antigo Testamento. Por séculos a principal religião da Europa, o cristianismo espalhou-se pelo mundo inteiro com a colonização europeia a partir do século XV. Por conta de diferenças políticas e doutrinais, o cristianismo dividiu-se em duas ramificações – a Ocidental e a Oriental – no Grande Cisma de 1054, e, depois, em inúmeras denominações, após a Reforma iniciada no século XVI.

IGREJA CATÓLICA ROMANA
Século I d.C., Roma, Itália

A Igreja Católica Romana é a Igreja cristã original e, ainda, a maior de todas. Seus líderes, os papas, declaram-se descendentes de São Pedro, fundador da primeira Igreja cristã em Roma, no século I d.C. Essa linhagem conectaria o papa diretamente com os primeiros seguidores do cristianismo, dando-lhe, portanto, uma autoridade única: ele é considerado infalível em questões essenciais sobre os artigos de fé.

IGREJAS ORTODOXAS ORIENTAIS
Séculos III–IV d.C., vários

As Igrejas ortodoxas orientais, que incluem a Igreja cóptica e as Igrejas da Síria e da Etiópia, assim com a da Armênia (à direita), acreditam que Cristo possui uma única natureza inseparável, humana e divina ao mesmo tempo. Todas as Igrejas ortodoxas orientais remontam aos primeiros séculos do cristianismo. A Igreja cóptica é a Igreja cristã nacional do Egito, datando do século III d.C. A Igreja ortodoxa etíope foi fundada em 340 d.C. como uma ramificação da Igreja cóptica. Essa Igreja segue diversas práticas do judaísmo, como guardar o sábado como dia de descanso, a circuncisão e algumas regras de dieta vinculadas à sua origem médio-oriental. A Igreja ortodoxa síria tem membros no sul da Turquia, Irã, Iraque e Índia, além da própria Síria. A língua síria é usada nos cultos, e a liturgia é uma das mais ricas de todas as Igrejas cristãs.

IGREJA ARMÊNIA
c. 294 d.C., Etchmiadzin, Armênia

A Armênia foi o primeiro país a ter o cristianismo como religião oficial: São Gregório converteu o rei Tiridates III ao cristianismo no final do século III. A Igreja armênia, no início, era próxima das Igrejas ortodoxas do Leste, mas, em 506 d.C., elas se dividiram por conta de diferentes visões em relação à natureza de Cristo. Como a Igreja ortodoxa oriental, da qual faz parte, a Igreja armênia acredita que Cristo possui uma única natureza, sendo ao mesmo tempo humano e divino. Os cristãos armênios oram em sua própria língua usando uma tradução da Bíblia do século V. As igrejas armênias são simples, com dois tipos de sacerdotes: os párocos, que, se não forem monges, precisam se casar antes da ordenação; e os doutores, celibatários, que poderão ser tornar bispos.

IGREJAS ORTODOXAS DO LESTE
1504, Constantinopla (Istambul)

As Igrejas ortodoxas da Europa Oriental, Bálcãs e Ásia Ocidental surgiram de uma divisão entre a Igreja Católica Ocidental e as Igrejas do Império Bizantino, no Grande Cisma de 1054. Essa divisão ocorreu por conta de diferentes visões sobre a Santíssima Trindade (pp. 212-219). Além disso, a Igreja Ocidental enfatiza a natureza pecaminosa da humanidade, enquanto a Igreja Oriental foca em sua bondade essencial; a Igreja Ocidental baseia-se nos dogmas, enquanto a Oriental é mais centrada nos cultos. Todas as Igrejas ortodoxas celebram sete sacramentos, como na Igreja católica, mas eles são chamados de mistérios. O mistério central da religião é realçado pelo fato de que grande parte do serviço ortodoxo oriental acontece atrás de uma tela, sem acesso da congregação.

LUTERANISMO
Década de 1520

A Igreja Luterana foi fundada pelo reformador alemão Martinho Lutero (p. 235). O luteranismo espalhou-se pelo norte da Europa nos séculos XVI e XVII. Seus seguidores consideram a Bíblia como o único guia da doutrina e acreditam que as pessoas chegam a Deus por meio da fé em Jesus Cristo, não por boas obras. Hoje em dia, existem cerca de setenta Igrejas Luteranas individuais, todas sob a supervisão da Federação Luterana Mundial.

ANGLICANISMO
1534, Londres, Inglaterra

A Igreja Anglicana separou-se da Igreja Romana no século XVI devido a conflitos eclesiásticos e políticos em relação ao pedido do rei Henrique VIII ao papa para divorciar-se de Catarina de Aragão. A Igreja manteve muitos elementos do catolicismo no início, mas foi influenciada mais tarde pelos reformadores protestantes. Hoje, a Igreja Anglicana abrange os adeptos de rituais elaborados, conhecidos como "anglo-católicos", e os chamados "evangélicos", dedicados a serviços mais simples. A Igreja Anglicana inclui trinta Igrejas autônomas no mundo todo – a Comunhão Anglicana. Todas acreditam na importância das Escrituras, seguem uma linhagem de bispos (que chega até os apóstolos) e celebram dois sacramentos: o batismo e a eucaristia (p. 228).

IGREJA MENONITA
Década de 1540, Holanda

O pregador holandês Menno Simons, católico que se juntou aos anabatistas – um grupo radical de reforma – em 1536, acreditava na reforma da Igreja, no pacifismo e no batismo somente na idade adulta. Seus seguidores, conhecidos como menonitas, espalharam-se por toda a Europa. Os menonitas alemães foram uns dos primeiros colonizadores da América, e muitos menonitas russos migraram para os EUA após a Segunda Guerra Mundial. Hoje, a maioria dos menonitas mora na América do Norte. Eles seguem a Bíblia, esperando a segunda vinda de Cristo e levando uma vida de orações e santidade. O trabalho missionário e de ajuda humanitária é um elemento importante da religião.

PRESBITERIANISMO
Século XVI, Escócia

O presbiterianismo surgiu com os reformadores do século XVI, como o teólogo francês João Calvino (p. 237). Além de seus contundentes argumentos sobre predestinação, Calvino acreditava que os grupos cristãos deveriam ser governados por anciãos. Essa ideia agradou os líderes da Igreja na Escócia, que desejavam aumentar o envolvimento da comunidade nos assuntos religiosos. Os presbiterianos receberam esse nome por serem governados por presbíteros (ministros ou anciãos), e a religião não tem bispos. O congregacionalismo desenvolveu-se por motivos similares, sobretudo na Inglaterra, e foi a religião dos Pilgrim Fathers (Peregrinos) na América. No final do século XX, os presbiterianos e os congregacionalistas uniram-se para formar a Aliança Mundial de Igrejas Reformadas, cujos membros veem a salvação como a dádiva de Deus.

BATISTAS
Início do século XVII, Holanda e Inglaterra

Os primeiros batistas eram protestantes ingleses. Sua igreja foi fundada na Inglaterra em 1612 por Thomas Helwys. Os batistas acreditam, entre outras coisas, na primazia da Bíblia e que o batismo deve ser realizado na idade adulta, quando o indivíduo é capaz de professar a fé. As igrejas batistas espalharam-se pelos EUA e são especialmente populares na comunidade negra americana, expandindo-se, mais tarde, para o mundo todo. Os batistas representam hoje um dos maiores grupos cristãos do mundo.

QUACRES
c. 1650, Grã-Bretanha

O movimento quacre começou no século XVII, liderado por George Fox. O nome (*quaker*, em inglês) surgiu quando Fox disse a um magistrado para estremecer (*to quake*) perante o nome do Senhor. A religião de Fox não tem sacerdotes, sacramentos ou liturgia formal. Segundo Fox, os Amigos – como eles se autodenominam – podem comunicar-se diretamente com Deus. O grupo é contra as guerras e recusa-se a fazer juramentos legais. Embora bastante perseguidos, os quacres são admirados agora por suas campanhas de paz, reforma carcerária e abolição da escravatura. Os quacres da atualidade ainda focam no contato direto com Deus, reunindo-se em silêncio até o Espírito Santo fazer alguém falar.

METODISMO
Décadas de 1720-1730, Inglaterra

O metodismo foi fundado no século XVIII por John Wesley na Inglaterra. Atualmente, a Igreja Metodista é uma das quatro maiores Igrejas da Inglaterra e tem mais de 70 milhões de seguidores no mundo todo. Os metodistas acreditam que os cristãos devem viver de acordo com o "método" descrito na Bíblia, dando mais ênfase às Escrituras do que aos rituais. A pregação é considerada especialmente importante.

SHAKERS
c. 1758, Grã-Bretanha

O nome shakers (sacudidores) refere-se à experiência vivida pelos membros da religião quando se encontram em estado de êxtase religioso. Sua fundadora, Ann Lee, afirmou ter recebido revelações confirmando que era a contraparte feminina de Cristo. Perseguida na Inglaterra, ela e seus seguidores emigraram para os Estados Unidos, onde passaram a viver juntos em celibato. Apesar da popularidade no século XIX, o grupo perdeu força no século XX, e hoje conta com pouquíssimos membros. Mesmo assim, os shakers ainda são respeitados pelo estilo de vida austero e pelo mobiliário simples que criaram.

UNITARISMO
1774, Inglaterra

Os unitaristas acreditam em um único Deus, mas não na Santíssima Trindade (pp. 212-219), e buscam a verdade com base na experiência humana, não na doutrina religiosa. Ideias unitaristas começaram a surgir na Polônia, Hungria e Inglaterra no século XVI, mas a primeira Igreja Unitarista foi fundada na Inglaterra somente em 1774 e nos EUA em 1781. Os números diminuíram no século XX, mas ainda existem grandes congregações nos EUA e na Europa. As congregações unitaristas são independentes umas das outras e não há uma hierarquia eclesiástica.

MORMONISMO
1830, Nova York, EUA

A Igreja de Jesus Cristo dos Santos dos Últimos Dias foi fundada pelo americano Joseph Smith, que afirmou ter sido conduzido por um anjo a um conjunto de placas douradas com a palavra de Deus. Smith traduziu as placas em *O Livro de Mórmon* (1830), que, junto com outros textos mórmons e a Bíblia, constituem os escritos da religião. O fundador do mormonismo reivindicou o direito de administrar a Igreja por meio de outras revelações, incluindo permissão para casamentos polígamos e a possibilidade de todos os homens se tornarem deuses. Após sua morte em 1844, os mórmons passaram a seguir um novo líder, Brigham Young, em Utah, onde a Igreja permanece forte.

IGREJA ADVENTISTA DO SÉTIMO DIA
1863, Battle Creek, Michigan, EUA

Os adventistas são cristãos protestantes que acreditam na iminente segunda vinda de Jesus Cristo, conhecida como advento. Dessa vez, Cristo voltará à Terra, destruirá o Satanás e criará um novo mundo. O adventista americano William Miller afirmou que esse processo começaria em 1843. Como isso não aconteceu, alguns de seus seguidores, liderados por James e Ellen White, afirmaram que Jesus havia começado um juízo pré-advento no Céu. Eles fundaram a Igreja em 1863. Os adventistas seguem as regras de dieta do Antigo Testamento, evitam diversões mundanas (como jogos de azar e dança) e guardam o Shabat no sábado.

O EXÉRCITO DE SALVAÇÃO
1865, Londres, Inglaterra

O pregador metodista William Booth fundou o Exército de Salvação em Londres no ano de 1865, fortemente influenciado por sua formação religiosa, mas inspirado no modelo militar. O líder da igreja é o general e seus ministros, os oficiais, com uniformes e tudo. O objetivo de Booth era realizar trabalho missionário e social em larga escala, e a denominação ficou conhecida por ajudar os pobres.

TESTEMUNHAS DE JEOVÁ
1872, Pittsburgh, Pensilvânia, EUA

As testemunhas de Jeová (pp. 312-313) surgiram da Associação Internacional de Estudantes da Bíblia. Segundo a religião, Jesus Cristo não era Deus, mas a primeira criação divina. Os seguidores desse credo esperam pela vinda do reino de Deus, rejeitam o nacionalismo e questionam doutrinas como a Trindade. A Igreja procura converter as pessoas por meio do proselitismo de porta em porta.

IGREJA DE CRISTO (CIENTISTA)
1879, Boston, Massachusetts, EUA

Mary Baker Eddy dedicou a vida à restauração do antigo ministério de cura de Jesus após ter sido curada de um grave acidente sem tratamento médico. Eddy afirmou ser capaz de curar os enfermos e acreditava que aqueles que compreendessem a relação entre Deus e amor também desenvolveriam o dom da cura. Eddy fundou a Igreja de Cristo (Cientista) em 1879. A base da religião são os próprios escritos de Eddy e a Bíblia, que são lidos nos serviços, mas sem sermões. Atualmente, a ciência cristã está presente em mais de oitenta países.

PROTESTANTISMO NO BRASIL
Século XIX

Os primeiros protestantes que chegaram ao Brasil, no início do século XIX, tinham uma concepção religiosa distinta dos colonizadores portugueses. Eles eram imigrantes que começavam a chegar ao país, junto com o processo de mudança populacional que o Brasil teve no século XIX.

Os líderes religiosos vieram acompanhando seus fiéis e para grantir a vivência de suas crenças tal como em seus países de origem, como ingleses e alemães. O primeirro grupo de anglicanos chegou em 1816 e estabeleceu-se no Rio de Janeiro. A partir de 1855, graças à mudança na legislação que permitia maior liberdade religiosa, veremos ampliar a presença dos protestantes com a chegada da Igreja Congregacional (1855) e de grupos de presbiterianos (1859), metodistas (1867), batistas (1881), episcopais (1889) e luteranos que fundam a Igreja Luterana do Brasil (1900). Esta ampliação indica que passaram a promover suas crenças, seu estilo de vida e suas concepções de mundo.

PENTECOSTALISMO

1900-1906, Topkepa, Kansas; Los Angeles, Califórnia, EUA

As igrejas pentecostais prevalecem no mundo em desenvolvimento e em comunidades carentes do mundo desenvolvido. O nome pentecostalismo refere-se ao dia de Pentecostes (p. 219), no qual, segundo as Escrituras, o Espírito Santo apareceu como línguas de fogo sobre os discípulos. As raízes do pentecostalismo estão no trabalho do pregador Charles Parham. As igrejas pentecostais dão ênfase a experiências espirituais como cura, exorcismo, profecia e o dom de línguas após o batismo pelo Espírito Santo. Um dos alunos de Parham, William J. Seymour, fundou a Missão da Fé Apostólica em Los Angeles, inspirando a fundação de igrejas pentecostais no mundo inteiro.

PENTECOSTALISMO DE MISSÃO NO BRASIL

Século XX, vários

São as igrejas iniciadas por missionários oriundos do movimento pentecostal que começou nos Estados Unidos em 1900, com ênfase no poder e nos dons do Espírito Santo. A primeira igreja fundada foi a Congregação Cristã no Brasil, fundada pelo ítalo-americano Louis Francescon em Santo Antônio da Platina, Paraná, em 1910. No ano seguinte, foi fundada a Assembleia de Deus, fundada em Salvador pelos missionários suecos Gunnar Vingren e Daniel Berg, norte-americanos originalmente batistas. O crescimento das igrejas pentescostais foi marcante e fundaram-se outras igrejas como a Igreja do Evangelho Quadrangular (1954), a Igreja do Nazareno no Brasil (1958) e a Igreja Cristã de Nova Vida (1960).

PENTECOSTALISMO BRASILEIRO

Décadas de 1950-1960

São igrejas de origem brasileira iniciadas por cisões do Pentecostalismo Clássico, como a igreja O Brasil para Cristo fundada pelo missionário Manuel de Mello e Silva em 1955, a Deus é Amor, fundada por David M. Miranda em 1962 e a Igreja Casa da Benção, fundada por Doriel de Oliveira em 1964.

MOVIMENTO CARISMÁTICO

Décadas de 1950-1960, vários

O movimento carismático é um movimento mundial de revitalização cristã baseado no conceito de *charismata*, ou dons do Espírito Santo (p. 219). Os serviços religiosos costumam ser informais, e os seguidores acreditam que a segunda vinda de Cristo está próxima. O movimento ressalta a importância do Espírito Santo, que, segundo a tradição, arrebata os fiéis durante o batismo.

NEOPENTECOSTALISMO

Décadas de 1970-1980

São Igrejas recentes com grande impacto na sociedade brasileira através do uso intensivo dos meios de comunicação e com ênfase no exorcismo, curas e prosperidade material. As igrejas neopentescostais com maior número de fiéis são a Igreja Universal do Reino de Deus, fundada pelo Bispo Edir Macedo em 1977, a Igreja Internacional da Graça de Deus, fundada pelo Missionário R.R. Soares em 1980, a Renascer em Cristo, fundada em 1986 pelo Apostolo Estevam Hernandes e pela Bispa Sonia Hernandes, a Comunidade Sara Nossa Terra, fundada pelo Bispo Robson Rodovalho em 1992 e a Igreja Mundial do Poder de Deus, fundada em 1998 pelo Apóstolo Valdemiro Santiago.

EVANGÉLICOS NO BRASIL

Século XX

Hoje há uma grande variedade de igrejas evangélicas no Brasil. A principal diferença entre elas e as outras igrejas protestantes é que estas seguem uma estrutura mais próxima dos ensinamentos dos protagonistas das Reformas religiosas modernas, como Lutero e Calvino, enquanto que as igrejas evangélicas surgiram a partir de reinterpretações e criações teológicas mais recentes, como o pentecostalismo.

Os evangélicos expressam um conjunto bastante diversificado de igrejas e de práticas religiosas, como se observa em suas ênfases teológicas e missionárias e nas formas de organização institucional.

RAMIFICAÇÕES DO ISLAMISMO

A religião islâmica, a mais recente das três grandes religiões monoteístas, expandiu-se rapidamente no Oriente Médio, influenciando o conhecimento e a política do mundo todo. A divisão mais significativa dentro do islamismo é a cisão entre sunitas e xiitas, duas ramificações criadas por conta de diferentes visões em relação a quem deveria ser o sucessor de Maomé. Conflitos posteriores referentes à mesma questão criaram novas subdivisões, mas dentro do islamismo existem também grupos isolados por diferenças doutrinais: o sufismo, ou islamismo místico, por exemplo, é duramente condenado por grupos muçulmanos mais ortodoxos, que acusa a prática de "anti-islâmica".

ISLAMISMO SUNITA
Século VII d.C., Península Arábica

Mais de 85% da população muçulmana é sunita. Na maior parte dos países islâmicos, a maioria dos muçulmanos é sunita, com exceção do Irã, Iraque, Arzebaijão e Iêmen, além de alguns Estados do Golfo. Os fundadores dessa forma de islamismo faziam parte do grupo que acreditava que Abu Bakr, companheiro e sogro de Maomé, deveria suceder ao Profeta como primeiro líder ou califa (literalmente, sucessor). Os muçulmanos sunitas baseiam-se na Suna, ou tradição de Maomé, como modelo de conduta, e ainda seguem uma das quatro escolas de interpretação da lei islâmica, ou *sharia* (p. 273): Hanafi, Maliki, Hanbali e Shafi'i.

ISLAMISMO XIITA
Século VII d.C., Península Arábica

O nome xiita vem do árabe, Shi'a 'Ali, "partido de 'Ali", o grupo dentro da comunidade muçulmana que acreditava que Maomé havia nomeado seu primo 'Ali como seu sucessor. A maior ramificação do islamismo xiita identifica 'Ali e uma linhagem de onze descendentes como imãs, ou líderes espirituais, do islã, cuja autoridade possui sanção divina. Essa ramificação é conhecida como "xiitas dos doze imãs", ou "duodecimâmicos". Outro grupo de muçulmanos xiitas, os xiitas dos sete imãs, não reconhece os últimos cinco imãs na linhagem. Ambos os grupos têm diferenças doutrinais em relação ao islamismo sunita. Eles afirmam, por exemplo, que Deus pode mudar suas decisões (um conceito chamado *bada'*).

CARIDJITAS
Século VII d.C., Oriente Médio

O assassinato do terceiro califa, 'Uthman ibn 'Affan, em 656 d.C. desencadeou um terrível conflito que dividiu o mundo islâmico. No centro do conflito estava um grupo de muçulmanos rebeldes, responsáveis pelo assassinato, conhecidos mais tarde como caridjitas, um nome derivado da palavra em árabe para "saída". Os caridjitas diziam que a posição de califa não deveria ser herdada, mas conquistada por meio de eleições. A seita ficou associada à ideia de militância extrema e oposição à autoridade estabelecida. Alguns estudiosos, porém, interpretaram suas ações como uma tentativa de assegurar a justiça. Os caridjitas dedicavam-se à observância fiel e literal do Alcorão, tinham uma vida estritamente puritana de acordo com as leis islâmicas e afirmavam que qualquer pessoa que cometesse um grande pecado não poderia mais ser muçulmano. Os antigos caridjitas foram quase todos exterminados em suas frequentes rebeliões, mas podemos encontrar membros de um grupo mais moderado hoje na África do Norte, Omã e Zanzibar.

ISMAELISMO
Século VII d.C., Península Arábica

O ismaelismo é uma seita do islamismo xiita e possui diversas subseitas, incluindo os drusos (veja na próxima página). O movimento surgiu no século VII d.C., após um conflito dentro do islã xiita em relação a quem deveria suceder a Jaafar al-Sadiq como sexto imã.

Aqueles que consideravam que o sucessor legítimo de al-Sadiq deveria ser seu filho Ismail (Ismael) formaram um grupo dissidente, sendo chamados de ismaelitas. Embora haja variações dentro do ismaelismo, seus seguidores geralmente respeitam a crença muçulmana fundamental referente à unidade de Deus, ao profeta Maomé, ao Alcorão e à *sharia*. No entanto, entre as principais doutrinas do ismaelismo, existe a crença de que a religião tem um aspecto interno e um aspecto externo, e que as características externas ocultam verdades internas que serão esclarecidas pelos imãs. As interpretações das verdades ocultas do Alcorão dadas pelos imãs são vistas como irrevogáveis na comunidade.

DRUSOS

Século XI, Oriente Médio

As crenças da seita drusa desenvolveram-se a partir da doutrina ismaelita. Essa pequena seita caracteriza-se pelo extremo sigilo: grande parte de seus ensinamentos e práticas foi mantida em segredo, não só para o mundo externo, mas também para seus próprios membros. A comunidade drusa divide-se em *ukkal* (iniciados) e *juhhal* (não iniciados). Só os drusos *ukkal* têm acesso aos textos sagrados da religião e podem participar de todos os seus rituais e cerimônias. A maioria dos drusos vive hoje no Líbano, com pequenos grupos na Síria e em Israel.

SUFISMO

Século XIII, Turquia

A ramificação mística e ascética do islamismo é conhecida como sufismo (pp. 282-283). Os devotos seguem um mestre espiritual e buscam uma experiência direta e pessoal com Deus, geralmente caracterizada por intensos estados de êxtase e transe. Os giros dos dervixes rodopiantes, uma ordem sufista, são uma forma de tentar vivenciar isso. Como o sufismo envolve práticas como essa, cujo objetivo é propiciar a união do indivíduo com Deus, os sufis foram acusados de ignorar o islamismo. Eles afirmam, contudo, que sua experiência do amor divino é a âncora de sua fé islâmica, e que a *sharia* (pp. 272-273) é tão vital para eles quanto para os outros muçulmanos.

AHMADI

1889, Punjab, Índia

O movimento ahmadi esteve cercado de controvérsias desde sua fundação no Punjab, no final do século XIX. O fundador do movimento, um muçulmano sunita chamado Mirza Ghulam Ahmad, afirmou que, além de ter recebido inspiração divina, ele era um Messias (pp. 284-285). Tal afirmação conflitava com a ideia de que Maomé era o último profeta verdadeiro, e, portanto, a maioria dos muçulmanos considerou os seguidores do movimento ahmadi como hereges. O movimento, porém, tem muitas crenças em comum com o islamismo sunita tradicional e aceita o Alcorão como seu texto sagrado. Os ahmadis acreditam que a mensagem sobre sua versão do islamismo deve ser transmitida tanto aos muçulmanos quanto aos não muçulmanos, e o movimento espalhou-se pelo mundo, com centros de devoção e ensino na África, América do Norte, Ásia e Europa.

SALAFISMO

Final do século XIX, Egito

O salafismo é um movimento conservador dentro do islamismo sunita moderno que se baseia nos *salaf* ("predecessores"), os primeiros muçulmanos, como orientação para a conduta islâmica exemplar. O movimento é considerado uma reação à disseminação da ideologia ocidental, sobretudo a europeia, no final do século XIX. Os salafistas defendem a eliminação de qualquer influência estrangeira para garantir a pureza original da religião. Os seguidores do salafismo têm uma interpretação rígida dos pecados da idolatria (*shirk*) e da inovação (*bid'ah*) e rejeitam o *kalam*, ou especulação teológica, priorizando a *sharia* (pp. 272-273) e a verdade literal do Alcorão. O salafismo é um dos movimentos islâmicos de maior crescimento no mundo.

A NAÇÃO DO ISLÃ

1930, EUA

Surgida na época da Grande Depressão da década de 1930 em áreas afro-americanas dos EUA, a Nação do Islã foi fundada por Fard Muhammad, a quem alguns atribuíram identidade divina. Outras figuras importantes da Nação do Islã foram o ativista de direitos civis Malcom X e Louis Farrakhan. A teologia do movimento combina crenças centrais do islamismo com um forte interesse político focado na unidade e nos direitos da população afro-americana. A Nação do Islã foi acusada de ser supremacista em relação aos negros e antissemita, mas disseminou ideias sobre religião e igualdade com grande êxito entre a população negra, mantendo um estrito código de ética.

GLOSSÁRIO

Legenda

(B) Budismo
(C) Cristianismo
(H) Hinduísmo
(I) Islamismo
(J) Judaísmo
(Jn) Jainismo
(S) Sikhismo
(T) Taoismo e outras religiões chinesas
(X) Xintoísmo
(Z) Zoroastrismo

Adi Granth (S) Ver **Guru Granth Sahib**.

Advaita Vedanta (H) Escola da filosofia hindu desenvolvida no século IX, que fornece uma explicação unificada dos **Vedas** e foca na ideia de **brahman**.

Ahadith (I) Ver **Hadith**.

Ahimsa (B, H, Jn) Doutrina de não violência em pensamentos e ações.

Akhand, o caminho (S) Recitação completa e ininterrupta do **Guru Granth Sahib**.

Alá (I) O nome do Deus único.

Alcorão ou Corão (I) As palavras de Deus reveladas ao profeta Maomé e depois escritas, compondo o texto sagrado do islamismo.

Aliança (J) Acordo entre Deus e o povo judeu, identificado como o grupo escolhido para desempenhar um papel especial no relacionamento entre Deus e a humanidade.

Amrit (S) Água sagrada adocicada usada em cerimônias religiosas; a cerimônia de iniciação específica do sikhismo.

Analectos (T) A compilação dos ensinamentos de Confúcio e de seus contemporâneos, escrita por seus seguidores.

Ananda (H) Estado de glória.

Anata (B) Estado de libertação do ego a que os budistas aspiram.

Anicca (B) A impermanência da existência.

Arhat (B) Ser perfeito que atingiu o **nirvana**.

Artha (H) A busca de riqueza material, um dos deveres de uma pessoa no estágio de "chefe de família", o segundo estágio do **ashrama**.

Ashrama (H) Os estágios da vida. O indivíduo passa por quatro estágios no sistema social hindu: aluno, chefe de família, aposentado e asceta.

Asquenaze (J) Judeus da Europa Oriental e Central e seus descendentes no mundo.

Atman (H) O ser individual.

Avatar (H) Encarnação de uma divindade hindu, sobretudo as diversas encarnações de Vishnu.

Avestá (Z) Os textos sagrados do zoroastrismo.

Ayat (I) Os menores registros do Alcorão; versículos curtos ou "sinais".

Bar/bat mitzvah (J) A cerimônia que marca a entrada na idade adulta religiosa de um menino judeu ou menina judia.

Batismo (C) O sacramento que marca a entrada de uma pessoa na Igreja cristã. Ritual que envolve imersão em água.

Bhakti (B, H) Devoção religiosa ativa a uma divindade, levando ao **nirvana**.

Bíblia (C) Conjunto de livros que constituem o texto sagrado do cristianismo. A Bíblia cristã compreende o Antigo Testamento, que inclui os livros judaicos de leis, história judaica e os profetas, e o Novo Testamento, que trata da vida e obra de Jesus, de seus discípulos e da primeira Igreja. Ver também **Bíblia hebraica**.

Bíblia hebraica (J) Conjunto de escritos sagrados que formam a base do judaísmo, incluindo a **Torá**, as revelações dos profetas e outros textos; o equivalente ao Antigo Testamento da **Bíblia** cristã.

Bodhisattva (B) Alguém no caminho para se tornar **buda**, que posterga a iluminação final para ajudar outras pessoas a alcançarem o mesmo estado.

Brahma (H) O deus criador, um dos três da trindade hindu, ou **trimurti**.

Brahman (H) A realidade divina, impessoal e imutável, do universo. Todos os outros deuses são aspectos do brahman.

Brâmane (H) Sacerdote ou indivíduo que busca o conhecimento; a classe sacerdotal e guardiões do **dharma**.

Caaba (I) Uma das construções mais sagradas do islamismo, situada em Meca, dentro da mesquita Masjid al-Haram; principal destino de quem realiza o **hajj**.

Cabala (J) Antiga tradição mística judaica baseada numa interpretação esotérica da Bíblia hebraica.

Carma (B, H) A lei de causa e efeito que influencia nosso renascimento após a morte.

Canonização (C) O processo pelo qual a Igreja cristã declara que um indivíduo é santo.

Charismata (C) "Dons espirituais" conferidos pelo Espírito Santo de Deus aos fiéis, manifestando-se como capacidade de cura ou de falar outras línguas.

Cristo (C) Em sentido literal, "o ungido"; título concedido a Jesus.

Confirmação (C) Ritual no qual aqueles que foram batizados confirmam a fé cristã.

Darshan (H) A adoração de uma divindade por meio da visualização de sua imagem.

Dhamma (B) Variação de **dharma**, mais utilizada no budismo.

Dharma (H) O padrão ou caminho oculto que caracteriza o cosmos e a Terra; refere-se também ao caminho moral que uma pessoa deve seguir.

Dukkha (H) Sofrimento ou insatisfação; a ideia de que a vida é feita de sofrimento, a primeira das **Quatro Nobres Verdades** definidas por Buda.

Encarnação (C) A crença de que Jesus Cristo encarna a natureza humana e a natureza divina ao mesmo tempo.

Eucaristia (C) Um dos principais sacramentos, envolvendo a ingestão de vinho e pão como símbolos do sangue e corpo de Cristo; conhecido como "Missa" no catolicismo, "Sagrada Comunhão" na Igreja Anglicana, sendo liturgia de diversas igrejas ortodoxas.

Evangelho (C) Os quatro livros do Novo Testamento da **Bíblia**, de autoria atribuída aos apóstolos Mateus, Marcos, Lucas e João, que contam sobre a vida e os ensinamentos de Jesus; "evangelho" também pode se referir ao conteúdo do ensinamento cristão.

Fatwa (I) Decisão judicial sobre um ponto da lei islâmica emitida por uma autoridade religiosa.

Fravashi (Z) Anjo da guarda que protege a alma dos indivíduos na luta contra o mal.

Gathas (Z) O texto mais sagrado do zoroastrismo, de autoria atribuída ao próprio Zoroastro.

Gentio (J) Não judeu.

Granthi (S) Oficial que faz a guarda do **Guru Granth Sahib** e do **gurdwara**. Um granthi é também um leitor do livro sagrado com muita experiência.

Gurdwara (S) Templo sikh; o lugar onde está guardado o **Guru Granth Sahib**.

Guru (H) Mestre; **(S)** Um dos dez líderes fundadores do sikhismo.

Guru Granth Sahib (S) O livro sagrado do sikhismo, também conhecido como **Adi Granth**.

Hadith (I) Relatos tradicionais das ações e dos ensinamentos do profeta Maomé; a segunda fonte de consulta da lei islâmica e dos princípios morais depois do **Alcorão**.

Hafiz (I) Termo de respeito para uma pessoa que memorizou o **Alcorão**.

Hagadá (J) O corpo de ensinamentos dos primeiros **rabis**, contendo lendas, narrativas históricas e preceitos éticos.

Hajj (I) A peregrinação a Meca, o quarto dos cinco pilares do islamismo; todos os muçulmanos esperam fazer essa viagem pelo menos uma vez na vida.

Halal (I) Conduta permitida; sobretudo em relação ao abate de gado e à carne dos animais abatidos da maneira correta.

Haram (I) Conduta proibida; algo sagrado ou inviolado.

Haskalá (J) O Iluminismo judaico, um movimento dos judeus europeus nos séculos XVIII-XIX.

Hassid (J) Membro do grupo judaico fundado no século XVIII, com forte ênfase no misticismo.

Ícone (C) Imagem sagrada, geralmente de Cristo ou um dos santos, usada como foco de devoção, sobretudo nas Igrejas ortodoxas.

Iluminação (B) Descoberta da verdade suprema e o fim do **dukkha**.

Imã (I) Líder de orações em uma mesquita; um dos maiores líderes da comunidade muçulmana na ramificação xiita.

Jihad (I) Dever religioso de lutar contra o mal em nome de Deus, seja espiritual ou fisicamente.

Jina (Jn) Mestre espiritual. Ver **tirthankara**.

Kachera (S) Short largo usado como roupa de baixo pelos sikhs; um dos "cinco Ks" do sikhismo.

Kalam (I) Discussão e debate, sobretudo em relação à teologia islâmica.

Kami (X) Espírito ou divindade no xintoísmo. Existem milhares de kamis no panteão xintoísta.

Kanga (S) Pequeno pente usado no cabelo pelos sikhs; um dos "cinco Ks" do sikhismo.

Kara (S) Pulseira de aço usada pelos sikhs no pulso direito; um dos "cinco Ks" do sikhismo.

Kasher (J) Sancionado por lei religiosa, sobretudo comida, de consumo permitido segundo leis da dieta judaica.

Kesh (S) Cabelo comprido; um dos "cinco Ks" do sikhismo.

Khalsa (S) A comunidade de sikhs iniciados, fundada por Guru Gobind Singh.

Khanda (S) Faca de dois gumes do tipo usado por Guru Gobind Singh num ritual que marcou a fundação
da Khalsa; hoje, um símbolo do sikhismo.

Kirpan (S) Espada usada pelos sikhs; um dos "cinco Ks" do sikhismo.

Kirtan (S) Prática de cantar hinos, parte importante do ritual de devoção sikh.

Koan (B) No zen-budismo, problema ou charada sem solução lógica, cuja intenção é produzir insights.

Kojiki (X) O texto sagrado do xintoísmo.

Kundalini (H) Força vital ou energia contida na base da espinha dorsal.

Lama (B) Mestre espiritual no budismo tibetano, geralmente iogue, ou alguém considerado a reencarnação de um mestre espiritual anterior.

Mandala (B) Diagrama sagrado, geralmente retratando uma concepção do cosmos, usado como foco de meditação e em outros rituais, sobretudo no budismo tibetano.

Mantra (B, H) Som ou palavra sagrada usada para gerar transformação espiritual; no hinduísmo, os salmos métricos da literatura védica.

Matha (H, Jn) Escolas monásticas.

Matsuri (X) Festival ou ritual do xintoísmo, muitas vezes com procissões de devotos.

Maya (H) A ilusão do mundo conforme percepção dos sentidos.

Mihrab (I) Nicho no hall de orações da mesquita, indicando a **qibla**.

Mishná (J) O primeiro grande registro escrito das leis orais judaicas e também a primeira grande obra do judaísmo rabínico.

Mitzvah (J) Preceito de Deus; refere-se aos dez mandamentos ou aos 613 preceitos encontrados na **Torá**.

Moksha (H) Libertação do ciclo de vida, morte e renascimento; também conhecido como *mukti*.

Mudra (B, H) Gesto simbólico, geralmente com as mãos.

Mulá (I) Erudito religioso, que também pode pregar e conduzir orações na mesquita.

Mul mantra (S) Afirmação da crença sikh na unicidade de Deus, composto por Guru Nanak.

Murti (H) Imagem ou estátua de uma divindade, vista como seu local de residência ou corporificação.

Nirvana (B) O estado de libertação do ciclo de morte e renascimento.

Nobre Caminho Óctuplo (B) O caminho da vida de disciplina que os budistas seguem na esperança de se libertarem do ciclo de morte e renascimento. O seguidores almejam: visão correta, intenção correta, fala correta, **ação correta**, meio de vida correto, esforço correto, atenção correta, concentração correta.

Puja (H) Devoção por ritual.

Puranas (B, H, Jn) Escritos não incluídos nos **Vedas**, com relatos sobre o nascimento e as ações dos deuses hindus, a criação, a destruição ou a recreação do universo.

Purusha (H) O ser eterno original que permeia todas as coisas do universo.

Qi (T) A força vital ou princípio ativo que anima as coisas no mundo, de acordo com a filosofia chinesa tradicional.

Qibla (I) A direção de reza dos muçulmanos – a direção da **Caaba**, em Meca.

Qigong (T) Sistema de respiração e exercício para a saúde física, mental e espiritual.

Quatro Nobres Verdades (B) Ensinamento central do budismo, explicando a natureza do **dukkha**, suas causas e como superá-lo.

Rabi ou rabino (J) Mestre ou líder espiritual na comunidade judaica.

Rabínico (J) Referente ou pertencente aos rabinos.

Ramadã (I) O nono mês do calendário islâmico; um mês de jejum diário do amanhecer ao anoitecer.

Ren (T) Benevolência ou altruísmo no confucionismo.

Sacramentos (C) Os ritos solenes do cristianismo. As Igrejas católica e ortodoxa reconhecem sete: **batismo**, **eucaristia**, confissão, confirmação (ou crisma), ordenação, extrema-unção e matrimônio. A maioria das Igrejas protestantes reconhece apenas dois: batismo e eucaristia.

Sadhu (H) Homem sagrado que dedicou a vida à busca de Deus.

Salat (I) Oração; o segundo dos cinco pilares do islamismo. Os muçulmanos devem rezar cinco vezes por dia.

Samsara (B, H) O ciclo contínuo de nascimento, vida, morte e renascimento.

Samskara (H) Impressões deixadas na mente por experiências da vida atual ou vidas passadas; ritos hindus de passagem.

Sangha (B) Ordem de monges e monjas budistas.

Satya (H) A verdade, ou o que é certo e imutável.

Sawm (I) Jejum, sobretudo durante o mês de **Ramadã**; o quarto dos cinco pilares do islamismo.

Sefardita ou sefaradi (J) Judeus que vêm da Espanha, Portugal ou África do Norte e seus descendentes.

Sefirot (J) As dez emanações luminosas, atributos de Deus na **cabala**.

Seva (S) Serviço aos outros, um dos princípios fundamentais do sikhismo.

Shabat (J) O dia de descanso da semana judaica, que vai do pôr do sol de sexta ao pôr do sol de sábado.

Shahada (I) Profissão de fé muçulmana, traduzida como "Não há Deus além de Alá, e Maomé é o mensageiro de Deus"; o primeiro e mais importante dos cinco pilares do islamismo.

Sharia (I) O caminho a ser seguido pelos muçulmanos. Lei islâmica baseada no **Alcorão** e no **Hadith**.

Shirk (I) O pecado da idolatria ou politeísmo.

Shruti (H) Os **Vedas** e parte dos **Upanishads**.

Sufi (I) Membro de alguma ordem islâmica mística, entre muitas, cujas crenças estão centradas na relação pessoal com Deus. As ordens sufistas podem ser encontradas em **sunitas**, **xiitas** e outros grupos islâmicos. O sufismo está associado com as danças extáticas dos dervixes rodopiantes.

Suna (I) Modo de vida de Maomé, usado como modelo para os muçulmanos e registrado nos **hadiths**.

Sunitas (I) Um dos dois principais grupos de muçulmanos, seguidores daqueles que apoiam califas eleitos. Ver também **xiitas**.

Sutra (B, H) Conjunto de ensinamentos, sobretudo frases de autoria atribuída a Buda.

Talmud (J) Texto composto por discussões e interpretações da **Torá**, compilado por eruditos e rabinos, fonte de orientação ética, sobretudo para judeus ortodoxos.

Tantra (B) Texto usado em algumas vertentes do budismo (principalmente no Tibete) para ajudar os praticantes a alcançarem a iluminação, ou as práticas baseadas nesse texto.

Tao (T) O caminho que o indivíduo almeja seguir; o padrão ou caminho oculto que governa as obras da natureza.

Terra Pura (B) O paraíso para onde, de acordo com algumas vertentes do budismo, as almas dos seguidores vão após a morte; no budismo japonês, *jodo*.

Tirthankara (Jn) Um dos 24 mestres espirituais ou **jinas**, que indicaram o caminho do jainismo.

Torá (J) Os primeiros cinco livros da **Bíblia hebraica**, considerados a representação dos ensinamentos de Deus, entregues a Moisés no monte Sinai.

Trimurti (H) A trindade dos principais deuses hindus – Brahma, Vishnu e Shiva – ou uma imagem tripla deles.

Trindade (C) Representação tripla de Deus, compreendendo o Pai, o Filho e o Espírito Santo em uma única divindade.

Upanishads (H) Texto sagrado contendo os ensinamentos filosóficos do hinduísmo; também conhecido como Vedanta, o fim dos **Vedas**.

Vedas (H) Conjunto de hinos e outros escritos em devoção às divindades.

Wa (T) Harmonia. O grupo tem prioridade em relação ao indivíduo.

Wu wei (T) Ação sem esforço.

Xiitas (I) Um dos dois principais grupos de muçulmanos, composto por aqueles que acreditam que o primo de Maomé, 'Ali, era o sucessor legítimo do Profeta. Ver também **sunitas**.

YHVH (J) As quatro letras que representam o nome de Deus no judaísmo, considerado sagrado demais para ser pronunciado. Provável pronúncia "iavé".

Yin-yang (T) Os dois princípios do cosmos na filosofia chinesa, vistos como forças opostas, mas complementares, que interagem para produzir um todo maior do que cada parte isolada.

Yoga (H) Forma de treinamento físico e mental. Uma das seis escolas da filosofia hindu.

Zakat (I) Caridade aos pobres; o terceiro pilar do islamismo.

Zazen (B) Meditação sentada.

Zurvan (Z) O Deus do tempo; em algumas vertentes do zoroastrismo, o ser primordial, origem do sábio senhor Ahura Mazda e do espírito hostil Angra Mainyu.

ÍNDICE

Os números em **negrito** referem-se às principais ocorrências.

A

B

C

D

I

J

K

T

U

XYZ

AGRADECIMENTOS

A Dorling Kindersley e a cobalt id agradecem a Louise Thomas, pela pesquisa adicional de fotos, e a Margaret McCormack, pelo índice.

CRÉDITOS DAS IMAGENS

A editora agradece às pessoas a seguir pela amável autorização para reproduzir suas fotografias:

(Legenda: a-alto; b-abaixo/embaixo; c-centro; e-esquerda; d-direita; t-topo)

21 Corbis: Anthony Bannister/Gallo Images (td). **22 Getty Images:** Per-Andre Hoffmann (be). **23 Corbis:** Ocean (td). **25 Getty Images:** Time & Life Pictures (td). **29 Corbis:** Michel Setboun (td). **31 Alamy Images:** Horizons WWP (te); Getty Images: Apic/ Contributor (bd). **33 Corbis:** Nathan Lovas/ Foto Natura/Minden Pictures (cd). **35 Corbis:** Giles Bracher/Robert Harding World Imagery (td). **37 Getty Images:** Maria Stenzel (td). **39 Getty Images:** Juan Carlos MuÃ±oz (cd).
43 Alamy Images: Pictorial Press Ltd (te). **44 Alamy Images:** Emiliano Rodriguez (bd). **45 Getty Images:** Richard I'Anson (te). **47 Corbis:** William Henry Jackson (td). **48 Getty Images:** David Sutherland (bd). **50 Corbis:** Michele Westmorland/Science Faction (bc). **57 Alamy Images:** Imagestate Media Partners Limited- - Impact Photos (te). **59 PAL:** Peter Hayman/The British Museum (td). **63 Corbis:** Kazuyoshi Nomachi (td); Paule Seux/Hemis (be).
64 Getty Images: Religious Images/ UIG (te). **65 Corbis:** Raheb Homavandi/ Reuters (bd). **67 Fotolia:** Pavel Bortel (te); Corbis: Liu Liqun (td). **69 Corbis:** Werner Forman/Werner Forman (td).
71 Alamy Images: John Warburton- -Lee Photography (be); Stuart Forster India (td). **75 Getty Images:** (be); Keren Su (td). **76 Mary Evans Picture Library:** (td). **77 Corbis:** Imaginechina (bd). **78 Getty Images:** De Agostini Picture Library (bd). **81 Corbis:** (be). **84 Corbis:** Michael Freeman (be). **87 Getty Images:** Universal Images Group (te); Corbis: Kieran Doherty/Reuters (be).
95 Alamy Images: Franck METOIS (bd).
97 Getty Images: Gary Ombler (td). **99 Corbis:** Nevada Wier (be).
100 Corbis: Godong/Robert Harding World Imagery (cd).**103 Getty Images:** Comstock (bd). **108 Corbis:** Hugh Sitton (bd). **111 Corbis:** Stuart Freedman/In Pictures (bd). **112 Alamy Images:** Emanuele Ciccomartino (bd).
114 Alamy Images: World Religions Photo Library (cd). **119 Corbis:** Juice Images (bd). **121 akg-images:** R. u. S. Michaud (td). **123 Getty Images:** The Washington Post (bc); akg-images: R. u. S. Michaud (td). **125 Alamy Images:** Lebrecht Music and Arts Photo Library (be); Corbis: Bettmann (cd).
132 Corbis: Pascal Deloche/Godong (be); Pascal Deloche/Godong (td).
134 Corbis: Jeremy Horner (be).
135 Fotolia: Benjamin Vess (td).
138 Getty Images: Chung Sung-Jun (bd). **140 Getty Images:** Oli Scarff (te).
142 Getty Images: SuperStock (be).
143 Corbis: Earl & Nazima Kowall (td).
145 Corbis: Nigel Pavitt/JAI (cb).
147 Alamy Images: Mary Evans Picture Library (be); Corbis: Peter Adams (td). **149 Getty Images:** DEA / V. PIROZZI (be). **150 Getty Images:** Andy Ryan (td). **155 Getty Images:** Godong (bd). **156 Corbis:** Peter Turnley (te). **157 Alamy Images:** Mark Lees (td); Fotolia: Oliver Klimek (be).
159 Corbis: Alison Wright (be); Alison Wright (td). **162 Getty Images:** Kaz Mori (te). **171 Getty Images:** DEA / G. DAGLI ORTI (be); Corbis: Peter Guttman (td). **172 Getty Images:** The Bridgeman Art Library (be).
173 Corbis: Christophe Boisvieux (be); Getty Images: PhotoStock-Israel (td).
174 Corbis: Nathan Benn/Ottochrome (te). **177 akg-images:** Erich Lessing (te). **178 Corbis:** Dr. John C. Trever, Ph. D. (be). **179 Corbis:** Richard T. Nowitz (td). **183 Getty Images:** Philippe Lissac/Godong (td). **185 Corbis:** NASA, ESA e F. Paresce /handout (be); Getty Images: Danita Delimont (td).
186 Corbis: Kobby Dagan/Demotix (bc).
188 Getty Images: Uriel Sinai/Stringer (cd). **192 Alamy Images:** INTERFOTO (be). **195 Alamy Images:** Israel images (te). **197 Getty Images:** Steve McAlister (bc); Alamy Images: World History Archive (td). **199 Corbis:** Silvia Morara (bd). **205 Corbis:** Massimo Listri (cb); Chris Hellier (td).
206 Corbis: Francis G. Mayer (te).
209 Corbis: The Gallery Collection (td).
211 Getty Images: De Agostini Picture Library (te); Universal Images Group (td).
215 The Bridgeman Art Library: Clement Guillaume (td).
216 Getty Images: Universal Images Group (te). **218 Corbis:** eidon photographers/Demotix (te).
219 Alamy Images: van hilversum (td). **221 Corbis:** Tim Thompson (te); Getty Images: Mondadori Portfolio/UIG (td). **223 Corbis:** Hulton-Deutsch Collection (bd); Jose Nicolas (td).
225 Getty Images: Conrad Meyer (td).
227 The Bridgeman Art Library: AISA (bd). **229 Getty Images:** DEA / VENERANDA BIBLIOTECA AMBROSIANA (be); Scott Olson/Staff (td). **233 Getty Images:** Lucas Cranach the Elder (t).
234 Corbis: Alfredo Dagli Orti/The Art Archive (te).
235 Corbis: Bettmann (td).
237 Getty Images: (be); Corbis: Paul A. Souders (td). **238 Corbis:** Heritage Images (cb). **243 Alamy Images:** The Protected Art Archive (be); INTERFOTO (td). **244 Corbis:** Matthias Kulka (te).
245 Getty Images: Ron Burton/ Stringer (td). **247 Corbis:** (bd).
253 Getty Images: Muhannad

Fala'ah/Stringer (cb); Alamy Images: Rick Piper Photography (te).
257 Getty Images: Leemage (te).
259 Corbis: Howard Davies (td).
260 Corbis: Kazuyoshi Nomachi (te).
261 Getty Images: Patrick Syder (be); Insy Shah (td). **265 Corbis:** Alexandra Boulat/VII (td). **266 Corbis:** Christine Osborne (be). **267 Alamy Images:** Philippe Lissac/Photononstop (bd).
268 Corbis: Tom Morgan/Demotix (te).
269 Getty Images: AHMAD FAIZAL YAHYA (bd). **271 The Bridgeman Art Library:** Christie's Images (te).
273 Corbis: Bertrand Rieger/Hemis (bd). **274 Getty Images:** Wathiq Khuzaie (be). **277 Corbis:** Owen Williams/National Geographic Society (cd). **278 Getty Images:** Rozikassim Photography (cd). **281 Getty Images:** Walter Bibikow (te). **282 Corbis:** John Stanmeyer/VII (cb). **283 Alamy Images:** Peter Horree (td). **285 Alamy Images:** ZUMA Press, Inc. (td).
291 Corbis: Hulton-Deutsch Collection (te). **299 Corbis:** ETTORE FERRARI/epa (td).
300 Corbis: Christopher Pillitz/In Pictures (be). **301 Alamy Images:** Art Directors & TRIP (td).
302 Corbis: Christopher Pillitz/In Pictures (be). **305 Alamy Images:** Alberto Paredes (te). **307 The Bridgeman Art Library:** (be); Corbis: James L. Amos (td). **309 Alamy Images:** Art Directors & TRIP (be).
311 Corbis: Matthew McKee (bc).
313 The Art Archive: Tate Gallery London / Eileen Tweedy (te).
315 Getty Images: Ethan Miller (te); Henry Guttmann (be). **317 Getty Images:** travelstock44 (ce).
318 Corbis: Bettmann (cd).
320 Alamy Images: Pictorial Press Ltd (cd). **323 Getty Images:** China Photos (ce).

Veja mais informações em:
www.dkimages.com

Conheça todos os títulos da série:

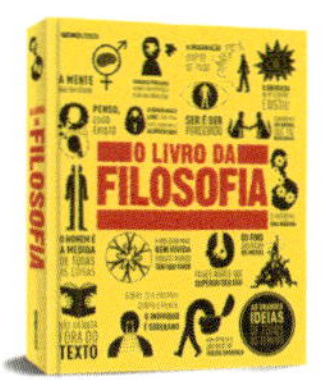

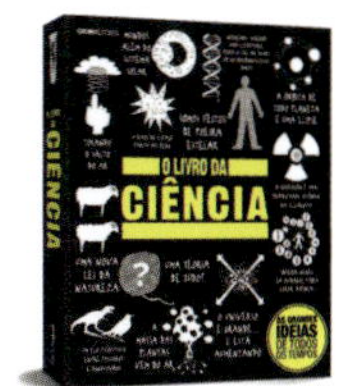

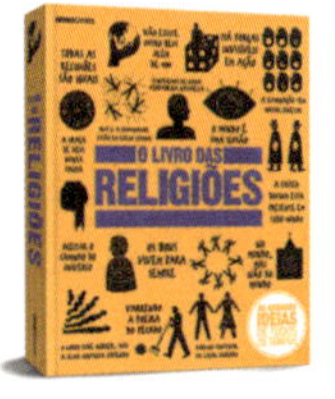

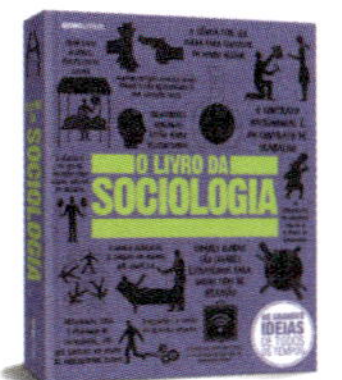

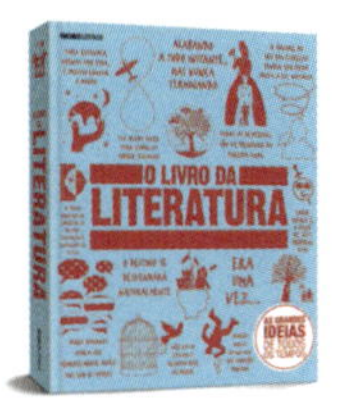

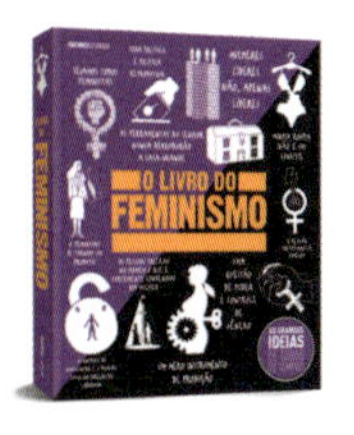

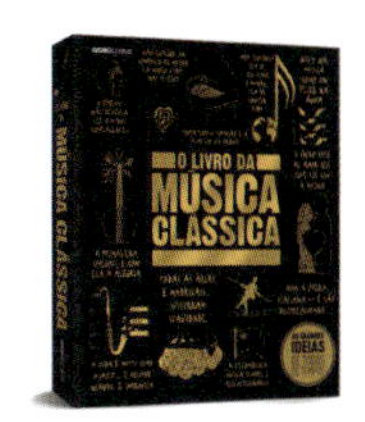

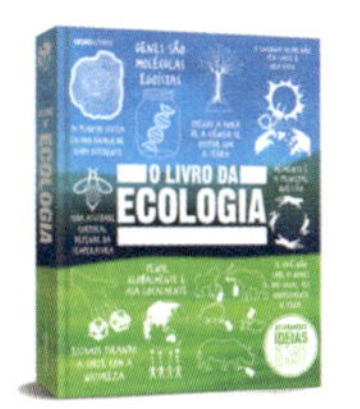

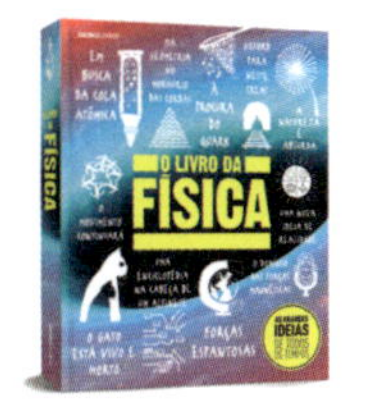

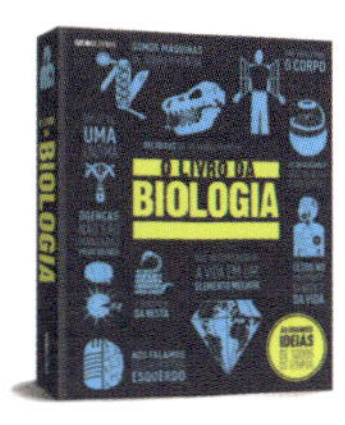

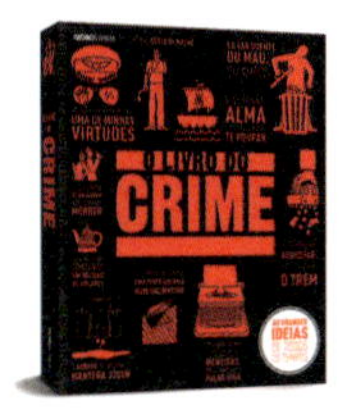

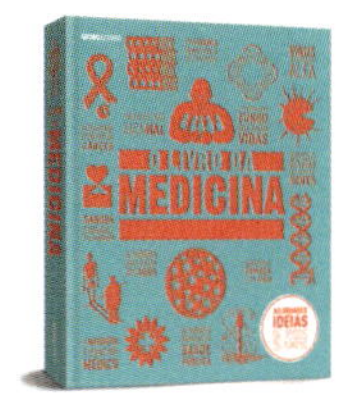

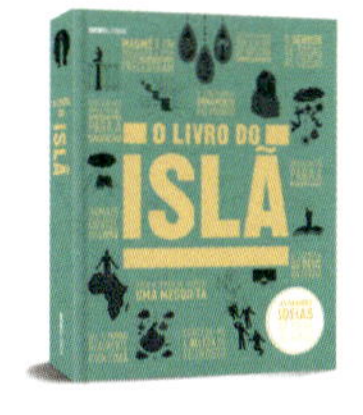